Das Buch

Sommer, 1952. Deutschland diskutiert das Wiedergutmachungsgesetz. Konrad Adenauer reist zur Frischzellenkur in den Schwarzwald. Es gibt Morddrohungen aus verschiedenen Richtungen,
auch von einer Extremistengruppe aus Israel. Um den Kanzler
zu schützen, schickt der Mossad die junge Rosa Silbermann in
das Nobelhotel Bühlerhöhe. Rosa konnte vor dem Holocaust aus
Deutschland fliehen. Die Ferien ihrer Kindheit verbrachte sie oft
im Schwarzwald, sie kennt die Gegend, ihre Orts- und Sprach-
kenntnisse zeichnen sie aus.

Als Agentin betritt sie allerdings Neuland, und ihre Mission
wird dadurch erschwert, dass ihre versprochene Unterstützung
nicht rechtzeitig eintrifft.

Die beschauliche Landschaft des Schwarzwalds kann Rosa
nicht beruhigen. Als Adenauer schließlich anreist, dauert es nur
wenige Tage, bis der erste Anschlag auf ihn verübt wird.

Die Autorin

Brigitte Glaser, aufgewachsen am Rande des Schwarzwaldes, lebt
und arbeitet seit über dreißig Jahren in Köln. Sie schreibt Bücher
für Jugendliche und Krimis für Erwachsene, unter anderem ihre
erfolgreiche Krimiserie um die Köchin Katharina Schweitzer.

Brigitte Glaser

Bühlerhöhe

Roman

Ullstein

Besuchen Sie uns im Internet:
www.ullstein-taschenbuch.de

Im Anhang finden Sie ein Glossar
zur deutschen und israelischen Geschichte.

Ungekürzte Ausgabe im Ullstein Taschenbuch
1. Auflage November 2017
© Ullstein Buchverlage GmbH, Berlin 2016 / List Verlag
Umschlaggestaltung: bürosüd° GmbH, München,
nach einer Vorlage von Büro Jorge Schmidt, München
Titelabbildung: © ullstein bild (Montage aus drei Bildern
von Oscar Poss, Iberfoto und Caro/Bernhard Pries)
Satz: Pinkuin Satz und Datentechnik, Berlin
Gesetzt aus der Berling BQ
Druck und Bindearbeiten: CPI books GmbH, Leck
ISBN 978-3-548-28982-3

Für RD

Omarim

Die zwei jungen Männer tauchten während der Orangenernte im Kibbuz auf. Sie stiegen aus einem ehemaligen britischen Militärjeep, die Fahrertür voller rostiger Einschuss-
löcher. Chajm, Jakob und Tamar liefen auf sie zu, redeten
mit ihnen und riefen dann nach Rosa, die auf dem oberen
Feld Orangen pflückte.

»Bist du Rosa Silbermann?«, fragte der Größere der beiden,
als sie zu ihnen getreten war, und fügte hinzu: »Oz Sharet
will dich sprechen.«

Die Männer ließen ihr keine Zeit zum Waschen oder Umziehen, nur Ben durfte sie schnell adieu sagen. Der Größere
setzte sich hinter das Steuer, der Kleinere neben sie auf die
Rückbank.

»Was will Oz von mir?«, fragte Rosa, erhielt aber keine
Antwort.

Auch die Fahrt verlief schweigsam. Während der Jeep
durch Hitze und Staub in Richtung Genezareth holperte,
dachte Rosa an die Zeit, als Oz noch bei ihnen in Omarim
gelebt hatte, und suchte nach einer Erklärung, warum er sie
sprechen wollte. Wegen Rachel? Etwas anderes fiel ihr nicht
ein. In Tiberias bog der Wagen in die Straße nach Tu ra'an ab.

»Sagt mir wenigstens, wohin die Reise geht!«

»Haifa«, antwortete der Mann am Steuer und verstummte
wieder.

In Haifa waren Rachel und sie vor fast zwanzig Jahren als Jugendliche angekommen. Rosa war seitdem nur selten in der Stadt gewesen, deshalb hätte sie nicht sagen können, in welches Viertel die beiden Männer sie brachten. Als sie endlich ausstiegen, konnte sie das Meer riechen, und ein frischer Seewind trieb Sandwolken durch die Straße. Die Männer begleiteten sie zu einem schmalen mehrstöckigen Wohnhaus. Im zweiten Stock baten sie sie, auf Oz zu warten.

Ein Tisch, ein Stuhl, mehr stand nicht in dem winzigen Raum. Aus einem Schacht unterhalb der Decke fiel Licht auf den Tisch. Darauf lagen drei Fotografien.

Rosa betrachtete auf der ersten das große zweiflügelige Herrenhaus, das nicht ganz mittig im Bild stand. Die Flügel waren durch einen breiten Turm miteinander verbunden. Vier Etagen, links und rechts fünf Fenster, zählte sie. Im Vordergrund links schroffer Fels, rechts Tannen und Buchen, ein Waldrand. Rosa kam das Haus bekannt vor, aber sie konnte es nicht einordnen.

Das zweite Foto zeigte die Terrasse des Hauses. Drei in Decken gehüllte Frauen auf Liegestühlen, alle trugen Sonnenbrillen und Kopftücher, die modisch ums Kinn geschlungen und im Nacken gebunden waren. An das große Vogelhäuschen auf der Balustrade erinnerte sich Rosa plötzlich. Dahinter, ganz in Scherenschnittschwarz, die Spitzen von fünf Tannenbäumen, in weiter Ferne und in mattem Grau zwei sanfte Berghügel. Die Bühlerhöhe. »Hirschterrasse«, las sie auf der Rückseite. »Blick über die Rheinebene bis zu den Vogesen«.

Das dritte Foto war ebenfalls auf dieser Terrasse aufgenommen. Eine Frau und ein Mann, beide wandten dem Fotografen den Rücken zu, beide hatten die Köpfe nach links gedreht und schauten in die Ferne. Das Profil der Frau lag in der Sonne, das des Mannes im Halbschatten. Die Frau war jung, sie lächelte, ihr lockiges Haar war am Hinterkopf zu einem weichen Knoten geschlungen. Der Mann hatte seinen linken Arm auf die Schulter der Frau gelegt. Sein Arm bildete ein Dreieck, aus dem die scherenschnittschwarzen Tannen zu wachsen schienen. Der Mann war viel älter als die Frau. Dünnes Haar, straff zurückgekämmt, große Ohren, eine markante Nase. Sie kannte sein Bild aus den Zeitungen: Konrad Adenauer, der ehemalige Oberbürgermeister ihrer Heimatstadt und erster Bundeskanzler der jungen Bundesrepublik Deutschland. Aber wer war sie? Seine neue Ehefrau? Seine Tochter? Rosa wusste es nicht. Für die Fotos fand sie genauso wenig eine Erklärung wie für das Treffen mit Oz.

»Schalom, Rivka.«

Oz sprach sie mit ihrem hebräischen Namen an. Vor Kraft strotzend, wie sie ihn in Erinnerung hatte, und mit ausgebreiteten Armen stand er plötzlich vor ihr. Er war viel zu groß für den kleinen Raum. Mit der einen Hand griff er nach ihrem Arm, mit der anderen steckte er die Fotos ein. Energisch schob er Rosa vor sich aus dem Kabuff auf einen Flur und danach in ein größeres Zimmer, in dem man schon auf sie wartete. Oz bot ihr ein Glas Wasser und einen Platz am Tisch an und stellte ihr die versammelte Tafelrunde vor. Die Namen konnte sich Rosa auf die Schnelle nicht merken. Die auffälligste Person am Tisch war die einzige Frau: Sie war extrem dick und hielt einen winzigen Köter auf dem Schoß, den sie mit kleinen Matzestückchen fütterte. »Tilly Lapid, unsere Psychologin«, erklärte Oz. Die Berufe der Männer nannte er nicht. Militärs, vermutete Rosa, obwohl keiner von ihnen eine Uniform trug. Oz arbeitete seit einiger Zeit für den Mossad.

Er legte die Fotos zu den anderen auf den Tisch. Dann erklärte er Rosa, weshalb er sie hatte kommen lassen. Aber Rosa verstand nicht, warum ausgerechnet sie diesen Auftrag erledigen sollte.

»Auch ihr in Omarim wisst sicher, was für einen schweren Stand Ben Gurion wegen der sogenannten Wiedergutmachung hat«, holte Oz aus. »Menachem Begin hat in der

Knesset geschäumt. ›Das wird ein Krieg auf Leben und Tod. Es gibt keinen Deutschen, der nicht unsere Väter ermordet hat. Adenauer ist ein Mörder. Jeder Deutsche ist ein Mörder‹, und so weiter. Seine Cherut-Anhänger haben versucht, die Knesset zu stürmen, es gab Straßenschlachten. Dieses Angebot der Deutschen spaltet unser Land. Auch Ben Gurion würde liebend gern auf das Geld der Deutschen verzichten, aber Israel braucht es.«

Danach schwiegen alle und richteten ihre Blicke auf Rosa.

»Wir sind mitten in der Orangenernte. Da werden alle Hände gebraucht«, versuchte Rosa weiter, sich entbehrlich zu machen. »Außerdem, wieso traut ihr dem Sicherheitsdienst der Deutschen nicht? Aufpassen können sie doch besser als alle anderen.«

»Im Prinzip hast du recht«, erklärte Oz. »Aber Adenauers Sicherheitschef ist auf einem Auge blind. Er ist auf die Kommunisten fixiert. Die sind das neue Feindbild. Dass auch von radikalen Zionisten Gefahr droht, will er nicht wahrhaben.«

Wieder blickten sie alle erwartungsvoll an.

»Ich will nicht nach Deutschland zurück«, sagte Rosa und sah dabei nur Oz an.

Oz schob krachend seinen Stuhl nach hinten, schnellte vom Sitz hoch und kam auf sie zu. »Wer will schon nach Deutschland? Außer ...« Er sprach den Namen nicht aus. Rosa wusste auch so, dass er Nathan meinte. »Es ist deine Pflicht als überzeugte Israeli.« Oz wieder ganz ruhig. »Du hast in der Hagana gekämpft, du sprichst fließend Deutsch, du kannst dich in diesen bourgeoisen Kreisen bewegen und ...«

Rosa unterbrach ihn. »Das trifft in Israel auf viele zu. Es leuchtet mir einfach nicht ein, warum ausgerechnet ich da hinsoll.«

»Glaub mir, wenn es eine Alternative gäbe, säßest du nicht hier.«

Oz zauberte von irgendwoher ein Lächeln herbei, strapazierte es fast bis zum Reißen, beugte sich dann zu ihr und

flüsterte ihr ins Ohr: »Erinnerst du dich an unsere gemeinsamen Nachtwachen in Omarim im Winter 1938? Du hast
mir von den Ferien mit deiner Familie erzählt. Von der Bühlerhöhe, dem Hundseck und dem Bretterwald. Jeden Sommer deiner Kindheit hast du dort verbracht.« Laut, damit
es alle hören konnten, fügte er hinzu: »Keiner hier in Israel
kennt diese Ecke des Schwarzwaldes besser als du.«

Doch, wollte Rosa antworten, Rachel. Ihre Schwester
könnte diesen Auftrag viel besser erledigen. Aber Rachel war
nach Tanger gegangen. Rosa sah Oz an, wusste, dass auch er
an Rachel dachte.

»Uns bleibt nicht viel Zeit«, meldete sich einer von Oz'
Männern zu Wort. »Wenn unsere Informationen stimmen,
reist Adenauer schon im nächsten Monat auf die Bühlerhöhe.«

»Ari, einer unserer erfahrensten Agenten in Europa, leitet
die Operation«, schaltete sich die dicke Frau ein. Sie deutete
auf die Fotos auf dem Tisch. »Er ist in Berlin aufgewachsen
und kommt wie du aus gutbürgerlichem Haus. Ihr werdet
euch verstehen, du kannst dich voll und ganz auf ihn verlassen.«

»Wie soll das gehen?«

»Als Ehepaar, ein Paar ist unauffälliger als ein einzelner
Mann. In Baden-Baden trefft ihr euch, du reist als Rosa
Goldberg, geborene Silbermann – Gold und Silber, das passt
doch, findest du nicht? Davon abgesehen, Ari war noch nie
im Schwarzwald, er ist auf dich angewiesen.« Die Psychologin lächelte aufmunternd.

»Die Frau von einem Fremden?« Rosa schüttelte den Kopf.

»Keine Angst, du musst nicht mit ihm ins Bett steigen,
wenn du nicht willst. Ari ist ein Gentleman«, erklärte die
dicke Frau, als sie Rosas Blick sah. »Wenn du allerdings für
romantische Gefühle empfänglich bist, sei vorsichtig! Er ist
ein attraktiver Mann und ein großer Charmeur. In Paris nennen sie ihn den schönen Artur.«

11

Rosa überging die Bemerkung, nahm stattdessen ein Foto nach dem anderen in die Hand und betrachtete es. »Der Mann sieht auf jedem Bild anders aus. Gibt es etwas, woran ich ihn erkennen kann?«, fragte sie.

»Sein Aussehen wechselt Ari schneller als das Hemd. Ihr erkennt euch über das Codewort.« Die Frau überlegte eine kleine Weile, dann fügte sie mit einem winzigen Augenzwinkern hinzu: »Falls du die Gelegenheit hast, ihn nackt zu sehen: Er hat eine Narbe auf der linken Schulter. Schussverletzung aus der Schlacht bei El Alamein.«

Sie fütterten Rosa mit weiteren Informationen, beantworteten Fragen, zerstreuten Zweifel, bastelten an ihrer Legende, stimmten sie mit der von Ari ab. Sie schmeichelten Rosa mit ihrer Kampferfahrung in der Kibbuz-Verteidigung und im Unabhängigkeitskrieg 1948/49, wiederholten, dass nur sie für diesen Auftrag in Frage käme.

»Ich muss also wirklich nur die Frau an seiner Seite spielen?« Als alle nickten, hakte Rosa, noch immer nicht ganz überzeugt, nach: »Was für eine Route würde ich nehmen?«

»Tanger«, antwortete Oz, und diesmal musste er sein Lächeln nicht strapazieren.

»Tanger«, wiederholte Rosa leise, und in ihren Augen blitzte ein kurzes Strahlen auf.

Wieder machten sie sich an die Arbeit. Sie spielten Was-wäre-wenn-Situationen durch, die Codes, die Kontakte, die Dossiers, alles, was Rosa wissen musste.

»Ich brauche eine anständige Frisur, Maniküre, Pediküre und eine entsprechende Garderobe«, erklärte sie und deutete auf ihre Feldkleidung aus Shorts und Khakihemd. »Wenn ich so auf der Bühlerhöhe ankomme, jagen sie mich sofort in den Wald.«

»In Tanger gibt es französische Schneider«, antwortete Oz. »Rachel wird dir bestimmt einen empfehlen können.«

Bühlerhöhe

Die Bühlerhöhe döste friedlich in der frühsommerlichen Morgensonne, als die Reisacher nach ihrem Rundgang den alten Diener Lepold nach der dicken Emma schickte. Der wusste, dass er als Unglücksbote herhalten musste, und schlurfte noch langsamer als sonst durch die marmorne Eingangshalle zum Küchentrakt, wo das Kabuff der Zimmermädchen lag. Emma sackte sofort das Herz in die Hose. Es half ihr nichts, zwei Köpfe größer als die Reisacher zu sein, ihre Angst vor den Launen der herrischen Madame war größer als die vor dem Fegefeuer. Mit gesenktem Kopf und feuchten Handflächen klopfte sie wenig später an die Bürotür hinter der Rezeption.

Zwei Handtücher nicht ausgetauscht, ein kleines Seifenstück fehlte am Waschbecken von Zimmer 107, ein *Première-classe*-Hotel erfordere *Première-classe*-Dienstboten, besonders jetzt, wo der Kanzler zu Besuch komme. Die Stimme der Reisacher leise, doch scharf, Emma konnte gar nicht richtig zuhören, so weh tat ihr diese Stimme. Am ganzen Körper zitternd, merkte sie, dass ihr Tränen in die Augen schossen.

»Hör sofort auf zu plärren und verlass mein Büro leise und unauffällig, sonst streich ich dir noch den Lohn für die letzten vierzehn Tage«, zischte die Hausdame, bevor sie Emma nach draußen scheuchte und die Tür hinter ihr schloss.

Für die Reisacher waren Zimmermädchen ein nie versiegender Quell an Ärgernissen, und wie schon oft schwor sie sich, nicht noch einmal eine wie Emma einzustellen. Leider war Personal für ein so einsam gelegenes Hotel wie die Bühlerhöhe schwer zu kriegen. Etwas anderes als Bauerntrampel, die auf ihren Höfen noch Tür an Tür mit Ochs und Esel schliefen, bot der Schwarzwald in der unmittelbaren Umgebung nicht. In Straßburg war das ganz anders! Aber Straßburg war wieder französisch, ein kleiner Grenzverkehr noch nicht möglich, und so konnte die Reisacher nur hoffen, dass die nächste Emma ein bisschen weniger trampelig und ein bisschen gelehriger war.

Ein verärgerter Seufzer, dann ein routinierter Blick in den Spiegel, Frisur, Blusenkragen und Sitz des Kostüms, und die Reisacher eilte nach draußen an die Rezeption. Sie brauchte das Gästebuch für ihr Treffen mit Hauptmann von Droste. Morgenthaler, der junge Rezeptionist, hielt ihr zwei Zettel hin, auf denen er in seiner liederlichen Schrift Namen und Telefonnummern notiert hatte. »Dich müsste man mit einem Erstklässler Schönschrift üben lassen«, kläffte sie ihn an und hätte ihn noch länger mit ihrer schlechten Laune zugekübelt, wenn der Hoteldirektor sie nicht in sein Büro zitiert hätte.

Gleich nach dem Frühstück habe ihm Regierungsrat Oberhuber aus der 310 sein Leid geklagt. – Klarbach schien wieder einmal besorgt über die nächtliche Ruhestörung, deren Ursprung eindeutig Zimmer 309 war. – Und gerade eben habe sich noch die Frau des Waschmittelfabrikanten Hamacher aus der 313 beschwert.

309 belegte, wie auf der Bühlerhöhe alle wussten, der Frankfurter Oberstaatsanwalt Brassel, der in der Schlacht von Stalingrad nicht nur ein Bein, sondern auch Teile seines Verstandes verloren hatte. Tagsüber war er stumm wie ein Fisch, aber nachts wurde er von Alpträumen geplagt, die ihn so schreckliche Schreie ausstoßen ließen, als kämen die Träume direkt aus der Hölle.

Den Staatsanwalt konnte sie nicht umquartieren, überlegte die Reisacher, weil er schon seit Jahren das Zimmer und nur das Zimmer 309 buchte, und wegen des anstehenden Kanzlerbesuches fehlte ihr die Möglichkeit, den Hamachers und dem Amtsrat ruhigere Zimmer anzubieten, da die komplette zweite Etage von Adenauer und seiner Entourage blockiert war. Zudem hatte sie das Zimmer 312 bisher frei gehalten, um wenigstens auf dieser Seite des Flurs einen räumlichen Puffer zwischen dem Schreihals und seinen Nachbarn zu haben.

»Was, wenn der Lärm bis zum Kanzler durchdringt, Frau Reisacher?«

Einmal hatte sie den Staatsanwalt vorsichtig auf seine nächtlichen Qualen angesprochen, aber der hatte so getan, als wüsste er von nichts, und sie wie ein ordinäres Dienstmädchen weggescheucht.

Sie schlug Klarbach vor, den Nervenarzt der benachbarten Klinik zu konsultieren. Vielleicht verfügte Doktor Neuhaus über ein Pülverchen, das dem Staatsanwalt den Alp vertrieb.

Vielleicht, vielleicht, fuhr ihr der Direktor ins Wort, wenn der vielbeschäftigte Doktor mal Zeit habe. Aber für heute bleibe ihnen nichts anderes übrig, als die Gäste zu beruhigen und den alten Lepold weiches Bienenwachs für die geplagten Ohren der Zimmernachbarn besorgen zu lassen. »Sehen Sie zu, dass wir uns mit dem Doktor vor der Ankunft des Kanzlers beraten können! Sie wissen, wie sehr Doktor Adenauer durch seine Besuche das Renommee unseres Hauses stärkt. Jedes Grandhotel hätte gerne den deutschen Kanzler zu Gast. Und besorgen Sie ein Fläschchen Frauengold für die Hamacher und einen guten Cognac für den Regierungsrat. – Ach, gibt es etwas Neues von der Post?«

»Nein. Immer noch kann uns Postinspektor Huber den Termin für den Ausbau der Telefonleitungen nicht fix benennen. Seine Gründe kenne ich schon auswendig: Achtzig Prozent des deutschen Telefonnetzes wurden im Krieg zerstört, viele Postler sind im Krieg geblieben, aber jeder will telefonieren.«

»Vor allem die amerikanischen Gäste beschweren sich darüber, dass wir keine Telefonapparate auf den Zimmern haben. Bei denen gehört das zum Standard in der gehobenen Hotellerie. Mir ist es selbst schon ein bisschen peinlich: ein First-Class-Hotel mit nur drei Telefonkabinen im Foyer.«

»Unsere Gäste kommen ja nicht zum Telefonieren zu uns. Und für die Sonderleitung des Kanzlers hat der Huber prompt gesorgt.« Die Reisacher enervierte dieses Thema. Die Amerikaner machten zum Glück nicht das Gros ihrer Gäste aus. Den anderen genügten die drei Kabinen vollkommen. Ihr selbst auch, bei drei Leitungen konnte sie schnell entscheiden, welches Gespräch sie sinnvollerweise mithörte und welches nicht. Was aber, wenn es vierzig Leitungen im Haus gab? Die Hauptsache war doch, dass nicht nur in Klarbachs Büro, sondern auch in ihrem ein Telefonapparat stand. »Es tut mir leid, Herr Direktor, dass die Sache nicht vorangeht«, log sie mit einem Blick auf die Uhr. »Wenn Sie mich dann entschuldigen. Wie Sie wissen, muss ich Herrn von Droste empfangen.«

Der Hauptmann kam wie immer pünktlich. Er trug einen leichten grauen Sommeranzug, aber das Militärische in Haltung und Schritt konnte er nicht verbergen.

Genau das weckte in der Reisacher wehmütige Erinnerungen. Als junge Frau hatte sie sie geliebt, die deutschen Offiziere, die nach der Kapitulation Frankreichs plötzlich durch Straßburg spazierten. So schneidig, so forsch, so erfüllt von diesem Geist, dass ihnen bald die Welt gehörte. Gerne hatte sie den einen oder anderen von ihnen ins Kino oder zum Tanzen begleitet, so auch den feschen Rüdiger Reisacher, der ihr besonders eifrig den Hof machte. Zu spät bemerkte sie, dass sie nicht nur auf den falschen Mann, sondern auch auf das falsche Land gesetzt hatte. Ein typisches Elsässer Schicksal.

»Herr von Droste«, empfing sie ihren Gast. »Schön, Sie wieder auf der Bühlerhöhe willkommen zu heißen.«

»Madame Reisacher!« Kräftiger Händedruck, Hacken zusammenschlagen. »Das Vergnügen ist ganz meinerseits.«

Bei seinem ersten Besuch auf der Bühlerhöhe hatte sie ihn sofort als einen der Straßburger Gäste von Gauleiter Wagner erkannt. Gesichter, auch nur einmal gesehene, vergaß sie nie. War er damals nicht bei der Abwehr gewesen? Genau wusste sie das nicht mehr. Um so etwas hatte sie sich als junges Ding nicht gekümmert. Allerdings hatte sie von Droste noch nie auf die Straßburger Zeit angesprochen. Man wusste heutzutage nicht, an was sich die hohen Herrschaften erinnern wollten und an was nicht. Wie auch immer, von Droste hatte den Krieg unbeschadet überstanden, dann das Tausendjährige Reich wie eine alte Rüstung abgestreift und reüssierte jetzt als Sicherheitschef von Adenauer. Vielen war diese wundersame Wandlung gelungen, sie brauchte sich nur ihre Gäste anzusehen.

Gemeinsam mit von Droste stieg sie die Treppe in die zweite Etage hinauf. Dort lag die Suite, die der Kanzler immer für sich und seine Tochter buchte. Sie öffnete Türen, wies auf die frisch gelegten Telefonanschlüsse und die doppelt verstärkte Etagentür hin, zeigte den Raum mit dem Fernschreiber, dann den mit dem Tresor, erwähnte, dass sie in Baden-Baden bereits zwei Sträuße »Reine Victoria« bestellt hatte, wo der Kanzler Bourbon-Rosen doch so liebte. Während von Droste seine eigene, vertrauliche Liste von Dingen abarbeitete, die in den Zimmern stimmen mussten, zog sie Betttücher glatt, entfernte Staubreste in verborgenen Winkeln und beobachtete ihn immer wieder verstohlen. Sie hatte den Eindruck, dass er alles noch genauer prüfte als sonst. Darauf wartend, dass er seine Inspektion beendete, öffnete sie die Balkontür im Salon des Kanzlers. Der Raum füllte sich mit dem würzigen Tannenduft, für den die Bühlerhöhe berühmt war. Es dauerte, bis von Droste zu ihr trat.

Für einen Moment blickten sie schweigend hinunter in die Rheinebene und dann hinüber auf die andere Seite des Flusses, wo der Turm des Straßburger Münsters trügerisch nah aus dem klaren Sommermorgen ragte.

»Alles zu Ihrer Zufriedenheit?«, fragte die Reisacher mit einem leichten Seitenblick.

Von Droste nickte, zählte dann aber noch ein paar Kleinigkeiten auf, um die sie sich kümmern musste.

»Wann kommt der Kanzler?«

»Kann ich noch nicht genau sagen, die politische Situation ist heikel. Wenn alles gut läuft, in zwei oder drei Tagen. Ich gebe Ihnen telefonisch Bescheid.«

»Begleitet ihn seine Tochter wieder?«

Von Droste nickte. »Können wir noch die Gästeliste des Hauses durchgehen?«

Der Hauptmann folgte ihr hinunter in ihr kleines Büro, wo sie ihm das Gästebuch reichte. Von Droste notierte sich die Namen, und die Reisacher berichtete auf sein Stichwort hin, was sie über die Gäste wusste. Ein Großteil waren Stammgäste, andere auf Empfehlung gekommen, einige, vor allem die Industriellen, kannte auch von Droste. Drei Namen, die weder der Reisacher noch von Droste etwas sagten, schrieb er auf einen gesonderten Zettel.

»Nur der Vollständigkeit halber, Madame Reisacher, weil ja nicht immer alles notiert wird. In letzter Zeit irgendwelche Laufkundschaft? Durchgebrannte Paare? Streng geheime Stelldicheins?«

»Nicht in letzter Zeit.«

»Der Vollständigkeit halber zum Zweiten: Sie wissen, alles, was wir hier besprechen, ist vertraulich.«

»Sie können sich auf meine Diskretion verlassen.«

»Kettenkaul, Grünhagen, Goldberg«, wiederholte er die drei Namen, die ihnen beiden nichts sagten.

»Der alte Lepold erzählte mir vorhin, dass vor dem Krieg viele Juden zur Sommerfrische auf die Bühlerhöhe kamen«, sagte die Reisacher beiläufig. »Er kann sich an einen Salomon Goldberg aus Breslau erinnern. Damals allerdings schon ein alter Mann. Vielleicht ein Nachkomme?«, spekulierte sie.

Von Drostes Gesichtsausdruck war undurchdringlich.

»Hat entweder sein Geld zusammenhalten können oder schon neues gemacht ...«

»Herr und Frau Goldberg«, wiederholte von Droste, ohne auf Reisachers Bemerkung einzugehen.

»Die Juden sollen jetzt auch Geld für ihre verlorenen Angehörigen bekommen. Achtzig Mark pro Toten, heißt es, und dass sie das Geld in Deutschland ausgeben müssen. Warum nicht bei uns?«

Der Hauptmann reagierte nicht. Sein Blick war in weite Ferne gerichtet oder aber, so kam es der Reisacher vor, ganz nach drinnen ins Reich der Erinnerungen. »Wie hat sich das Paar angemeldet?«, fragte er.

»Schriftlich. Ein Brief, geschrieben auf Pariser Hotelpapier. Trois Nations heißt das Hotel. Sie wollen eine Woche bleiben.«

Von Droste nickte und starrte wieder in die Ferne. Da mochte ihn die Reisacher noch so aufmunternd ansehen, wo immer der Hauptmann mit seinen Gedanken war, er machte keine Anstalten, es ihr zu verraten.

Baden-Baden

Eben war der Nachthimmel noch sternenklar gewesen, als Rosa Silbermann von einem Platzregen überrascht wurde. Weder Blitz noch Donner hatten ihn angekündigt. Während sie so schnell rannte, wie ihre Wildlederpumps das zuließen, verfluchte sie ihre Vorsichtsmaßnahme, das Taxi nicht zum Hotel zu bestellen.

»Zum Bahnhof«, keuchte sie, als sie vor dem Kasino in den wartenden Wagen stieg.

Der Chauffeur musterte sie misstrauisch, sei's, weil sie wie ein begossener Pudel aussah, sei's, weil er eine Frau für halbseiden hielt, die sich zu dieser unmöglichen Nachtzeit ein Taxi vors Kasino bestellte.

»Mein Mann kommt mit dem Nachtzug aus Paris«, erklärte sie und lächelte den Chauffeur leutselig an. Sie wand sich aus dem klammen Sommerjäckchen und rieb sich mit einem Taschentuch die Tropfen aus dem Gesicht.

»5 Uhr 10«, wusste der Taxifahrer, warf den Taxameter an und fuhr die schnurgerade Straße aus der Stadt hinaus. Keine drei Minuten später konnte er die Scheibenwischer ausstellen.

Am Bahnhof in Baden-Oos drückte Rosa ihm einen Geldschein in die Hand und bat ihn zu warten. Am Himmel blinkten wieder die Sterne, der Regen hing nur noch in ihren Kleidern. Viel zu laut klackten ihre Pumps auf dem Boden der spärlich beleuchteten, leeren Bahnhofshalle. An Decke und Wänden verkümmerten Stuck und Ornamente, Überreste aus Baden-Badens Glanzzeit, als das Kaiserpaar hier kurte und die Stadt im Sommer der Nabel der Welt gewesen war. So hatte es ihnen zumindest der Großvater erzählt, als sie hier aus dem Zug gestiegen waren. Rosa mühte sich, die Halle ohne weitere Erinnerungen zu durchqueren. Das Sommerkleid klebte mit jedem Schritt an ihren Beinen fest. Ein Blick auf die Uhr, noch zehn Minuten. Sie umklammerte den Griff der Schwingtür und trat hinaus auf den Bahnsteig.

Auf der einzigen Bank unter dem Vordach des Bahnhofes saß ein älteres Paar neben drei Koffern, die Frau strickte. Ein zeitunglesender Krüppel mit Krücken, bestimmt ein Kriegsversehrter, lehnte unter dem Schild »Ulmer Bier – trink es hier« an der Wand des Bahnhofsgebäudes. Weit entfernt von den dreien am Ende des Bahnsteiges – Perron hatte der Großvater dazu gesagt – stand ein Mann in Uniform. Diese vier und sie waren die Einzigen, die um fünf Uhr morgens auf den Nachtzug aus Paris warteten. Regennass glänzten die Gleise im Schein eines halben Mondes, die Steine dazwischen schimmerten tiefschwarz, als hätte man sie aus Bombenkratern hierhergeschafft.

Nicht nur die Kälte ließ Rosa zittern, sie war auch aufgeregt. Gleich würde sie zum ersten Mal »ihrem« Mann gegenüberstehen, und ein bisschen nervös darf eine Frau schon sein, die auf ihren Mann wartet, dachte sie. Betont langsam ging sie auf dem Bahnsteig auf und ab. Geduld war eine ihrer Stärken, aber im Moment spürte sie wenig davon.

Immerhin, das Taxi wartete auf sie, wie sie nach einem Blick auf die Straße vor dem Bahnhof beruhigt feststellte, und der Mann in Uniform war ein französischer Offizier, der sie mit einem knappen Kopfnicken grüßte, als sie an ihm vorbeiging. Die Schuhe waren die Hölle, wie ein Schraubstock umspannte das nasse Leder die Zehen, zudem rieben die feuchten Seidenstrümpfe ihre Fersen auf.

Wie lange noch? Zwei Minuten oder drei? Ob der Zug pünktlich kam? Zumindest die alte Frau schien damit zu rechnen. Sie steckte schon ihr Strickzeug weg, und ihr Mann trug die Koffer an die Bahnsteigkante. Der Offizier dagegen blieb unbewegt auf seinem Posten, auch der Kriegsversehrte rührte sich nicht, nur seine Zeitung knisterte beim Umblättern. Beobachtete er sie? Zeitungen wurden doch gerne dafür benutzt. Aber warum sollte er? Ihr Auftrag stand ihr nicht auf der Stirn geschrieben.

Ein leichter Wind kam auf, trieb den Duft von Rosen und Linden auf den Bahnsteig, mit einem Mal roch alles nach Frühsommer. Im Osten zeigte sich ein erster heller Streifen am Nachthimmel, von Süden kommend sah Rosa zwei verschwommene Lichter und hörte bald darauf das rhythmische Bollern der Lokomotive, dann die scharfen Bremsgeräusche. Der Zug aus Paris war pünktlich.

Kaum eine Waggontür öffnete sich, Baden-Baden war nicht mehr der Nabel der Welt, nur wenige Reisende stiegen hier aus. Auf der Suche nach Ari versuchte Rosa, alles gleichzeitig in den Blick zu bekommen: Ein weiterer französischer Offizier, eine Mutter mit Kind auf dem Arm, ein Mann in einem leichten Sommermantel, der Krüppel, der jetzt zum Zug hinkte, die Krücken nach drinnen warf, sich mit beiden Händen mühsam die zwei Stufen hochzog, das alte Ehepaar, das umständlich seine Koffer durch die schmale Waggontür hievte, zwei junge Frauen, die noch hastig auf den Bahnsteig sprangen, als hätten sie fast vergessen auszusteigen. Das war's.

Kein Ari. Ihre »Ehe« fing ja gut an.

Der schrille Pfiff des Schaffners ließ Rosa zusammenzucken, dann sah sie dem langsam losfahrenden Zug nach. Als seine Rücklichter in der frühen Morgendämmerung verschwunden waren, bemerkte sie, dass nur noch sie auf dem Bahnsteig stand. Wieder kam Wind auf, die Luft jedoch roch nicht mehr nach Frühsommer, sondern nach kaltem Stahl. Eine Zeitung trieb über den Bahnsteig. Der Kriegsversehrte musste sie fallen oder liegengelassen haben. Rosa hob sie auf. Es war eine hiesige, *Badische Neueste Nachrichten*. Auf der politischen Seite eine kurze Notiz über die Konferenz in Wassenaar, die das Bundesentschädigungsgesetz vorbereitete, sowie ein längerer Artikel über den anstehenden Urlaub des Kanzlers, den er wieder im Schwarzwald verbringen würde. Die beiden Artikel kamen ihr wie ein Wink mit dem Zaunpfahl vor. Hatte der Krüppel die Zeitung für sie zurückgelassen? Hatte er sie die ganze Zeit beobachtet? Sie prüfte das Datum. Nein, nein. Es war eine aktuelle, der Krüppel ein normaler Reisender, der gelesen hatte, um sich die Wartezeit zu vertreiben. Warum sollte sie beobachtet werden? Sie musste aufhören, Gespenster zu sehen. Nach kurzem Zögern warf sie die Zeitung in den Papierkorb.

Immer noch presste ihr das feuchte Leder die Zehen zusammen, aber das schnell getrocknete Sommerkleid flatterte schon wieder im Wind, als sie unentschlossen noch einmal den Bahnsteig auf und ab ging. Plötzlich kam ihr ein Wort in den Sinn, das sie früher oft benutzt hatten: Ameisenalarm. So nannten sie als Kinder dieses quirlige Kribbeln in der Herz- und Bauchgegend, das Aufregung und Abenteuer verhieß. Seit Ewigkeiten hatte sie nicht mehr daran gedacht. Erstaunt, ja sogar ein wenig beschwingt durch diesen Gedanken, straffte sie die Schultern und ging durch die Bahnhofshalle zurück auf die Straße.

In der kurzen Zeit war es bereits deutlich heller geworden, ein paar Vögel lärmten schon in den Lindenbäumen vor dem Bahnhof. Der Taxifahrer war ausgestiegen, er unterhielt sich mit dem Mann im Sommermantel, winkte ihr zu und blickte verwundert, als er sie allein kommen sah.

»Mein Mann muss den Zug verpasst haben. Vielleicht hat er die Metro oder den Bahnhof verwechselt, so was passiert ihm schon mal, er hat einen miserablen Orientierungssinn und ist mit seinen Gedanken immer woanders.« Improvisiere, hatten sie ihr gesagt, wenn etwas nicht nach Plan läuft. Und frage dich immer, was die Frau, die du spielst, tun würde. »Er ist Wissenschaftler, wissen Sie, manchmal sind in seinem Kopf nur Hieroglyphen, und die Gegenwart ist ihm so fremd wie unsereins das alte Ägypten.«

»Wie kann ein Mann mit seinen Gedanken woanders sein, wenn er eine so schöne Frau hat?«, unterbrach sie der Mann im Sommermantel und zog den Hut vor ihr.

Rosa taxierte den Fremden. Da war ein leichter Akzent in seinem Deutsch, den sie nicht zuordnen konnte. Ein Schweizer? Ein Elsässer? Ein Luxemburger? Sie schätzte ihn auf Mitte vierzig. Aris Alter, groß und schlank wie Ari, braune Augen wie Ari, und ein unverschämt charmantes Lächeln. »In Paris nennen sie ihn den schönen Artur«, erinnerte sie sich an die Worte der Psychologin. War das Ari, der vor ihr stand? Sie ging auf ihn zu, reichte ihm die Hand und trat nah an ihn heran.

»Smadar«, flüsterte sie ihm verwirrt ins Ohr.

»Pardon?«, gab er zurück, und sofort ärgerte sie sich. Der Mann war nicht Ari. Natürlich nicht. Ari hätte auf dem

Bahnsteig nach ihr Ausschau gehalten, sie in die Arme genommen und geküsst, und dann hätten sie sich das Codewort ins Ohr geflüstert.

»Der Herr fragt, ob er mit nach Baden-Baden fahren kann«, erklärte der Chauffeur. »So frühmorgens wird er hier kein anderes Taxi finden.«

»Ich übernehme selbstverständlich die Kosten, gnädige Frau«, erbot sich der Fremde, immer noch mit diesem unverschämten Lächeln auf den Lippen.

Sei misstrauisch allen Fremden gegenüber, hatten sie ihr eingebläut, und vor allem verhalte dich unauffällig. Plötzlich fiel ihr auf, dass sie drei alleine waren. Wo waren eigentlich die anderen Reisenden geblieben? Der französische Offizier war von seinem Kollegen empfangen worden, das hatte Rosa gesehen. Aber die Mutter mit dem Kleinkind und die beiden jungen Frauen? Waren sie sofort losgelaufen und warteten nun einen halben Kilometer weiter an der Bundesstraße auf den ersten Bus? Gab es für den Fremden wirklich keine andere Möglichkeit, nach Baden-Baden zu gelangen, als ausgerechnet ihr Taxi? Steckte er mit dem Chauffeur unter einer Decke?

Überlege immer, was die Frau, die du spielst, tun würde, hatten sie ihr eingebläut. Ja, was würde sie tun? Sie würde den Fremden mitfahren lassen, entschied Rosa.

Der Mann bedankte sich überschwänglich, öffnete ihr die Tür im Fond des Wagens, setzte sich dann links neben sie und machte eine lustige Bemerkung über seine langen Beine, die er hinter dem Fahrersitz verknoten musste. Einer, dem es leichtfällt, Leute um den Finger zu wickeln, so schätzte Rosa ihn ein. War ihm das auch während des Krieges gelungen? Wen hatte er geschmiert, bestochen, belogen, umgebracht? Solche Fragen durfte sie sich nicht stellen. Sie musste sich auf ihren Auftrag konzentrieren.

»Wo kommen Sie her? Kuren Sie in Baden-Baden?«, erkundigte sich der Fremde munter.

Sie schüttelte den Kopf. »Ich hoffe, dass ihm nichts passiert ist«, seufzte sie und sah aus dem Fenster. Sie war eine Frau, deren Mann nicht angekommen war. So eine machte keine Konversation übers Kuren, so eine machte sich Sorgen um den Gemahl.

Das Taxi fuhr sie in den frühen Morgen hinein. Rosa betrachtete wieder die Siedlung mit den im Bau befindlichen rechteckigen, drei- oder vierstöckigen Häusern, die ihr bereits bei ihrer Ankunft aufgefallen waren. Billiges Baumaterial, eilige Bauweise, das sah man von weitem. Manche Rechtecke hatten bereits ein Dach, hier und da stand erst das Gebälk, die Ziegel fehlten noch. Andere aber waren bereits fertiggestellt. Mit Windeln behängte Wäscheleinen und mit Stecken abgezirkelte Parzellen, auf denen mal Gemüse gezogen werden sollte, verrieten, dass sie schon bewohnt waren. Rosa hatte auf ihrer Reise die zerstörten Innenstädte von Mainz und Frankfurt genauso gesehen wie die vielen Baustellen für neuen Wohnraum. Wo hatten die Deutschen so kurz nach dem Krieg das Geld für den Wiederaufbau her? Alles Marshallplan? Daheim dagegen war die Wohnungsnot viel größer, immer noch strömten Heimatlose, Überlebende der Lager, Displaced Persons nach Israel. Eine riesige Herausforderung, dafür brauchte ihr Land dringend mehr Geld.

Bald ließ das Taxi die Billigbauten hinter sich, und sie passierten die ersten Fin-de-Siècle-Straßenzüge von Baden-Baden. »In Baden-Baden trifft gallischer Esprit auf deutsche Gemütlichkeit. Die Crème de la Crème der europäischen Aristokratie hat in der Kaiserzeit hier Häuser gebaut«, hatte der Großvater geschwärmt. »Schaut, Kinder, hier Zuckerbäckervillen mit neckischen Türmchen, dort Säulen, wie ihr sie auch in Athen finden könntet.« Die Zuckerbäckervillen, die Türmchen, die Säulen, das alles gab es noch. Baden-Baden hatte der Krieg nicht zerstört, die alten Fassaden erzählten Märchen von Dauer und Beständigkeit. Rosa fand die zerbombten Städte ehrlicher.

Sie ließ sich vor dem Kurhaus absetzen. Sie wolle noch ein paar Schritte zu Fuß gehen, erklärte sie dem Fremden, der darauf bestand, bis vor ihr Hotel zu fahren. Ohne sich nach dem Taxi umzudrehen, lenkte Rosa ihre Schritte in Richtung Kurhaus. Jetzt lobte sie sich für ihre Umsicht, den Wagen auf dem Hinweg nicht zum Hotel bestellt zu haben. So wusste der Chauffeur nicht, wo sie abgestiegen war, und konnte es auch nicht ausplaudern. Überhaupt hatte sie bisher alles richtig gemacht, sah man von dem Ausrutscher mit dem Codewort ab. Aber der Fremde würde es, so er sich das Wort überhaupt gemerkt hatte, als verwirrte Äußerung einer Frau erinnern, deren Mann nicht angekommen war.

Nachdem sie einmal den Musikpavillon umkreist hatte und durch den Rosengarten der Gönneranlage spaziert war, ließ sie sich im Schlepptau von ein paar angetrunkenen Kasinobesuchern in Richtung Innenstadt treiben, schlenderte dann scheinbar ziellos durch die engen Gässchen der Altstadt, pausierte gelegentlich in dunklen Hofeinfahrten. Erst als sie sicher war, dass ihr niemand folgte, suchte sie ihr Hotel auf, wo sie endlich die schmerzenden Schuhe abstreifen konnte.

Noch einen Tag Baden-Baden also. In der Nacht würde sie wieder zum Bahnhof fahren und auf Ari warten, so wie es ausgemacht war.

Drei Tage vor der
Ankunft des Kanzlers

Bühlerhöhe

Nach ihrer morgendlichen Inspektionsrunde durchs Haus telefonierte die Reisacher mit dem Kurhaus Sand und dem Plättig. Weder das eine noch das andere Hotel konnte ihr auf die Schnelle einen Ersatz für die dicke Emma offerieren. Blieb noch Hartmann. Der hatte sich schon öfter als Retter in der Not erwiesen. Also wählte sie die Nummer des Hundseck und verlangte den Direktor zu sprechen.

»Sie wissen, wie gerne ich Ihnen immer zu Diensten bin.« Hartmanns Stimme vibrierte vor Eifrigkeit, und die Reisacher sah regelrecht vor sich, wie er, den Telefonhörer am Ohr, einen Bückling machte.

»Von meinen Zimmermädchen kann ich Ihnen keines ausleihen, wir sind ausgebucht, also leider nein. Versuchen Sie es doch mal mit einer Heimatvertriebenen. Die sind dankbar und parieren aufs Wort, anders als die sturen Schwarzwälder Bauernmädchen. Fragen Sie im Arbeitsamt in Bühl oder Achern nach. Natürlich, Sie haben völlig recht, gutes Personal für die Hauptsaison ist immer schwer zu finden, wem sagen Sie das! Mir fehlen selbst zwei Hilfskellner. Diese Ausflugsbusse, ich sage Ihnen, das Geschäft damit ist nicht leicht! Mal kommt am Tag nur einer, mal kommen vier auf einen Schlag, und dann sitzen da von jetzt auf gleich fünfzig lustige Witwen oder ein kompletter Kirchenchor bei uns in der Gaststube und schreien nach Schwarzwälder Kirschtorte oder Liebfrauenmilch.«

Die Reisacher machte mal wieder fünf Kreuze, weil die Bühlerhöhe nicht auf das Tagesgeschäft mit Ausflugsbussen angewiesen war. Heerscharen von Sonntagsausflüglern, die ihr frisches Wirtschaftswundergeld in Kuchen oder Wein umsetzten, das hatte ihr gerade noch gefehlt.

»Heimatvertriebene? Ich danke Ihnen für den Tipp, lieber Hartmann.« Sie beendete das Gespräch. Der junge Morgenthaler machte ihr im Türrahmen ein Zeichen, dass er einen weiteren Anruf für sie in der Leitung hatte, und formte dabei mit den Lippen die Worte »Monsieur Pfister«. Sie nickte, legte den Hörer auf und wartete, bis es erneut klingelte.

»Xavier!«

»Rate mal, wo ich bin, Sophie.«

Fröhlich und draufgängerisch klang er, wie immer. Als wäre er noch ein Heidelberger Student und kein gestandener Geschäftsmann. Ein bisschen von seiner Abenteuerlust sprang sofort auf sie über. Sie kicherte wie ein junges Ding und kam sich albern vor. »Du wirst es mir bestimmt gleich sagen.«

»Baden-Baden. Morgen komme ich in den Schwarzwald, habe Hundseck gebucht, treffe mich dort mit Fritsch und Frey.«

»Den schwäbischen Nähmaschinenfabrikanten?«

»Genau so ist's.«

»Handelst du jetzt mit Nähmaschinen?«

Die Antwort ein ausweichendes Lachen. So offenherzig er von seinen Reisen erzählte, Paris vor allem, aber auch Tanger, Kairo, überhaupt der Maghreb – aus Casablanca hatte er ihr im Herbst ein wunderschönes Armband mitgebracht –, so wenig sprach er über die Geschäfte, die ihn dorthin führten. Das tat er nur, wenn er dafür ihre Hilfe brauchte.

»Wann sehen wir uns, *ma belle?*«, überging er ihre Frage. »Es ist so lange her seit dem letzten Mal.«

Sie sei sehr eingespannt, die Bühlerhöhe voller Gäste und dann der anstehende Kanzlerbesuch …

»Sophie«, schnurrte er. »Ich sterbe, wenn der Kanzler für dich wichtiger ist als ich. Ich muss dich sehen.«

Natürlich. Irgendeinen Weg würde sie finden. Xavier rief an, und sie schmolz dahin wie Schweizer Schokolade. Ob das Liebe war? Was war schon Liebe? Ein flirrendes Gefühl für junge Dinger und die Garantie für klingelnde Kinokassen. Liebe war nettes Beiwerk, versüßte das Leben wie das Sahnehäubchen den Kuchen. Aber Sophie Reisacher wollte sich nicht mit dem Sahnehäubchen begnügen, sie wollte den Kuchen. Xavier Pfister sollte sie endlich heiraten.

Baden-Baden

Der Ameisenalarm war vorüber, der neue Tag machte Rosa das Herz schwer. Für sie war es nicht gut, noch länger warten zu müssen. Warten bedeutete, unnütze Zeit zu haben, und unnütze Zeit war ein gefährliches Pulver. Ein bisschen davon auf die gut verschlossene Kiste voll von Verlust, Schmerz und Erinnerung gestreut, und diese explodierte und ließ alles in Fetzen im Kopf herumschwirren. Das Vergessen war lebensnotwendig. Wer nicht vergessen konnte, wurde wahnsinnig. Sie war eine Meisterin im Vergessen. Nur so war das Leben auszuhalten. Schon wegen Ben musste sie nach vorne blicken.

In Israel konnte sie die Büchse der Pandora unter Verschluss halten, aber hier in Baden-Baden gelang ihr das nicht ganz so gut. Denn in Baden-Baden war sie nicht nur mit Rachel und dem Großvater gewesen, Baden-Baden war auch Nathans Stadt. Zumindest an ihre erste Begegnung mit ihm erlaubte sie sich zu denken.

Während der Weinlese im Herbst 1942 war er nach einer Flucht voller Hindernisse und Gefahren in Omarim angekommen. Die Rebstöcke, die die Pioniere vor ein paar Jahren gesetzt hatten, trugen zum ersten Mal, und alle freuten sich über die gute Ernte. Die Frauen schnitten die Trauben von den Stöcken, die Männer leerten ihre Körbe in große Bottiche und hievten diese auf den Maultierkarren. Der alte Isaak kutschierte damit zu dem Keller, in dem Vittorio, ein ehemaliger Weinhändler aus Verona, die Fässer für die erste große Weinernte präpariert hatte. Mehrfach wurde der Karren be- und entladen, und als Isaak das zweite oder dritte Mal damit zurück auf die Felder kam, erzählte er, dass ein Neuer im Kibbuz angekommen war. »Einer für dich, Rosa, ein Deutscher!« Die wenigsten Flüchtlinge sprachen Hebräisch, manche nicht mal Jiddisch, und deshalb wurden sie immer von den Kibbuznikim betreut, die ihre Sprache sprachen.

Es war ein schöner Tag gewesen: vom See Genezareth her ein frischer Wind, die Traubenernte leichte Arbeit, die Araber auf den Golanhöhen friedlich. Rosa hatte mit ihren Freundinnen gesungen und gelacht, alle hatten sich auf das Stampfen der Trauben gefreut.

Der Neue wartete vor dem Gemeinschaftshaus. Ein langer Lulatsch mit einem Birnenkopf, einer geflickten Brille und kahlgeschorenen Haaren, wahrscheinlich hatte er sich irgendwo Läuse eingefangen. Er stank nach der langen Reise und all den Alpträumen, die ihn währenddessen sicher geplagt hatten.

»Nathan Nagelstein, ich komme aus Beirut, eigentlich aus Baden-Baden, aber das …«

Rosa brachte ihn mit einer Handbewegung zum Schweigen. Den schönen Tag wollte sie sich nicht von einer weiteren grässlichen Flüchtlingsgeschichte verderben lassen, außerdem wollte sie so schnell wie möglich zum Traubenstampfen. Sie zeigte dem jungen Mann das Gemeinschaftshaus, den Männerschlafsaal und die Duschen, besorgte ihm frische Kleider, Bettzeug, ein Handtuch und Seife und verabschiedete ihn mit der Bitte, zum Frühstück pünktlich um fünf im Speisesaal zu erscheinen.

»Also, was kannst du?«, fragte sie ihn nach dem Frühstück.

»Keltern, mähen, melken, misten? Schlachten oder angeln? Pflügen, säen, sägen? Hast du Ahnung von Buchhaltung?« Nichts, Nathan konnte nichts von alledem. »Kannst du wenigstens schießen?«

»Warum schießen?«, fragte er ungläubig. »Kannst du das etwa?«

Rosa holte tief Luft. Immer dasselbe mit diesen Flüchtlingen. Hatten keine Ahnung, was sie in Palästina erwartete. »Glaubst du, die Araber spielen mit uns Ringelreihen? Die haben uns zwar einen Teil von ihrem Land verkauft, denken aber heute, dass der Preis viel zu niedrig war. Vor allem seit wir die Wüste in blühende Landschaften verwandeln. Wir sind denen ein Dorn im Auge. Allein im letzten Jahr gab es drei Überfälle auf den Kibbuz. Das ist aber unser Boden, unser Land, aus dem wir vor zweitausend Jahren vertrieben wurden. Das lassen wir uns nicht mehr wegnehmen. Wenn du also nicht mit einer Waffe umgehen kannst, musst du es eben lernen. Nach der Arbeit um acht auf dem Schießstand.«

»Das kommt gar nicht in Frage, ich bin Pazifist.«

Rosa traute ihren Ohren nicht. Was wollte einer, der nicht bereit war, Land und Leben zu verteidigen, in einem Kibbuz? »Dann geh zu den Schtetl-Juden nach Jerusalem und studiere mit ihnen den Talmud.«

»Ich bin nicht gläubig.«

»Was machst du dann hier? Kannst du überhaupt irgendwas?« Rosa war ehrlich überrascht.

»Ich bin Musiker. Ich brauche eine Geige«, sagte er, als wäre dies das Selbstverständlichste auf der Welt. »Meine wurde in Beirut gestohlen, stell dir vor, so kurz vor dem Ziel. Gehütet habe ich sie wie einen Augapfel, und dann in dem Gedränge am Hafen, ich wollte unbedingt noch auf das Schiff nach Haifa, ein Moment der Unachtsamkeit …«

»Der Herr braucht also eine Geige. Was darf's denn sein? Eine Stradivari?«, spottete Rosa. »Was glaubt er denn, wo er hier gelandet ist, der Herr? In einem Erste-Klasse-Hotel, wo

er nur mit dem Finger schnipsen muss, damit er kriegt, wo-
nach ihm verlangt?«

Am Abend berichtete Rosa in der Kibbuz-Versammlung
über den Neuen, schlug vor, ihn erst mal zum Ziegenhü-
ten einzuteilen. Dabei konnte er am allerwenigsten falsch
machen. Zudem, so beschlossen sie, könne man es mit ihm
als Musiklehrer versuchen, und ein Fiedler sei auch nicht
schlecht, für die Hochzeit von Chajm und Dana am nächsten Wochenende. Und eine Geige, nu ja, der alte Jakob hatte
noch die von seinem Vetter Shmuel aus Riga, und wenn das
jingele gut darauf spielen konnte …

Bühlerhöhe

Der junge Morgenthaler riss die Reisacher aus ihren Hoch-
zeitsträumen. Er meldete Doktor Neuhaus, der auf der
Hirschterrasse auf sie wartete. Wie immer saß der Nervenarzt an einem Tisch direkt an der Balustrade, dort ließ sich
besonders gut Hof halten. Vor ihm standen eine Tasse Kaffee
und der übliche Cognac. Er war schlecht gelaunt, das sah die
Reisacher sofort.

Wann denn der Kanzler nun genau komme, zischte der
Wiener giftig, bevor er ihr gnädig einen Platz anbot, und wie
viele Termine Doktor Adenauer diesmal für die Zellulartherapie einplane. Es sei ja nicht so, dass der Kanzler sein
einziger Patient sei, beileibe nicht. Die Reisacher wisse selbst
am besten, was für ein vielbeschäftigter Mann er sei, er könne sich vor Anfragen für seine Frischzellenkur nicht retten.
»Wissen S' was? Diese Woche hat mich ein Anruf aus Rom
erreicht«, flüsterte er ihr zu. »Der Papst persönlich hat von
der Wunderwirkung meiner Kur gehört und überlegt …«

Die Reisacher zauberte im Wechsel Aufmerksamkeit,
Anteilnahme und Bewunderung auf ihr Gesicht und stellte
gleichzeitig die Ohren auf Durchzug. Sie hielt diesen spitz-

nasigen Zwerg für einen Kurpfuscher, dem der Erfolg mit seiner Frischzellenkur zu Kopf gestiegen war. Spritzte seinen Patienten Zellen, gewonnen aus den Föten von Lämmern und Kälbern, als Serum gegen das Altern. Verkaufte die Kur als Versprechen von ewiger Jugend. Als ehemaliger Prediger konnte er das sehr gut.

Die Reisacher ließ ihn noch eine Zeitlang schwadronieren und seinen Cognac schwenken. Sie versäumte es nicht, ihm ein wenig Honig um den Bart zu schmieren, indem sie betonte, wie wichtig er und seine Klinik für die Bühlerhöhe sei, viele Gäste gerade die Kombination von Kur und Erste-Klasse-Hotel schätzten, sie sozusagen beidseitig profitierten. Dann erst kam sie auf Adenauer zu sprechen. Die Politik sei halt unberechenbar, das brauche sie ihm nicht zu erzählen. Er werde aber selbstverständlich der Erste sein, den sie über die Ankunft des Kanzlers informierte.

Etwas besänftigt kippte Neuhaus den letzten Schluck Cognac hinunter. Mit einer kleinen Kopfbewegung bat die Reisacher den Kellner, dem Arzt nachzuschenken. Neuhaus murmelte etwas von anderen wichtigen Terminen, wehrte sich aber nicht gegen einen weiteren Cognac und blieb sitzen.

»Lieber Doktor, ich brauche Ihren fachlichen Rat in einer delikaten Angelegenheit.« Sie erzählte, natürlich ohne die Nennung eines Namens, von den Problemen mit dem nachts brüllenden Staatsanwalt, auch von ihrem vergeblichen Versuch, gemeinsam mit ihm nach einer Linderung zu suchen.

»Was erwarten S'? Dass ich Ihnen frei Haus ein paar Ampullen Morphium liefere, die Sie dem Gast in den Allerwertesten spritzen?«

Die Reisacher hasste den nörgelnden, wienerischen Tonfall. »Natürlich nicht!« Sie gab sich entrüstet. Dabei hätte sie nichts gegen ein kleines Morphindepot, das als Geheimwaffe bei unangenehmen Gästen zum Einsatz kommen könnte. »Ich dachte eher an Schlaftabletten ...«

»Was Sie schildern, klingt nicht nach einer Schlafstörung, sondern eher nach einem Kriegstrauma. Stalingrad, sagen S'? Kein Wunder! So was lässt sich nicht mit Schlaftabletten behandeln. Wahnsinn ist ein Land, in das nicht ein jeder Zutritt hat, das hat schon der Doktor Freud gewusst. Schicken S' den Mann zu mir in meine Klinik, anders kann ich ihm nicht helfen. Küss die Hand, gnädige Frau.«

Er kippte den zweiten Cognac im Stehen, um dann noch eilige Honneurs bei zwei herausgeputzten Amerikanerinnen zu machen, die schon zum dritten Mal zur Frischzellenkur kamen. Dann rauschte er davon.

Die Reisacher, durch das Gespräch nicht weniger schlecht gelaunt, erhob sich ebenfalls. Ihr Blick wanderte über die halbrunde Terrasse, registrierte die kleinste Unstimmigkeit. Sie rückte die Wolldecken auf den Liegestühlen gerade, überprüfte, ob der Hausmeister den Vogeldreck von den Bronzehirschen entfernt hatte, befahl dem Kellner, die Decken an Tisch 3 und 6 auszutauschen, und traf auf dem Rückweg zur Rundhalle ausgerechnet auf den hinkenden nächtlichen Krawallmacher, der sie wieder mal wie Luft behandelte. Zu gern hätte sie ihm wirklich eine Ampulle in seinen mageren Hintern gejagt oder ihm ein Bein gestellt, ihn überhaupt an die Luft gesetzt mit dem Hinweis, dass die Bühlerhöhe auf Brüllaffen wie ihn verzichten könne. Stattdessen würde sie den Nachtportier anweisen müssen, regelmäßig in der dritten Etage zu patrouillieren, und falls der Brassel schrie, diesen sofort durch Klopfen zu wecken, in der Hoffnung, dass ihm danach die Rückkehr in seinen Alptraum versperrt war und er Ruhe gab.

Um alles, wirklich um alles musste sie sich selbst kümmern, und keiner dankte es ihr. Manchmal hatte sie nicht übel Lust, die ganze Bühlerhöhe anzuzünden und lichterloh brennen zu sehen, so wie es diese Mrs Danvers mit dem Herrensitz Manderley in dem Buch tat, das sie neulich gelesen hatte. Diese Figur der Mrs Danvers beschäftigte sie.

Auf keinen Fall wollte die Reisacher so enden wie sie. Als verbitterte alte Jungfer, geplatzten Träumen nachhängend, dem Wahnsinn verfallen. Sie war schon fünfunddreißig und seit neun Jahren Witwe. Zeit für eine neue Ehe, und Xavier Pfister war der richtige Mann dafür.

Baden-Baden

In der Nacht ließ sich Rosa von einem anderen Taxiunternehmen zum Bahnhof chauffieren. Diesmal war sie die Einzige, die auf den Zug aus Paris wartete. Sie setzte sich auf die Bank, auf der in der letzten Nacht das alte Paar gesessen hatte, und dachte an das Schmuckgeschäft Kupfermüller.

»Unser Haus liegt in der Luisenstraße«, hatte Nathan ihr erzählt. »Beste Baden-Badener Einkaufslage, mein Großvater hat es gekauft. Die erste Etage hat einen kleinen Erker, auf dem ein Steinengel sitzt, der sieht ein bisschen aus wie du.« Am Nachmittag hatte sie das Haus gefunden. Der Erker, der Steinengel, der ihr überhaupt nicht ähnelte, die Eingangstür mit dem goldenen Löwenknauf. Das Schmuckgeschäft Nagelstein hieß jetzt Kupfermüller. Sie hatte das Haus von der anderen Straßenseite aus betrachtet. Wie eine Statue hatte sie dagestanden, wie versteinert, inmitten von Touristen und Kurgästen, die durch diese nicht zerstörte Stadt schlenderten, als hätte es die Lager und den Krieg nie gegeben. Wenn man in Palästina von dem blutgetränkten deutschen Boden sprach, hatte sie sich diesen bildlich vorgestellt: Blut zwischen Kopfsteinpflaster, Blut in Wasserlachen, Blut auf Wiesen und Weizenfeldern, Blut auf Feldwegen und Chausseen. Natürlich wusste sie, dass der Boden sieben Jahre nach Kriegsende nicht mehr blutgetränkt sein konnte, aber mit anderen sichtbaren Spuren der Nazigräuel hatte sie gerechnet. Doch in Baden-Baden war alles blitzsauber, Vertreibung und Massenmord wie weggewischt, die Stadt wirkte, als wäre nichts geschehen, seit sie mit dem Großvater das letzte Mal hier gewesen war.

Widerwillig überquerte sie die Straße und besah sich die Schaufensterauslagen: Eheringe und Goldkreuzchen, Uhren und Perlenketten, Broschen und Armbänder. Sie hörte den hellen Silberklang der Türglocke, als ein Kunde das Geschäft verließ, aber sie betrat es nicht. Rachel, da war sie sich sicher, wäre hineingegangen. »Ist das nicht das Geschäft der Nagelsteins?«, hätte sie laut gefragt. »Wann haben Sie es übernommen? 1938? Zu einem Spottpreis, vermute ich. Und die Wohnung der Nagelsteins gleich mit. Das Klavier genauso wie die Spielsachen der Kinder ... Und die Nagelsteins haben Ihnen das alles so mir nichts, dir nichts überlassen? Die sind verschwunden, sagen Sie? Von einem Tag auf den anderen? Haben sich einfach in Luft aufgelöst? Wie praktisch!« Und dann hätte sie davon gesprochen, wohin die Nagelsteins »verschwunden« waren, hätte die Fotografie, die sie mit sich trug, seit sie von den Lagern wusste, auf die blankpolierte Einkaufstheke gelegt und die Kupfermüllers gezwungen, sich die Leichenberge anzusehen.

Rachel traute sich das, sie traute sich alles. Es gab nichts, wovor Rachel Angst hatte. Schon hier im Schwarzwald, mit dreizehn, hatte sie es der bärenstarken Walburg, dem Bauernmädchen aus dem Bühlertal, gezeigt und eine ganze Nacht lang im Wald ausgeharrt, ohne Reißaus zu nehmen. Mit fünfzehn begeisterte sie Rosa für die zionistische Idee und plante ihre Aussiedlung nach Palästina. Die Mutter wollte nicht mitkommen. Wegen Ben, dem kleinen Bruder, wegen des Großvaters, wegen des Hauses, und überhaupt war sie zuversichtlich, dass die Schikanen gegen die Juden bald aufhören würden. Eine blinde, eine tödliche Hoffnung. Aber wie hätte man das Unvorstellbare ahnen können? Man hätte! Rachel warf es sich vor, je mehr Informationen über das Grauen in den Lagern Palästina erreichten. Die Schuld drückte sie so schwer, dass sie die Orangenplantagen, die

Weinstöcke, den in der Sonne glitzernden See Genezareth nicht mehr aushielt und ins flirrende, fiebrige Tanger floh.

Damals waren sie also allein gereist, zwei Mädchen, die eine sechzehn, die andere vierzehn Jahre alt. Tausend Schrecken hatten sie überstehen müssen, aber mit Rachel an ihrer Seite hatte sich Rosa immer beschützt gefühlt.

Bis heute schlug sich Rachel überall durch, selbst im Moloch Tanger behauptete sie sich. Oz hätte sie nach Deutschland schicken sollen. Aber nachdem Rachel ihn und Israel verlassen hatte, traute er ihr nicht mehr. Deshalb nahm er mit ihrer kleinen Schwester vorlieb.

Rosa schreckte auf, als ein Mann die Schwingtür der Bahnhofshalle aufstieß und mit einem Cellokasten auf den Bahnsteig hastete. Nur noch eine Minute bis zur Ankunft des Zuges. Der Mann lief direkt zur Bahnsteigkante, ein weiterer Mann mit einem Geigenkoffer stürmte hinter ihm her. Rosa stockte der Atem, als der Geigenspieler sich umdrehte. Für einen kurzen Augenblick dachte sie, es wäre … aber nein, der Mann war viel älter als Nathan. Ob Nathan noch in München wohnte? Ob er seit seiner Rückkehr nach Deutschland Baden-Baden, die Luisenstraße, die Kupfermüllers besucht hatte? Ob Rosa ihn je wiedersehen, ihm je von Ben erzählen würde? Ben! Er war so in sein Spiel mit Jokele und Aaron vertieft gewesen, dass er ihr beim Abschied nur für einen Moment den Kopf zudrehte und kurz winkte.

Der einfahrende Zug wischte ihre Gedanken fort, jetzt war nur noch Ari wichtig. Sie wollte ihn nicht noch einmal mit einem Fremden verwechseln. Rosa lief ein Stück den Bahnsteig hinunter, ungefähr dahin, wo die mittleren Waggons zum Stehen kamen. Wieder öffneten sich nur wenige Türen. Der Schaffner half einer alten Dame beim Aussteigen, etwas weiter hinten sprangen zwei französische Soldaten auf den Bahnsteig. Und das war's auch schon.

Ari war wieder nicht gekommen. Länger, das hatten sie ihr gesagt, durfte sie nicht auf ihn warten. Morgen früh musste sie alleine zur Bühlerhöhe fahren.

Bühlerhöhe

In der 105 fehlte ein Handtuch, auf dem Balkon der 302 musste eine vertrocknete Geranie entfernt werden, im Billardsalon steckten mal wieder nicht alle Queues in den dafür vorgesehenen Halterungen, notierte die Reisacher nach ihrer morgendlichen Inspektionsrunde, als Morgenthaler ihr den Direktor des Hundseck am Telefon annoncierte.

»Wissen Sie schon, wann der Kanzler kommt?«, erkundigte sich Hartmann. »Wird er wieder bei uns schwimmen?«

Die Reisacher verdrehte die Augen. Egal, weswegen sie mit Hartmann telefonierte, nie vergaß er, sein Schwimmbad zu erwähnen. Keines der anderen Höhenhotels an der Schwarzwaldhochstraße, nicht mal das Grandhotel Bühlerhöhe, verfügte über ein Freibad. Nur das Hundseck. Natursteinbecken, aus eigener Quelle gespeist, wunderbar weiches Wasser. Seit der Kanzler es bei einem seiner letzten Besuche entdeckt und auch benutzt hatte, war Hartmann stolz wie Oskar. Wahrscheinlich hatte er neben dem Becken schon ein Messingschild mit der Inschrift »Hier badete der Kanzler« anbringen lassen.

Leider, leider sei ihr die genaue Ankunftszeit des Kanzlers noch nicht bekannt. Die Reisacher seufzte fast unhörbar. Aber selbstverständlich werde sie sich sofort bei ihm melden, wenn sie etwas Neues wisse.

»Und? Haben Sie schon Ersatz für Ihr Zimmermädchen gefunden?«, erkundigte sich Hartmann.

»Das Arbeitsamt Bühl schickt mir eine Heimatvertriebene.«

»Wie gesagt, ich habe sehr, sehr …«

»Oh, entschuldigen Sie, aber ich muss Schluss machen«, unterbrach ihn die Reisacher, die froh war, dass es an ihre Tür klopfte. Der gute Hartmann! Rief wegen jeder Kleinigkeit an und telefonierte dann ewig. Er hielt große Stücke auf sie. Aber der Mann war Witwer und zwanzig Jahre älter. Und, Schwimmbad hin oder her, was wollte sie mit einem besseren Landgasthof? »Ja?«, rief sie in Richtung Tür.

»Frau Goldberg ist angekommen«, meldete der junge Morgenthaler eifrig, und seine Segelohren glühten noch ein wenig heftiger als sonst.

Die Reisacher hatte ihm aufgetragen, sie sofort zu benachrichtigen, wenn die Goldbergs, Grünhagens oder Kettenkaul eintrafen, und wenigstens das hatte sich der Bengel gemerkt. »Nur die Frau?«, fragte sie.

»Ja. Sie ist allein gekommen. Mit einem Taxi aus Baden-Baden. Ich habe mir sogar die Firma gemerkt: Fuhrunternehmen Haas«, berichtete er stolz.

Nun ja, vielleicht wurde aus ihm doch noch ein anständiger Rezeptionist. Sie komme gleich, bedeutete die Reisacher ihm. Erst nachdem sie ihren Lippenstift nachgezogen und den Sitz von Frisur und Kostüm geprüft hatte, folgte sie ihm nach draußen.

Die Reisacher hielt große Stücke auf ihre Menschenkenntnis. Ein Brief oder ein Telefongespräch, ein paar magere Fakten, das eine oder andere Gerücht, und vor ihrem geistigen Auge setzte sich bereits das Bild des Gastes zusammen. Und meist stimmte es mit der Wirklichkeit überein. Aber was die Goldbergs betraf, irrte sie. Sie hatte mit einem älteren Ehepaar gerechnet, einem zerzausten Professor mit Brille und einem verhuschten Weiblein mit grauem Dutt, schwarzem Kleid und Spitzenkrägelchen.

Stattdessen stand eine Frau ihres Alters in einem hinreißenden, in Weiß und frischem Grün gestreiften Sommerkleid vor ihr. Das Kleid passte wie angegossen, und um den Hals trug sie einen Schal aus Crêpe de Chine im Grünton des Kleides. Auch das braungelockte Haar saß perfekt. Sie trug es zurückgekämmt in einem modischen Kurzhaarschnitt, darauf einen winzigen Strohhut, *dernier cri*. Sie war ungeschminkt, und die Reisacher musste zugeben, dass sie das auch nicht nötig hatte. Sie gehörte zu dem Typ Frau, der mit natürlicher Schönheit gesegnet war und diese als gottgegeben ansah. Eine, die im Gegensatz zu ihr nie zu Lippenstift, Tusche oder Rouge greifen musste, um sich ins rechte Licht zu rücken. Da brauchte man sich nur das Strahlen des jungen Morgenthaler und seine weiterhin glühenden Segelohren anzugucken. Selbst dem zufällig vorbeikommenden Krawallmacher Brassel fielen fast die Augen aus dem Kopf, als er seinen Hut lüpfte und ein »*Enchanté*, Madame« murmelte.

»Willkommen auf der Bühlerhöhe, Frau Goldberg«, flötete die Reisacher.

»Mein Mann wird noch beruflich in Paris festgehalten«, erklärte die Goldberg und nahm ihren Schal ab. »Ich war auf Familienbesuch in Frankfurt. Wegen des Termins zur Frischzellenkur bei Doktor Neuhaus habe ich mich dazu entschlossen, allein anzureisen. Mein Mann wird in ein, zwei Tagen nachkommen. Hat er sich bereits gemeldet?«

Die Reisacher schüttelte bedauernd den Kopf, bat um den Pass und darum, dass ihr neuer Gast den Anmeldezettel ausfüllte. Dabei betrachtete sie Hals und Dekolleté ihres Gegenübers: beides intensiv gebräunt, genau wie die Arme und das Gesicht. Nicht die zarte Bräune einer vierzehntägigen Sommerfrische, sondern die von jemandem, der die meiste Zeit des Tages im Freien verbringt. Eine Bräune, die die Haut spätestens mit vierzig hart und ledern werden ließ.

Die Goldberg entledigte sich ihres rechten Häkelhandschuhs, der ebenfalls im Grünton des Kleides gehalten war, und begann das Formular auszufüllen.

Hände, wusste die Reisacher aus langjähriger Beobachtung, verrieten immer etwas über den dazugehörigen Menschen. Und die Hände der Frau Goldberg … Fein maniküvt waren sie, ja, ja, aber die tiefen Schrunden in den Fingerkuppen konnte auch die sorgfältigste Maniküre nicht verschwinden lassen. Diese Hände sahen nach schwerer körperlicher Arbeit aus, Feldarbeit, Fabrik, Küche, was auch immer. Diese Hände waren niemals die Hände einer Professorengattin. Die Frau gab vor, etwas anderes zu sein, als sie war. Aber warum?

Frau Goldberg schob den ausgefüllten Anmeldezettel über den Rezeptionstresen und stülpte schnell wieder den grünen Handschuh über die verräterischen Finger. Sie war eine geborene Silbermann, ihr Geburtsort war Köln, aber als Heimatadresse hatte sie einen der Reisacher völlig unbekannten Ort in Israel angegeben. Wer weiß, auf welchem Weg sie an das Briefpapier des Pariser Hotels gelangt war? Und der Gatte, existierte der überhaupt? Reisachers innere Alarmglocke schrillte, ihr Jagdinstinkt war geweckt. Sie würde schon herausfinden, was mit dieser Frau nicht stimmte. Zunächst galt es, ihre Bonität zu prüfen.

»Sie sind zum ersten Mal in unserem Haus zu Gast, deshalb müssen wir auf Vorkasse bestehen.« Sie legte einen bedauernden Ton in ihre Stimme.

»Ich stelle Ihnen einen Scheck aus«, erwiderte die Goldberg sofort und nestelte ein Scheckheft der Banque de Suisse aus der Handtasche.

»Pardon, gnädige Frau. Aber wir akzeptieren nur Bares.«

Neben der Reisacher begann der junge Morgenthaler unruhig von einem Bein aufs andere zu treten. Schecks der Banque de Suisse wurden auf der Bühlerhöhe immer akzeptiert. Sie schickte ihn nach dem Hotelpagen.

»In Frankfurt habe ich das Hotel ohne Probleme mit

Scheck bezahlen können«, warf die Goldberg eher verwirrt als empört ein.

»Bedaure, aber wir müssen auf Nummer sicher gehen. In Bühl gibt es eine Sparkasse, wo Sie Schecks einlösen können. Der nächste Bus dorthin fährt in einer halben Stunde. Selbstverständlich kann ich Ihnen auch ein Taxi rufen.«

Wie ein verirrtes Reh, das nicht wusste, in welche Richtung es davonspringen sollte, blickte die Goldberg abwechselnd die Reisacher, die Eingangstür, die Telefonkabinen und ihren Koffer an. »Das Gepäck kann ich hierlassen?«

Die Reisacher nickte gnädig und hielt Ausschau nach dem Hotelpagen. Aber der nichtsnutzige Morgenthaler war nicht zu ihm gelaufen, sondern zu Klarbach, der nun hinter Morgenthaler herkommend auf die Rezeption zustrebte.

»Ein Missverständnis, gnädige Frau«, entschuldigte sich Klarbach und schickte der Reisacher einen giftigen Blick. »Natürlich akzeptieren wir einen Scheck der Banque de Suisse.«

Das erleichterte Lächeln, das die Goldberg ihm für diese Auskunft schenkte, ließ ihn seinerseits wie einen Idioten grinsen und nach ihrem Koffer greifen. »Welches Zimmer für die gnädige Frau, Madame Reisacher?«

»Die 312.«

Ungläubig sah die Reisacher den beiden nach. Eigentlich traute Klarbach ihren Einschätzungen, was neue Gäste betraf, immer. Und wann hatte der Direktor zuletzt einem Gast den Koffer getragen? Morgenthaler neben ihr stierte mit weiterhin glühenden Ohren dem Hintern der Goldberg hinterher, als wäre er das goldene Vlies. Männer! Fielen alle gerne auf unschuldige Rehlein herein und ließen sich von diesen ins Bockshorn jagen oder ins Verderben zerren so wie damals die Gefährten des Odysseus von Circe. Geplatzte Schecks, Erpressung, gebrochene Herzen und so weiter. Vielleicht entpuppte sich die Goldberg als Heiratsschwindlerin?

Die Reisacher hängte den Schlüssel 320 zurück ans Brett.

Auch dieses Zimmer wäre frei gewesen, aber sie hatte der Goldberg das neben dem Staatsanwalt gegeben.

Bühlerhöhe

Wenig später stand Rosa in einem tanzsaalgroßen Zimmer und starrte auf die gestärkte Bettwäsche, deren Weiß nicht zu überbieten war. Ihr erster Auftritt auf der Bühlerhöhe ein Desaster! Dabei war ihr anfangs alles vertraut gewesen: der große Brunnen im Innenhof gleich hinter dem Portal, die Treppen aus rotem Stein, die hinunter in den Park führten. Die Rundhalle mit dem schwarzweißen Marmorboden, die prächtigen hohen Säulen, die die Halle säumten, die Nischen mit den Fauteuils. Aber dann waren da diese misstrauische, schockierend vertraut duftende Empfangsdame, das Hin und Her wegen des Schecks und die Intervention des Direktors gewesen. All das hatte nichts mit der unauffälligen Ankunft gemein, die Oz und seine Leute mit ihr durchgespielt hatten. »Ari wird die Formalitäten erledigen. Du hältst dich als Gattin dezent im Hintergrund.« – Von wegen! Die Paradekissen auf dem Bett mit dem mittigen Knick und den bestickten Bordüren, dieser Inbegriff deutscher Spießigkeit, verstärkten ihre Beklemmungen. Das alles war schon so lange nicht mehr ihre Welt, wenn es überhaupt je die ihre gewesen war.

Oz, der Sabre, der bereits in einem Kibbuz aufwuchs, hatte Rachel und sie immer zur Weißglut gebracht, wenn er sie als deutsche Bürgerstöchter bezeichnete. Egal, wie heftig sie protestierten, Oz ließ sich nicht davon abbringen, dass bourgeoises Verhalten mit der Muttermilch aufgesogen wurde und sich nie verlor.

Aber das stimmte nicht, wie Rosa gerade gemerkt hatte. Sie erinnerte sich an die Mischung aus Bonhomie und Souveränität, mit der der Großvater bei ihrem Besuch hier aufgetreten war. Er hätte leise und bestimmt nach dem Direktor verlangt, und so hätte auch sie reagieren müssen, als die Empfangsdame sich weigerte, ihren Scheck anzunehmen. Stattdessen hatte sie wie der Ochs vorm Berg dagestanden und sich von einem vertrauten Duft verwirren lassen: Maiglöckchen, Fleur de Muguet, das Parfüm ihrer Mutter, die Empfangsdame benutzte es. Ein Duft, den sie seit über zwanzig Jahren nicht mehr gerochen, nach dem sie verzweifelt in jedem Flüchtlingslager und auf jedem Schiff, das in Haifa einlief, gesucht hatte.

Es war viel Zeit vergangen. Über zwanzig Jahre war sie nicht mehr in einem solchen Hotel gewesen. Sie hatte das in Oz' Runde zu bedenken gegeben. »Wenn du da bist, wird dir alles wieder einfallen!« Mit diesem Satz hatte Oz ihren Einwand vom Tisch gefegt. In all diesen Was-wäre-wenn-Spielchen mit Oz' Leuten war es immer nur eine winzige, eigentlich undenkbare Option gewesen, dass Ari in Baden-Baden nicht auftauchen könnte. Und jetzt war das Undenkbare eingetreten, und sie war ganz auf sich allein gestellt.

Ihr Kleid schnürte ihr wie ein Korsett die Luft ab, und das nicht nur, weil sie sich so an die bequeme Arbeitskleidung aus Shorts und Hemd gewöhnt hatte. Sie nestelte den Reißverschluss auf und stülpte sich das Kleid über den Kopf. Am liebsten hätte sie es dort belassen und sich damit wie ein Vogel Strauß tief in die Kissen vergraben oder gleich ganz Reißaus genommen. Aber wenn sie der Verzweiflung nachgab, war sie verloren. Frische Luft. Frische Luft würde ihr helfen, wieder einen klaren Kopf zu bekommen.

Von der Bühlerhöhe aus brauchte sie zwanzig Minuten, bis sie auf den schmalen Weg stieß, der in den Bretterwald hineinführte. Das Laufen beruhigte sie, und mit dem lang vermissten Duft von Moos und Tannen kehrten die alte Vertrautheit des Waldes und die Erinnerungen zurück. Im Bretterwald fand sie vieles wieder: die Weggabelung, die wie das spitze V von Viktoria aussah, die Glockenblumen im Zittergras, die Ameisenstraßen, die blaugrün schillernden

Mistkäfer, die Tannenreihe, die auf eine prächtige Eiche zulief, die schmalen, von Farn überwucherten Wasserläufe, den hellgrünen, essbaren Klee, die drei vermoosten Wackersteine, die ihnen beim Versteckspiel als Anschlag gedient hatten. Sie federte über Nadelkissen und Moosdecken, hüpfte über schmale Wasserläufe, naschte winzige Erdbeeren, so wie sie es als Kind mit Rachel und Walburg getan hatte. Ewig hatte sie schon nicht mehr an dies alles gedacht, erstaunlich, dass sie sich so genau erinnerte, aber sie hatte schließlich die Sommer ihrer Kindheit hier verbracht. Immer stiegen sie als Familie im Hundseck ab. Nur der Großvater bevorzugte die Bühlerhöhe. Wenn sie gleichzeitig im Schwarzwald waren, besuchten sie sich gegenseitig oder unternahmen gemeinsame Exkursionen. Ein einziges Mal waren Rachel und sie ohne die Eltern und Ben hier gewesen. Da begleiteten sie den Großvater und durften mit ihm in dem viel vornehmeren Haus logieren.

Diese letzte Reise mit dem Großvater und das Sommerglück mit Rachel und Walburg markierten das Ende ihrer Kindheit. Im Winter danach starb der Vater, bald darauf fingen in der Schule die Hänseleien gegen jüdische Kinder an, und Rachel begann über eine Auswanderung nach Palästina nachzudenken …

Es überraschte Rosa, wie schnell das Hundseck zwischen den Bäumen auftauchte. Ein Blick auf die Uhr, natürlich, sie war bereits seit einer Stunde unterwegs, kein Wunder also.

Als Kinder hatten sie gespielt, die Bühlerhöhe sei das Schloss – das gehörte natürlich Rachel – und das Hundseck das Forsthaus. Forsthaus wegen des Fachwerks und der Holzbalkone und natürlich wegen der riesigen Hirschgeweihe, die in der Jägerstube hingen. Und dann waren da noch der ausgestopfte Fuchs und der ebenfalls ausgestopfte Auerhahn gewesen, die man in einer Vitrine am Hoteleingang bewundern konnte. Ob es diese Vitrine noch gab, hinter der sie sich so gern versteckt hatten? Das war nicht wichtig, wichtig war nur der Auftrag.

»Der Besuch des Kanzlers führt alle möglichen Leute in den Schwarzwald. Geschäftsleute, Bittsteller, Schaulustige, Schreiberlinge, undefinierbares Kroppzeug. Die wenigsten werden auf der Bühlerhöhe logieren, stattdessen in den Hotels der näheren Umgebung Quartier beziehen. Wir vermuten, dass auch die Irgun-Leute eher dort als auf der Bühlerhöhe unterschlüpfen werden. Also, klappere mit Ari die Hotels ab. Halt immer und überall die Augen auf! Alles kann wichtig sein«, rief sie sich Oz' Anweisungen in Erinnerung.

Alles kann wichtig sein. Mit so einem Satz konnte vielleicht ein erfahrener Agent wie Ari etwas anfangen, aber sie? Rosa sah sich um. Die Terrasse mit den gelbweiß gestreiften Sonnenschirmen war gut besetzt. Doch da wurde ein Tischchen ganz in der Nähe des Eingangs frei. Rosa beeilte sich und orderte Kaffee bei einer Bedienung im Dirndl. Dirndl hatten Rachel und sie damals auch getragen. An weiße Puffärmelchen erinnerte sie sich und an rote Schürzen, auf die in Weiß winzige Herzchen gedruckt waren. Hör auf, daran zu denken, befahl sie sich.

Sie hatten ihr Namen genannt und Bilder gezeigt. Gesichter aus aller Herren Länder, harmlos oder finster wirkende, mit heller oder dunklerer Hautfarbe. »Vier Augen sehen mehr als zwei. Merk sie dir gut!« Sie hatte sich Details wie die Narbe am Kinn, zusammengewachsene Augenbrauen oder langgezogene Ohren eingeprägt. »Die Irgun wird Leute schicken, die sich unauffällig verhalten, aber vielleicht verraten sie sich durch Kleinigkeiten, die nicht stimmen.« Und wie, bitte schön, sollte sie das bemerken? Stimmte etwas nicht an den drei Herren, die hemdsärmelig Zigarren rauchten und Rotwein tranken? Mit dem einsamen Wanderer, der bei einem Bier seine Karte studierte? Oder mit den zwei Männern in grauen Anzügen, die sich zwischen den Weingläsern Papiere hin- und herschoben? Wie sollte sie wissen, wer harmlos und wer vielleicht gefährlich war? Wie sollte sie allein überhaupt irgendetwas ausrichten können?

Die Bedienung stellte eine Tasse und ein silbernes Kännchen auf den Tisch und goss Kaffee ein. Echter Bohnenkaffee, den gab es in Omarim nur selten. Rosa trank ihn schwarz.

Plötzlich erregte ein Neuankömmling ihre Aufmerksamkeit. Nicht nur ihr, allen fiel der Mann auf. Er bezahlte sein Taxi und stieg dann die Treppen zur Terrasse hoch. Ein Maghrébin! Großgewachsen, Olivenhaut, weißer Leinenanzug, Sonnenbrille, eine Aktentasche aus Kalbsleder unter dem Arm. Diese schmale Nase, dieser rasierklingenscharfe Mund, ein schönes Gesicht ohne Zweifel, hatte sie es nicht auf einem der Fotos gesehen? War das Maurice Masaad? Der Mann bahnte sich eilig seinen Weg zwischen den Terrassentischen hindurch und verschwand in der Eingangstür. Rosa zögerte nur kurz. Dann stellte sie die Tasse ab, folgte ihm ins Foyer, verweilte bei der Vitrine – Fuchs und Auerhahn hatten die letzten zwanzig Jahre tatsächlich überlebt – und interessierte sich scheinbar für das Gefieder des Auerhahns. Aber Vorsicht war nicht nötig, der Araber drehte sich nicht um, er strebte auf die Rezeption zu, hinter der ihn ein Mädchen mit einem braven Bauerngesicht willkommen hieß.

»*Bonjour*. Mein Name ist Abdul Nourridine, ich habe ein Zimmer reserviert«, sagte er auf Französisch und stellte seine Aktentasche auf den Fußboden.

Ganz ernsthaft, als ob sie dies noch nicht oft gemacht hätte, suchte das Mädchen im Gästebuch nach seinem Namen, bat in holprigem Französisch um den Pass und das Ausfüllen des Meldezettels, griff dann nach einem der Schlüssel, die hinter ihr an einem Brett hingen, und reichte ihm diesen.

Maurice Masaad, rekapitulierte Rosa, Familie aus Casablanca, aufgewachsen in Marseille, lebte später in Paris, floh nach der deutschen Besetzung der Stadt nach Palästina, kämpfte in der britischen Armee, war an der Befreiung von Bergen-Belsen beteiligt, schloss sich nach dem Krieg der

Irgun an, leitete mehrere Überfälle auf britische Militärstationen, sehr guter Scharfschütze. Masaad, der sich jetzt Nourridine nannte. Warum sollte die Irgun einen Maghrébin schicken, der hier auffiel wie ein bunter Hund?

»*Merci beaucoup.*« Nourridine steckte den Schlüssel ein und nahm dann mit eleganter Geste seine Sonnenbrille ab. »Können Sie mir noch sagen, wo ich Monsieur Pfister finde?«

Das Gesicht des Mädchens verfärbte sich von jetzt auf gleich ins Kreideweiße, und in Sekundenschnelle veränderte sich ihr Blick, als würde sie in einen Höllenschlund schauen. Todesangst, wusste Rosa, konnte kein Mensch verbergen. Sie riss jede noch so gut polierte Fassade ein. Immer bettelten die Augen dann wie bei diesem Mädchen um Gnade. Die Kleine öffnete den Mund, aber sie brachte keinen Ton heraus, formte nur stumme Buchstaben.

»Herr Pfister schwimmt hinter dem Haus«, sagte an ihrer statt ein Kellner, der die Frage gehört und das verschreckte Mädchen bemerkt hatte. Dann brachte er sein Tablett voller Kaffeekännchen auf die Terrasse hinaus.

Nourridine bedankte sich und zog formvollendet seinen Hut, als er an Rosa vorbeiging und wieder nach draußen trat.

Neben dem verstörten Mädchen ließ er eine Wolke aus Sandelholz zurück. Rosa wedelte den Duft weg, das Mädchen rührte sich nicht. Rosa lief auf sie zu, pflückte dabei eilig das Fläschchen Kölnisch Wasser aus ihrer Handtasche, das es selbst in Tanger zu kaufen gab und von dem Rachel behauptete, dass es in der Handtasche keiner Frau fehlen durfte, schüttete ein paar Tropfen davon auf ein sauberes Taschentuch und legte es auf den Tresen.

»Atme das ein, los«, befahl sie, aber das Mädchen reagierte nicht. Schnell wechselte Rosa auf die andere Seite des Tresens, packte das Mädchen bei den Schultern und hielt ihr das Kölnisch Wasser unter die Nase. Jetzt begann das Mädchen am ganzen Leib zu zittern und zu schluchzen. »Schsch, schsch, schsch«, summte Rosa beruhigend, streichelte ihr den

Arm und flüsterte ihr ins Ohr: »Kennst du den Mann? Ist er schon einmal hier gewesen?«

Das Mädchen schien die Fragen nicht zu hören.

»Was hat dir eine solche Angst gemacht?«

»D'r schwarze Engel«, stammelte sie und starrte durch Rosa hindurch auf einen nur für sie sichtbaren Schrecken. »D'r schwarze Engel.«

»Fräulein Agnes!«

Die vorwurfsvolle Stimme ließ sie beide zusammenfahren. Rosa drehte sich um und erkannte Hartmann wieder, der von wer weiß woher gekommen war. Hartmann, der Rachel und sie angepflaumt hatte, wenn sie zu schnell durch die Flure sausten oder laut die Enden der Hirschgeweihe in der Jägerstube zählten. Hartmann, der sie oft ausgeschimpft hatte, vor den Eltern aber von den entzückenden Töchtern schwärmte. Die Jahre waren an dem falschen Fuffziger nicht spurlos vorbeigegangen, unter seiner Weste spannte ein fetter Wohlstandsbauch, aber so eine taubenblaue Fliege hatte er schon damals gerne getragen.

»Ein kleiner Schwächeanfall. Ich habe mit 4711 ausgeholfen«, erklärte Rosa, weil es dem Mädchen wieder die Sprache verschlagen hatte.

Hartmann scheuchte Agnes in das Büro hinter der Rezeption und komplimentierte Rosa auf die andere Seite des Tresens. »Bitte vielmals um Entschuldigung, aber diese jungen Dinger machen heutzutage nichts als Ärger. Darf ich Ihnen für Ihre Mühe einen Schwarzwälder Kirsch bringen lassen? Oder lieber ein Likörchen?«

Erkannte er sie ebenfalls wieder? Für einen Moment, als sich ihre Blicke kreuzten, schien es so. Aber wenn, gab er es genauso wenig zu wie Rosa.

»Weder noch.« Rosa steckte ihr Taschentuch zurück in die Handtasche. »Und es war keine Mühe.«

Hartmann hüstelte verständnisvoll.

Hätte er nicht fünf Minuten später auftauchen können?

Dann hätte ihr das Mädchen erzählt, wer der schwarze Engel war.

Sie kehrte zur Terrasse zurück, bezahlte und schlenderte dann auf die Rückseite des Hotels, wo das Ploppen von Tennisbällen zu hören war. Ihre Mutter war eine gute Tennisspielerin gewesen. Sie hatte immer das Gästeturnier im Damentennis gewonnen. Links lag der Tennisplatz, direkt vor ihr, umrahmt von Tannen, das Schwimmbad.

Nourridine hatte sich in einen Korbsessel am Rand des Beckens gesetzt und fiel doppelt auf. Wegen seiner dunklen Haut und weil er in einem Anzug steckte. Sein Blick fokussierte einen Mann im Wasser, der kraulend seine Bahnen zog. Das musste dieser Pfister sein, und der machte keinerlei Anstalten, aus dem Wasser zu steigen.

Nourridine bemerkte nicht, dass Rosa sich unweit von ihm auf einen Liegestuhl setzte, der Maghrébin hatte nur den Mann im Wasser im Sinn. Jetzt sprang Nourridine von seinem Stuhl auf, riss sich seine Sonnenbrille von der Nase, trat ungeduldig ganz nah an den Beckenrand, blickte ins Wasser, sagte irgendwas, das Rosa nicht verstand, drehte sich dann um und starrte in Richtung Tennisplatz und Skilifte. Zum ersten Mal sah Rosa seine Augen. Sie waren grün, ungewöhnlich für einen Araber. Nourridine wandte sich wieder dem Schwimmer zu, der endlich aus dem Wasser stieg. Rosa stockte der Atem. Es war der Mann, den sie in Baden-Baden in ihrem Taxi hatte mitfahren lassen.

Sie grub sich tiefer in den Liegestuhl, setzte ihrerseits die Sonnenbrille auf, aber die beiden Männer beachteten sie gar nicht. Sichtlich aufgebracht redete Nourridine auf Pfister ein, von Pfister nur durch kurze Fragen unterbrochen. Die Männer sprachen arabisch miteinander, und das nicht besonders leise, wohl weil sie davon ausgingen, dass es im Schwarzwald kein Mensch verstand. Aber Rosa hatte in den letzten zwanzig Jahren ein paar Brocken gelernt.

Tanger, das Geschäft geplatzt, die ganze Lieferung geklaut,

zwei Männer verloren, die Ägypter spielen verrückt, so viel verstand Rosa. Als Nourridine wissen wollte, was in Paris geschehen war, brach Pfister das Gespräch mit einer ärgerlichen Handbewegung ab. Er griff sich sein Handtuch, besah sich den Stand der Sonne, kehrte Nourridine den Rücken und lief auf das Hotel zu. Nach kurzem Zögern ging der Araber ihm nach. Rosa ließ den beiden einen kleinen Vorsprung, bevor sie ihnen folgte.

Hundseck

Agnes Rheinschmidt zitterte so heftig wie in der Nacht, als die schwarzen Teufel gekommen waren. Sie stand in der Mitte des schmalen Büros, auf der linken Seite ihr kleiner, auf der rechten Hartmanns großer Schreibtisch, und rührte sich nicht vom Fleck. Hartmanns Stimme draußen an der Rezeption ein fernes Murmeln, kurz unterbrochen von seinem leicht wiehernden Lachen. Dann trat der Direktor ins Büro. Kaum hatte er die Tür hinter sich geschlossen, pflaumte er sie an: »Schwächeanfall! Hast du dir einen Balg andrehen lassen?«

Agnes schüttelte den Kopf. Sie kniff die Beine zusammen und merkte erst jetzt, dass sie sich in die Hose gemacht hatte. Genau wie damals.

»Wehe, du lügst mich an. Dann schmeiß ich dich raus, bevor du bis drei zählen kannst. Hast du verstanden?«

Wieder nickte sie. Nicht mal das übliche »Ja, Herr Direktor« kam ihr über die Lippen. In der Hoffnung, dass sich der Gestank nicht so schnell breitmachte, kniff sie die Beine fester zusammen.

»Kennst du die Frau, die dir geholfen hat?«

Wieder schüttelte sie den Kopf. Wenn Hartmann roch, dass sie sich in die Hose gemacht hatte, würde er sie ganz bestimmt rausschmeißen. Immer noch schnaubte er wie ein altes Schlachtross. Zum Glück wurde sein Schnauben bald leiser, und er beruhigte sich.

»Sind die Restauranteinnahmen des gestrigen Abends schon gebucht?«

Sie nickte. Das machte sie immer als Erstes, im Rechnen war sie gut, und eine schöne Schrift hatte sie auch, ihre Abrechnungen immer picobello und fehlerlos. Dafür lobte Hartmann sie sogar manchmal. Endlich setzte er sich und sortierte die Post, die sie ihm auf den Schreibtisch gelegt hatte. Sie stand immer noch mit gesenktem Kopf da und schämte sich.

»Ich müsst mal …«, stammelte sie.

Hartmann sah kurz auf und reichte ihr zwei Briefe. »Aber beeil dich! Und dann bring die rüber zur Bergwacht.«

Außer den Patiencen legenden Schweizerinnen war niemand im Foyer, und so schlich sie sich schnell in den schmalen Flur davon, von dem aus eine Stiege zu ihrem Zimmer führte.

Unterhose und Seidenstrümpfe wanderten ins Waschbecken und nach dem Waschen auf die Leine, die sie vom Waschbecken bis zum Fenster gespannt hatte. Walburg … Sie schlüpfte in ihre letzte saubere Unterhose und fächelte sich ihr zweites Paar Seidenstrümpfe auf. Walburg! Wo steckte sie gerade? Oben am Mehliskopf, auf der Kohlbergwiese oder am Falkenfelsen? Obwohl er nicht nass geworden war, stank auch der Rock, aber sie hatte keinen zweiten, ihren weiten Alltagsrock durfte sie im Hotel nicht tragen. Sie besprenkelte ihn mit ein paar Tropfen Klosterfrau Melissengeist. Walburg. Die Schwester musste wissen, dass der schwarze Engel zurückgekehrt war.

Fast hätte sie die Briefe vergessen, als sie sich wenig später auf den Weg zur Bergwacht machte. Agnes fiel ein Stein von der Brust, als sie sah, dass der Fridolin Gschwender aus Bühlertal Dienst hatte. Seine NSU Lambretta stand vor der Hütte, ihn selbst fand sie dahinter, wo er ein langes Seil aufrollte, das er immer mitnahm, wenn er im Wald nach einem verschollenen Wanderer suchen musste.

»Post«, sagte Agnes und legte die beiden Briefe auf einen Baumstumpf, der zum Holzhacken diente.

»Und? Was mache eure vornehme Gäst?« Fridolin griff nach den Briefen.

»Die lasse sich's gutgehe.«

»Aber du nicht. Bist ja ganz käsig.«

Agnes zuckte mit den Schultern. »Hast du die Walburg g'sehn, gestern oder heut?«

»Gestern in der Nähe vom Falkenfelsen, im oberen Bühlertal.«

»Fahrst du heut Abend heim?«

Fridolin nickte.

»Nimmsch mich bis zur Hertahütte mit?«

»Gibt dir der Hartmann frei?«

»Mol, mol«, log Agnes. Sie musste Walburg unbedingt finden. Nur ihr konnte sie sagen, dass der schwarze Engel zurückgekehrt war.

Bühlerhöhe

Für die dicke Emma stellte die Reisacher am späten Vormittag die dürre Rita ein, die ihr das Arbeitsamt Bühl nach ihrem Anruf geschickt hatte. Eine Sudetendeutsche, stumm wie ein Fisch, aber mit flinken Fingern. Wechselte ein Oberbett in dreißig Sekunden, zog die Leintücher stramm, als hätte sie es beim Militär gelernt, wischte ohne vorherige Aufforderung auch auf den Schränken Staub, und wenn sie durch die Flure huschte, hörte man sie nicht. Genau so hatte ein gutes Zimmermädchen zu sein: stumm, flink und unsichtbar.

Danach rief sie den Hausdiener Lepold zu sich und fragte ihn, ob ihm der Name Silbermann etwas sagte.

»Aber ja«, antwortete er sofort und erzählte, dass David

Silbermann vor dem Krieg Stammgast auf der Bühlerhöhe gewesen war. »Bronchien und Bandscheiben, wissen Sie, vier bis sechs Wochen Minimum. Witwer, ein reizender, vornehmer Herr mit feinem Humor, der bei schönem Wetter abends gerne eine Brissago, Bronchien hin oder her, auf der Hirschterrasse rauchte oder bei schlechtem Wetter mit den Kriegswitwen im Salon eine Partie Rommé spielte.«

An einen Sohn erinnerte sich Lepold, verheiratet, zwei kleine Töchter. Die junge Familie besuchte den alten Mann gelegentlich. Silbermann hatte dann auf der Hirschterrasse Schwarzwälder Kirschtorte für Sohn und Schwiegertochter und Eis für die Enkelinnen spendiert. Zwei kleine Mädchen, eine hieß Rachel, ein Wildfang, der Augenstern des Großvaters. Der junge Herr Silbermann machte mit seiner Familie auch Ferien im Schwarzwald, allerdings in einem der anderen Höhenhotels, auf dem Hundseck, genau, denn die Bühlerhöhe war nun wirklich kein Haus für Familien mit kleinen Kindern, das Hundseck dagegen hatte doch ein Schwimmbad und einen Tennisplatz und war überhaupt sehr familiär. Die Schwiegertochter in einem Jahr in anderen Umständen, das musste so Ende der Zwanziger gewesen sein. Später, Sommer 1933, ja, Lepold erinnerte sich genau, der letzte Aufenthalt des alten Herrn Silbermann, da waren die zwei Enkelinnen ein paar Wochen allein bei ihm zu Gast gewesen ohne ihre Eltern. Die eine da vielleicht elf, die andere dreizehn Jahre alt. Hübsche Mädchen, denen man schon ansehen konnte, dass sie sich zu Schönheiten entwickeln würden, gleichzeitig aber noch rechte Kinder, unentwegt kichernd oder losprustend. Silbermann hatte ein Bauernmädchen aus der Gegend engagiert, das mit den Enkelinnen wandern und auf Exkursionen ging. Dinge, die der alte Herr wegen der Bronchien und Bandscheiben nicht mehr unternehmen konnte. Abends beim Diner hatten die drei viel Spaß miteinander, Silbermann war in der jugendlichen Gesellschaft sichtlich aufgeblüht, und mit einem

Mal erinnerte sich der alte Lepold auch an den Namen der zweiten Enkelin: Rosa. Eine Stille sei sie gewesen, eine, die man erst auf den zweiten oder dritten Blick bemerkte, eine, die im Schatten der großen Schwester stand. Und das Mädchen aus der Gegend, hakte die Reisacher nach. Wie hieß die?

Aber sosehr der alte Hausdiener auch überlegte, der Name wollte ihm nicht einfallen. Eine große Kräftige, raubeinig, vierschrötig. Vielleicht aus dem Bühlertal, aber das konnte er nicht beschwören, denn er hatte sie weder vorher noch nachher je wiedergesehen, sich aber damals gewundert, wie der vornehme Herr Silbermann an diesen Bauerntrampel geraten war. Bekümmert darüber, dass ihn sein Gedächtnis im Stich ließ, schüttelte er den Kopf.

Manchmal, so die Reisacher, den alten Mann zur Tür geleitend, kämen Erinnerungen ja wieder, wenn man nicht mit ihnen rechne. Wann immer ihm also einfalle, wie das Mädchen heiße, solle er nicht zögern, zu ihr zu kommen. Denn für sie, die sie ja erst seit 1949 auf der Bühlerhöhe arbeitete, sei es immer ein großes Vergnügen, mit ihm über die alten Zeiten zu plaudern. Sie schloss die Tür hinter ihm.

Rosa Silbermann! Sie war also schon einmal hier gewesen. Der Reisacher blieb keine Zeit, sich weiter damit zu beschäftigen, denn kurz darauf reisten, zeitgleich, Kettenkaul und die Grünhagens an. Und sie hatte von Droste versprochen, ein Auge auf sie zu haben. Es wurde etwas eng an der Rezeption, als Kettenkaul und die ältere der beiden Grünhagens die Anmeldezettel ausfüllten. Bei Kettenkaul enttäuschte die Reisacher ihre Menschenkenntnis nicht. Er hatte kurzfristig sein Einzelzimmer gegen zwei verbundene Einser umgetauscht und reiste mit seiner »Sekretärin«. Wie in ihrer Vorstellung entpuppte er sich als älterer Geschäftsmann mit schwerem Bauch, teurer Schweizer Uhr und gut gefülltem Portemonnaie. »Kein Balkon an den Zimmee?«, mockierte er sich in breitestem Hessisch, während das Fräulein an seiner Seite ungeniert die Rundhalle betrachtete und ihr vor Staunen fast die Augen aus dem Kopf fielen.

»Leider nein, nicht bei den verbundenen Einsern«, beschied die Reisacher mit falschem Bedauern.

»Hoffentlisch is es Esse guud.« Er kniff seinem »Fräulein« in den Hintern, winkte mit herrischer Geste einen der Pagen heran und deutete auf sein Gepäck.

Die Reisacher reichte dem Pagen den Zimmerschlüssel und wartete, bis die drei im Treppenhaus verschwunden waren. Dann wandte sie sich den Damen Grünhagen zu. Mutter und verbiesterte Tochter, grau, elegant und gradlinig, alter hanseatischer Geldadel, *très distingué*. Die Missbilligung von Kettenkauls Fauxpas stand beiden ins Gesicht geschrieben. »Ihr Zimmer hat selbstverständlich einen Balkon«, flüsterte die Reisacher verschwörerisch und winkte einen anderen Pagen für das Gepäck herbei.

Die Mutter Grünhagen nickte gnädig, während die Tochter in ihrer Handtasche nach einer Teedose kramte und diese der Reisacher reichte.

»Zum Frühstück fünf Teelöffelchen auf eine Kanne, den Tee exakt drei Minuten ziehen lassen, weißer Kandis und Sahne dazu.«

»Ich gebe in der Küche Bescheid«, versprach die Reisacher und wünschte einen schönen Aufenthalt.

Der Page griff nach dem Gepäck, aber die Tochter Grünhagen bestand darauf, ihr Jagdgewehr selbst zu tragen. Die Reisacher notierte sich, dass sie den Oberkellner anweisen musste, die beiden Damen beim Diner auf keinen Fall neben Kettenkaul und seiner Begleitung zu platzieren.

Von Droste hatte sich für den späten Nachmittag angekündigt. In zwei Tagen wolle der Kanzler anreisen, hatte er ihr am Morgen am Telefon mitgeteilt, er fahre gleich mit der Vorhut los. Kurz vor vier Uhr traf er ein, in seinem Schlepptau zwei Männer mit maskenhaften Gesichtern, wahrscheinlich vor zehn Jahren noch für die Gestapo tätig.

Die hatte sie, im Gegensatz zu den Offizieren, nie gemocht, die Gestapoleute waren ihr immer unheimlich gewesen. Der Hauptmann stellte die zwei als Meier und Müller vor. Auf von Drostes Geheiß hin klingelte die Reisacher nach dem Hausmeister, der den beiden Männern Keller, Dachböden, Garagen, Gesinderäume und so weiter zeigen sollte.

»Da ist noch ein kleines Problem, das Sie lösen müssen, Madame Reisacher«, fuhr von Droste fort. »Ein zusätzliches Zimmer für zwei Hundeführer.«

»Hundeführer und Hunde, nehme ich an.« Die Reisacher war überrascht. Noch nie hatte von Droste zu einem Kanzlerbesuch Spürhunde mitgebracht. »Auf der Kanzleretage, das wissen Sie selbst …«

»Ein Zimmer im Dienstbotentrakt. Völlig ausreichend«, unterbrach sie von Droste.

»Ist der Kanzler diesmal in besonderer Gefahr?«, wagte sie leise zu fragen.

»Ein Mann wie Adenauer ist immer in Gefahr.«

Aber doch nicht bei uns, wollte die Reisacher protestieren, ließ es dann aber. Auch der friedlichste Ort konnte sich in ein mörderisches Inferno verwandeln, wie sie aus dem Krieg wusste.

»Sind die neuen Gäste schon angekommen?«, wechselte von Droste das Thema. Die Reisacher nickte. »Alle, bis auf einen. Kettenkaul, Eisenwarenhändler, reist mit Fräulein Wiedemeier, seiner Sekretärin. Hat zwei Einzelzimmer gebucht, die durch eine Zwischentür verbunden sind. Sie wissen, was das heißt. Die zwei kommen aus Frankfurt, er protzt wie ein reicher Onkel aus Amerika. Hat sich vor 1948 mit Schwarzmarktgeschäften eine goldene Nase verdient, wenn ich eine Vermutung äußern darf. Ihm und seiner ›Dame‹ kann Hermann heute Abend den teuersten Wein andrehen. Hoffentlich können sich die zwei bei Tisch halbwegs benehmen! Die Grünhagens dagegen, Mutter und Tochter, sind trockene Hanseaten. Mutter in den Achtzigern, Tochter Mitte fünfzig, kein Ehering, altjüngferlich. Kommen, wie sie mir beim Empfang erzählt haben, auf Empfehlung der Krügers, Werftbesitzer aus Blankenese, seit Jahren regelmäßige Gäste der Bühlerhöhe. Die Tochter Grünhagen mit Jagdgewehr im Gepäck. Hat sich vorhin nach einem hiesigen Jäger erkundigt, mit dem sie auf die Jagd gehen kann. Ich empfahl den Heiner Genter aus dem Achertal, der unsere Küche mit Wildbret versorgt. Kettenkaul habe ich die Zimmer 112 und 113, den Grünhagens die 125 gegeben.«

»Sie wissen, wie sehr ich Ihre Beobachtungs- und Kombinationsgabe schätze, Madame Reisacher«, lobte von Droste sie und machte sich eifrig Notizen. »Und was ist mit den Goldbergs?«

»Frau Goldberg ist alleine gekommen. Aus Frankfurt, von einem Familienfest. Herr Goldberg wird noch beruflich in Paris festgehalten, sagt sie. Sie hat eine sehr gute Schneiderin, ihr Kleid Pariser Chic, alle Accessoires stimmen. Neben dem Ehering einen weiteren mit einem großen Turmalinstein, dezente Armbanduhr in Gold, sonst keinerlei Schmuck. Mitte dreißig, für die Frau eines Professors noch recht jung, aber noch wissen wir nicht, wie alt der Mann ist. So weit passt alles zur Professorengattin, aber …«

»Aber«, echote von Droste und war ganz Ohr.

»Ihre Hände sind die einer Bäuerin. Irgendwas mit ihr stimmt nicht.«

Wie vor zwei Tagen im Zimmer des Kanzlers trafen sich ihre Blicke für einen Moment. War es Bewunderung oder leiser Spott in von Drostes Augen? Die Reisacher konnte sich nicht entscheiden. Der Hauptmann blieb ihr ein Rätsel.

»Sie ist übrigens eine geborene Silbermann aus Köln. Ihr Großvater war vor dem Krieg Stammgast im Hause.«

»Silbermann?«, wiederholte von Droste überrascht. Zu gerne hätte die Reisacher gefragt, ob er die Silbermanns kannte, aber sie hielt sich zurück. Von Droste würde ihr diese Frage niemals beantworten.

»Welche Zimmernummer hat sie?«

Sie sagte es ihm.

»Ich nehme an, sie hat Halbpension gebucht. Ja? Dann platzieren Sie mich heute Abend an ihren Tisch.«

Hundseck

Zum zweiten Mal versteckte sich Rosa hinter der Auerhahn-Vitrine und beobachtete, wie Nourridine und Pfister die Treppe hoch zu den Gästezimmern nahmen, Pfister wenig später in Anzug und Krawatte zurückkam und an der Rezeption zwei frisch eingetroffene Männer begrüßte. Vater und Sohn möglicherweise, der Vater groß und kräftig, mit einem dunklen Zweireiher bekleidet, an dessen Revers eine Reihe von Orden blitzte. Der Sohn hatte die ungesunde Gesichtsfarbe eines Mannes, der zu wenig Zeit an der frischen Luft verbringt oder magenkrank war. Es waren diese Männer, derentwegen Pfister hier war, vermutete Rosa. Nourridine dagegen hatte ihn mit seinem Besuch überrumpelt. Bei dem Geschäft, von dem am Beckenrand die Rede gewesen war, musste etwas katastrophal schiefgelaufen sein. Der Maghrébin hätte sonst niemals den weiten Weg von Tanger in den Schwarzwald gemacht. Vielleicht lag sie doch falsch und Nourridine war nicht Masaad, sondern tatsächlich ein geprellter Geschäftsmann.

»Erfreut, Sie kennenzulernen, Herr Fritsch!« Pfister verbeugte sich vor dem Älteren der beiden. »Ihren Schwiegersohn kenne ich noch von früher. Wir sind alte Kameraden. – Frey, alter Junge!«, wandte er sich an den Jüngeren. »Gute Partie gemacht, ich gratuliere. – Meine Herren, ich habe uns das Séparée reserviert.« Mit dem charmanten Lächeln, das Rosa schon aus Baden-Baden kannte, wies Pfister den beiden den Weg.

Doch nicht Vater und Sohn, der Jüngere hatte eingeheiratet. Rosa verfolgte gebannt, wie die drei Männer am großen Saal vorbei in Richtung Séparée strebten. Das Séparée hatte ihr Vater auch gelegentlich gebucht, wenn er in den Ferien unbedingt einen Mandanten sprechen musste. Ein kleiner, mit dunklem Holz getäfelter, runder Raum, der von einem großen, ebenfalls runden Tisch und einem Kronleuchter aus Hirschgeweihen beherrscht wurde. Sie hatte den schmalen Dienstbotengang, der von der Küche dorthin führte, bei einer ihrer heimlichen Hotelexkursionen entdeckt, und Rachel und sie hatten gelegentlich an der angelehnten Tür gelauscht. Nicht nur bei ihrem Vater, auch bei anderen. Einmal hatten sie gesehen, wie Oberamtmann Schwank einer Frau, die nicht die seine war, seinen Glatzkopf zwischen die Brüste drückte und dabei schnaubte wie ein wilder Stier. Dieses Schnauben hatte sie so erschreckt, dass sie danach das Lauschen sein ließen.

Von der Küche aus würde sie den Gang bestimmt wiederfinden, und damit wären die verfluchten Erinnerungen endlich mal zu etwas nütze. Noch wagte sie sich nicht hinter der Vitrine hervor, denn Hartmann stand an der Rezeption und hatte das gesamte Foyer im Blick. Ein Wunder, dass er sie noch nicht entdeckt hatte. Jetzt verließ er seinen Platz, und Rosa starrte weiter sehr angestrengt auf das Gefieder des Auerhahns und suchte nach einer Ausrede, aber Hartmann kam nicht zu ihr. Er drehte ab und ging zu dem großen Tisch in der Nische, an dem fünf ältere Damen in grauen Twinsets Patiencen legten.

»Gewinnen Sie wieder, Madame Noeckerli?«, fragte er.

Nein, das tat Madame Noeckerli nicht, aber sie bat ihn, Platz zu nehmen und kurz für sie weiterzuspielen. Sie erhob sich umständlich, Hartmann half, und diese paar Sekunden Ablenkung genügten Rosa, um das Foyer zu durchqueren und im Flur zur Küche zu verschwinden. Es begegnete ihr kein Kellner mit Kaffeekännchen oder Tortentellern, überhaupt war die Küche am Nachmittag verwaist, nur frisch gewienerte Schöpfkellen und vor Fett glänzende Pfannen harrten dort aus. Die zweite Tür links, falsch, die führte zur Speisekammer, dann die erste, Mist, die war verschlossen, weiter zur dritten, die musste es sein. Natürlich hatte Rosa Angst, entdeckt zu werden, aber gleichzeitig spürte sie dieselbe lustvolle Aufregung wie damals, als sie mit Rachel hier herumgeschlichen war. Die Tür führte in einen schmalen, kaum beleuchteten Gang und endete vor einer anderen, die einen Spalt offen stand. Rosa konnte einen Ausschnitt des runden Tisches ausmachen, auf dem Papierrollen lagen. Die schmale Hand von Pfister griff nach einer. Papier knisterte und wurde mit sanftem Schaben glattgestrichen.

»Die Zeichnungen zwei a und drei b sind wichtig.« Die Stimme ordnete Rosa dem Schwiegersohn zu.

»Die Spanier sind weiter. Die haben einen beweglichen Rollenverschluss mit Gasdruck- und Rückstoßladern entwickelt.« Pfister mit tadelndem Tonfall.

»Klar sind die weiter! Franco ist noch an der Macht. Spanien hat keine Besatzer erlebt, die die Fabriken leer geräumt und die Wirtschaft lahmgelegt haben.« Der grollende Bass von Fritsch.

»Langsam, langsam, sie haben einen neuen Rollenverschluss entwickelt, sich aber nicht um das Kaliber gekümmert«, vermeldete Frey. »Wir planen eine Größenordnung von 7 × 51 mm, Stangenmagazin, Füllung bis zu zwanzig Patronen.«

»Sie wissen genau, unter was für schwierigen Bedingungen wir die Entwicklung des Sturmgewehrs vorantreiben«, maulte Fritsch weiter. »Obwohl sich der Bundestag schon im Februar mehrheitlich für einen militärischen Beitrag an der Seite der Westmächte ausgesprochen hat, dürfen wir offiziell immer noch nichts anderes produzieren als Nähmaschinen.«

»Sparen Sie sich das Lamento für einen Auftritt im Amt Blank oder beim Kanzler, wenn Sie in den nächsten Tagen eine Audienz kriegen«, bremste Pfister den Alten aus. »In unserer kleinen Runde weiß doch jeder, um was es geht. Frey, wie lang brauchst du noch für Entwicklung und Testphase?«

»Vier, fünf Monate. Dann könnten wir an den Start gehen. Wenn wir bis dahin die Produktionsmaschinen kaufen können.«

»Wir gehen davon aus, dass Sie die anvisierte Summe zusammenbekommen haben«, warf Fritsch ein.

»Ich habe das nötige Geld bekommen. Alle sind an der Weiterentwicklung des G 45 interessiert«, bestätigte Pfister. »Gegen deutsche Wertarbeit kommen die Spanier nicht an. Nur was die Höhe der Summe angeht, muss ich aus gegebenem Anlass Abstriche machen. Das Ägypten-Geschäft ist geplatzt. Eine undichte Stelle, irgendein Vöglein hat gesungen.«

Schweigen, Papierrascheln, dann irgendwann die Stimme von Fritsch, leise, drohend: »Sie glauben doch nicht, dass wir ...«

»Was ist das denn für eine Tür?«, unterbrach ihn Frey in scharfem Ton. »Warum ist sie nicht geschlossen?«

Hundseck

Agnes ging langsam in Richtung Hotel zurück. Schon von weitem suchte sie die Terrasse nach Nourridine ab, sie war erleichtert, dass er dort nicht saß. Ob er im Foyer ...? Aber dort traf sie nur auf die Schweizer Damen, die wie immer Patiencen legten.

»Ich bin wieder da«, meldete Agnes Hartmann, froh, das sichere kleine Büro erreicht zu haben.

»Bring Herrn Pfister drei Cognac ins Séparée und sag ihm, dass Frau Reisacher aus der Bühlerhöhe für ihn angerufen hat. Sie bittet um Rückruf«, befahl er ihr.

Ihre Füße gehorchten ihr nicht. Sie waren am Boden festgeschweißt.

»Brauchst du eine Extraeinladung? Die Herren wollen

den Cognac nicht übermorgen, sondern sofort. Los, los!« Er scheuchte sie wie ein verschrecktes Huhn zur Tür hinaus.

Lieber Gott, lass mich den Max treffen, damit er das für mich übernimmt, flehte sie auf dem Weg zur Küche, aber der Kellner war nicht da. Wahrscheinlich auf der Terrasse beim Servieren oder hinterm Haus, wo er mit dem Koch eine Zigarette rauchte. Bestimmt wurde er wütend, wenn sie ihn dabei störte. Die Cognacgläser auf dem Tablett zitterten genauso wie sie selbst, als sie damit in den düsteren Flur Richtung Séparée trat. »Heilige Maria Muttergottes«, betete sie, aber das Beten half nichts, das wusste sie doch von damals. Ob einer der drei Männer der schwarze Engel war? Nein, nein, bestimmt nicht. Zudem war Monsieur Pfister dabei, und der war immer nett zu ihr, der schenkte ihr manchmal Schweizer Schokolade oder zwinkerte ihr zu, wenn er an der Rezeption vorbeiging. Sie musste nur hineingehen, das Tablett abstellen und dann wieder den Raum verlassen. Sie würde den Kopf gesenkt halten, damit sie nicht noch einmal in die eisigen Augen des Arabers blicken musste.

Beinahe hätte sie den Cognac fallen lassen, als im Flur die fremde Frau an ihr vorbeihastete, einen Finger auf den Lippen. Agnes sah ihr mit großen Augen nach. Kaum hatte sie sich wieder umgedreht, da wurde die Tür zum Séparée weit aufgerissen, und ein Mann, dessen Gesicht die Farbe von geronnener Milch hatte, starrte sie misstrauisch an.

»Ich bringe den Cognac«, wisperte sie.

Der Mann machte ihr Platz, und sie schaffte es, das Tablett auf den Tisch zu stellen, ohne eines der Papiere zu berühren und ohne den Cognac zu verschütten. Eine weiße, stark behaarte Hand griff sofort nach einem Glas. Erst jetzt traute sich Agnes aufzusehen. Der dritte Mann war nicht der schwarze Engel. Sie fing an zu zittern, doch diesmal vor Erleichterung.

»Frau Reisacher aus der Bühlerhöhe bittet um Ihren Rückruf«, richtete sie Pfister aus und wandte sich zum Gehen. Er steckte ihr fünfzig Pfennig zu. »Merci vielmals«, murmelte sie und knickste.

Dann lief sie schnell zurück. Erst in der Küche fragte sie sich, was die Frau im Personalflur gesucht hatte. Hatte sie etwa gelauscht? Neugierig war diese Person, das hatte Agnes schon gemerkt, als die Frau ihr das Tuch mit dem Kölnisch Wasser zusteckte. »Ä Wunderfitz«, genau das war sie, die tät ihr Löcher in den Bauch fragen, wenn sie's zuließe. »Ich verrat sie nicht«, sagte Agnes leise zu sich selbst. »Aber erzählen tu ich ihr auch nichts.«

Bühlerhöhe

Geheimnisse witterte die Reisacher mit dem Gespür eines erfahrenen Jagdhundes. In den Wirren der ersten Nachkriegsjahre hatte sie ihr Talent im Aufspüren der Schwachstellen anderer aus manch brenzliger Situation gerettet, und vor allem hatte es sie davor bewahrt, den Marokkanern zum Fraß vorgeworfen zu werden. Diese Überraschung in von Drostes Blick, als sie den Namen Silbermann erwähnte. Keine freudige, da war sich die Reisacher sicher, ganz im Gegenteil. Ihr Gespür sagte ihr, dass der Name Silbermann eine Schwachstelle von ihm berührte. Das interessierte sie.

Die Reisacher stand am Fenster ihres Büros und rauchte. Um diese Zeit herrschte an der Rezeption Ruhe. Am Spätnachmittag reiste selten jemand an oder ab; die Gäste waren außer Haus, dösten auf der Hirschterrasse oder sonnten sich im Luftbad, und das Personal gluckte auf einen Schwatz in der Küche zusammen. Die Reisacher liebte ihre »blaue Stunde«. Sie würde schon noch dahinterkommen, was diese Rosa Goldberg, geborene Silbermann, mit von Droste verband. Aber nicht jetzt …

Sie stellte das Radio an, leise nur, damit es draußen an

der Rezeption nicht zu hören war, setzte sich, legte die Füße auf das Tischchen neben ihrem Schreibtisch und griff nach einer der Zeitschriften, die sie so gerne las. Ein Artikel mit dem Titel »Welche Frauen werden am liebsten geheiratet?« erregte ihre Aufmerksamkeit. »Solche, die Ruhe versprechen, die Wärme, Güte, Mütterlichkeit, Ordnung schenken«, las sie. »Denn, das ist den wenigsten Frauen klar: Der Mann will im Grunde Ruhe vor der Liebe, auch wenn er aus Liebe heiratet.« Die Reisacher seufzte. Wärme, Güte und Mütterlichkeit! Das sollten die entscheidenden Eigenschaften einer modernen Ehefrau sein? Die Reisacher wollte die Zeitschrift schon zur Seite legen, als sie weiter unten auf folgende Zeilen stieß: »Das Leben ist zu kompliziert geworden, als dass dem Mann damit gedient ist, in der Ehe der Klügere zu sein. Was er braucht, ist eine gescheite Gefährtin, die ihm im Lebenskampf zur Seite steht.« Das entsprach schon eher dem, was sie in einer Ehe sein wollte. Eine gescheite Gefährtin! Das gefiel ihr, das musste sie unbedingt gegenüber Xavier anbringen.

Sie schlug die Zeitschrift zu und legte sie weg, weil das Radio ein Stück von Percy Faith spielte, das sie mochte. Mitten in den Geigenklängen von »Moulin Rouge« klingelte das Telefon. Morgenthaler war am Apparat. Um seine glühenden Segelohren abzukühlen und seine Begeisterung für die Goldberg einzudampfen, hatte sie ihn die Tischwäsche zählen und mit den Inventurlisten von Januar vergleichen lassen. Schon länger hatte sie den Verdacht, dass die eine oder andere Tischdecke »verschwand«, der Bengel sollte ihr Gewissheit verschaffen. Wenn er es wagte, sie jetzt nur wegen dieser Liste zu stören, würde sie ihn als Nächstes in den Keller schicken und aussortiertes Silberbesteck auf Hochglanz polieren lassen.

»Herr von Droste ist hier, Frau Reisacher.«

Sie drückte die Zigarette aus, zog die Lippen nach, kontrollierte wie üblich Frisur und Kostüm und ging hinaus an die Rezeption.

»Eine Änderung, über die wir kurz sprechen müssen, Madame Reisacher.«

Sie bat ihn in ihr Büro. Doch von Droste wehrte ab. Nur eine Kleinigkeit, bedeutete er ihr, nichts, was hinter verschlossenen Türen besprochen werden musste. Sie scheuchte den jungen Morgenthaler zurück zu seiner Aufgabe.

»Der Kanzler hat den Oberbefehlshaber der französischen Armee auf die Bühlerhöhe eingeladen«, sagte von Droste. Er schien wie immer in Eile. »Gerade kam das Telegramm aus Bonn, dass dieser die Einladung annimmt. Das Protokoll des Treffens kläre ich in einem Vortreffen mit Colonel Briancourt. Obwohl es sehr unwahrscheinlich ist, dass die Franzosen hier übernachten wollen, schließlich ist Baden-Baden nur einen Steinwurf entfernt, buchen Sie doch zwei Zimmer für die Herren. Weit weg von der Kanzleretage, man legt Wert auf Abstand. Alles, was als Verbrüderung ausgelegt werden könnte, ein Affront.« Er hielt kurz inne, bevor er anfügte: »Sie wissen ja, wie schwer sich die Franzosen noch tun, die Siegerpose abzulegen und die Hand, die ihnen der Kanzler reicht, anzunehmen. – Madame Reisacher? Geht es Ihnen nicht gut?«

Sie rang nach Luft, als hätte man ihren Kopf brutal unter Wasser getaucht und erst in letzter Sekunde wieder losgelassen. Ihre Ohren waren unter dem Druck zugefallen, gleichwohl drang zu ihr durch, was von Droste sagte.

»Ich kümmere mich um alles.« Sie hoffte, dass ihre Stimme sie nicht verriet. »Wann kommt der Colonel?«

»Übermorgen. Ich danke Ihnen.«

Hacken zusammenschlagen, wegtreten. Bevor von Droste aus ihrem Sichtfeld verschwand, drehte er sich noch einmal um und musterte sie. Diesmal sah sie Besorgnis in seinem Blick. Oder Misstrauen? Hatte sie tatsächlich die Beherrschung verloren? Etwas Unbedachtes gesagt?

In ihrem Büro lief immer noch »Moulin Rouge«. Die Geigen klangen schrill in ihren Ohren. Nicht mal fünf Minu-

ten war sie weg gewesen. Eine neue Zigarette, ein schneller
Schritt ans Fenster, ein tiefer Zug Nikotin, der Pulsschlag immer noch deutlich erhöht. Der Blick nach draußen: unter ihr
die bekieste Einfahrt zum Küchentrakt, dahinter der weit-
läufige Park, der an der Mauer von Neuhaus' Klinik endete.

Endlich verstummten die Geigen. Ein Sprecher kündigte
die Nachrichten an: »Die Verhandlungen um das Bundesentschädigungsgesetz werden im holländischen Wassenaar fort-
gesetzt. Vertreter der Bundesrepublik, des Staates Israel und
der Conference on Jewish Material Claims against Germany
beraten über die Wiedergutmachung für das den Juden zu-
gefügte Unrecht.«

Die Reisacher hörte nicht hin, die Worte des Sprechers
nur ein fernes Rauschen, zu sehr war sie über sich selbst
entsetzt, darüber, dass ein Name sie derart aus der Fassung
gebracht hatte.

»Verhandelt wird auch darüber, wer Anspruch auf jüdisches Eigentum erheben kann, für das es keine Erben mehr
gibt, weil alle Familienangehörigen ermordet wurden. ›Die
Welt will eine glaubwürdige Abkehr vom nationalsozialistischen Gedankengut sehen‹, so der Kanzler. Zudem betrachte
er die Art und Weise, wie sich die Deutschen den Juden
gegenüber verhalten werden, als eine Feuerprobe für die junge deutsche Demokratie.«

Bilder aus Straßburger Tagen blitzten in ihrem Kopf auf.
Wie sie dem SS-Untersturmführer Rüdiger Reisacher den
ersten Guglhupf in der Bäckerei des Vaters verkauft hatte,
wie er fünf Tage hintereinander einen Guglhupf gekauft hatte, bevor er sich traute, sie ins Kino einzuladen. Gegen den
Willen des Vaters hatte sie Rüdiger geheiratet. Dem Vater
wäre es lieber gewesen, sie hätte mit Philippe Granville an-
gebandelt, dessen Sippschaft die größte Bäckerei im Viertel
La Petite France gehörte. Aber sie wollte nicht wie ihre Mutter hinter der Ladentheke enden, sie wollte etwas Besseres
sein. Jemand wie Lilian Harvey in *Der Kongress tanzt*, davon

träumte sie. Und dazu musste man sein Fähnlein nach dem Wind drehen, wie es auch Rüdiger getan hatte, aber das reichte nicht. Man brauchte Ehrgeiz, eiserne Selbstbeherrschung und einen guten Blick für die Stärken und Schwächen der anderen. Politik spielte für sie dabei keine Rolle, Politik – für einen Moment hörte sie den Nachrichten zu – interessierte sie nicht, die Juden interessierten sie nicht.

»Es sieht so aus, als könne man sich am Verhandlungstisch auf fünf Mark Entschädigung pro Tag Freiheitsentzug im KZ, Ghetto oder Zuchthaus einigen. Strittig ist noch, ob der Weg ins KZ schon zum Freiheitsentzug zählt oder nicht.«

Rüdigers Schwächen hatte sie schneller erkannt, als ihr lieb war. Wenig Ehrgeiz, dafür umso mehr blinde Begeisterung für den Führer. Für sie blieb da wenig. Keine Zeit, keine Aufmerksamkeiten, Blumen gerade mal zur Verlobung. Als Brotkrumen der ein oder andere Empfang bei Gauleiter Wagner, zu denen Rüdiger unter »ferner liefen« eingeladen war und zu denen er sie eher unwillig mitnahm. Nie ein richtiger Ball, nie ein Abendkleid. Überhaupt keinerlei Bemühen um einen echten Aufstieg, dafür war er einfach zu dumm. Die Abende, wenn er seine Kameraden mit nach Hause brachte, waren furchtbar gewesen. Da wurde immer zu viel getrunken, zu laut gesungen und zu große Reden geschwungen. »Heute gehört uns Deutschland und morgen die ganze Welt ...«

Von wegen. 1943 kam Rüdiger an die Ostfront. Wie sehr sie mit ihm aufs falsche Pferd gesetzt hatte, dämmerte ihr, je länger der Krieg dauerte, je näher die Amerikaner rückten und je offener ihre Nachbarn sich feindselig zeigten. Sie hatte gehört, was die Franzosen nach der Befreiung durch die Alliierten mit Deutschenliebchen machten. Nackt, mit geschorenem Kopf, geteert und gefedert wurden sie durch die Straßen getrieben. Nicht mit ihr! Sie rettete sich zu einer Tante des Vaters, die in Baden-Baden lebte. Zu der schlug sie sich im Herbst 1944, rechtzeitig vor Beginn der Operation Nordwind, durch.

»In der deutschen Bevölkerung ist das geplante Gesetz umstritten«, tönte es aus dem Radio. »Mehrheitlich wird eine Finanzhilfe für die jüdischen Opfer abgelehnt, gilt es doch vielmehr, Kriegswitwen, Kriegswaisen und die Vertriebenen zu unterstützen. ›Aber‹, so der Kanzler, ›ich setze meine ganze Kraft daran, so gut es geht, eine Versöhnung herbeizuführen zwischen dem jüdischen und dem deutschen Volk.‹«

Die Reisacher stellte endlich das Radio aus. Politik interessierte sie heute so wenig wie in den Tagen mit Rüdiger Reisacher. Rüdiger, gefallen 1944 im Kessel bei Tscherkassy, weinte sie keine Träne nach. Hatte sie nie, schon damals nicht, viel Liebe war zwischen ihnen nie im Spiel gewesen.

Dass es die Liebe danach plötzlich gab, das war der Grund, weshalb sie vorhin die Beherrschung verloren hatte.

Hundseck

Es war neun Uhr abends, als Hartmann Agnes endlich Feierabend machen ließ. In aller Eile zog sie sich um und rannte dann hinüber zur Bergwacht, wo Fridolin tatsächlich noch auf sie wartete.

»Jetzt aber«, sagte er und startete die Lambretta.

Agnes schwang sich auf den Sozius, hielt den Fridolin fest und vergrub ihr Gesicht in seiner Jacke, als sie den Parkplatz des Hundseck passierten. Dort verabschiedete sich Monsieur Pfister gerade von Frey und Nourridine, die in Freys silberfarbenen Wagen stiegen. Nach Baden-Baden wollten die Herren. Spielkasino und dann … Hartmann hatte ihnen die Adresse für ein Etablissement mit leichten Mädchen zugeflüstert. Soll doch den Araber dort der Schlag treffen und er zur Hölle fahren!

Keine zwei Minuten später überholte sie der Wagen auf der Schwarzwaldhochstraße. Frey saß am Steuer, der Araber steif neben ihm. Der Sauermilchige war nicht gerade begeistert gewesen, als Pfister ihn bat, Nourridine mitzunehmen. Hatte aber nicht nein sagen können. Sollte er doch dafür sorgen, dass der Drecksseckel auf Nimmerwiedersehen verschwand!

Freys Wagen geriet schnell aus ihrem Blickfeld, und beim Kurhaus Sand bog Fridolin auf die schmale Straße ins Längenberg ab. Jetzt holperte die Lambretta über Stock und Stein, und Agnes hüpfte auf dem Sozius, als säße sie auf der Raupe, die man in Bühl immer zur Johanni-Kirmes aufbaute. In jeder Kurve klammerte sie sich fester an Fridolin, trotzdem wurden ihre Knochen so durchgerüttelt, dass sie ein bisschen taumelte, als Fridolin sie bei der Hertahütte absteigen ließ.

»Was machst, wenn die Walburg nicht da ist? Kennst sie ja, man weiß nie, wo sie's von einem auf den anderen Tag hintreibt.«

»Wird schon da sein.«

»Ade, dann.«

»Ade und vergelt's Gott.«

Agnes klopfte sich den Staub aus den Kleidern und schnürte sich die Schuhe fest. Das Knattern des Mopeds verfolgte sie bis hinter die Hütte, wo sie auf den Weg zum Falkenfelsen einbog. Eine halbe Stunde brauchte sie für den Aufstieg. Zwischen den dunklen Tannen sprenkelten die Strahlen der untergehenden Sonne das Moos. Von Farnen und Rinnsalen kroch schon die abendliche Kühle herauf. Ein Blick zum Himmel. Eine Stunde würde es noch hell sein, allerhöchstens, sie sollte sich sputen. Der Pfad führte steil bergan, sie lief schnell und sicheren Schritts, von Kindesbeinen an war sie an solche Wege gewöhnt. Eine halbe Stunde später erreichte sie die krüppelige Birke und den schmalen Trampelpfad, der zu Walburgs Unterschlupf führte.

Seit der Krieg zu Ende war, lebte Walburg den ganzen Sommer über im Wald. Manchmal blieb sie wochenlang verschwunden, manchmal tauchte sie auf Hundseck oder daheim im Klotzberg zwei Tage hintereinander auf, brachte Kannen voller Heidelbeeren mit oder hatte Steinpilze und Pfifferlinge im Säckel. Wildbret gelegentlich, beim Wildern durfte sie sich nicht erwischen lassen, und vor allem durfte die Mutter nichts davon erfahren. Eine Sünd war das Wildern für sie, aber noch sündiger war, dass die Walburg am Sonntag nicht mehr in die Kirche ging. Natürlich tratschten sie im Dorf über die Schwester. Dass sie das Wilde und das Gotteslästerliche vom Großvater und das Verrückte von Tante Ernestin geerbt hatte, dass der heilige Franziskus ihr wohlgesinnt war, weil sie sich einen zahmen Falken hielt und der Harreis ihr treuester Gefährte war. Dem Hund traute sie mehr als allen Menschen zusammen, und der Wald war ihr lieber als jedes Dach über dem Kopf. Auf dem Falkenfelsen, unter dem Mehliskopf und bei den Gertelbacher Wasserfällen hatte sie sich einen Unterschlupf gebaut, und keine kannte die Wälder vom Sollsberg über den Plättig bis zum Bretterwald besser als Walburg.

Aber Walburg war nicht da, der Unterschlupf leer, die Feuerstelle schon lange kalt, das Moosbett unbenutzt, nirgendwo der vertraute Rucksack, in dem Walburg Wechselwäsche und Regenzeug, Schmalz und Salz, Seife und die Schrotflinte und was sie sonst zum Überleben brauchte, verstaute. Da der Rucksack nicht da war, würde Walburg heute Nacht nicht hier schlafen, sie war also schon weitergezogen, nachdem der Fridolin sie hier gesehen hatte. Agnes suchte sich einen flachen Stein und einen dünnen verkohlten Stock aus der Feuerstelle. »Schwarzer Engel« kritzelte sie damit auf den Stein und legte ihn mitten auf das Moosbett.

Nachdem das erledigt war, wusste sie nicht, was sie tun sollte. Die Walburg hatte ihr schon mehr als einmal gesagt, dass sie beim Denken – außer wenn es um Zahlen ging – nicht die Schnellste war und dass sie immer nur von A nach B dachte, aber unbedingt auch C überlegen sollte. Aber das vergaß sie meist, das war ihr zu kompliziert. Und jetzt hatte sie mal wieder den Salat! Walburg war nicht da. Sollte Agnes noch bis zum Mehliskopf oder bis zu den Wasserfällen laufen? Egal ob das eine oder das andere, sie wäre die halbe Nacht unterwegs. Und wohin sollte sie zuerst gehen? Was, wenn sie zum Mehliskopf lief, die Walburg aber bei den Wasserfällen war? Oder sollte sie runter zum Klotzberg und bei der Mutter übernachten? Aber dann würd die Mutter wissen wollen, warum sie mitten in der Woche freihatte, und dann müsst sie lügen, und das konnt sie so schlecht. Außerdem müsst sie dann morgen früh drei Stunden zu Fuß gehen, vom Falkenfelsen aus schaffte sie es aber in knapp zwei Stunden zurück zum Hundseck.

Als sie aus dem Unterstand herauskletterte, hatte sich die Dämmerung weiter gesenkt. Gen Westen hing zwischen den Tannen das letzte Abendrot, gen Osten im nachtblauen Himmel eine Mondsichel, dünner als ein abgeschnittener Fingernagel. Agnes fluchte, weil der Mond ihr den Rückweg nicht erhellen würde. Sie musste das letzte Licht des Tages nutzen, um den Weg runter zur Hertahütte zu finden, sonst würde sie sich hier beim Falkenfelsen verirren. Nicht ums Verrecken würde sie in Walburgs Moosbett schlafen und erst bei Sonnenaufgang zurücklaufen, nachdem sie dem schwarzen Engel begegnet war. Als würde allein der Gedanke an ihn ihr Beine machen, stürmte Agnes den Berg hinunter und verlangsamte ihr Tempo nur, weil sie zweimal über eine dicke Wurzel gestolpert war. Auf keinen Fall wollte sie stürzen oder sich verletzen. Die Thekla aus dem Eichwald hatte mal eine Nacht mit einem kaputten Bein im Wald gelegen und geschworen, dass ihr da eine leibhaftige Nachtkrab begegnet war.

Als Agnes die Hertahütte erreichte, herrschte bereits vollkommene Finsternis. Zum Glück konnte sie sich am Geräusch ihrer Schuhe orientieren, weil der Weg ab hier bis zum Kurhaus Sand bekiest war. Unter sich den knirschenden Kies, über sich die schwache Mondsichel, rechts und links dunkler Tann. Anderthalb Stunden bergauf zum Kurhaus Sand durch stockdustere Nacht, dann hatte sie das Schwerste geschafft. Das restliche Wegstück über die Schwarzwaldhochstraße war dann ein Sonntagsspaziergang.

Die Kühle der Nacht schlüpfte ihr unter den Rock, sie sehnte sich nach ihrem warmen Federbett, die müden Knochen wehrten sich mit langsamer werdenden Schritten gegen den strammen Marsch, aber gleichzeitig raste ihr Herzschlag. »Dunkel war's, der Mond schien helle, schneebedeckt die grüne Flur.« Verzweifelt suchte sie nach der nächsten Zeile, aber sie wollte ihr nicht einfallen, stattdessen spürte sie das Nahen der Nachtkrab, und plötzlich fand sie sich wieder in jene Nacht im April 1945 versetzt.

Vielleicht kommen sie heute auch nicht, so wie sie letzte Nacht nicht gekommen sind, hatte Agnes damals gedacht, vielleicht vergessen sie den Klotzberg. Fünf einsame Höfe und sonst nichts, warum sollten die schwarzen Teufel hierherkommen? Sie sah sich hinter dem großen Haufen Heu auf dem Dachschober kauern: Der trockene Geruch des Sommers sticht ihr in die Nase. Kurz flammt ein Bild von der letztjährigen Heuernte in ihr auf. Wie der Friedel, der drei Tage Heimaturlaub hatte, sie mit seinen kräftigen Armen auf den Wagen hebt und wie sein herber Geruch aus Sonne, Heu und Schweiß sie für einen Augenblick schwindlig werden lässt. »Da ist man mal für ein Jahr fort, und schon wird aus so 'rer dürre Bipp ein richtig's Fräulein«, hatte der Friedel lachend gesagt und sie dabei angesehen, dass ihr noch schwindliger wurde. Jetzt war der Friedel tot, gefallen in der Normandie, und Agnes wäre gerne wieder »die dürre Bipp«, die sie bis zu ihrem zehnten Geburtstag gewesen war. Nicht Fisch, nicht Fleisch und schon gar kein rechtes Mädchen. Ein trockener Grashalm kitzelt ihr die Nase, schnell hält sie sich einen Schürzenzipfel vors Gesicht, damit sie nicht niesen muss. Als der Reiz vorbei ist, atmet sie vorsichtig aus. Sie hört den Wind, der durch die Ritzen der grobgezimmerten

Schobertür pfeift, ein eisiger Inderwind, viel zu kalt für Mitte April. Agnes zieht die Strickjacke enger um den Leib und bläst sich stumm heißen Atem in die steifen Hände. Doch die wollen nicht aufhören zu zittern.

Ob die Walburg auch friert, fragt sie sich und findet, dass es eine blöde Idee von der Mutter war, die Schwestern zu trennen. »Besser isch's. Wenn sie kommen, dann finden sie vielleicht nur eine von euch ...« Die Walburg friert nicht so leicht, sie ist kräftiger gebaut als Agnes, ist ja zwanzig Jahre älter als sie und schuftet wie ein Mannsbild, seit der Vater im Krieg gefallen ist. Felder pflügen, Holz hacken, was bleibt einem auch anderes übrig, wenn kein Mann mehr im Haus ist? Geierwally, sagt Agnes zu ihr, wenn sie die Schwester ärgern will, weil Walburg an Statur der Heidemarie Hatheyer ähnelt und auch so mürrisch und dickschädelig sein kann wie diese in dem Film, den sie gemeinsam in der Blauen Königin in Bühl gesehen haben. Ärgern tut die Agnes die Walburg gern, weil sie vor lauter Schuften das Reden vergisst, so als wäre sie auf den Mund gefallen. Dafür redet Agnes umso lieber. »Schnellbabbler«, schimpft die Walburg sie dann. Aber jetzt ist aller Ärger vergessen, jetzt würde Agnes gerne so wie als kleines Kind in den kräftigen Armen der großen Schwester liegen und darin warten, bis es vorbei ist.

Gestern sind die schwarzen Teufel ins Bühlertal gekommen. In Schwarzwasen, in der Seßgaß, im Steckenhalt, sogar im Eichwald und am Hungerberg sind sie gewesen. Haben sie den Klotzberg vergessen oder ihn sich nur für einen späteren Beutezug aufgehoben?

Vor zwei Tagen, als klar war, dass der Krieg verloren ist, haben sie die Silberlöffel, den wertvollen Rosenkranz von Tante Emilie und die Kette mit dem Amulett oben im Wald unter einer Lärche vergraben, und die drei Speckseiten und Lyonerwurst-Dosen, die noch vom letzten Schlachten übrig sind, in einer alten Milchkanne am oberen Bachlauf gebunkert.

Aber Agnes weiß, dass die schwarzen Teufel nicht nur darauf aus sind. Heulend hat die alte Schindler Marie aus der Seßgaß vor dem Vesper bei der Mutter in der Küche gehockt. Vor nichts haben die schwarzen Teufel haltgemacht, nicht mal vor dem silbernen Kruzifix, das ihnen die Marie entgegengehalten hat. Aus der Hand haben sie es ihr geschlagen, genauso wie sie dann die Bettwäsche und das Porzellan aus den Schränken gerissen haben. Das Kirschwasser und den Borbler aus der Brennküche haben sie gesoffen, als ob es Wasser wäre. Johlend sind sie hinaus in den Stall und haben sich die letzte Sau geholt und dann hinter den Strohhaufen die Martha entdeckt. Vier sind es gewesen, schwarz wie die Nacht, mit Kohleaugen, stechend wie das Fegefeuer, und Zähnen, scharf wie die eines Ebers. Einer ist dabei, der anders ist, und der ist der Schlimmste. Schön wie Luzifer, mit einer Stimme, samten wie Waldulmer, einer Haut, so braun wie Walnussöl, aber mit Augen, grün und kalt wie das Wasser des Mummelsees. Und alle haben sie die Martha …

Agnes lauscht angestrengt in die Nacht. Der Wind pfeift weiter durch die Ritzen der Schobertür, auch das Rauschen der Tannen draußen im Hof kann sie hören und von irgendwo aus der Ferne das Kreischen einer rolligen Katze. Vielleicht kommen sie heute wieder nicht, vielleicht vergessen sie den Klotzberg, hofft sie und pustet sich erneut heiße Luft auf die klammen Finger.

Die Martha ist zwei Jahre älter und will später gern auf die Höhere Handelsschule in Achern gehen. Eingebildet ist sie ein bisschen, die Martha, sie will nach der Schule in einem feinen Hotel in Baden-Baden arbeiten. Darüber spricht die Martha immer, und von den Seidenstrümpfen, die sie sich dann kaufen wird, weil affig ist sie auch. Aber so schnell wird's noch nichts mit den Seidenstrümpfen und der Höheren Handelsschule, denn in den letzten Kriegswochen ist der Unterricht oft ausgefallen. So eingebildet die Martha auch ist, das mit den schwarzen Teufeln, das wünscht man keinem, sagt die Mutter, nicht mal seinem ärgsten Feind.

»Wenn's doch nur endlich vorbei wär«, hat die Mutter Abend für Abend gehofft. Und dann war er plötzlich aus, der Krieg. Ohne großes Donnerwetter und ohne dass die Sonne aufgehört hat zu scheinen. Und nun kommen die Franzosen, aber vorher schicken sie die schwarzen Teufel los. Deshalb hockt Agnes jetzt schon die zweite Nacht im Heu, und ihre Angst ist noch größer als in der vorigen. Jetzt, wo sie weiß, dass vier schwarze Teufel die Martha …

»Walburg«, flüstert Agnes, »bist du noch da?«

»Wo soll ich denn sonst sii?«, brummt Walburg, die sich am anderen Ende der Scheune hinter den Strohballen versteckt. »Halt d'r Schnabel! Kei Mucks mehr!«

»Aber 's isch doch keiner do …«

»Schsch …«

Leise wie die Indianer sollen sie in der Seßgaß aufgetaucht sein, hat die alte Marie erzählt, wie aus dem Nichts kommend hätten sie plötzlich auf dem Hof gestanden. Auf dem Hungerberg dagegen haben sie einen Lärm gemacht, den man bis rüber nach Schönbüch hat hören können.

Ob die Mutter wohl strickt oder einen alten Pullover aufribbelt? Stillsitzen kann sie bestimmt nicht unten in der Wohnstube. Agnes hätte lieber mit Walburg und ihr zusammen gewartet. »Nein!«, hat die Mutter in einem Ton bestimmt, der keine Widerrede duldete. »Ich bin alt. Mir passiert nichts.«

Und deshalb wird die Mutter den schwarzen Teufeln die Stirn bieten, wenn sie aus dem Nichts auftauchen. Wilde Heiden sollen das sein oder Muselmanen. Und dann, Gnade ihnen Gott!

Hundegebell zerreißt die Stille der Nacht, gefolgt von Motorengeräuschen, die lauter und lauter werden, ein Auto fährt auf den Hof zu. Dann werden Türen aufgemacht und zugeschlagen, schwere Stiefel klacken auf dem Pflaster im

Hof, fremdländische Stimmen murmeln unverständliche Worte. Nicht alles ist Französisch, Agnes versteht nur: *Allez vite!* Macht schnell! Dann hört sie Fäuste gegen die Tür poltern und die leise Stimme der Mutter, als sie die Tür öffnet.

Agnes hat nicht gewusst, dass ein Herz so schnell schlagen kann, wie es das ihre jetzt tut, es rast und flattert, dass ihr wieder ganz schwindelig wird. Wenn sie nur in eine gnädige Ohnmacht hineinfallen könnt. Aber nichts da. Das wild puckernde Herz versetzt den Körper in höchste Aufregung, ihr ist gleichzeitig heiß und kalt, das Zittern hat sich von den Händen auf den ganzen Körper ausgebreitet.

Von unten sind herrische Stimmen und Möbelrücken zu hören. Das Maria-Weiß-Porzellan, das die Mutter von ihrer früheren Herrschaft in Karlsruhe zur Hochzeit geschenkt bekommen hat, geht klirrend zu Boden. Wenig später hört Agnes die Hühner wild gackern und dann nacheinander verstummen. Die schwarzen Teufel wissen, wie man den Mistkratzerle den Hals umdreht. Als Nächstes holen sie die Sau, denkt Agnes. Aber dann wird das Tor des Heuschobers aufgerissen.

Ein halber Mond schickt sein kaltes Nachtlicht herein, und der immer noch kräftige Wind wirbelt Heu und Staub auf. Agnes schlägt sich schnell die Schürze vors Gesicht und presst sich die Hände auf die Ohren. Sie will nichts sehen und nichts hören und schon gar nicht niesen.

Sehen tut sie wirklich nichts, aber hören tut sie alles, da kann sie die Hände noch so fest auf die Ohren pressen. Schwere Tritte ganz nah, kehlige Stimmen, die sich leise unverständliche Worte zurufen, von unten dringt der zittrige Sopran der Mutter zu ihr herauf, die immer wiederholt: »Da oben isch keiner, da isch keiner, ich bin ganz allein im Haus.« Aber Agnes hört die Angst und die Verzweiflung in der Stimme der Mutter, und sie weiß, dass auch die schwarzen Teufel sie hören. Angst und Verzweiflung klingen in allen Sprachen gleich, die riecht man, auch wenn man kein Wort versteht. Sie fürchtet, dass man auch ihre Angst durch das Heu hindurch riecht, dass der Geruch stärker ist als der von läufigem Hund und Bullenschweiß, der ebenfalls in der Luft liegt.

»*Ici!*«, sagt da einer, »*o, là, là*«, ein anderer. »Haut ab, ihr Drecksseckel«, schreit die Walburg, und Agnes drückt sich die Ohren noch fester zu. Vergebens. Sie hört die wütenden Schreie der Männer, sie weiß, wie wild und mit was für einer Wucht die Walburg um sich treten kann, wenn ihr was nicht passt. Agnes kommt es vor, als ob der ganze Heuschober bebt und zittert unter Walburgs Kraft. Aber damit ist es schnell vorbei. Mit einem Mann kann es die Walburg aufnehmen, aber nicht mit mehreren. Agnes presst die Hände fester auf die Ohren. Sie will nichts hören. »Mein Herz ist klein, mein Herz ist rein, darf niemand drin wohnen als Jesus allein«, betet sie unter dem Schürzenstoff. »Mein Herz ist klein, mein Herz ist rein …«, wiederholt sie im Stillen immer und immer wieder.

Ob es nach einer Ewigkeit oder nach nur fünf Minuten im Heuschober still wird, kann sie nicht sagen. Agnes nimmt die Schürze vom Gesicht, sie ist nass von Tränen, und als sie aufsteht, merkt sie, dass sie sich in die Hose gemacht hat.

»Walburg«, flüstert sie und teilt mit den Händen den Heuhaufen, krabbelt auf allen vieren hinter ihm hervor. Als sie aufsteht, taumelt sie, alles um sie herum dreht sich, der Geruch von geilem Bock verstopft ihr die Nase. »Walburg«, ruft Agnes ein bisschen lauter und reibt sich mit einem trockenen Zipfel der Schürze die Augen.

Als sie aufblickt, sieht sie im fahlen Schein des Mondes ein fremdes Gesicht, schön wie das eines Engels. Wie hypnotisiert folgt sie der Hand des Mannes, die ein Messer umklammert und sich langsam auf sie zubewegt. Die Messerspitze bohrt sich beim obersten Blusenknopf in ihre Haut, dann schneidet ihr der Mann lächelnd den Blusenknopf ab. Unfähig, einen Ton herauszubringen, blickt sie in seine Augen. Grün sind sie und kalt wie das Wasser des Mummelsees.

Haifa

Der Boden schwankte unter ihren Füßen, als Rosa nach der Überfahrt in Haifa von Bord ging, er blieb auch nach Tagen noch schwankend, führte ein Eigenleben. Er schien bereit, sie beim kleinsten Fehltritt zu verschlingen, sie in die Wüste zu schicken, sie ins Nichts zu fegen oder, schlimmer noch, sie zurück auf dieses stinkende Schiff und damit hinaus aufs offene Meer zu jagen, wo sie unter der sengenden Sonne verrecken würde. Egal, ob sie fest aufstapfte oder vorsichtig einen Fuß vor den anderen setzte, egal, ob sie rannte oder hüpfte, die Erde unter ihren Füßen bot keine Sicherheit, nur Stolperfallen und schwarze Löcher. Es sollte dauern, bis sie, ausgerechnet unter einer Dusche, wieder festen Boden spüren konnte.

Es war lange her, seit Rosa an ihre Ankunft in Haifa gedacht hatte. Zurück vom Hundseck, stand sie verloren in ihrem riesigen Zimmer und sah aus dem Fenster hinunter auf die Sonnenschirme und Liegestühle der Hirschterrasse und von dort weiter in die Rheinebene hinaus, wo gerade die Sonne unterging. Der Fluss funkelte wie ein Diamantband, und die Weizenfelder schimmerten so golden wie das Licht über Haifa, als sie aus dem stinkenden Bauch des Fischkutters getaumelt waren, der sie von Marseille nach Palästina gebracht hatte. Golden war das Licht in Haifa gewesen, aber auch grell und stechend. An die britischen Kontrollen im Hafen erinnerte sich Rosa nur undeutlich, was bedeutete, dass sie frei von größeren Schikanen gewesen sein mussten. Der erste Blick auf die Stadt, die sich in drei Strängen vom Berg Karmel hinunter zum Meer ausdehnte, stimmte sie hoffnungsfroh. Sie zeigte Rachel den prächtigen Bahá'i-Schrein mit seiner goldenen Kuppel, von dem sie im *Baedeker* des Großvaters gelesen hatte. Er stand mitten auf dem Berg, von dort aus erstreckten sich die hängenden persischen Gärten mit ihren Palmen und Zypressen bis hinunter in die Stadt. Ein Bild wie aus Tausendundeiner Nacht.

Chajm, den Rachel über die Alija kannte und mit dem sie sich bei einem Fortbildungskurs der Hachschara zu Grundlagen der Landwirtschaft angefreundet hatte, war schon drei Monate vor ihnen ausgereist. Er sollte sie abholen und zu ihrem Kibbuz bringen. Nur fanden sie Chajm im Menschengewirr der Kais nicht. Sie flohen vor den um Bakschisch buhlenden Lastenträgern, die ihnen die Koffer aus der Hand reißen wollten. Sie landeten in der Altstadt, in einem Dickicht aus Basaren und Gassen, einem verwunschenen Labyrinth, in dem es nach Holzkohle und Eselsmist roch. Sie glotzten verschleierte Frauen mit kohleumrandeten Augen an, Araber mit Turban oder Fez, Nubier in bunten, langen Gewändern, sie wichen Eselskarren, Maultieren, Fahrrädern und selten einem Auto aus. Durch die Gassen gellte das bockige Schreien der Esel, schwirrten die fremden, kehligen Laute des Arabischen. Europa lag hinter ihnen, sie waren in der Levante angekommen. Rosa dachte an Kara Ben Nemsi und Hadschi Halef Omar, deren Geschichten sie so gerne gelesen hatte. Ja, so hatte sie sich die Orte vorgestellt, an denen die Abenteuer von Karl Mays Helden spielten.

Nicht wie Kara Ben Nemsi und Hadschi Halef Omar hoch zu Pferd, sondern zu Fuß, sich schüchtern wie Hänsel und Gretel an den Händen haltend, die Koffer rechts und links schleppend, hatten sich Rachel und sie mit klopfendem Herzen, offenem Mund und geweiteten Augen durch das Menschengewühl treiben lassen. Sie fanden Chajm nicht. Stattdessen gerieten sie immer tiefer in die arabischen Viertel der Stadt. Den staubigen Boden hatte seit Ewigkeiten kein Regen mehr geleckt, die Luft war geschwängert mit Ausdünstungen, die Sonne schien nicht mehr golden, sondern in eitrigem Gelb. Das Gewicht der Koffer riss an ihren Armen, die Rucksackriemen schnitten ihnen ins Fleisch, die Kleider klebten ihnen am Leib. Sie hatten Durst, aber nirgendwo gab es einen Brunnen oder sonst etwas zu trinken, auch begegneten sie immer weniger Menschen auf der Straße, und

deren Blicke erschienen ihnen feindselig. Sie hatten sich verlaufen. Keinerlei Brotkrümel wiesen ihnen den Weg. Rachel
fasste sich ein Herz und sprach einen Levantiner an, der
mit geschlossenen Augen auf einem Esel reitend ihren Weg
kreuzte. Sie fragte ihn in holprigem Hebräisch, das sie ebenfalls in einem Kurs der Hachschara gelernt hatten, nach dem
Weg zurück zum Hafen. Zuerst machte er den Eindruck, als
hätte er Rachel nicht verstanden, und sie wiederholte die
Frage. Als er dann langsam die Augen öffnete, blitzten sie
hasserfüllt, und anstelle einer Antwort spuckte er Rachel ins
Gesicht. Später erfuhren sie von Chajm, dass ihre Ankunft
in Haifa mit den Anfängen der arabischen Revolte zusam-
mengefallen war. Sie galt dem britischen Mandat und der
Masse der jüdischen Einwanderer. Und ausgerechnet da stol-
perten zwei Mädchen wie »Greenhorns«, um mit Karl May
zu sprechen, durch die Straßen. Rachel jedenfalls nahm sich
nicht mal die Zeit, die Spucke abzuwischen. Sie packte Rosa
fest am Arm und zog sie von dem wütenden Mann weg.
Sie rannten, weiß Gott wohin, die Stadt war ein finsterer
Moloch, der keinerlei Orientierung bot. Völlig außer Atem
sprach Rachel den ersten Mann in europäischer Kleidung
an, dem sie irgendwann begegneten. Sie hatten Glück. Der
Mann kam aus Frankfurt und sprach Deutsch. Er kannte sich
aus in dieser labyrinthischen Stadt, er führte sie zurück zum
Hafen, sie mit den Koffern und Rucksäcken immer in seinem Schlepptau. Er fragte diesen und jenen nach Chajm, bis
er ihn fand. Chajm wartete neben einem zerbeulten Lastwa-
gen mit offener Ladefläche und reichte ihnen zur Begrüßung
eine Feldflasche mit Wasser.

»Willkommen in Palästina«, sagte er, nahm ihnen die Koffer und Rucksäcke ab und warf sie auf die Ladefläche. Dann
schwang er sich ins Fahrerhaus und forderte die Mädchen
auf, ebenfalls einzusteigen.

Während er den Motor startete und eine stinkende Die-
selwolke sie einhüllte, schimpfte sich Rachel Aufregung,

Gefahr und Ärger von der Seele: dass Chajm nicht zur Stelle gewesen war, dass man sich in so einer Stadt niemals zurechtfinden könne, was das denn für Menschen seien, die einen zur Begrüßung bespuckten. Rosa sagte nichts. Sie sah aus dem Fenster auf die fremde Landschaft, und vor ihrem geistigen Auge blitzten ein frisch bezogenes Bett und eine kalte Dusche auf. Sie war sich sicher, dass das Schlimmste nun überstanden war und es beides in ihrem neuen Zuhause geben würde. Sie ahnte nicht, wie sehr sie sich irrte.

Als ihr Blick wieder in der Gegenwart landete und aus dem Zimmer hinaus auf die Rheinebene glitt, senkte sich die Sonne bereits hinter den Vogesen. Tiefschwarz zeichneten sich die sanften Hügelkuppen vor dem roten Abendhimmel ab. Der Rhein glitzerte nicht mehr, und die Weizenfelder wirkten in der aufsteigenden Dämmerung grau.

Angst legte sich wie ein eisernes Band um die Brust. Angst, wieder den Boden unter den Füßen zu verlieren, genau wie damals.

Hinterer Plättig

Von all ihren Liebhabern war Xavier Pfister der einfallsreichste. An Xavier mochte Sophie Reisacher, dass er es gerne unter freiem Himmel mit ihr trieb. Schon die Vorstellung, dass sie gleich auf ihm sitzen würde, die Knie ins weiche Moos gepresst, während er seine Hände in ihre Pobacken grub und sie ihr Becken an seinen Lenden rieb, erregte sie. Passend zum Anlass trug sie das weitgeschwungene Sommerkleid mit durchgehender Knopfleiste, darunter das kleine Spitzenbustier im Champagnerton, das Xavier ihr aus einer Pariser *boutique de lingerie* mitgebracht hatte.

Xavier erwartete sie auf der kleinen Lichtung. Ohne ein Wort zu sagen, knöpfte Sophie seine gewölbte Hose auf und griff nach seinem steifen Ding, während seine Hand unter ihr Kleid und zwischen ihre Beine fuhr. Bald wälzten sie sich im Moos, krallten sich in der Haut des anderen fest, bis Sophie die Lust nicht mehr aushielt und mit einem ekstatischen Schrei beendete. Danach streckte sie, auf allen vieren kniend, Xavier brav den nackten Hintern entgegen, weil er sie so am liebsten nahm. Und während er sie stöhnend ritt, stellte sie sich vor, dass drüben am Waldrand einer stand, der sie beobachtete. Und wie immer fand sie die Vorstellung erregend.

Erschöpft lagen sie danach nebeneinander im Moos, den Blick in den nachtklaren Himmel gerichtet. Unter dem schmalen Sichelmond rutschte eine Wolke durch, in weiter Ferne blinkten ein paar winzige Sterne. Während Sophie ihr Kleid zuknöpfte, zündete Xavier zwei Zigaretten an und reichte ihr eine. Bisher war kein Wort zwischen ihnen gefallen. Worte, egal welche, kühlten die Lust ab, und falsche Liebesschwüre hatte Sophie in ihrem Leben genug gehört.

»Wie lange bleibst du diesmal?«, fragte sie und pustete einen Rauchkringel in die Luft.

Xavier ließ sich mit der Antwort Zeit. Sophie sah, wie er nach einem langen Zug den Rauch tief inhalierte und dabei die Spitze seiner Zigarette wie ein Glühwürmchen zitterte. Er setzte sich auf, verschränkte seine Beine zum Schneidersitz und zog erneut an der Kurmark. »Es gibt Ärger in Tanger. Ein Überfall auf unser Lager. Die komplette Lieferung geklaut.«

»Was für eine Lieferung?«

Falsche Frage, merkte sie sofort, wie so oft, wenn sie ihn nach seinen Geschäften fragte. Xavier machte Geschäfte, nichts als Geschäfte. Womit und mit wem, darüber erzählte er nur in Bruchstücken und nur, wenn ihm danach war.

»Irgendein Verdacht?« Wäre doch gelacht, wenn sie als gescheite Gefährtin nicht noch ein bisschen mehr über dieses Geschäft erfahren würde.

»Tanger ist ein Pulverfass, da ist alles möglich«, antwortete er ausweichend. »Blöderweise hat Nourridine, mein Statthalter vor Ort, die Nerven verloren, die nächste Fähre nach Spanien genommen und ist hierhergefahren, um sich bei mir auszuheulen.«

»Musst du selbst nach Tanger?«

Er schüttelte den Kopf. »Aber ich muss herausfinden, ob Fritsch und Frey mit drinhängen.«

»Ging es denn um Nähmaschinen?«, fragte sie erstaunt.

»Frey verdächtigt Nourridine, der wiederum hat Angst, dass ihn die Ägypter einen Kopf kleiner machen, und ich weiß noch nicht, wer da wem den Schwarzen Peter zuschiebt«, antwortete er wieder ausweichend.

»Was hast du mit diesem Nourridine vor?«

»Die nächsten Tage will ich ihn in der Nähe haben. Ich muss herausfinden, was er mir vielleicht verheimlicht. Aber es wäre schon gut, jemanden nach Tanger zu schicken, um dort Präsenz zu zeigen.«

»Einen aus der Pariser Dependance? Sendrier?«

Sendrier hatte ihr Xavier in Baden-Baden vorgestellt, als sie ihm zufällig im Kasino begegneten. Ein arroganter Pariser, der sein Geld beim Roulette verprasste.

Xavier schüttelte den Kopf. »Seit der Krieg zu Ende ist, quillt Sendrier über vor nationalistischen Gefühlen, will der Grande Nation wieder zu altem Glanz verhelfen. Und in Nordafrika verfolgen die Franzosen sehr eigene Interessen, die nicht unbedingt unseren Geschäften dienen.«

»Ich hege keinerlei vaterländische Gefühle. Ich wäre nur dir gegenüber loyal. Ich bin gescheit, ich kann über Ecken denken, ich bin weitsichtig.«

»Du willst nach Tanger?« Er griff nach ihrer Hand und küsste sie leicht. »Was verstehst du von Geschäften? Das ist Männersache! Keine vaterländischen Gefühle, mach dir doch nichts vor! Du willst zurück nach Frankreich, am liebsten nach Paris. Aber mit deinem groben Elsässerfranzösisch werden sie dir jede Tür vor der Nase zuschlagen. Für die Franzosen sind alle Elsässer Kollaborateure, echte wie du genauso wie all die Unschuldigen.«

Beleidigt entzog sie ihm ihre Hand, setzte sich auf und verschränkte die Arme über den Knien. Wie oft hatte sie schon bereut, ihm von ihrem Fehltritt mit Rüdiger Reisacher und ihrer Flucht nach Deutschland erzählt zu haben. Und wie oft hatte sie sich schon anhören müssen, dass Geschäfte Männersache seien.

»Auf der Bühlerhöhe bist du goldrichtig, *ma belle.* – Ist übrigens von Droste schon eingetroffen?«

»Du könntest mich endlich heiraten«, überging sie seinen Einwurf. »Mein Französisch hat einen ähnlichen Akzent wie dein Schweizer, und wenn du mir endlich mal erzählen würdest, womit du dein Geld machst, könnte ich dich bei deinen Geschäften als gescheite Gefährtin unterstützen. Ich wette, ich könnte das viel besser als dieser Sendrier.«

»Heiraten können wir immer und jederzeit, warum jetzt? Das hier«, er machte eine ausladende Geste, »können wir dann vergessen. Willst du dich wirklich mit schreienden Bälgern herumschlagen und deine Tage mit langweiligen Hausfrauen verbringen? Was wärst du ohne die Geheimnisse anderer? Du bist doch meine kleine Mata Hari.«

War es ein Kompliment, mit der exotischen Nackttänzerin verglichen zu werden? Enden wollte Sophie auf keinen Fall wie diese. Mata Hari war wegen Spionage zum Tode verurteilt worden. Als verruchte Geliebte blieb sie selbst bestenfalls noch bis vierzig attraktiv, und bis dahin war es nicht mehr lang. Hoch hinaus wie zu Rüdigers Zeiten wollte sie schon lange nicht mehr, sie war bescheidener geworden. Für Kinder war sie zu alt, und ein Heimchen am Herd würde sie nie werden, da hatte Xavier recht. Was sie brauchte, war ein Mann an ihrer Seite. Ein Mann, den sie auf seinen Reisen begleitete, ein Mann, der in geschäftlichen Dingen ihren Rat suchte, ein Mann, den sie in allen Lebenslagen unterstützte. Warum sah Xavier das nicht ein? Bei seinem ruhelosen Leben musste er sich doch nach einem sicheren Hafen und einer Gefährtin sehnen. Zu zweit wären sie ein hervorragendes Gespann. Und wenn es dann keinen prickelnden Sex mehr gab, nun ja, das Leben verlangte immer Abstriche.

»Ich muss zurück«, sagte sie, erhob sich und strich ihr Kleid glatt. »Wie sieht mein Rücken aus?«

Xavier sprang auf und wischte mit der Hand Tannennadeln und Moosstücke ab. Dann drehte er sie um, griff sich ihre Hände, küsste sie und sah ihr dabei wie ein Frischverliebter in die Augen. »Wann sehe ich dich wieder, *ma belle*?«

»Übermorgen kommt der Kanzler …«

»Morgen Abend also?« Xavier ergriff ihr Gesicht mit beiden Händen und küsste sie, bis ihre Knie weich wurden.

Doch der Kuss kleisterte die Kluft zwischen ihren unterschiedlichen Erwartungen bestenfalls für ein paar Minuten mit zu.

»Ich bring dich zurück.« In seiner Stimme nichts als Fürsorge.

»Nicht nötig.«

»Arrangierst du mir ein zufälliges Treffen mit von Droste?«

Sophies Wangen brannten, als wäre sie geohrfeigt worden. Dabei hätte sie am liebsten Xavier eine geknallt und ihn durchgeschüttelt, damit er endlich zur Besinnung kam. Aber es reichte, einmal am Tag die Fassung zu verlieren. Ohne ein weiteres Wort und ohne sich wie sonst noch einmal umzudrehen, ließ sie ihn auf der Lichtung stehen und tauchte in den nächtlichen Wald ein. Das Rascheln im Unterholz, das erschreckte Aufflattern der Fledermäuse, die Kühle, die sich wie ein klammer Mantel auf ihre Schultern legte, all das bemerkte Sophie nicht. Sie wurde von tief in ihrem Inneren hausenden Dämonen heimgesucht, die sie mit der Vorstellung peinigten, Xavier würde sie fallenlassen und sie wäre wie diese Mrs Danvers an Manderley für immer und ewig an die Bühlerhöhe und ihre Rolle als Hausdame gefesselt. Und wieder sah sie dieses Feuer, das vor nichts und niemandem haltmachte, und sich selbst wie einen Racheengel mit loderndem Schwert inmitten der Flammen stehen.

Als der überlebensgroße Adler auf dem steinernen Eingangstor der Bühlerhöhe vor ihr auftauchte, gelang es ihr halbwegs, die Dämonen zurückzudrängen und die Bilder von diesem gefährlichen Feuer in sich zu löschen. So schnell würde sie nicht aufgeben. Sie würde einen Weg finden, Xavier an sich zu binden.

Bühlerhöhe

Zum Abendessen wählte Rosa ein schlichtes, schmal geschnittenes Leinenkleid mit einem dazu passenden beigefarbenen Bolerojäckchen. »Elegant und unauffällig«, so hatte Rachel das Ensemble eingeordnet, und nach dem viel zu auffälligen ersten Auftritt wollte Rosa beim Abendessen so dezent wie möglich erscheinen. Auf der Bühlerhöhe wurde um halb acht gegessen. Sie hoffte als allein reisende Frau auf ein Katzentischchen in einer dunklen Ecke.

Dass sie die Dunkelheit einmal schätzen würde, hätte sie nach den verhassten Nachtwachen in Omarim niemals gedacht. Vorhin auf Hundseck hatte die Dunkelheit sie sogar gerettet. Und Agnes natürlich, die mit ihren Cognacgläsern rechtzeitig zur Stelle gewesen war. Dank des Mädchens hatte sie keiner der Herren gesehen, und Rosa vermutete, dass die Kleine keinem davon erzählen würde. Aber besser auf Nummer sicher gehen und morgen Agnes' Lippen mit einem Geldschein versiegeln.

Pfister handelte mit Waffen, und die Deutschen waren sieben Jahre nach dem Krieg schon wieder begierig darauf, in dem Geschäft mitzumischen. Noch nicht offiziell, aber die Vorbereitungen dafür liefen auf Hochtouren. Nichts gelernt, nichts bereut hatten sie, der Tod blieb ein Meister aus

Deutschland. Wie hielt Nathan es nur im Land der Schlächter aus? Freiwillig wäre sie niemals zurückgekehrt. Erez Yis-
rael, das Land der Väter, dort war jetzt ihre Heimat. Dort
hatte sie mit den anderen Omarim aufgebaut, dort hatte sie
gehungert, geschuftet, gekämpft und geliebt. Wie jeder Jude
auf der Welt gehörte sie dorthin. »Natürlich, ich kann verstehen, dass du die Empörung vieler Israelis teilst und das Blut
siehst, das an diesem Geld klebt«, hatte Oz gesagt. »Aber von
Empörung ist noch keiner satt geworden! Für unser Land
brauchen wir das Geld der Deutschen.«

Über die Höhe der Summe pro Kopf wurde zurzeit in
Wassenaar verhandelt, und Rosa hatte keine Ahnung, ob und
wie das Geschäft von Nourridine und Pfister damit zusammenhing. Dass Nourridine tatsächlich der Irgun-Mann Masaad war, kam ihr inzwischen unwahrscheinlich vor. Wenn
Pfister im Waffengeschäft tätig war, ging es auch bei Nourridines Tanger-Debakel um Waffen. Und ein Irgun-Mann
würde niemals Waffen an die Feinde Israels verkaufen, und
Ägypten war ein Feind Israels. Allerdings war der Handel geplatzt, vielleicht also spielte Nourridine ein doppeltes Spiel.
Wie sollte sie das herausfinden? Mittlerweile sehnte sie Ari
regelrecht herbei.

Ein Blick auf die Uhr, noch zwei Minuten bis halb acht.
Pünktlichkeit war eine deutsche Tugend, wenn sie zu spät
käme, würde sie schon wieder auffallen. Zeitgleich mit ihr
trat ihr Zimmernachbar, ein älterer Herr, vor die Tür.

»Brassel, Staatsanwalt aus Frankfurt«, stellte er sich vor und
musterte sie interessiert.

»Goldberg«, antwortete Rosa knapp.

Stumm liefen sie nebeneinander den Flur hinunter. Rosa
bemerkte, dass der Mann beim Gehen ein Holzbein nachzog.

Sie hoffte, dass er nicht vorschlug, gemeinsam zu essen.
An der breiten Wendeltreppe ließ Brassel ihr den Vortritt.
Sie beschleunigte ihre Schritte und hörte, wie er hinter ihr
sein Holzbein mühsam von einer Stufe zur nächsten setzte

und immer wieder pausierte. Unten angekommen, hatte sie den Mann auf halber Treppe zurückgelassen. Nachdem sie dem Kellner am Eingang des Speisesaals ihren Namen genannt hatte, geleitete er sie durch den mit Zitronenholz getäfelten Raum zu einem Tisch an der breiten Fensterfront. Damast, Silber, Kristall, weißes Porzellan mit Goldrand, in einer kleinen Vase drei lila Freesien. Kein Katzentisch, sondern der beste im Saal. Er war für zwei Personen gedeckt.

»Pardon, aber ich erwarte niemanden«, sagte Rosa und sah gleichzeitig, wie vom Eingang her ein hagerer Mann in Grau auf ihren Tisch zukam. Sie erkannte ihn. Sein Foto hatten sie ihr gezeigt. Hermann von Droste, Oz hatte gesagt, dass er ihn informieren würde.

»Die Frechheit, mich an Ihrem Tisch zu platzieren, kann ich nur mit meiner Neugier entschuldigen.« Er scheuchte den Kellner weg und schob ihr an seiner statt den Stuhl zurecht. Ganz selbstverständlich setzte er sich ihr gegenüber, bestellte beim Kellner eine Flasche Klingelberger, reichte ihr die Speisekarte und fragte: »Was nehmen Sie vorneweg? Die Suppe oder die Schnecken?«

»Die Suppe.«

Hermann von Droste, alter westfälischer Landadel, Mitglied der Sicherheitsgruppe Bonn, für die persönliche Sicherheit des Kanzlers zuständig. Beginnt seine Karriere bei der Kölner Polizei, wird 1940 zum Oberkommando Wehrmacht versetzt, schwimmt fleißig mit dem Strom. Wechselt unter dubiosen Umständen Ende 1944 die Fronten, geht in die Schweiz, hat dort Kontakt zur CIA, kehrt nach Kriegsende in den deutschen Polizeidienst zurück, rekapitulierte Rosa ihr Wissen über von Droste. »Der Mann verfügt über ausgezeichnete Verbindungen. Nicht nur zur CIA, auch MI 6, Deuxième Bureau, SDECE. Ein erfahrener Agent, umso ärgerlicher, dass er die Gefahr, die von der Irgun ausgeht, nicht wahrhaben will«, hatte sich Oz aufgeregt.

»Zum Wohl, Frau Goldberg!«

»Herr von Droste.«

Er hob sein Glas, sie tat es ihm gleich und trank einen Schluck von dem Weißwein. Dann beugte von Droste sich über den Tisch und flüsterte ihr zu: »Wie reizend von Oz Sharet, uns eine so bezaubernde Frau in den Schwarzwald zu schicken! Sie werden jeden Attentäter durch Ihre Schönheit vertreiben.«

Die Suppe kam und enthob sie einer schnellen Antwort, eine Zeitlang löffelten sie schweigend die Rinderbrühe.

»Keine Versteckspiele«, hatte Oz gesagt. »Wir geben uns als Juden zu erkennen. Die Deutschen sollen wissen, dass wir unsere Leute in der Nähe des Kanzlers haben, dass wir vor Ort sind, dass wir beide Augen offen halten, während sie auf einem Auge blind nach Kommunisten suchen, überzeugt, dass nur von den Roten Gefahr droht.«

… unsere Leute in der Nähe des Kanzlers haben. Von wegen. Sie allein war hier, kein Wunder, dass von Droste sich über sie lustig machte. »Ist von Droste ein Verbündeter oder ein Feind?«, hatte sie Oz gefragt. »Weder das eine noch das andere. Von Amts wegen ist er für die Sicherheit des Kanzlers verantwortlich, das heißt, er arbeitet auf keinen Fall gegen uns, denn Adenauers Wohl und Wehe hat auch für ihn oberste Priorität. Nur der Kanzler kann das umstrittene Wiedergutmachungsgesetz durch den Deutschen Bundestag peitschen, wenn er ausfällt, fällt auch das Gesetz. Von Droste aber nimmt unsere Bedenken nicht ernst, weil er uns für blutige Anfänger und hysterische Angstmacher hält, die sicherheitsrelevante Maßnahmen bestenfalls aus Lehrbüchern kennen. Denkt, wir sind übereifrige Jungspunde, die von Tuten und Blasen keine Ahnung haben! Wenn du auf ihn triffst – und das wirst du –, sei freundlich und zurückhaltend und lass Ari mit ihm reden. Der weiß, wie man mit so einem die Klingen kreuzt«, hatte Oz gesagt. Aber nun hatte man sie allein ins kalte Wasser geworfen. Zu Recht hielt von Droste sie für eine blutige Anfängerin.

Von Droste hatte den Teller längst leer gegessen, da löffelte sie die Suppe immer noch wie ein Spatz tröpfchenweise, nur um noch ein Weilchen länger schweigen zu können.

»Schmeckt die Suppe?«, fragte von Droste, und sie hörte den Spott in seiner Stimme.

»Ausgezeichnet. Was haben Sie als Hauptgang gewählt?« Ihr fiel einfach nichts ein, über was sie mit diesem Mann reden konnte, ohne sich lächerlich zu machen. Also versuchte sie Zeit zu gewinnen.

»Zunge in Madeira. Der Kanzler reist übrigens mit seiner Tochter Libeth. Wenn Sie wollen, mache ich Sie mit ihr bekannt. Sie schätzt weibliche Gesellschaft, da können Sie gemeinsam Kaffee trinken oder spazieren gehen.«

Von Droste zerstückelte seine Zunge mit Geschick, während sie etwas hilflos zu große Stücke von ihrem Fleisch absäbelte. Eine Schande für den Rehrücken! Wenn es in Omarim mal wieder nur Hirsebrei und Okraschoten gab, hatten sich Rachel und sie vor dem Einschlafen all die wundervollen Gerichte ins Ohr geflüstert, die sie in Palästina vermissten: Königinnenpastetchen, Heidelbeerpfannkuchen, Sachertorte, Rehrücken Baden-Baden. »Mit ganz viel Birnen und Preiselbeeren«, hatte Rachel immer ergänzt. Dann hatten sie in Gedanken jeden Bissen genüsslich durchgekaut. Jetzt merkte Rosa gar nicht, was sie aß, sie wollte nur so schnell wie möglich mit dem Essen fertig sein. War sie auch.

»Nachtisch, Frau Goldberg?«

»Nein danke«, antwortete sie schnell.

»Für mich auch nichts Süßes, dafür eine gute Zigarre. Begleiten Sie mich in den Rauchsalon? Da sind wir ein wenig *entre nous*.«

Er stand auf, wartete, bis sie auch aufgestanden war, und führte sie in das dunkle Herrenzimmer. Drei Sitzgruppen aus schweren Ledersesseln, an der Wand zwei düstere Schwarzwaldlandschaften, ein offener Kamin mit frisch geschichtetem Holz, eine gepolsterte Tür, die von Droste nach ihrem

Eintreten schloss. Er bot ihr eine Zigarette an, sie lehnte ab, er zündete sich nach allen Regeln der Kunst eine Havanna an.

»Jetzt mal Butter bei die Fische, junge Frau! Seit Wochen geht mir Oz Sharet mit seinen Befürchtungen auf die Nerven, die Irgun plane in Deutschland einen Anschlag zur Verhinderung des Wiedergutmachungsgesetzes, ohne dass er mir dazu mehr Informationen liefert. Haben Sie neue Erkenntnisse? Ein paar Namen vielleicht oder Hinweise auf die Art des Attentats?«

Rosa versank in einem der Sessel und schüttelte den Kopf. Genau das war das Problem. Der Mossad kannte nur Gerüchte, die es seit dem missglückten Anschlag in München gab.

»Die Irgun, lassen Sie mich das mal zusammenfassen, ist die Terrorgruppe, mit der Menachem Begin die Engländer bekämpft hat: 1946 der Anschlag auf das King David Hotel in Jerusalem, 1948 das Massaker von Deir Yassin. Die Jungs haben in eurem Unabhängigkeitskrieg die Drecksarbeit erledigt. Nach dem Desaster mit der Waffenladung der Altalena in Haifa und Tel Aviv wurde die Gruppe mehr oder weniger gewaltsam aufgelöst. Sie wird nicht mehr gebraucht, ist nicht mehr salonfähig für eine seriöse israelische Regierung. Natürlich kann ich gut verstehen, dass Ben Gurion seinen alten Konkurrenten und Widersacher Menachem Begin klein halten will. Aber all das sind innerisraelische Konflikte.«

»Nicht nur«, widersprach Rosa. »Die Paketbombe in München, die an Adenauer gerichtet war, hat ein Irgun-Aktivist aufgegeben. Da ist sich der Mossad sicher.« Sie entspannte sich etwas und schlug die Beine übereinander.

»Nun, sie hat den Kanzler nicht erreicht. Sie wurde bereits in München geöffnet.«

»Und hat einen Polizeisprengmeister das Leben gekostet«, ergänzte Rosa.

»Unsere Informationen, wer hinter diesem Anschlag

steckt, sind nicht so eindeutig. Ich verstehe ja, wie wichtig das Wiedergutmachungsgesetz für Israel ist. Aber hören Sie auf, mir ins Handwerk pfuschen zu wollen. Wir können sehr gut selbst auf unseren Kanzler aufpassen.«

»Im Gegensatz zu Ihnen kennen wir die meisten der Irgun-Aktivisten. Wenn also ein weiterer Anschlag geplant ist …«

»Wir? Wer ist wir?«, unterbrach sie von Droste. »Für mich sind Sie allein auf weiter Flur. Oder hat Oz etwa wie Robin Hood seine Männer im Bretterwald versteckt?«

Napoleon konnte sich nach der Niederlage bei Waterloo nicht elender gefühlt haben, als sie sich jetzt fühlte.

»Was ist mit Ihrem Mann? Wann kommt er?«

»Er wird noch in Paris festgehalten.« Sie blieb bei der Legende, die sie für diesen Fall in Oz' Runde besprochen hatten. Es fiel ihr auch nichts Besseres ein.

»Räuchert das Pariser Irgun-Netz aus, wie ich vermute?«

Ein Klopfen an der Tür ersparte ihr eine Antwort. Ein ungehaltenes »Herein« aus von Drostes Mund, dann schob sich der Rezeptionist mit den Segelohren ins Zimmer.

»Da ist ein Anruf für Sie, Frau Goldberg«, meldete er schüchtern. »Dringend! Wenn Sie mir bitte folgen würden.«

Ari war ihr erster Gedanke, und sie wusste nicht recht, ob sie erbost oder erleichtert war, dass er sich endlich meldete. Ihr zweiter Gedanke war, dass sie nach dem Telefonat nicht mehr zu von Droste zurückkehren würde. Sie hatte ihm nichts anzubieten, und ihn auszufragen, traute sie sich nicht zu. Sie folgte dem Jungen nach draußen. An der Rezeption wies er ihr die erste der drei Telefonkabinen zu und stellte das Gespräch zu ihr durch.

»Hallo, Rosa, hier ist Onkel Simon. Tante Ruth geht es sehr schlecht. Du musst so schnell wie möglich kommen.«

Nicht Ari war am Telefon, sondern Simon Eckstein, ihr Freiburger Verbindungsmann. Eckstein, so hatten sie ihr gesagt, würde sie nur in einem Notfall kontaktieren. Wenn der Auftrag gefährdet war.

Einen Tag vor der
Ankunft des Kanzlers

Bühlerhöhe

Ein Schrei riss Rosa aus unruhigem Schlaf. Sie sprang sofort aus dem Bett, hörte einen zweiten, einen dritten Schrei, der vierte endete in einem grässlichen Wimmern. Die Geräusche kamen aus dem Nebenzimmer. Sie griff nach ihrem Regenschirm, etwas anderes zur Verteidigung fand sie im Zimmer nicht. Den Schirm fest in der Hand, schlich sie nach draußen und stieß im Flur auf den herbeieilenden Nachtportier, der beschwichtigend mit den Armen wedelte. Er flüsterte ihr zu, dass Oberstaatsanwalt Brassel im Traum diese Schreie ausstoße, und bot ihr Wachspfropfen für die Ohren an. Sie lehnte ab, in wenigen Stunden musste sie den Wecker hören. Sie hatte bei dem jungen Rezeptionisten für sechs Uhr in der Früh ein Taxi bestellt, damit sie den ersten Zug nach Freiburg nehmen konnte.

Rosa fiel in einen leichten, unruhigen Schlaf, stand auf, bevor der Wecker klingelte, und verließ leise ihr Zimmer. An der Rezeption wurde der Nachtportier gerade von der Tagschicht abgelöst. In seinem grauen Gesicht sah sie die eigene bleierne Müdigkeit gespiegelt. Als sie vor die Tür trat, wartete das Taxi vor dem großen Eingangstor. Dunkle Wolken drückten auf die Wipfel der Tannen, die Bäume trieften vor Nässe, auf der Straße standen Regenpfützen. Rosa erinnerte sich, dass sie im Halbschlaf oder nach einem weiteren Schrei von Brassel den Regen gehört hatte. Am frühen Morgen hatte er eingesetzt, heftig und kurz, und das schöne Sommerwetter beendet. Sie knöpfte den Mantel zu, wickelte sich ein Tuch um den Kopf, doch das hinderte die kalte Feuchtigkeit nicht, ihr unter die Haut zu kriechen.

Der Fahrer trat eine Zigarette aus, als er sie kommen sah. »Nach Bühl zum Bahnhof«, wies sie ihn an.

Der Wagen holperte über kurvenreiche Schotterstraßen hinunter ins Tal. Rosa wurde durchgerüttelt wie auf der Fahrt zu Oz. Keine vier Wochen war es her, seit sie Omarim verlassen musste, es kam ihr viel länger vor. Eine heftige, schmerzhafte Sehnsucht nach Ben erfasste sie. Sie wusste, dass er wie alle anderen Kinder im Kibbuz gut versorgt war, aber eine dumpfe Angst flüsterte ihr ein, dass sie ihren Sohn nie wiedersehen würde.

In Bühl kaufte sie eine Fahrkarte zweiter Klasse nach Freiburg und quetschte sich wenig später in den überfüllten Zug. In Offenburg leerte er sich zur Hälfte, sie ergatterte einen Sitzplatz, erst dann fiel es ihr ein: Eine Frau wie sie hätte eine Karte für die erste Klasse kaufen müssen. Auf der Rückfahrt würde sie daran denken. Draußen zogen Dörfer, Wiesen und Felder vorüber, dahinter lag der Schwarzwald, dessen Berge nicht schwarz, sondern blau schimmerten. Die grauen Wolken hingen so tief, dass sie die höheren Berggipfel unter sich begruben und das Gebirge wie eine mittelmäßige Hügelkette aussehen ließen.

Immer wieder kreisten ihre Gedanken um den gestrigen Anruf. Was war schiefgelaufen? Sie hasste Ungewissheit. In ihrer Phantasie hatte die Irgun Adenauer bereits in Bonn liquidiert oder Ari ermordet. Sie rief sich zur Ordnung und richtete den Blick nach draußen, konzentrierte sich auf die vorbeiziehende Landschaft. Sie war nicht gut darin, sich wie ein Schachspieler in einem schwer durchschaubaren Spiel zurechtzufinden, sie brauchte Klarheit und schätzte Gradlinigkeit. In spätestens zwei Stunden würde sie Simon Eckstein treffen, und er würde hoffentlich Licht ins Dunkel bringen.

Ein paar Stationen weiter drängten Marktweiber mit Obstkörben und Käfigen voll gackernder Hühner in Rosas Wagen und füllten den Raum mit kräftigem Landgeruch und mit für Rosa unverständlichem Alemannisch. Umhüllt vom weichen Singsang dieses Dialekts, nickte sie ein und erwachte erst, als der Zug in Freiburg hielt. Heftiges Gedränge beim Aussteigen, Rosa, eingequetscht zwischen Körben und Leibern, landete hinter einer Bäuerin mit einer Rückentrage voll schwarzgeräucherter Speckseiten auf dem Bahnsteig.

Während die Marktweiber in Richtung Münsterplatz marschierten, erkundigte sich Rosa nach dem Weg zur Universität. Es war nicht weit. Sie konnte zu Fuß gehen.

Simon Eckstein war in seinem bürgerlichen Leben Germanistikprofessor an der Uni Freiburg. Aus seiner Zeit als Fluchthelfer kannte er Ari gut, deshalb hatte Oz Eckstein als Verbindungsmann für Rosa ausgewählt.

Freiburg, stellte Rosa fest, war im Gegensatz zu Baden-Baden zerstört worden. Überall noch Reste verbrannter Hausgerippe, notdürftig geflickte Kraterlücken, windschiefe Baracken, schnell hochgezogene Neubauten, dazwischen Plakatwände, die in bunten Bildern Omnibusreisen an den Gardasee anpriesen. Die löchrigen Straßen voll und belebt: klingelnde Fahrräder, bimmelnde Straßenbahnen, sehr viele junge Leute. Studenten auf dem Weg zur Uni, Rosa ließ sich von ihnen mitziehen.

Über dem Hauptgebäude der Universität stand in großen Lettern »Dem ewigen Deutschtum« geschrieben. Außer ihr schien diese empörende Zeile niemandem aufzufallen. Als gäbe es die Inschrift nicht, strömten die jungen Leute in die Alma Mater. Sie hätte so gerne studiert. Geographie vielleicht oder Geschichte. 1942 war ein Mediävistikprofessor aus Heidelberg nach der Flucht aus Deutschland in Omarim gestrandet, abends hatte er sie gelegentlich unterrichtet. Nach einem Tag voll schwerer Feldarbeit, Kibbuz-Versammlungen, Schießübungen und auch nur dann, wenn nicht Nachtwachen gehalten oder Schutzbunker gebaut werden mussten. Was waren die paar Stunden im Vergleich zu einem richtigen Studium, das diese wahnsinnige Idee vom »ewigen Deutschtum« ihr und allen anderen Juden verwehrt hatte?

Beim Pedell erkundigte sie sich nach Doktor Eckstein. Er wies ihr den Weg zu dem Kollegiengebäude. Bombenschäden auch hier noch, provisorisch eingesetzte Türen, Steintreppen, teils ohne Geländer, kahle Gänge. Kurz vor Ecksteins Büro traf sie im Flur auf eine Gruppe Studenten, die auf dem Boden Plakate malten. »Harlan, pfui!«, las sie, als sie an Ecksteins Tür klopfte. Ein anderer schrieb: »Nazi bleibt Nazi.«

»Rosa Silbermann.« Eckstein hielt ihr die Tür auf.

Rosa, noch abgelenkt durch die Studenten, zögerte einzutreten.

»Heute läuft in Freiburg der neue Film von Veit Harlan an«, erklärte Eckstein. »Sie wissen, dem Regisseur von *Jud Süß*. Es ist eine Demonstration gegen den Film und den Regisseur geplant. Freie Meinungsäußerung von jungen Demokraten, Kampf dem Antisemitismus, das gibt es tatsächlich jetzt in Deutschland. – Treten Sie ein.«

Ein Kabuff mit einem Fenster, das düstere Hinterhofmauern zeigte. Zwei Stühle, ein Schreibtisch, ein Schrank. Der einzige Lichtblick ein farbenfrohes Bild von Chagall, das hinter Ecksteins Schreibtisch leuchtete. Eckstein bat sie, Platz zu nehmen. Dann druckste er ein wenig herum, bevor er sagte: »Ari ist verschwunden.«

Es war nicht so, dass Rosa die Nachricht wirklich überraschte. Sie passte zu diesem Auftrag, bei dem bisher nichts nach Plan lief. Dennoch war es ein Schock. Rosa wusste nicht, was sie sagen sollte. Stumm starrte sie auf das Chagall-Bild.

Sein letztes Lebenszeichen vor fünf Tagen, es war vereinbart gewesen, dass er sich meldete, bevor er in den Schwarzwald aufbrach, nur hatte er es nicht getan, zählte Eckstein die mageren Fakten auf. »Nu was, dass er tot ist, kann ich nicht glauben, Ari ist einer, der immer Massel hat!«

Von irgendwoher zauberte Eckstein einen Optimismus in seine Stimme und schob dabei seine Nickelbrille auf den Kopf. Mit seinem von den Jahren zerklüfteten Gesicht erinnerte er Rosa an den Mediävistikprofessor aus Heidelberg: traurig-kluge Augen, grauer Anzug, weißes Haar, nach hinten gekämmt, aber nicht richtig zu bändigen. »Nu was, musste wahrscheinlich untertauchen, wird in ein paar Tagen wie der Phönix aus der Asche vor uns stehen.«

Dann erfuhr Rosa, dass Ari der Irgun-Zelle auf die Schliche gekommen war, die die Briefbombe nach München geschickt hatte. Sie bestand aus sechs Männern, die sich GCPS, *groupe contre le prix du sang*, nannten. Nachdem die Cherut-Partei in der Knesset nicht hatte verhindern können, dass Israel Geld von den Deutschen als Wiedergutmachung nehmen wollte, hatte sich die Gruppe zum Ziel gesetzt, das entsprechende Gesetz in Deutschland mit Gewalt zu verhindern.

»Die Welt soll wissen, dass das jüdische Volk niemals die Rückkehr des Volks der Deutschen in die Gemeinschaft der Völker zulassen wird«, zitierte Eckstein aus einem Bekennerschreiben der Gruppe. »Könnte von Begin sein, die GCPS so was wie sein militanter Arm fürs weitere Gefecht. Haben bisher kein Glück gehabt mit ihren Aktionen, wie wir wissen«, fuhr er fort. »Aber Sie kennen ja glühende Zionisten, die geben nie auf. Ari hat erfahren, dass sie den deutschen Kanzler im Schwarzwald durch einen Scharfschützen liquidieren lassen wollen. Unsere Leute haben fünf Mitglieder der Gruppe gefasst, die bleiben erst mal hinter Schloss und Riegel, bis das vermaledeite Gesetz durch den Deutschen Bundestag ist.«

Eckstein redete, als hätten Worte eine therapeutische Wirkung, als könnte er so den Schock lindern. Aber in Rosas Kopf hallte der Satz »Ari ist verschwunden« unentwegt wider. Sie hatte sich bisher wacker geschlagen, das wusste sie.

Ihre Kraft hatte sie auch aus dem Wissen geschöpft, dass sie bald nicht mehr allein sein würde. Sie hatte durchgehalten. Aber nun sollte sie ohne einen verlässlichen Kampfgefährten einem ominösen sechsten Mann gegenübertreten.

»Was wisst ihr über den sechsten Mann?«, fragte sie.

»Nu was, nichts. Nur dass er uns Sorgen macht. War nicht da, als unsere Leute in Paris zuschlugen. Ari kennt ihn wahrscheinlich, aber Ari ist nicht greifbar …«

»Und was sagen die fünf, die aufgespürt wurden, über ihn?«

»Schweigen sich aus. Sie werden schon noch reden, aber die Zeit läuft uns davon. Morgen reist der Kanzler an …«

»Ihr denkt, der Mann plant einen Alleingang?«, unterbrach ihn Rosa.

»Möglich.«

»Er ist der Scharfschütze?«

»Möglich.«

Eine Weile stand das Wort allein im Raum, umso deutlicher war das Scharren und Gemurmel der Studenten auf dem Flur zu hören. Rosa sagte nichts. Rachel, wusste sie, hätte getobt: »Wie blöd seid ihr denn, euch den Mann durch die Lappen gehen zu lassen?« Ihre Stimme hallte förmlich von den Wänden wider. »Und dann könnt ihr nicht mal seine Identität klären!« Aber sie war nicht Rachel. Sie war müde und verlor den Boden unter den Füßen. »Und was heißt das jetzt?«, brachte sie mühsam heraus. »Wer kommt anstelle von Ari?«

»Nu was, sie schicken so schnell wie möglich einen Ersatz …«

»Nein.« Ihr entsetzter Schrei füllte den kleinen Raum aus. »Sagen Sie nicht, dass ich weiter auf mich allein gestellt bin.«

Eckstein setzte sich seine Brille wieder auf die Nase und versuchte es mit einem aufmunternden Lächeln. Als Rosa erst leise, dann immer heftiger den Kopf schüttelte, erhob er sich, schlurfte hinter seinem Schreibtisch hervor zu dem Schrank neben dem Fenster, holte ein hölzernes Kästchen heraus und legte es vor Rosa auf den Schreibtisch. »In Ihrer

Zeit bei der Hagana haben Sie mit der Parabellum schießen gelernt. Oz sagt, es gibt keine bessere Waffe als die, die man kennt.«

»Und was sagt Oz noch? Dass ich damit den sechsten Mann erschießen soll? Von dem ihr nichts wisst, außer dass es ihn gibt?«, hörte Rosa in ihrem Kopf wieder Rachel. Ihr selbst fehlte die Kraft zum Schreien. Sie war müde, sie war erschöpft, allein fühlte sie sich der Aufgabe nicht gewachsen, sie wollte nur noch eines: nach Hause. »Ich kann das nicht«, flüsterte sie. »Ich sollte doch Ari nur als Ortskundige zur Seite stehen und seine Ehefrau spielen, nichts weiter.«

»Rosa Silbermann!« Doktor Eckstein klappte den Waffenkoffer zu, schob die Brille wieder auf den Kopf und sah sie mit seinen klugen Augen an. »Ich soll Sie an die Rosch-Ha-Schana-Nacht von 1943 erinnern. Sie waren allein auf Nachtwache, und in der Zeit gab es einen Angriff von Fellachen. Fünf, sechs Mann mindestens, und Sie allein. Sie haben gewartet, bis Sie genau hören konnten, woher die Araber kamen, haben erst dann geschossen und das gesamte Magazin in ihre Richtung abgefeuert.«

Wenn du Angst hast, kannst du alles, dachte sie. Mindestens einen der Männer hatte sie getroffen, seine Schmerzensschreie hallten noch heute in ihrem Kopf wider. Die Angst hatte sie in dieser Nacht nicht gelähmt, sie hatte ihr eine bis dahin unbekannte Kaltblütigkeit geschenkt. Sie hatte überleben wollen.

»Oz hat Sie nicht nur hergeschickt, weil Sie die Gegend kennen«, fuhr Eckstein fort. »Er hat Sie ausgewählt, weil Sie in gefährlichen Situationen nicht die Nerven verlieren und weil er weiß, dass Israel auf Sie zählen kann. Und Israel braucht Sie jetzt, Rosa Silbermann.«

Stumm griff Rosa nach dem Koffer, öffnete ihn und holte die Parabellum heraus. Sie nahm sie in die Hand, besah sie von allen Seiten, zog das Magazin heraus, zählte die Kugeln, schloss es wieder. Die Waffe war gut in Schuss, aber sie traute sich nicht zu, damit einen unbekannten Scharfschützen außer Gefecht zu setzen. »Das ist Wahnsinn, Doktor Eckstein, das ganze Unternehmen ist ein Wahnsinn«, murmelte sie.

»Nu was, was ist schon Wahnsinn? Noch vor fünf Jahren hat's ein jeder für Wahnsinn gehalten, dass es den Staat Israel jemals geben wird. Chuzpe und Massel, ohne die hätten wir Juden nichts erreicht. Nur noch ein, zwei Tage müssen Sie alleine durchhalten, dann kommt Verstärkung.«

Wieder betrachtete Rosa das Bild Chagalls, bewunderte die leuchtenden Farben, den eleganten Pinselschwung, die Schwerelosigkeit der Figuren. Sie wünschte sich, ein paar Striche in diesem Bild zu sein, als kleiner Vogel, als winzige Blume, als ferner Stern, als leuchtendes Rot. Losgelöst von aller irdischen Schwere, befreit von diesem unerfüllbaren Auftrag. Es war jetzt sehr still in Ecksteins Büro, die Studenten vor der Tür mussten gegangen sein.

»Und Sie glauben wirklich, dass Ari noch kommt?«, versuchte Rosa sich selbst Mut zu machen.

»Ist ein Stehaufmännchen, wie es im Buche steht.«

Ein Stehaufmännchen, ein Phönix aus der Asche. Existierte der Mann wirklich? Sie sah sich vergeblich am Bahnhof von Baden-Baden auf ihn warten und erinnerte sich an die verwaschenen Bilder, die sie ihr von Ari gezeigt hatten. »Haben Sie ein gutes Foto von ihm?«

Jetzt lachte Eckstein auf. »Ein Foto? Nützt Ihnen nichts. Ari ist ein Chamäleon. Mal blond, mal braun. Je nachdem, was er grade braucht. Aber Sie haben ja das Codewort.«

Rosa nickte tapfer.

»Ist übrigens ein verdammt guter Jasser«, ergänzte Eckstein und zwinkerte ihr zu.

Rosa verstand nicht.

»Jassen. Ein Schweizer Kartenspiel. War in den einsamen Bergnächten oft unser einziges Vergnügen. Und nur wenn zwei von denen, die wir durch die Berge brachten, es beherrschten. Zum Jassen muss man nämlich zu viert sein.«

»Aha.« Kartenspiele interessierten Rosa nicht. Sie würde Ari ja nicht als Teilnehmer einer Jass-Runde treffen. »Ich brauche noch andere Informationen«, erklärte sie dann und berichtete von dem belauschten Gespräch zwischen Pfister, Fritsch und Frey.

»G 45, sagen Sie?«, hakte Eckstein nach. »Sehr interessant, dass Fritsch das Sturmgewehr schon weiterentwickelt. Wenn Sie da *en passant* an weitere Informationen kommen, wäre das sehr dienlich. Fritsch ist übrigens nicht der Einzige, der in den Startlöchern steht. Die Vorbereitungen für die Wiederbewaffnung laufen schon länger im Verborgenen. Das Amt Blank ist dafür zuständig. Fritsch hat schon Waffen für die Nazis produziert. Seine Tochter hat eine Schwäche für SS-Männer, Frey ist der dritte, mit dem sie verheiratet ist. Ein Herrenmensch der übelsten Sorte, aber ein begnadeter Ingenieur. Fritsch hat geschmiert und geschoben, um ihm eine halbwegs reine Weste zu verschaffen.«

Die Namen Pfister und Nourridine/Masaad sagten Eckstein auf Anhieb nichts.

»Können bei diesem geplatzten Waffengeschäft in Tanger unsere Leute beteiligt gewesen sein? Immerhin waren die Waffen für die Ägypter gedacht.«

»Möglich«, meinte Eckstein. »Durchaus möglich.« Er versprach, Nachforschungen anzustellen und Rosa über seine Ergebnisse zu unterrichten. »Ach, fast hätte ich es in der Aufregung vergessen«, fügte er hinzu. »Ich soll Sie von Ben grüßen und Ihnen sagen, dass er mit Jokele und Aaron die größte Sandburg der Welt gebaut hat.«

»Niemals hätten Sie das vergessen.« Rosa war plötzlich klargeworden, dass Oz Eckstein genau instruiert hatte, wie, wo und wann er die Grüße ihres Sohnes platzieren musste. Damit sie weitermachte: für Ben, für Omarim, für ihr Land. Es funktionierte. Dennoch hätte sie Oz, den Klugscheißer, den Sklaventreiber, gern in tausend Stücke gerissen. Doch das musste bis zu ihrer Rückkehr warten.

An diesem Morgen saß niemand auf der Hirschterrasse, als die Reisacher hinaustrat, um nachzusehen, ob nicht einer der Kellner es versäumt hatte, die Stuhlkissen ins Trockene zu bringen. Die Tische glänzten regennass, ordentlich und ohne Kissen lehnten alle Stühle an den Tischkanten. Die Reisacher trat zum Vogelhäuschen an die Balustrade und sah in eine dampfende Wolkensuppe, die an diesem Morgen alles in Grau packte und den Eindruck vermittelte, die Welt wäre in ein paar Metern zu Ende. Fröstelnd rieb sie sich die Arme. Wie ein Zeichen kam es ihr vor, dass sie die Rheinebene und das Straßburger Münster nicht sehen konnte, ein Zeichen dafür, dass ihr der Weg zurück in die Heimat für immer versperrt blieb.

Paris, Paris. Natürlich wollte sie nach Paris, weil sie über Paris nach Straßburg zurückkonnte. Als verheiratete Französin oder Schweizerin mit einem neuen Namen, darauf kam es an, und der Welschschweizer Xavier würde bei den Elsässern sogar als Franzose durchgehen. Nur so konnte sie mit erhobenem Kopf zurückkehren, nachdem sie Straßburg in Schimpf und Schande und bei Nacht und Nebel hatte verlassen müssen. Sie wollte ihren Eltern zeigen, dass sie es trotz des Fehltritts mit Reisacher zu etwas gebracht hatte. Sie wollte in ihrem Viertel flanieren können, ohne angespuckt zu werden, sie wollte wieder Straßburger Luft schnuppern, die Messe im Münster besuchen, den väterlichen Guglhupf essen, beim Spazieren an der Ill ihre gute Partie vorführen.

Sie sehnte sich nach Stadtluft und nach lärmenden Straßen, selbst nach den modrigen Hinterhöfen in La Petite France. Diese vornehme, in sich geschlossene kleine Hotelwelt der Bühlerhöhe bescherte ihr immer mehr Atemnot und Schlimmeres, wenn sie an ihre Feuerphantasien dachte.

Sie drehte sich um, als sie hinter sich schlurfende Schritte hörte. Lepold, der alte Hausdiener, kam auf sie zu.

»Madame Reisacher, ich weiß jetzt, wer das hiesige Mädchen war.«

Sie brauchte einen Moment, bis sie wusste, wovon er sprach. Die Silbermann-Mädchen, genau. Wo war überhaupt Madame Goldberg, geborene Silbermann? Beim Frühstück hatte sie sie nicht gesehen.

»Genter, der Jäger, hat mich draufgebracht. Bei Bühlertal hat's bei dem geklingelt, da hat er sofort gewusst, dass das nur die Walburg Rheinschmidt vom Klotzberg gewesen sein kann. Der Genter sagt, dass sie seit dem Krieg den ganzen Sommer über wie ein Hamperle im Wald lebt. Bei der rast der Blocker. Sie ist, wie man so sagt ...« Er wischte ein paarmal mit der Hand vor dem Kopf herum.

»Verrückt. Muss sie ja sein, wenn sie im Wald wohnt«, pflichtete ihm die Reisacher bei.

»Ihre kleine Schwester arbeitet auf dem Hundseck.«

»Als Zimmermädchen?«

»Nein, am Empfang.«

Etwas weniger trübsinnig stieg die Reisacher die Treppen zur Rundhalle hoch, durchquerte sie auf dem Weg zur Rezeption, wo der junge Morgenthaler schon auf sie wartete. Rosa Goldberg war mit dem Frühzug nach Freiburg gefahren. Warum? Wieso? Geheimnisse. Wenigstens diese kleinen Vergnügungen blieben ihr noch. Sie sollte Hartmann auf Hundseck anrufen, damit er ihr diese Agnes vorbeischickte, und zudem die Abwesenheit der Dame nutzen, um ein wenig in ihren Sachen zu wühlen.

Hundseck

Nachdem die Nachtkrab im Wald die Erinnerung an die Aprilnacht 1945 zurückgeholt hatte, war es Agnes unmöglich, sich in ihr Bett zu legen. Denn damals beim schwarzen Engel hatte sie sich auch hinlegen müssen.

Unter dem Herrgottswinkel des Zimmers zusammenge-
kauert, die Beine eng an den Körper gepresst, die Hände um
die Knie geschlungen und gefaltet, rief sie die Heilige Jungfrau an, damit sie ihr helfe in ihrer Not. Zwanzig »Gegrüßet
seist du, Maria« betete sie, damit die kalten Mummelsee-
Augen und das Furchtbare aus ihrem Kopf verschwanden,
damit wieder alles vergraben und vergessen wurde und sie
nicht mehr daran denken musste. Im Rhythmus des Regens,
der gegen Morgen einsetzte, flehte sie um Erlösung von ihrer
Pein. Aber die Jungfrau erhörte sie nicht. Stattdessen flüsterte der Teufel ihr ein, dass sie ihren Frieden nur finden würde,
wenn die Walburg den schwarzen Engel wie eine Wildsau
erschoss und ausweidete, so wie sie es geschworen hatte.

Ein paar Stunden später saß Agnes schlaftrunken an der
Rechenmaschine und gab die Buchungsbelege des vergangenen Tages ein. Das gleichmäßige Rattern der Maschine und
die Klarheit und Reinheit der Zahlen beruhigten sie.

Für drei Nächte hatte der schwarze Engel sein Zimmer
gebucht, Agnes hatte die Daten selbst mit gestochen klarer
Schrift ins Reservierungsbuch eingetragen, noch bevor der
Araber die Sonnenbrille abgenommen hatte. Bis zum nächsten Tag also. In der Nacht hatte sie sich von der Nachtkrab verrückt machen lassen, so spät hätte sie nicht nach der
Walburg suchen sollen. Nur noch einen Tag lang musste sie
die kalten Mummelsee-Augen fürchten. Dann würden die
Erinnerungen an diese eisige Aprilnacht 1945 wieder ver-
blassen, so wie sie schon einmal verblasst waren.

Der Direktor legte ihr die Belege vom Schindler Max auf
den Tisch. Der Kellner hatte eine Sauschrift, aber davon ließ
sich Agnes nicht irritieren. Mit Geduld entzifferte sie Zahl
für Zahl und übertrug diese in ihre Maschine.

»Die Rechnungen für Zimmer 5 und 12 brauche ich. Die
Herrschaften reisen in einer halben Stunde ab.«

Agnes nickte, legte die Buchungsbelege ordentlich zur Seite, nahm zwei Blatt Hotelschreibpapier aus der Schublade,

fächelte eine Blaupause dazwischen und klemmte alles in die Schreibmaschine.

Hartmann ging hinaus an die Rezeption, durch die halboffene Tür hörte Agnes ihn mit den Gästen schwadronieren. Immer wieder erklang sein wieherndes Lachen, auch das störte Agnes heute nicht. Sie erfreute sich am Klappern der Schreibmaschine und den von ihr produzierten Buchstaben, die genauso gradlinig und eindeutig waren wie ihre geliebten Zahlen. Mit halbem Ohr verfolgte sie, wem der Direktor draußen an der Rezeption Honig um den Bart schmierte, tippte weiter und weiter, griff am Ende jeder Zeile nach dem Hebel des Wagens und schob mit einem Klingeling das Papier ein Stück weiter. Im Maschinenschreiben war sie auf der Höheren Handelsschule eine der Besten gewesen.

Sie vertippte sich, als mit einem Mal das kehlige Französisch des schwarzen Engels in ihre schöne Buchstabenwelt drang. Mit zittrigen Fingern versuchte sie, den Fehler zu beheben, und obwohl sie sich die Ohren am liebsten zugehalten hätte, sperrte sie sie weit auf. Sie verstand nicht, was der Araber mit Hartmann besprach, die Männer bemühten sich, leise zu sein. Wie unter einem Peitschenhieb zuckte sie zusammen, als der Direktor zurückkam und ihr befahl: »Ruf den Jagdhüter an, Monsieur Nourridine will im Bretterwald jagen. Keine Ahnung, ob der eine Wildsau von einem Reh unterscheiden kann. So was kennen die in Marokko doch gar nicht.«

Erst beim dritten Versuch gelang es ihr, die richtigen Nummern in der Wählscheibe des Telefons zu treffen.

In der Mittagspause setzte sie sich mit einem Teller Suppe auf die Holzbank hinter der Küche. Der Regen hatte kurz aufgehört, die Luft war abgekühlt, keine fünfzehn Grad, schätzte Agnes, eine verspätete Schafskälte. Graue, schwere Wolken verhießen weiteren Regen. Sie hoffte, dass die Mutter das Heu schon eingebracht hatte. Der Regensommer im letzten Jahr hatte so viel verfaulen lassen, das konnten sie kein zweites Mal gebrauchen. Den Teller auf dem Schoß, löffelte sie die heiße Suppe, bröckelte etwas Brot hinein. Am nächsten Tag schon, sagte sie sich wieder, hatte der Spuk ein Ende. Die Jungfrau Maria hatte ihr doch noch geholfen. Mit dem letzten Stückchen Brot säuberte sie ihren Teller. Als sie hochsah, merkte sie, wie kalt ihr Allerwertester durch das feuchte Holz geworden war. Zurück zu den Zahlen und Buchstaben! Als sie aufstand und sich die Krümel vom Rock wischte, traf sie ein Tannenzapfen an der Schulter. Sie blickte hoch und sah Walburg mit Harreis am Waldrand stehen. Über den Bäumen kreiste ihr Falke.

Agnes war sich nicht sicher, ob ihr die Jungfrau Maria die Schwester geschickt hatte. Am liebsten hätte sie so getan, als sähe sie sie nicht, am liebsten wäre sie ganz schnell in der Küche verschwunden, aber Walburg machte ihr mit dem Arm ein herrisches Zeichen. In weiten Schritten hetzte Agnes durch das feuchte Gras und stellte sich neben die Schwester auf einen frischen Baumstumpf, damit ihre guten Schuhe nicht noch nasser wurden. Walburg wäre das egal gewesen, aber die arbeitete auch nicht in einem vornehmen Hotel. Der Hund sprang zur Begrüßung an Agnes hoch. Doch die drängte ihn von sich weg. Der gute Rock.

»Ich hab den Fridolin von der Bergwacht 'troffe. Du hast mich g'sucht?«

Agnes betrachtete die Schwester. Anderthalb Köpfe größer als sie, breite Schultern, die Haut gegerbt wie die eines Indianers. Das Haar wie immer in zwei Zöpfe geflochten. Zum ersten Mal bemerkte Agnes weiße Fäden darin. Achtunddreißig wurde die Walburg im Herbst. Zwanzig war sie schon gewesen, als Agnes geboren wurde. Sie trug Hosen, Bergschuhe und ein altes Hemd des Vaters. Ihr Regencape hing über dem Rucksack, ihr Gewehr über der Brust. Sie roch nach Wald und Wild. Agnes scheute sich, Walburg in die Augen zu sehen, denn seit der Aprilnacht 1945 hatte Walburg den unheimlichen Blick der heiligen Perpetua, deren Bild in der Bühlertaler Kirche hing. Perpetua, gezeichnet durch ihr dreifaches Martyrium: gegeißelt, von wilden Tieren gejagt und mit dem Schwert enthauptet.

Jetzt, wo die Heilige Jungfrau ihr geholfen und die Zahlen und Buchstaben ihr inneren Frieden geschenkt hatten, war es ihr gar nicht mehr recht, dass die Walburg hergekommen war. Besser, sie weiß von nichts, besser, sie erfährt nie, dass der schwarze Engel zurückgekehrt ist, entschied sie. Aber als Walburg den Stein, auf dem Agnes ihr die Nachricht hinterlassen hatte, aus der Hosentasche holte, wusste Agnes, dass es dafür zu spät war.

»Ich war beim Falkenfelsen«, sagte Walburg. »Wo isch er?«

Jetzt blickte Agnes doch kurz in Walburgs Augen und sah darin ein gefährliches Glühen. Ein Glühen wie das in der Teufelsfratze vom Letzten Gericht, ein Bild, das ebenfalls in ihrer Kirche hing.

»Er ist hier bei uns im Hotel«, wisperte sie, weil sie die Schwester noch nie anlügen konnte. »Sein richtiger Name ist Nourridine. Aber morgen reist er wieder ab. Dann ist er für immer fort.«

»Er isch nie für immer fort. Er isch in uns, der Lumpesiach.«

Damals, nachdem alles vorbei war, war Walburg mit ihr zum Bach gestolpert, hatte ihr die zerrissenen Kleider vom Leib gezerrt und sie in das eisige Wasser getaucht. Danach hatte auch Walburg sich ausgezogen und war ebenfalls in den Bach gestiegen. Beim Auftauchen hatte sie in den nächtlichen Wald hinausgeschrien, dass die Schande nur weggewischt werden konnte, wenn Blut mit Blut vergolten wurde. Wie eine Wildsau wollte sie ihn abknallen und ausweiden.

»Agnes, jetzt red! Was macht er?«

»Er wollt auf die Jagd. Im Bretterwald.«

»Allein?«

»Weiß ich nicht. Morgen ist er wieder weg«, flüsterte sie. »Walburg! Versündige dich nicht.«

Sie schaute schnell zu Boden, denn jetzt hatte ihre

Schwester wieder den Blick der heiligen Perpetua: hohl und leer, unerreichbar für Gottes Gnade, in ein fernes Reich gerichtet, wo der Irrsinn regierte. Als Agnes wieder aufschaute, waren die Schwester und ihr Hund zwischen den Bäumen verschwunden. Nur noch der Falke kreiste über dem Wald.

Freiburg

Bevor sie gingen, zog Eckstein Schnur und Wachspapier mit der Signatur eines Freiburger Kaufhauses aus der Schublade. »Ist vom ersten Haus am Platze«, erklärte er leise lachend und begann, den Waffenkoffer darin einzuwickeln. »Das wird man auf der Bühlerhöhe zu würdigen wissen.« Geschickt schnürte er im Anschluss den Bändel um das Paket, sogar an einen kleinen Holzgriff zum Festhalten hatte er gedacht. »Bitte schön, gnädige Frau«, imitierte er beim Überreichen des Päckchens einen devoten Verkäufer. »Wir wünschen Ihnen viel Spaß damit.«

Rosa nahm nicht nur das Paket, sondern auch seinen Arm, als Eckstein sich erbot, sie zum Bahnhof zu begleiten.

»Was unterrichten Sie?«, fragte Rosa, nachdem sie das Universitätsgebäude verlassen hatten.

»Alt- und Mittelhochdeutsch. Ich habe über Hagen von Tronje promoviert.«

Ein passendes Thema für einen Juden, spottete Rosa in Gedanken. Sie erinnerte sich an die Nibelungensage, die sie im letzten Jahr an ihrer Kölner Schule im Deutschunterricht behandelt hatten. Der deutsche Mythos schlechthin, auf Nibelungentreue hatten die Nazis ihre Soldaten eingeschworen.

Eckstein redete nicht weiter über sein Fachgebiet. Er erzählte von den Bächle, die man in der Altstadt angelegt hatte, und von dem Münster, dem Wahrzeichen der Stadt. Wahrscheinlich wollte er sie beruhigen, aber Rosa war nicht

nach touristischen Besonderheiten. »Warum sind Sie zurückgekehrt?«, wollte sie wissen.

Von Oz wusste sie, dass Eckstein in der Schweiz im Exil
gewesen war. Bei der Familie eines Kollegen in einem Berg-
dorf untergebracht, hatte er sommers als Knecht und winters
als Dorflehrer überlebt und nachts Flüchtlinge über die französische Grenze gebracht.

»Nu was, Landluft hab ich im Jura genug für ein ganzes
Leben geschnuppert.«

»Warum sind Sie nicht nach Israel?«

»Im Gelobten Land interessiert sich keiner für Hagen von
Tronje, und Hochschullehrer gibt's dort fast mehr als Studenten.«

Wie kann ein Jude in das Land der Schlächter zurückkehren? Wie kann er einem die Hand geben, an der vielleicht
jüdisches Blut klebt? Wie kann er für die musizieren, die
sechs Millionen seiner Brüder und Schwestern umgebracht
haben? Abend für Abend hatte sie Nathan mit diesen und
ähnlichen Fragen bombardiert, nachdem er ihr gestanden
hatte, dass er wieder nach Deutschland gehen wolle. Gefetzt
und gestritten hatten sie sich und dabei ihre Liebe rampo-
niert. All die Gründe, die er anführte, waren letztendlich
lächerlich, und die für sie entscheidende Frage beantwortete
er nie: Wieso sollte man in dieses mit jüdischem Blut getränkte Land zurückkehren, wo die Juden jetzt ihr eigenes
Land hatten?

»Ich weiß, wie man in Israel über uns Rückkehrer denkt«,
sagte Eckstein in ihr Schweigen hinein. »Trotz allem, was passiert ist: Dies ist mein Land, aus dem man mich vertrieben
hat. Jetzt bin ich wieder da. Deutsch ist meine Sprache. Ein
judenfreies Deutschland wäre doch ein nachträglicher ...«

Eckstein verstummte mitten im Satz, auch Rosa erschrak.
Was sie hörte, erinnerte sie an ihre letzten Tage in Deutschland, auch in Ecksteins Augen blitzte Angst auf. Das Grollen
marschierender Knobelbecher hallte durch die Freiburger

Gassen. Von den Wänden als bedrohliches Echo gedoppelt und zurückgeworfen, wurde das verhasste Geräusch stetig lauter, steigerte sich zu einem infernalischen Lärm. Als Rosa und Eckstein sich umdrehten, sahen sie einen Trupp Uniformierter direkt auf sich zukommen. Die schwarzen Tschakos in die Stirn gezogen, die Augen starr geradeaus gerichtet, die Schlagstöcke in der Hand, zum Zuschlagen bereit.

Eckstein hatte sich als Erster wieder unter Kontrolle. »Der Veit-Harlan-Film, die Demonstration. Vielleicht schaffen wir es noch, vor ihnen zum Kino zu kommen, um die Leute dort zu warnen. Kommen Sie, ich kenne eine Abkürzung.« Er nahm Rosas Hand und zerrte sie in einer für einen alten Mann abenteuerlichen Geschwindigkeit von den Schutzmännern weg und durch ein Gewirr von Gassen hin zum Theaterplatz, wo sie schon von weitem über dem Kino das riesige Plakat eines Frauenporträts sah: Blondhaar, leidender Blick, ein Kettchen mit prächtigem Goldkreuz um den Hals. »Kristina Söderbaum ist Hanna Amon«, las Rosa.

Vor dem Kino erblickte sie eine kleine Gruppe Demonstranten, Studenten, die sie bereits im Flur des Universitätsgebäudes gesehen hatte, und noch andere junge Leute. Sie hielten Plakate hoch, auf denen stand: »Keine Filme von Nazis!«, »Harlan hat *Jud Süß* und *Kolberg* gedreht!« oder: »(Reichs)Wasserleichen hatten wir genug!«

Die Demonstranten standen dicht beieinander, eine Ansammlung von Leuten hatte sie eingekeilt, Hausfrauen mit Einkaufstaschen, ältere Herren, Kriegsversehrte. Die Meute feuerte wütende Sätze auf die Demonstrierenden ab. »Bettelstudenten«, schrie eine fette Frau. »So was hat es bei Hitler nicht gegeben«, ein Einarmiger. »Ihr kriecht den Juden in den Arsch«, ein wütender Greis. Kreischen und Keifen, Appelle zum Ruhebewahren gingen im Lärm unter. Hass und Kampfeslust lagen in der Luft. Wer griff an? Wer verteidigte sich? Ein heilloses Durcheinander. Hörte außer Rosa keiner die nahenden Schlagstöcke?

»Gendarmen sind auf dem Weg hierher«, rief Eckstein, aber keiner hörte ihm zu. »Sie müssen gleich hier sein.«

»Geht erst mal arbeiten«, rief eine Stimme, die Rosa nicht zuordnen konnte.

»Veit Harlan ist ein Nazi, auch wenn ihn die Spruchkammer entnazifiziert hat«, kam es retour.

Diese Stimme kannte Rosa, diese Stimme hätte sie zwischen tausend Stimmen immer und überall herausgehört.

»Nathan«, schrie sie in die wogende Menge hinein und gegen die Uniformierten an, die nach ihrer Ankunft auf ein kurzes Kommando hin die Menge umkreisten und dann wahllos auf die Menschen eindroschen.

»Das ist eine friedliche Demonstration«, rief einer, nur um kurz darauf unter Schlägen zu Boden zu gehen.

»Nathan«, schrie Rosa wieder, und plötzlich drehte sich ein Kopf zu ihr um. Für eine Sekunde sah Rosa hinter einer Hornbrille Nathans blaue Augen, dann schoben sich schwarze Tschakos in ihr Blickfeld. Sie stürzte vor, mitten ins Getümmel, ein Schlagstock traf sie am Kopf, sie schlug mit ihrem »Paket« zurück, lief taumelnd weiter, stolperte über ein blutüberströmtes Mädchen. »Frau Silbermann«, hörte sie Eckstein rufen. Sie sprang in die Höhe, versuchte unter all den Köpfen Nathan auszumachen, fand ihn nicht zwischen den Polizeihelmen. Jemand boxte sie in die Seite, ein anderer riss ihr das Tuch vom Kopf.

Jetzt mischte sich der Himmel ins Geschehen ein, ein kräftiger Regenschauer prasselte auf die erhitzte Menge, ohne sie zu beruhigen. Eine kreischende Hausfrau schlug mit ihrem Einkaufsnetz um sich, Kartoffeln kullerten zu Boden. Vor sich zwei schluchzende Mädchen, neben sich den Einarmigen, der mit seinem Stock auf einen strauchelnden Jungen einschlug, suchte Rosa fiebrig nach Nathan, ihr Paket jetzt wie einen Schutzschild nutzend. Kartoffeln flogen nun durch die Luft, wurden als Wurfgeschosse gegen wen auch immer benutzt. Dann, erst aus der Ferne, aber schnell näher kommend, das grelle Bimmeln der grünen Minna, das die Menge für einen Moment erstarren ließ. Wer immer sich in unmittelbarer Nachbarschaft eines Schutzmannes befand, wurde gepackt und in Richtung des Wagens geschleppt.

»Weg hier!« Simon Eckstein griff mit eiserner Hand nach ihr und zog sie aus dem Getümmel in eine der kleinen Gassen. Er ließ sie nicht los, zerrte sie schnellen Schritts durch den Regen, schlug Haken wie ein fliehender Hase, bog mal nach rechts, mal nach links ab, durch Toreinfahrten und Hinterhöfe hindurch, immer mit ängstlichem Blick zurück, aber es folgte ihnen niemand. Erst unter den Rathausarkaden hielt er keuchend an. Er hatte seinen Hut verloren, das weiße Haar stand in wildem Durcheinander vom Kopf ab. Rosa sah, dass er eine Platzwunde am Kopf hatte, und stellte zu ihrem Erstaunen fest, dass sie die Handtasche und das Paket mit dem Waffenkoffer noch in Händen hielt. Das Einwickelpapier war nur ein wenig nass und wie durch ein Wunder kaum beschädigt.

»Hat Sie der Teufel geritten? Wollen Sie die nächste Zeit in einer Zelle verbringen? Sie tragen eine Waffe bei sich und müssen zurück auf die Bühlerhöhe«, keuchte Eckstein.

»Sie bringen die Demonstranten ins Gefängnis?«

Rosa nahm ein Taschentuch aus ihrer Handtasche, beträufelte es mit Kölnisch Wasser, deutete auf Ecksteins Wunde und reichte ihm das Tuch. Wenn sie das nächste Mal mit Rachel sprach, musste sie ihr sagen, wie recht sie mit dem Kölnisch Wasser hatte. Es kam nun schon zum zweiten Mal zum Einsatz. Wie verwirrt war sie, dass sie jetzt an Kölnisch Wasser dachte? Sie betastete ihren Kopf, der weh tat, fühlte auf der rechten Hälfte eine Beule.

»Ja, aber nicht für lang.« Eckstein presste das Tuch auf die Wunde. »Auch wenn es gerade nicht so aussah, wir leben tatsächlich in einer Demokratie, mit dem Recht zu demonstrieren. Kollegen von der juristischen Fakultät haben für einen solchen Fall ihre Hilfe zugesagt. Sie werden die Inhaftierten schnell wieder freibekommen.« Eckstein faltete das Tuch fein säuberlich und gab es ihr zurück. »Wen haben Sie erkannt?«, wechselte er das Thema, und seine Stimme bekam einen scharfen Klang. »Wer ist Nathan?«

Rosa fror. Der dünne Mantel war ruiniert und hielt die Nässe nicht ab. Eine Gürtelschleife abgerissen, eine Seite mit Dreckwasser bespritzt. Die Seidenstrümpfe zerrissen, die Schuhe hinüber. An ihre Frisur wagte sie gar nicht zu denken.

»So kann ich auf keinen Fall auf die Bühlerhöhe zurück.«

»Frau Silbermann?« Ecksteins Stimme jetzt scharf wie ein Rasiermesser.

»Nathan Nagelstein, ein Musiker, kommt ursprünglich aus Baden-Baden. Hat acht Jahre bei uns in Omarim gelebt. Ist dann nach Deutschland zurückgekehrt.« Rosa mühte sich um einen belanglosen Ton, merkte, wie er ihr misslang.

Eckstein nickte. Aus der frisch gewaschenen Wunde rann ein wenig Blut und tropfte ihm in den Hemdkragen.

»Möglicherweise ist ihm wie uns die Flucht gelungen. Und falls er unter den Festgenommenen ist, kommt er frei wie alle anderen auch.« Eckstein machte einen Schritt auf sie zu und sah sie lange und durchdringend an. »Frau Silbermann«, beschwor er sie in scharfem Ton. »Sie haben einen Auftrag. Und niemand darf Sie davon abhalten. Niemand! Ist das klar?«

Bühlerhöhe

Ein Streit der Zimmermädchen hielt die Reisacher auf. Die Neue, diese Sudetendeutsche, Rita, glaubte doch tatsächlich, den anderen zeigen zu müssen, wie der perfekte Knick in einem Paradekissen aussah. Schon mehr als einmal hatte die Reisacher erlebt, wie schnell sich die gutmütigen Bauernmädchen in kreischende Hyänen verwandelten, wenn sie sich in ihrer Ehre gekränkt fühlten. Bevor sie der Neuen die Schürzenbändel aufzupften, die Haare ausrissen oder die von ihr gemachten Betten aufwühlten, sprich die Arbeit unter ihrer Zankerei leiden würde, bereitete die Reisacher dem Zirkus ein Ende, indem sie allen den Reisacher'schen und damit den einzig auf der Bühlerhöhe gültigen Paradekissenknick vorführte. Das ließ die alten Zimmermädchen befriedigt nicken und machte der Neuen klar, dass sie als Hausdame hier keine Extrawürste duldete.

Kaum hatte die Reisacher diesen Sturm im Wasserglas beendet, wollte von Droste sie sprechen. Der Hauptmann drängte auf eine Unterredung unter vier Augen und bei geschlossenen Türen. Die Reisacher führte ihn in ihr Büro.

»Wenn nichts Unvorhergesehenes mehr passiert, reist der Kanzler morgen Nachmittag an.«

Einen Stuhl lehnte er ab, die Hände auf dem Rücken, durchpflügte er den kleinen Raum, als stünde er vor seiner Einheit. Höflichkeitshalber blieb auch die Reisacher stehen.

»Wir wollen den Rummel bei seiner Ankunft klein halten. Natürlich darf die Presse ihre Fotos schießen, natürlich dürfen die hiesigen Honoratioren ihre Kratzfüße machen, natürlich darf der ortsansässige Musikverein spielen. Aber alles kurz und knapp, der Kanzler braucht dringend Ruhe. Am ersten Tag ein gemütlicher Spaziergang durch den Park, abends ein Diner im kleinsten Kreis: der Kanzler, seine Tochter, die engsten Berater.«

»Zum Abendessen Forelle blau? Wie im letzten Jahr?«, erkundigte sich die Reisacher.

Von Droste nickte und bügelte ihre Frage nach dem Nachtisch mit unwilligem Kopfschütteln ab. Ob Zitronencreme oder Mokka-Eclairs war nicht sicherheitsrelevant. Zitronencreme, entschied die Reisacher, die hatte die Adenauer-Tochter im letzten Jahr besonders gern gemocht. Schnell kam sie zu ihrer nächsten Frage: »Wann will der Kanzler mit der Frischzellenkur beginnen?«

Kurz runzelte von Droste die Stirn, dann quetschte er ein

halbes Lächeln heraus: »Springt der Doktor schon wieder im Viereck? Sagen Sie Neuhaus, wir melden uns, sowie der Kanzler die ersten Ferientage geplant hat.«

Neuhaus würde wirklich im Viereck springen, wenn sie ihm mit dieser vagen Auskunft kam. Nicht ihr Problem, sollte er sich doch echauffieren, der eingebildete Lackaffe.

»Das Gästebuch brauche ich noch.«

Die Reisacher holte es von der Rezeption. Gemeinsam gingen sie die wenigen Namen durch, die seit der letzten Kontrolle hinzugekommen waren. Zwei Paare, alte Stammgäste, über die die Reisacher nur das Beste berichten konnte. Ein Paar aus Köln, eines aus Bonn. Die Kölner kannten den Kanzler aus seiner Zeit als Oberbürgermeister.

»Nun zu unseren drei Unbekannten. Was macht der Frankfurter?«

»Herr Kettenkaul und seine Sekretärin verbringen viel Zeit auf ihren Zimmern. Heute sind sie nach Baden-Baden gefahren. Geschäftlich, sagte er mir vorhin.«

»Und die Damen Grünhagen?«

»Wandern mit Leidenschaft. Haben sich heute aber wegen des schlechten Wetters nach dem Frühstück zum Zeitunglesen in die Bibliothek zurückgezogen.«

»Herr Goldberg ist noch nicht angereist?«

»Nein. Und Frau Goldberg ist sehr früh mit dem ersten Zug nach Freiburg gefahren.«

Nichts in von Drostes Mienenspiel verriet ihr, ob ihm das bekannt war. Oder ob diese Reise möglicherweise sogar mit dem gestrigen Tête-à-Tête zusammenhing.

»Der Tisch gestern Abend war zu Ihrer Zufriedenheit?«

»So vorzüglich wie die Zunge in Madeira.«

Kurz und bündig wies er sie in die Schranken. Dabei hätte sie zu gerne mehr über das Abendessen mit Rosa Goldberg erfahren. Aber von Droste plauderte nie. Unbedachte Worte kannte er nicht. Was immer ihn mit den Silbermanns verband, sie musste es ohne seine Hilfe herausfinden.

Er verabschiedete sich mit einer steifen Verbeugung, die Reisacher begleitete ihn hinaus.

In der Rundhalle wartete der Jäger Heiner Genter, der hier wahrlich nichts zu suchen hatte. Sie wollte ihn schon nach draußen scheuchen, als die Tochter Grünhagen mit geschultertem Gewehr die Treppe herunterkam. Wollte die Hanseatin bei dem schlechten Wetter auf die Jagd gehen? Die Reisacher musterte sie unauffällig. Dürr und verwelkt war sie, eine abgehalfterte Diana, der letzte göttliche Funke das Jagdfieber in ihren Augen. Mit einer herrischen Kopfbewegung wies sie Genter an, ihr zu folgen, und schritt ohne ein Wort dem Ausgang zu. Herumkommandieren wird sie den Jäger, weil sie sonst keinen hat, der nach ihrer Pfeife tanzt, fügte die Reisacher ihrem Bild der Hanseatin ein weiteres Puzzleteilchen hinzu. Mit der ist nicht gut Kirschen essen. Hat vielleicht deshalb keinen abbekommen, obwohl sie finanziell bestimmt eine gute Partie ist. Aber selbst Frauen mit Geld finden ja heutzutage kaum einen Mann. Es sind einfach zu viele im Krieg geblieben oder malträtiert zurückgekommen. Welche Frau will schon einen Einarmigen? Oder einen Schreihals wie Brassel?

Die Reisacher konnte nicht verhindern, dass ihre Gedanken mal wieder bei Xavier Pfister landeten. Gutaussehend, charmant und trotz oder gerade wegen seiner Hinterzimmergeschäfte wohlhabend. Ihr Rückfahrschein nach Straßburg.

Um ein informelles Treffen mit von Droste hatte er sie gebeten. Das sollte er kriegen. Sie hatte es sich überlegt. Von Droste hatte seine Angewohnheiten sicher nicht geändert. In den letzten Jahren pflegte er zum Abschluss des Tages immer einen Whisky im Rauchsalon zu trinken. Dort könnte Xavier unverfänglich zu ihm stoßen. Sie wählte die Nummer des Hundseck.

»Leider, leider, liebe Frau Reisacher, Monsieur Pfister ist nicht im Haus«, bedauerte Hartmann und überschlug sich mal wieder vor Freundlichkeit. »Moment, Moment, ich notiere: Rauchsalon, 22 Uhr 30«, versicherte er eilfertig, als sie ihn bat, in Pfisters Schlüsselfach eine Nachricht zu hinterlassen.

»Der Kanzler reist übrigens morgen an«, verriet sie großzügig. »Ob und wann er zu Ihnen zum Schwimmen kommt, kann ich leider nicht sagen.«

»Ich weiß, ich weiß. Übermorgen ist ihm zu Ehren ein Frühschoppen bei uns geplant. Hiesige Politiker, Unternehmer aus der Region. Der Kanzler hat sein Kommen zugesagt.«

»Ach ja?« Sie ärgerte sich, dass sie davon nichts wusste. Das hätte ihr von Droste doch sagen können.

»Sie wissen doch, wie's ist. Kommt er oder kommt er nicht? Wochenlang weiß man nichts Genaues, und dann muss alles hopplahopp gehen.« Hartmann schien voll des Verständnisses für ihren Ärger.

»Bei uns hat sich ein Ehepaar Goldberg angemeldet. Sie ist schon angereist, eine geborene Silbermann aus Köln. Der alte Lepold meint sich zu erinnern, dass ihre Familie vor dem Krieg zu Gast bei Ihnen war. Stimmt das?«

Hartmann holte kurz Luft. »Juden aus Köln, ein Rechtsanwalt mit Frau und zwei Töchtern.« Er überlegte. »Die Kinder ein wenig wild, da fehlte die Zucht in der Erziehung, die Familie hat ein paar Jahre später, so Ende der zwanziger Jahre, noch einen kleinen Sohn bekommen. Angenehme Gäste, ohne Zweifel ... Wir haben übrigens schon wieder jüdische Gäste. Hat alles mit dieser Wiedergutmachung zu tun. Ich frage Sie, muss das wirklich sein? Als ob wir im Krieg nichts verloren haben! Wissen Sie, in was für einem Zustand das Hundseck war, nachdem die Franzosen es räumten? Küche und Keller leergefegt, alles, was wert und teuer war, verschwunden. Das ersetzt einem keiner! Und wenn ich an die Verwandtschaft aus Dresden denke. Haus, Hof, Geschäft, alles im großen Feuer verbrannt. Und die kriegen keinen Pfennig dafür.«

»Wie recht Sie haben«, stimmte ihm die Reisacher zu.

»Das Gesicht, ich wusste, dass es mir bekannt vorkommt«, ereiferte sich Hartmann. »Die Tochter hat große Ähnlichkeit mit ihrer Mutter. Die Augen, die Nase … Sie war gestern hier, allerdings ohne ihren Ehemann.«

»Von dem weiß ich gar nicht, ob es ihn gibt«, vertraute die Reisacher ihm im Flüsterton an.

»Und stellen Sie sich vor, mit dem Auftritt der Goldberg ist ein Vorfall verbunden, über den ich aber noch nichts Näheres weiß. Hat auf alle Fälle unseren Lehrling in Angst und Schrecken versetzt. Angeblich hat Frau Goldberg mit Kölnisch Wasser geholfen.«

»Agnes?«

»Sie kennen Sie?«, wunderte sich Hartmann. »Ein dummes Ding, wirklich. Wenn sie nicht so gut mit Zahlen umgehen und Schreibmaschine schreiben könnte, hätte ich sie längst hinausgeworfen. Im Umgang mit Gästen verstockt wie ein Fisch. Eine Katastrophe! Behauptet, Frau Goldberg nicht zu kennen, hat sich aber im wahrsten Sinn des Wortes vor Angst in die Hose gemacht. Sehr peinlicher Vorfall, ich hoffe, diese Frau Goldberg hat nichts davon mitgekommen.«

»Vielleicht kann ich sie zum Reden bringen?«, ergriff die Reisacher ihre Chance. »Ich muss Sie sowieso um ein paar Stücke Kernseife für unsere Wäscherei bitten. Sind schneller ausgegangen als erwartet, der Lieferant kommt erst am Donnerstag, dann kriegen Sie sie umgehend …«

»Aber natürlich helfe ich gern aus«, unterbrach sie Hartmann, und die Reisacher sah vor ihrem geistigen Auge, wie ihm die Großzügigkeit aus den Poren triefte.

»Dann schicken Sie mir doch diese Agnes damit vorbei, und ich sehe zu, was ich ihr entlocken kann.«

Schießen lernte Nathan nicht. Rosa hatte ihn Abend für Abend zum Schießstand geschleppt, ihm erklärt, wie man ein Gewehr hielt, es lud, anlegte, zielte und schoss. Nie traf er eine der Blechdosen, selbst wenn Rosa sie direkt vor seiner Nase platzierte. Mit der Waffe in der Hand stellte er sich so dämlich an, dass einem himmelangst werden konnte. Rosa hatte viele Neuankömmlinge im Schießen unterrichtet, aber so einen Trottel hatte sie noch nie erlebt. Als er beim Rückstoß nach einem Schuss stolperte und sich dabei den Fuß brach, gab sie es auf.

»Zwei linke Füße, zwei linke Hände«, erklärte sie in der Kibbuz-Versammlung. Alle nickten, denn Nathan war nicht nur beim Schießen nicht zu gebrauchen. Selbst die Ziegen konnte er nicht zusammenhalten. Die hatten schnell herausgefunden, dass er vor ihnen Angst hatte, und scherten sich einen Dreck darum, ihm zu folgen. Sie büxten aus, fraßen, wo und was sie wollten.

Nathan blühte erst auf, als sie ihm auftrugen, die Kinder in Musik zu unterrichten. Anders als die Ziegen liefen ihm die Kleinen nicht davon. Sie mochten die Lieder, die er ihnen beibrachte, und bastelten mit Feuereifer Trommeln und Triangeln, um ihren Gesang rhythmisch begleiten zu können. Wenn die Kibbuznikim draußen in den Olivenhainen, den Weinbergen oder den Orangenplantagen arbeiteten, hörten sie aus der Ferne den fröhlichen Gesang der Kinder und ließen sich davon anstecken. »Es muss auch solche geben«, sagte der alte Jakob gerne, und dass sie im Kibbuz alle Talente brauchen konnten.

In Nathans erstem Jahr hatte Rosa wenig mit ihm zu tun. Von weitem sah sie seine Haut dunkler werden und seine Haare wachsen. Haselnussbraun waren sie, wellten sich in großzügigen Locken und kaschierten den unschönen Birnenkopf. Beim Musizieren strich er sie nach hinten, und immer wenn er sich die Geige unter das Kinn klemmte, sprang eine Locke zurück und hing ihm wie ein kleines Fragezeichen in die Stirn. Seine Musik war es, die die Kibbuznikim seine Ungeschicklichkeiten vergessen ließ. Wie alle anderen war auch Rosa hingerissen, wenn Nathan nach Feierabend oder bei Festen, manchmal von Rachel am Klavier begleitet, auf Shmuels alter Geige spielte. Tschaikowsky, Mozart und Beethoven brachte er nach Omarim. Musik, die sie als Kinder mit den Eltern gehört hatten und die nun über das Wasser des Genezareth wehte. »Ein Teufelsgeiger«, schwärmte der alte Jakob. »Unser Paganini.«

Lea und Judith interessierten sich für den langen Lulatsch, Rosa nicht. Sie schmachtete den starken Levi an, ließ Daniel abblitzen und beobachtete, was sich zwischen Rachel und Oz tat. Dass die beiden füreinander bestimmt waren, wusste nicht nur Rosa. Der ganze Kibbuz wartete darauf, dass die zwei sich endlich fanden. Aber Rachel war eine Prinzessin und Oz ein sturer Sabre, die zwei wirbelten viel Staub auf, bis sie sich zum ersten Mal in den Armen lagen. Dass sie, Rosa, einmal genauso gern in Nathans Armen liegen würde, hätte sie in diesem ersten Jahr niemals für möglich gehalten. Ein Kerl, der nicht schießen konnte? Eine Hühnerbrust mit Armen, dünn wie ein junger Weinstock? Nie im Leben!

Erst bei einem Ausflug zu den Arbel-Klippen im Frühjahr 1943 verliebte sich Rosa in ihn. Im März, nach heftigen Regenfällen, die den Genezareth in eine stürmische See und den Jordan in einen reißenden Fluss verwandelt hatten, waren sie zu acht mit Rucksack und Zelten unterwegs: Rachel und Oz – da schon ein Paar –, Lea und Levi – Levi hatte sich ausgerechnet in Lea verliebt –, Judith, Daniel, Nathan und sie.

Nach dem Frühlingsregen leuchteten die Hügel und Berge um den Genezareth in üppigem Grün. Zwei, drei Monate lang spross und blühte alles. Wogendes Gras, Blumen in Hülle und Fülle, die Luft frisch und rein. Wie in der Voreifel oder im Bergischen Land, wohin Rosa die Ausflüge ihrer Kindheit geführt hatten. Immer wenn sie dieses Grün sah, ergriff sie eine schmerzhafte Sehnsucht nach Deutschland, das fast das ganze Jahr über so grün war. Und dann dachte sie an den kleinen Bruder und die Mutter in Köln, von denen nun seit einem halben Jahr jegliches Lebenszeichen fehlte. Und an die grauenvollen Geschichten, die die Flüchtlinge erzählten und die sie nicht glauben wollte. Selbst wenn, doch nicht Ben und die Mutter, redete sie sich wie ein Kind ein. Sie sah die zwei in ihrem Kölner Haus sitzen, umgeben von einer schützenden Glasglocke, die sie vor jedem Zugriff bewahrte, bis dieser Irrsinn ein Ende hatte.

Beim Aufstieg zu den Klippen war ihr das Herz schwer. Mundfaul trödelte sie hinter den anderen her. Als sie am Lagerplatz ankam, bauten Oz und Daniel schon die Zelte auf. Rosa meldete sich zum Holzsammeln, zog alleine los, hob hie und da einen trockenen Ast auf, pflückte Pusteblumen, blies die grauen Schirmchen in die Luft, suchte sich einen Platz, von dem aus sie hinab in die Ebene und auf den See sehen und ein wenig weinen konnte.

»Erinnert dich das Grün auch an die Heimat?«

Sie hatte Nathan nicht gehört. Auch er war Holz sammeln gewesen, wie sie an dem Bündel sah, das er neben sich ins Gras legte, bevor er in die Knie ging und sich neben sie hockte.

»Omarim ist meine Heimat«, erwiderte sie trotzig.

»Ja, ich weiß«, antwortete er. »Aber es gibt noch die andere Heimat, das Land unserer Kindheit.«

Sie schniefte, wischte sich einmal mit dem Handrücken übers Gesicht und spürte plötzlich Nathans Hand auf ihrer Schulter. Mit der anderen reichte er ihr sein Taschentuch. Sie schnäuzte sich, gab es ihm wieder. Er half ihr vom Boden hoch, jeder sammelte sein Brennholz ein, und gemeinsam liefen sie zum Zeltplatz zurück. Abends beim Lagerfeuer saßen sie nebeneinander, und je weiter das Feuer herunterbrannte, desto näher rückten sie zusammen.

Genau so hatte ihre Liebe angefangen. Mit einem Taschentuch. Schon am nächsten Tag, als sie hoch zu den Höhlen kletterten, in denen sich die judäischen Widerstandskämpfer nach der Zerstörung des Tempels vor den Römern versteckt hatten, hatte Rosa nur noch Augen für ihn.

Als der Zug in Bühl anhielt, beschloss sie – mal wieder –, dass jetzt endgültig Schluss sein musste mit all den Erinnerungen. Sie hatte Nathan in Freiburg gesehen, Zufall nur, kein Wink des Schicksals. Er war in dieses Land zurückgekehrt, er hatte sie, Omarim, Israel verlassen. Er war ein Verräter, ein blinder Idealist, der glaubte, auf blutgetränktem Boden könnten neue Rosen blühen, ja er hatte sich sogar zu der Behauptung verstiegen, man dürfe die Deutschen nicht an zwölf Jahren Schreckensherrschaft messen. Woran denn sonst? Etwa an Lessings *Nathan der Weise*?

Eckstein hatte sie noch einmal ermahnt, ihre Gefühle im Zaum zu halten, als er sie nach dem Kauf eines neuen Mantels in Freiburg in den Zug setzte. Der Auftrag, ja, der Auftrag. »Dem Kanzler darf auf der Bühlerhöhe nichts zustoßen. Das wäre eine Katastrophe. Für Deutschland und für Israel. Massel tov, Frau Silbermann!«

»Dicker kann man wohl nicht auftragen.« Rosa konnte förmlich hören, wie Rachel über ihn gespottet hätte. Aber Rachel hatte gut reden.

Nach dem sechsten Mann musste sie Ausschau halten, dem Scharfschützen, dem Mann, der den Mossad-Leuten in Paris durch die Lappen gegangen war. Er war jetzt allein, seine Kampfgenossen außer Gefecht gesetzt. Machte ihn das vorsichtiger oder unvorsichtiger? Würde er sich Zeit lassen oder schnell zuschlagen? »Der Kanzler reist erst morgen Nachmittag an. Vielleicht ist Ari bis dahin zu Ihnen gestoßen«, hatte es Eckstein mit etwas Aufmunterung versucht.

Immer noch oder schon wieder regnete es. Rosa winkte ein Taxi heran und setzte sich in den Fond. Die Feuchtigkeit hing in den Sitzen, ihr war kalt, sie rieb sich mit den Händen die Schultern warm. Durch die beschlagenen Scheiben sah sie nur Grau.

Ari. Natürlich hatte sie sich auf der langen Reise aus den wenigen Informationen ein Bild von ihm gezimmert. Die Vorstellung, dass er in Paris lebte, dass er weit gereist und – so Tilly – mit allen Wassern gewaschen war, regte ihre Phantasie an. Ein Mann von Welt. Sie lebte unter Bauern. Dabei waren die Männer aus Omarim beileibe nicht alle Bauern gewesen, fast alle brachten einen anderen Beruf aus ihrem früheren Leben mit in den Kibbuz, vom Rechtsanwalt bis zum Schneider war alles dabei. Aber die Landwirtschaft, der Rhythmus der Jahreszeiten, das unberechenbare Wetter, gute oder schlechte Ernten, Kämpfe mit den arabischen Nachbarn oder Diskussionen über die Zukunft Israels bestimmten ihr Leben und ihre Gespräche. Das war gut so, Rosa schätzte das. Dagegen Paris ... Lichterglanz, Nachtleben, Weltoffenheit und Ari mittendrin. Sie stattete ihn mit all den Eigenschaften aus, die die Männer in Omarim nicht oder zu wenig hatten, und sie stellte ihn sich völlig anders vor als Nathan: charmant, eloquent, polyglott, höflich, belesen, geheimnisvoll. Ein Mann, an dessen Seite es ihr leichtfallen würde, den Auftrag zu erfüllen, ein Mann, der ihr zudem helfen würde, sich sicher durch dieses ehemals vertraute, jetzt fremde und belastete Land zu bewegen. Ein Mann, mit dem sie vielleicht sogar einmal tanzen oder Champagner trinken würde.

Natürlich kam ihr der Verdacht, dass Tilly ihr dieses Bild von Ari mit Absicht suggeriert hatte, um ihr – neben Tanger – einen weiteren Anreiz zur Annahme des Auftrags zu bieten. Wenn, dann war ihr das gelungen. Auch wenn sie sich selbst wegen dieser romantischen Jungmädchen-Phantasie verspottete, sie bekam diesen eingebildeten Ari nicht ganz aus ihrem Kopf. Und jetzt schon gar nicht, wo der echte Ari verschwunden war.

Es regnete immer noch, als sie eine knappe Stunde später auf der Bühlerhöhe ankam. Noch drohender als sonst thronte der steinerne Adler über dem Haupteingang. Der segelohrige Rezeptionist eilte mit geöffnetem Schirm auf sie zu, geleitete sie nach drinnen, verneinte, als sie fragte, ob sich »ihr Mann« gemeldet habe, reichte ihr mit einem Bückling den Zimmerschlüssel. In der Rundhalle sah sie, wie einer der Hotelboys einer dürren Dame Regenpelerine und ein Jagdgewehr abnahm. Himmel, die Frau war zur Jagd gewesen, was sonst? Wenn sie, Rosa, anfing, jeden zu verdächtigen, würde sie verrückt werden. Als sie die knarzende breite Wendeltreppe zur dritten Etage hochstieg, spürte Rosa ihre Müdigkeit. Schon in dem langen, leeren Flur hätte sie am liebsten die Pumps ausgezogen, um auf Strümpfen zu laufen, so wie sie es als Kind gerne getan hatte. 306, 308, 310, der Flur schien kein Ende zu nehmen.

Ihre Müdigkeit war wie weggeblasen, als sie die Hausdame aus ihrer Tür treten sah.

»Frau Goldberg, willkommen zurück«, flötete sie weder überrascht noch verunsichert. Sie wartete vor der Tür, als wäre sie Rosas persönliches Empfangskomitee. Wieder roch sie das Fleur de Muguet. Es war falsch, dass die Hausdame dieses Parfüm benutzte. Es passte nicht zu ihr. Es passte zu niemandem, es war der Duft ihrer Mutter.

»Ist etwas geschehen?«, fragte Rosa und bemühte sich um einen neutralen Tonfall.

»Nur ein kleines Malheur des Zimmermädchens«, erklärte die Hausdame und hielt eine kaputte Glühbirne hoch. »Die rechte Nachttischlampe ist ihr beim Saubermachen heruntergefallen. Ich habe die Birne ausgetauscht.« Sie musterte das Paket, das Rosa in der Hand hielt. »Eine gute Idee, das schlechte Wetter für Einkäufe zu nutzen«, sagte sie.

»O ja«, bestätigte Rosa und fügte, um die kaum versteckte Neugier der Empfangsdame zu befriedigen, hinzu: »Ein Geschenk für meinen Mann.«

»Haben Sie Nachricht von ihm? Wissen Sie, wann er kommt?«

»Leider noch nicht.«

»Bestimmt lässt er nicht mehr lange auf sich warten. Ich wünsche Ihnen noch einen schönen Tag.«

Rosa wartete, bis die Hausdame verschwunden war, erst dann öffnete sie die Tür, schlüpfte hinein und drehte den Schlüssel von innen zweimal um.

»Damit du sehen kannst, ob jemand in deinen Sachen gewühlt hat, gibt es ein paar einfache Tricks«, hatten ihr Oz' Leute erklärt. »Leg einen Faden zwischen die Wäsche, klemm ein Papierkügelchen zwischen zwei Kleiderbügel, stell deine Schuhe auf kleine Steinchen.« Rosa bemerkte es also sofort. Sehr geschickt. Ohne Faden, Papierkügelchen und Steinchen wäre Rosa nichts aufgefallen. Auch das Manöver mit der Glühbirne, gekonnt. In wessen Auftrag? Von Drostes? Zu viel der Ehre, wo sie gestern doch keine gute Figur gemacht hatte. Wer interessierte sich dann für sie?

Wenn die Hausdame einmal ihre Sachen durchsucht hatte, würde sie es auch ein zweites Mal tun. Vor allem, weil sie nichts hatte finden können. Kleidung, Schuhe, zwei Bücher auf Hebräisch, in der ihr Oz' Leute auf einigen Seiten zwischen den Zeilen die nötigen Kontaktdaten versteckt hatten. Doppelt gesichert also und harmlos sowieso. Aber jetzt hatte Rosa die Parabellum mitgebracht. Sie suchte nach einer losen Diele im Parkett, inspizierte die Geranientöpfe vor dem Fenster und den Wasserkasten über dem Klosett. Keiner dieser Orte würde den scharfen Augen der Hausdame verborgen bleiben. Die besten Verstecke sind die, die nicht wie Verstecke aussehen, hatte ihnen Walburg damals beigebracht. Und so beschloss Rosa, die Waffe als Geschenk verpackt einfach in den Schrank zu stellen.

Hartmann hatte Agnes nach draußen an die Rezeption ge-
scheucht. Das tat er immer, wenn er telefonieren wollte, vor
allem mit der Reisacher von der Bühlerhöhe. Agnes sollte
nicht sehen, wie ihm der Seiber lief, und auch nicht hören,
wenn er wie ein verliebter Gockel krähte. Jetzt war es aber
schon eine ganze Weile still in dem Büro.

Die Schweizer Damen legten wieder Patiencen, Max ba-
lancierte ein Kuchentablett ins Jägerstübchen, Monsieur Pfister kam in Wanderschuhen die Treppe herunter und legte
ihr mit einem Augenzwinkern seinen Zimmerschlüssel auf
den Tresen. Dann schlenderte er zu den Schweizerinnen
hinüber und zog seinen Hut.

Von Monsieur Pfister ließen sich die alten Schachteln gern
in ihrem Spiel unterbrechen. Schon beim kleinsten Kompliment kicherten sie wie Backfische. Er war halt ein großer
Charmeur, da waren sich im Hundseck alle einig.

Die Walburg wird den schwarzen Engel nicht finden,
redete sich Agnes ein, und wenn, dann wird sie ihn nicht
erschießen. Das war ja damals nur aus der Verzweiflung heraus gesagt worden. Außerdem denkt die Walburg ja weiter
als von A nach B, und wenn die Walburg eines nicht will,
dann den Rest ihrer Tage in einem Gefängnis verbringen.
Denn nichts ist für die Walburg so schlimm, wie ihre Freiheit
zu verlieren.

»Fräulein Agnes?«

Wieder mal hatte sie sich in ihren Gedanken verloren
und nicht aufgepasst. Wieso hätte Monsieur Pfister sonst so
plötzlich vor ihr stehen können, wo er doch gerade noch
drüben mit den Schweizer Damen schäkerte? Vielleicht war
er ein Zauberer? Ihre Unachtsamkeit machte viele Gäste
ungehalten, ihn nicht, er schenkte ihr sogar jetzt noch ein
freundliches Lächeln. Monsieur Pfister wurde nie böse, das
mochte sie so an ihm.

»Wissen Sie, wo ich Monsieur Nourridine finden kann?«

Agnes schüttelte den Kopf.

»Wenn er zurückkommt, sagen Sie ihm, dass ich ihn um halb acht zum Essen erwarte.«

Agnes hoffte inständig, dass ihr das erspart blieb, aber das konnte sie natürlich nicht sagen. »Selbstverständlich, Monsieur Pfister«, versicherte sie und verbarg schnell ihre zitternden Hände unter dem Tresen. Soll die Walburg ihn doch erschießen, flüsterte ihr der Teufel ein, dann musst du ihm nie mehr etwas ausrichten, nie mehr in Augen, kalt wie der Mummelsee, blicken.

»Dann bis später.« Wieder zwinkerte Monsieur Pfister ihr zu und verließ dann schnellen Schrittes das Hotel.

»Fräulein Agnes!«

Sie fuhr herum und sah den Direktor in der Tür stehen. Sie rechnete mit einem Anschiss, der heutige fehlte noch, aber wenn er sie Fräulein Agnes nannte und siezte, brach kein Donnerwetter los. Im Gegenteil, regelrecht beschwingt sagte er: »Holen Sie aus der Wäschekammer drei Stück Kernseife und bringen Sie sie rüber zur Bühlerhöhe. Geben Sie sie bei Frau Reisacher persönlich ab mit einem schönen Gruß von mir.«

Bretterwald

Der Regen hatte aufgehört, als sich Rosa auf den Weg zum Hundseck machte. Agnes' Schweigen war nicht ihr dringlichstes Problem, aber zumindest eines, das sie lösen konnte. Je schneller, desto besser. Auch wenn das Mädchen nicht von sich aus plaudern würde, so könnte sie in ihrer Naivität Pfister oder einem der Waffenfabrikanten doch von ihrem Aufeinandertreffen im Küchenflur erzählen. Mit klaren Worten und ein wenig Geld wollte Rosa ihr die Lippen versiegeln.

Durch den Regen dampfte der Wald vor Feuchtigkeit und roch intensiv nach Holz und Moos. Über den Wasserläufen schwebten Nebelschwaden, so leicht und luftig, dass ein Windhauch sie vertreiben konnte. Für ein paar Minuten zeigte sich die Abendsonne und ließ die Wassertropfen auf Tannenspitzen und Farnen wie Edelsteine glitzern. Rosa schien es, als ob der Wald sie mit seiner Schönheit nach diesem aufwühlenden Tag trösten wollte.

Der moosige Boden schmatzte unter ihren Füßen, die klare, kühle Luft vertrieb ihre Müdigkeit. »Nie riecht der Wald so gut wie nach Regen«, hatte Walburg früher immer gesagt. Wenn es möglich wäre, würde Rosa einen gewaltigen Vorrat dieser würzigen Luft konservieren, um sie sich in den staubtrockenen israelischen Sommern um die Nase wehen zu lassen. – Was aus Walburg wohl geworden war? Rosa stellte sie sich als Mutter einer riesigen Kinderschar vor. Bestimmt war sie in der Gegend geblieben und bewirtschaftete jetzt mit ihrem Mann den elterlichen Bauernhof. Schüsse hallten durch den Wald und ließen einen Schwarm Krähen auffliegen. Jäger, vermutete Rosa und erinnerte sich, dass auch ihr Vater gelegentlich mit Klienten auf die Jagd gegangen war. Hier im Schwarzwald hatte er mal einen Sechsender geschossen, das Geweih hing eine Zeitlang in Köln auf der Terrasse, bis die Mutter es sang- und klanglos verschwinden ließ. Eins, zwei, drei, vier Schuss zählte Rosa. Seit sie die Bühlerhöhe verlassen hatte, war ihr noch kein Mensch begegnet. Die Jäger mussten in der Nähe des Hundseck auf der Pirsch sein, denn die Schüsse klangen mit jedem ihrer Schritte lauter und näher.

Kurz überlegte Rosa, ob sie an der nächsten Weggabelung in Richtung Autostraße abbiegen sollte, um nicht von einem Querschläger getroffen zu werden, aber so plötzlich, wie die Schüsse durch den Wald gehallt waren, verstummten sie auch wieder, und Rosa folgte weiter dem Waldweg. In die jähe Stille hinein krächzte ein unsichtbarer Vogel, ansonsten hörte sie nur die eigenen Schritte. Der Weg schmiegte sich nun eng an den Berg, links von ihr das wuchtige Wurzelwerk umgekippter Tannen, rechts ein Teppich aus Heidelbeerbüschen.

»Heibr« hatte Walburg die winzigen blauen Früchte genannt. Sie hatten sie in Blechdosen gesammelt und dann händeweise gegessen. Zum Glück hatte der Großvater nicht geschimpft, als sie mit blauen Zähnen und Händen zurückgekommen waren. Sie bückte sich, um ein paar zu pflücken, fuhr aber sofort wieder hoch, weil sie hörte, dass hinter ihr etwas durchs Unterholz brach. Als sie sich umdrehte, stolperte gerade Agnes über das Wurzelwerk auf den Waldweg. Rosa fing sie auf.

»Sie haben es aber eilig«, rief sie und ließ das Mädchen los. »Das trifft sich gut, ich wollte sowieso …« Erst da sah Rosa ihre schreckgeweiteten Augen. Wie bei ihrer ersten Begegnung waren sie voller Todesangst. Ein paar stumme Mundbewegungen, dann drehte das Mädchen sich um und rannte davon, als wäre ein tollwütiger Hund hinter ihr her.

Verwirrt starrte Rosa abwechselnd hinter dem bald verschwundenen Mädchen her und auf die Bresche durch Wurzelwerk und Farne, die Agnes bei ihrem Höllenritt durch den Wald hinterlassen hatte. An einer Wurzel hing ein Taschentuch, weiß mit rosa Häkelrand. Rosa steckte es ein.

Die Bresche ist vielversprechend, entschied Rosa. Ihr Besuch im Hundseck konnte einen Moment warten, Agnes musste sich erst einmal beruhigen. Vielleicht fand sie ja, was die Kleine so erschreckt hatte. Sie sah sich genau um, bevor sie den Wald betrat. Der Weg machte hier eine kleine Biegung, drei sehr hohe Tannen, davor kleine Buchenhecken. Mit zwei abgeknickten Ästen an einer der Buchen markierte sie ihren Eintritt in den Wald, wie sie es von Walburg gelernt hatte. Solange es bergan ging, hatte Rosa keine Schwierigkeiten, Agnes' Spuren zu folgen. Das Mädchen war gerannt, deshalb hatten sich ihre Füße tief in den nassen Waldboden eingegraben. Schwierig wurde es, als Rosa nach dem Aufstieg auf einer moosbespannten Lichtung landete. Plattgetretenes Moos richtete sich sofort wieder auf, Agnes' Spuren verloren sich. Die Lichtung erwies sich als kleines Plateau, auf der anderen Seite ging es bergab, das Plateau selbst war aber wesentlich größer als die Lichtung. Es setzte sich mit einem Tannenwald fort, in dem die Bäume wie treue Soldaten in Reih und Glied standen und nicht enden wollten.

Ihren eigenen Weg weiter mit abgeknickten Ästen sichernd, suchte Rosa auf der abschüssigen Seite vergeblich nach Spuren von Agnes. Zurück auf der Lichtung, sah sie Raben über dem Tannenwald kreisen. Immer mehr sammelten sich am Himmel, um dann wie auf ein geheimes Kommando hin in die Tiefe zu stürzen. Totenvögel, Aasfresser. Sie wiesen ihr den Weg. Es war nicht weit.

Ein Rabe mit einem blutigen Auge im Schnabel empfing sie. Sie scheuchte den Vogel weg. Auch die anderen Raben flogen auf, gaben den Blick auf ihre Beute frei. Kein Tier, ein Mensch lag da am Boden. Das Gesicht ein blutiger, einäugiger Klumpen, das halbe Hirn nach hinten geschoben. Kein schöner Anblick. Tote mit vergleichbaren Verletzungen hatte sie im Unabhängigkeitskrieg gesehen, Ergebnis von einem Schuss aus großer Nähe. Trotz des zerstörten Gesichtes wusste Rosa sofort, wer vor ihr lag. Die olivfarbene Haut, die zartgliedrigen Finger, der Körperbau, kein Zweifel war möglich. Es war Abdul Nourridine, der die kleine Agnes als Lebender und als Toter in Angst und Schrecken versetzt hatte.

Mit der Entdeckung des Toten kehrte Rosa in den Krieg zurück. Der unsichtbare Panzer einer Kämpferin schützte sie, der ihr bei den Nachtwachen in Omarim und während des Unabhängigkeitskrieges das Überleben gesichert hatte. Sie war wieder Soldatin, erfüllt mit einer tiefen, aus der Not geborenen Ruhe: Angst existierte nicht, Angst konnte tödlich sein. Nur Instinkte und ein scharfer Verstand halfen beim Überleben.

Wer hatte geschossen? Das Mädchen? Sie trug kein Gewehr bei sich, als sie in Rosas Arme fiel. Rosa suchte den Boden um die Leiche herum ab. Aber Fußspuren waren in dem mit dürren Nadeln bedeckten Boden nicht auszumachen. Auch kein vor Schreck fallen- und zurückgelassenes Gewehr. Von wo war der Schuss gekommen? Sie besah sich die Lage des Toten. Es sah nicht aus, als ob dieser bewegt worden wäre. Also von Westen, maximale Entfernung zehn Meter, der Position des Kopfes nach zu urteilen. Sie lief zwischen den geraden Tannen hin und her, den Blick auf den Boden gerichtet, nie das Abknicken der Äste vergessend. Tausende von Tannen, die alle gleich aussahen, tausend Möglichkeiten, sich dahinter zu verbergen, tausend Möglichkeiten, die Orientierung zu verlieren. Sie lauschte in den Wald hinein. Nur Rascheln und Wispern im Unterholz, keine menschlichen Tritte. Niemand außer ihr war hier. Sie suchte hinter jedem Baum nach Patronenhülsen, Zigarettenkippen, irgendwas, das auf den Schützen hindeutete, fand nichts, vergaß nie, ihre Schritte zu zählen. Nachdem sie zwanzig Schritt von der Leiche entfernt war und nichts gefunden hatte, beschloss sie aufzugeben. Die geknickten Zweige wiesen ihr den Weg. Am Himmel kreisten schon wieder die Raben. Eine halbe Stunde später war sie zurück auf dem Waldweg.

Hätte sie doch besser Agnes einholen und zur Rede stellen sollen, anstatt in den Wald hineinzulaufen? Immerhin wusste sie jetzt, vor wem das Mädchen davongerannt war. Rosa konnte verstehen, warum der tote Nourridine die Kleine in Angst und Schrecken versetzt hatte, so ein zerschossener Schädel war kein schöner Anblick. Aber warum der lebende? Was verband Agnes mit dem Maghrébin? Und was hatte sie überhaupt im Wald gesucht? Sie musste das Mädchen sprechen, so schnell wie möglich.

Bald tauchte das Hundseck vor ihr auf. Die Sonnenschirme heute zusammengeklappt, die Korbmöbel unter dem Vordach gestapelt, vor dem Haupteingang ein Wanderer, der seine Stiefel aufschnürte. Beim Näherkommen bemerkte sie, dass es Pfister war. Er sah nicht auf, als sie an ihm vorbeieilte und das Hotel betrat.

Die Szenerie im Foyer wie bei ihrem ersten Besuch: die Schweizer Damen beim Kartenspiel, der Glaskasten mit dem Auerhahn, die breite Treppe hinauf zu den Gästezimmern, die Telefonkabinen, die Toilettentüren, der schmale Flur zur Küche, die Leiste mit den Zimmerschlüsseln hinter dem Tresen. Nur dass nicht Agnes vor diesen Schlüsseln stand, sondern Hartmann.

Er bemerkte sie sofort. In seinem Blick: Überraschung? Befremden? Sie hatte keine Wahl, musste auf ihn zugehen.

»Gnädige Frau, haben Sie sich im Wald verirrt?«, flüsterte er mit falscher Besorgnis in der Stimme.

Erst jetzt bemerkte sie, wie derangiert sie war: Schlammspritzer auf der Hose, grüne Streifen, wie sie frisch geschnittene Äste auf der Kleidung hinterließen, auf ihrem Anorak. Nach einem Griff ins Haar hielt sie Blätter in der Hand. Die Heidelbeeren retteten sie.

»Da eine und dort eine und noch eine ein bisschen weiter weg. Schon weiß man nicht mehr, wo man ist. Zum Glück habe ich nach einem Querfeldeinmarsch den Weg wiedergefunden«, improvisierte sie.

Hartmann knipste ein verständnisvolles Lächeln an. »Möchten Sie sich frisch machen?« Er deutete mit dem Kopf in Richtung Toiletten.

Natürlich nahm sie das Angebot an, richtete sich vor dem Spiegel, so gut es ging, wieder her, kehrte dann zur Rezeption zurück. Hartmann hielt immer noch die Stellung. Von Agnes keine Spur. Angriff, sie konnte nicht unverrichteter Dinge zurück.

»Bevor ich mich in den Heidelbeeren verlaufen habe, ist mir Ihr Fräulein Agnes begegnet. Sie hat ihr Taschentuch verloren. Ich möchte es ihr zurückgeben.«

»Ganz reizend, gnädige Frau, aber leider, Agnes ist noch nicht zurück. Ich habe sie zur Bühlerhöhe geschickt.«

Es kostete Rosa Kraft, ihre Stimme nur besorgt und nicht alarmiert klingen zu lassen. »Merkwürdig. Ich bin ihr begegnet, bevor mich die Heidelbeeren vom Weg abbrachten. Sie lief in Richtung Hundseck. Sie müsste längst hier sein.«

»Nichts als Ärger macht das dumme Ding. Trödelt gern herum. Hoffentlich ist sie nicht auf die Idee gekommen, bei ihrer Mutter vorbeizugehen oder ihre verrückte Schwester zu suchen. Na, der werde ich den Marsch blasen, wenn sie endlich auftaucht. Wollen Sie mir das Taschentuch hierlassen? Ich hoffe, Sie sind nicht deswegen ...?«

»Nein, nein«, unterbrach ihn Rosa schnell und legte das Taschentuch auf den Tresen. »Ich habe Schüsse im Wald gehört.«

»Ja, es sind Jäger unterwegs. Seien Sie unbesorgt, die Herren schießen nur auf Wild. Soll ich Ihnen ein Taxi für den Rückweg rufen?«

Kein Wort über den Leichenfund, befahl ihr der Instinkt. »Nein, nein. Ich gehe zu Fuß zurück. Die gute Schwarzwaldluft ist nach Regen noch tausendmal besser als sonst.« Sie verabschiedete sich schnell und lief nach draußen.

Wo war das Mädchen, verdammt?

Hundseck

Agnes kauerte neben der Tür des Hundseck-Eiskellers und hielt sich mit beiden Händen den Mund zu. Sie hatte Angst vor den Schreien, die in ihrem Inneren wüteten und die sie ausstoßen würde, wenn sie die Hände wegnahm. Wie eine quiekende Sau vor dem Abstechen würde sie brüllen. Die Köche würden vor Schreck Messer und Kellen fallen lassen, nach draußen rennen und sie so finden. Dann könnte sie sich nur noch in den Eiskeller flüchten, die Tür von innen verriegeln und zwischen den Eisblöcken auf einen gnädigen Tod durch Erfrieren warten. Vielleicht wäre das sowieso das

Beste. Allem ein Ende machen. Jetzt, wo die Walburg den schwarzen Engel erschossen hatte. Die Muttergottes hatte sie in ihrer Not verlassen und dem Teufel freie Bahn gewährt. Allem ein Ende machen, aber das wäre eine Todsünde.

Jesses, Maria und Josef! Und jetzt? Und jetzt? Agnes wiegte den zitternden Körper hin und her, nahm dann doch die Hände vom Mund, um die Suppe auszuspeien, es hätt ihr sonst den Bauch verrissen.

Der Drecksseckel war tot. Die Walburg hatte ihm die Augen aus dem Kopf geschossen, diese schrecklichen, kalten Augen. *»Regarde-moi!* Schau mich an!«, hatte er ihr befohlen und dabei das Messer an ihre Kehle gehalten. *»Regarde-moi!«* Sein Ding hatte er in sie hineingestoßen, immer wieder, immer heftiger, bis sie wie ein Schwein blutete. *»Regarde-moi!«* Und dann hatte er auf sie draufgebrunzt. Jetzt war er tot. Erledigt. Gradewegs in die Hölle gefahren.

Gut war's. Seine gerechte Strafe hatte er gekriegt. Auge um Auge. Zahn um Zahn. Keiner weiß, dass es die Walburg war. Keiner kennt das Geheimnis, nur die Walburg und sie.

Agnes hätte nicht sagen können, woher sie plötzlich die Kraft nahm aufzustehen. Sie folgte einer Eingebung, und es war ihr egal, ob diese vom Himmel oder aus der Hölle kam. Sie würde jetzt hineingehen und sich bei Hartmann für ihr Zuspätkommen entschuldigen. Ihm vorlügen, dass sie die Walburg getroffen, mit der Schwester die Zeit vergessen hatte. Sie würde die Stunde länger arbeiten, die er ihr aufbrummen würde, und sich dann aus dem Geräteschuppen heimlich einen Spaten holen, um dem schwarzen Engel sein schwarzes Grab zu schaufeln. Genau das würde sie tun. Egal wie lange sie dafür brauchte. Damit ihn keiner fand, damit die Würmer ihn auffraßen. Und dann würde sie nie mehr an ihn denken, dann könnte die Walburg endlich wieder nach Hause kommen, dann wäre alles ein für alle Mal vorbei.

Wie von selbst strebten ihre Füße zum Hoteleingang. Sie grüßte die Gäste, die ihr begegneten, mit einem seligen

Lächeln, regelrecht beschwingt war sie. Doch das war schlagartig vorbei, als sie die fremde Frau aus dem Hotel treten sah. In letzter Sekunde schaffte sie es, sich hinter einen Stapel Gartenstühle zu ducken. Der suchende Blick der Frau glitt über sie hinweg. Die Frau, in deren Arme sie vorhin gelaufen war. Die Frau, der sie vom schwarzen Engel erzählt hatte. Die Frau, die so furchtbar neugierig war. Die Frau, über die sie nichts wusste.

Sie hatte mal wieder nur von A nach B gedacht.

Bühlerhöhe

Es dauerte ein paar Stunden, bis die Reisacher die Zeit fand, über ihre Zimmerinspektion nachzudenken. Davor war noch diese Agnes mit der Kernseife aufgetaucht. Ein dummes Ding, wirklich, da musste sie Hartmann aus vollem Herzen zustimmen. Auf ihre Fragen nach den Silbermanns hatte Agnes nur immerzu ungläubig den Kopf geschüttelt, so dass die Reisacher zu dem Schluss kam, dass der Kleinen der Name Silbermann wirklich nichts sagte. Auf ihre Schwester angesprochen, verstummte das Mädchen völlig. Da mochte sie mit Engelszungen auf das dumme Ding einreden und sie mit Limonade und Keksen locken, es kam kein Wort über ihre Lippen. Das war es, was sie auch bei ihren Zimmermädchen immer wieder wahnsinnig machte. Diese stumme, verstockte Sturheit, die hier in der Gegend weit verbreitet war. All diese tumben Bauerntrampel, denen mit Worten nicht beizukommen war, bei denen erst Stockschläge oder glühende Kohlen die Zungen lösen würden. Aber sie konnte ja wohl schlecht zum Rohrstock greifen. So schickte sie das Mädchen zurück, ohne etwas von ihm erfahren zu haben.

Nun war sie auf dem Rückweg von Neuhaus' Klinik, wo sie den Doktor persönlich über die noch vagen Terminpläne des Kanzlers unterrichtet hatte. Sie hatte seinen Tobsuchtsanfall über sich ergehen lassen und ihm dann versprochen, ihren Einfluss geltend zu machen, um möglichst schnell Klarheit zu schaffen. Wohl wissend, dass Neuhaus Adenauer immer und überall den roten Teppich ausrollen würde. Den Kanzler zu düpieren, konnte er sich nicht erlauben, auch wenn er in seinem kleinen Klinikkönigreich noch so lautstark das Zepter schwang. Wie immer schenkte ihr Neuhaus als Dank für ihre Mühen eine Tube Gesichtscreme, die er seinen Patientinnen für teures Geld verkaufte. Ihre letzte Tube war aufgebraucht, der kurze Besuch hatte sich also gelohnt.

Es regnete nicht mehr, und sie ließ sich mit der Rückkehr zum Hotel ein wenig Zeit. Die defekte Glühbirne funktionierte immer. Sie hatte sie schon als falsches Alibi benutzt, als sie während der Besatzungszeit die Zimmer französischer Offiziere in Baden-Baden durchsuchte. Überrascht hatte sie nur das frühe Auftauchen der Goldberg. Nach Freiburg fuhren die Gäste zu einem Tagesausflug und kamen in der Regel nicht vor dem Abendessen zurück. Bei der Goldberg konnte man sich auf nichts verlassen.

Da einen heruntergefallenen Ast aus dem Weg räumend, dort eine verwelkte Blume abknickend, dachte sie über ihre Ausbeute nach. Nichts Privates: keine Fotos, kein Amulett mit Bildchen, keine Briefe. Wirklich schade und ungewöhnlich für eine Frau. Verheiratete hatten meist ein Foto des Gatten auf dem Nachttisch stehen. Zwei Bücher auf Hebräisch, beide mit vielen Bleistiftnotizen, ebenfalls auf Hebräisch. Nun ja, sie war Jüdin. Wirklich interessant war die Garderobe. Alles neu und teuer, feinste Stoffe, weichstes Leder, passende Accessoires. Die Wäsche eher baumwollen, langweilig. Da hatte ihre eigene Kommode Pikanteres zu bieten. Solche Mäntel, Jupes und Jäckchen dagegen konnte sie sich nicht leisten. Alles Maßarbeit, hergestellt von zwei Modestudios, wie die Reisacher den unauffällig eingenähten Etiketten entnahm. Studio Serafine Roselle und Studio Graziella Tollino, beide mit Sitz in Tanger.

Die Dame hatte ihre Garderobe also nicht in Israel, sondern vor nicht allzu langer Zeit in Tanger gekauft, wahrscheinlich sogar direkt vor ihrer Reise nach Deutschland. Damit ihre Garderobe genäht werden konnte, hatte sie sich ein paar Tage lang in Tanger aufhalten müssen. Und in Tanger war genau in diesen Tagen ein dickes Geschäft von Xavier geplatzt. Xavier vermutete ein Komplott, wusste aber nicht, ob dieser Nourridine, der ebenfalls von Tanger in den Schwarzwald gereist war, Akteur oder Opfer desselben war.

Ein Mann und eine Frau, die zeitgleich von Tanger in den Schwarzwald kamen. Reisachers Menschenkenntnis hatte bei der Goldberg früh alle Alarmglocken klingeln lassen. Sie war eine Hochstaplerin, genau! Der Typ verfolgte Unschuld, der Typ, den die Männer umschwirrten wie Motten das Licht. Nourridines Komplizin – warum nicht? –, jawohl, die Xavier in ihren Bann ziehen, ihm Sand in die Augen streuen sollte, damit er nicht hinter die wahren Drahtzieher des Komplotts kam.

Spekulationen waren Schall und Rauch, nur Fakten zählten. Als Erstes musste sie herausfinden, ob sich Nourridine und die Goldberg kannten. Erst dann würde sie Xavier informieren und ihm wieder einmal zeigen, wie unentbehrlich sie für ihn war.

Hundseck

Hinter der Küche, beim Geräteschuppen, vor den Garagen, bei den Umkleidekabinen des Schwimmbades suchte Rosa nach Agnes. Als Kinder hatten Rachel und sie alle Orte ausfindig gemacht, an denen sich die Dienstboten versteckten, wenn sie eine Pause brauchten. Rosa wusste also genau, wo sie nachsehen musste. Sie lief bis zur Bergwacht. Aber auch dort fand sie Agnes nicht.

Die Kleine war im Augenblick nicht greifbar. Augen zu,

noch mal zurück zum Tatort. Sie sah den lebenden Nourridine zwischen den Bäumen auf der Suche nach erlegter Beute. War er wirklich auf der Jagd gewesen? Oder hatte er etwas anderes im Wald gesucht?

Der Schuss, der ihn von vorne traf. Er hatte seinen Mörder gesehen, als dieser abdrückte und ihm mitten ins Gesicht schoss. Ein Jagdunfall? Rache? Eine Liquidierung? Da konnte sie nur spekulieren, das half nicht weiter.

Zurück zu dem Toten. Was hatte sie übersehen? Nicht den zerschossenen Kopf. Was war mit seinem Körper, seiner Kleidung? Khakifarben, erinnerte sie sich, feste Schnürstiefel. Ein Hemd mit Brusttaschen, die Knöpfe zu, nicht durchsucht worden. Oder so gut durchsucht worden, dass es nicht auffiel. Aber nicht von ihr, sie hatte den Toten nicht angefasst. Sie musste zum Tatort zurück. Im Augenblick ihre einzige Chance, einen Hinweis zu finden.

Wieder im Wald, bald die drei hohen Tannen, die Buchen davor, die breite Schneise im Wurzelwerk. Wieder folgte sie Agnes' Spuren und ihren eigenen, wieder kämpfte sie sich den Berg hoch, geriet in einen gleichförmigen, militärischen Tritt, den sie in den steinigen Golanhöhen gelernt hatte, die sie mit ihrer Einheit immer wieder hinaufstürmte, um die Angriffe der Syrer abzuwehren und die Straße nach Safed zu sichern.

Sie lief schnell, passend zum Tempo, in dem ihr Gehirn weitere Szenarien für den Mord produzierte. Nourridine war Maurice Masaad. Masaad war der Scharfschütze. Ari war bereits in der Gegend und hatte ihn im Wald erledigt. Oder war Nourridine, der Waffenhändler aus Tanger, Handlanger eines Schweizers, Opfer eines gescheiterten Geschäftes oder eines Jagdunfalls, völlig belanglos für ihren Auftrag? Kämpfte sie an der falschen Front? Die Taschen des Toten würden Auskunft geben. Papiere, verräterische Notizen, irgendetwas.

Da schon die Lichtung, das weiche Moos unter ihren Füßen, das einzige Geräusch ihr durch den Lauf erhitzter Atem.

Sie folgte den abgeknickten Zweigen, die Stelle, an der sie den Toten entdeckte, hatte sie mit zwei über Kreuz gelegten Tannenzweigen markiert. Sie fand die Zweige, aber nicht den Toten. Sie umkreiste den Platz immer wieder, fühlte sich genarrt, zweifelte kurz an ihrer Wahrnehmung, kehrte zu den gekreuzten Zweigen zurück. Nein, nein, sie täuschte sich nicht. Exakte Erinnerung war im Kampf lebenswichtig, nie durfte man sich vom Feind aus dem Konzept bringen lassen. Genau hier hatte der Tote gelegen. Sie war in höchster Alarmbereitschaft. Mit jeder Faser ihres Körpers verfluchte sie sich, weil sie die Parabellum im Hotel gelassen hatte.

Mit erneutem Einsetzen des Regens stachen plötzlich Kaktusnadeln in ihren Bauch. Plötzlich fühlte sie sich von allen verlassen. Die instinktive Sicherheit der Soldatin half ihr nicht mehr. Keine Einheit, keine Kampfgefährten beschützten sie. Sie war allein. Allein, seit sie Omarim verlassen hatte. Allein mit ihrem Auftrag und allein mit dem Wissen, dass genau hier noch vor kurzem der tote Nourridine gelegen hatte.

Bühlerhöhe

Die Feuchtigkeit, die der Regen hinterlassen hatte, hing noch im Mauerwerk, und der Boden war durchgeweicht, als die Reisacher zu einem Abendrundgang vor die Tür trat. Sie ließ den Brunnen links liegen und stieg zum Ehrenhof hinunter auf den kleinen Weg, der unterhalb der Terrasse herführte. Die Bronzehirsche glänzten regennass, die Terrasse war so leer wie den ganzen Tag über, dahinter lag der verwaiste Speisesaal, hell erleuchtet. Die Gäste hatten ihn schon verlassen, nur die Kellner liefen noch hin und her, trugen das letzte Geschirr ab und deckten die Tische mit frischem Leinen ein. Ein Blick hoch zu den Gästezimmern: Brassels Fenster erhellte die kleine Schreibtischlampe, bei den Grünhagens herrschte Festbeleuchtung aus gegebenem Anlass. Die Tochter hatte heute eine Wildsau erledigt und der Küche des Hauses spendiert. »Nerven wie Drahtseile, eine ausgezeichnete Schützin«, berichtete Genter, der Jäger. Die Fenster von Kettenkaul und »seiner Dame« lagen im Dunkeln. Die treiben es wahrscheinlich miteinander, dachte die Reisacher. Hoffentlich lässt sich die »Dame« gut dafür bezahlen.

Auch bei der Goldberg brannte noch Licht. Die war vorhin völlig derangiert nach Hause gekommen, so als wäre sie kilometerweit querfeldein gestapft, als gäbe es keine Wanderwege. Sie wollte nur noch ein Glas Milch und ein Butterbrot aufs Zimmer gebracht bekommen. »Ein Monsieur Nourridine hat für Sie angerufen und bittet um schnellen Rückruf«, richtete ihr der junge Morgenthaler brav aus, nachdem sie einen entsprechenden Zettel in Goldbergs Schlüsselfach gelegt hatte. In ihrem Rehblick wieder große Verwirrung, aber dann hatte sie die Reisacher, die die Szene durch einen Türspalt ihres Büros beobachtete, mit ihrer Reaktion überrascht. »Wann?«, fragte sie, und als der Junge nicht sofort reagierte: »Um wie viel Uhr kam der Anruf?« – »Vor einer halben Stunde«, erklärte Morgenthaler nach einem erneuten Blick auf den Zettel. »Danke«, sagte die Goldberg, mehr nicht, und ging, ohne der Bitte um schnellen Rückruf nachzukommen.

Was sagte ihr diese Reaktion? Die Goldberg wollte Nourridine nicht sprechen? Sie musste erst überlegen, bevor sie zurückrief? Der Anruf war ein Code, sie wusste genau, was sie jetzt tun musste? Was auch immer, entscheidend war, sie, Sophie Reisacher, hatte mal wieder den richtigen Riecher gehabt: Die Goldberg kannte Nourridine.

Ein Blick auf die Uhr, von Droste war ein Pünktlichkeitsfanatiker, um exakt 22 Uhr 30 pflegte er seinen Whisky zu nehmen. Xavier wartete schon im Rauchsalon auf ihn. Sie hatte ihn vorhin im Foyer kurz und förmlich begrüßt, ihr Privatleben ging im Hotel niemanden etwas an.

Sie lief an Frühstückszimmer und Tearoom entlang, bis

sie unterhalb des Rauchsalons zum Stehen kam. Das Fenster hatte sie, bevor sie zu ihrem Spaziergang aufgebrochen war, auf Kipp gestellt.

»Pfister, du hier im Schwarzwald?«, hörte sie von Droste sagen. Die schweren Sessel wurden gerückt. »Lass mich überlegen, das letzte Mal …«

»Frühjahr 48, Saarbrücken, Verhandlungen wegen der Stahlunion. – Was trinkst du? Bourbon? Natürlich, als alter Freund der Amis. – Machen Sie mir auch einen!«, wies er den Barkeeper an.

»Machst du Urlaub, oder bist du geschäftlich hier? Noch in Stahl unterwegs? Waffen? Immer noch Naher Osten?«

»Auch, aber nicht nur. Und du bist im Personenschutz gelandet. Hat mich gewundert. Hab dich immer in der Abwehr gesehen. Internationales Parkett und so weiter.«

»Man wird älter. Frau, Kinder, Familie. Ich bin genug herumgekommen. In Köln lässt sich gut leben, wenn man in Bonn arbeiten muss. Und selbst? Verheiratet?«

»Bald.«

»Gute Partie, hoffe ich.«

»Aber sicher. Elegant, weltgewandt, attraktiv und so weiter.«

Gläserklirren im Rauchsalon, und unter dem Fenster köpfte Sophie Reisacher im Geist eine Champagnerflasche. Bald würde Xavier sie heiraten, bald. Wenn er es ihr nur auch mal so deutlich sagen würde wie von Droste gerade! Ihr hüpfte das Herz. Am liebsten würde sie nach drinnen laufen, Pfister um den Hals fallen und von Droste wie ein frisch verliebtes Ding zurufen: »Elegant, weltgewandt, attraktiv und so weiter. Das bin ich!« Stattdessen musste sie sich zwingen, weiter zuzuhören. Es war eine der seltenen Gelegenheiten, mehr über Xaviers Geschäfte zu erfahren. Aus Erfahrung wusste sie, dass es auch in einer Ehe gut war, ein paar Trümpfe in der Hand zu halten.

Von Droste und er kannten sich aus Kriegszeiten, hatte ihr

Xavier erzählt. Und Kriegskameradschaften waren Bindungen fürs Leben, stählerne Seilschaften, Treue bis ins Grab. Nach dem Krieg ging es nicht mehr darum, dem anderen den Arsch zu retten oder den eigenen gerettet zu bekommen, aber auch bei Geschäften erwiesen sich die alten Verbindungen als sehr nützlich.

»Lassen Sie die Flasche Bourbon hier, dann können Sie gehen«, befahl von Droste dem Barkeeper. »Und schließen Sie die Tür hinter sich.«

Sophie hörte schwere Tritte, dann eine Tür, die ins Schloss fiel. In der Dämmerung konnte sie den weitläufigen Park vor Neuhaus' Klinik nur noch erahnen. Durch die Wipfel der Douglastannen strich bereits der Nachtwind. Das Licht aus dem Rauchsalon malte ein schräges Rechteck auf dem Rasen hinter ihr. Sie fror in dem dünnen Kostüm, auch die Pumps waren nicht die richtigen Schuhe, um hier länger zu stehen. Das hatte sie nicht bedacht.

»Der Kanzler persönlich, nicht schlecht«, wechselte Xavier das Thema. »Du hast es ins Zentrum der neuen Macht geschafft. Ich nehme an, deine Kontakte zur Abwehr sind immer noch gut?«

»Hier bist du nicht abgestiegen. Wo hast du dich einquartiert?« Von Droste ignorierte Xaviers Frage und nahm das Gespräch in die Hand.

»Natürlich. Du kennst die Gästeliste der Bühlerhöhe.« Xavier lachte. »Hundseck, alter Knabe, Schwarzwälder Charme, gute Küche. Ich höre, der Kanzler schwimmt dort gerne. War der Führer nicht auch mal hier auf der Bühlerhöhe?«

»Sommer 1933. Geheimtreffen mit Mussolini. Aber wie ich dich kenne, bist du nicht wegen der alten Zeiten hier und auch nicht zufällig. Also, was willst du?«

Von Drostes Stimme klang sehr reserviert. Ein Treffen alter Kameraden hatte sich Sophie herzlicher vorgestellt.

»Du hast mich durchschaut, alter Knabe!« Wieder lachte Xavier. »Und wie in den alten Zeiten käme ich nie auf die

Idee, dich um etwas zu bitten, ohne dir gleichzeitig etwas anbieten zu können.«

»Ich höre.«

»Der Nahe Osten ist ein Pulverfass. Schwer zu ermitteln, wer da bald das Sagen hat. Die Algerier proben den Aufstand, die Ägypter stehen in den Startlöchern, das Empire wackelt, La Grande Nation sowieso. Die Sowjets unterstützen die Aufrührer, die nach Unabhängigkeit streben, auf Teufel komm raus, um Einfluss auf dem Schwarzen Kontinent zu gewinnen. Ich kenne fast alle alten Kameraden, die dort mitmischen. Sei's als Ausbilder von Freischärlern, sei's als Berater bei Waffenkäufen. Politisch mal auf der einen, mal auf der anderen Seite. Bessere Informationsquellen über die Region bekommst du nirgends her.«

Eine Pause entstand. Xavier wartete wohl auf eine Reaktion von von Droste, die aber nicht kam.

»Ich weiß, dass sich eure Augen und Ohren stur nach Osten richten, der roten Gefahr entgegen«, machte Xavier weiter. »Den Amis schlottern ja schon die Knie, wenn sie das Wort Weltkommunismus nur hören. Aber du weißt so gut wie ich, wie gefährlich ein einseitiger Blick ist. Und im Nahen Osten ist die Gemengelage explosiver als in Ungarn oder der Tschechoslowakei.«

»Nehmen wir an, es gibt Interesse an deinen Informationen. Was willst du dafür?«

»Wie gut sind eure Kontakte zum Mossad?«

Mossad? Wer oder was war denn der Mossad? Sophie fror jetzt richtig unter dem Fenster.

»Interessante Frage.« Von Drostes Stimme klang spöttisch.

»Komm schon, Hermann. Der alten Zeiten wegen.«

Dieses schmeichelnde Gurren von Xavier fand Sophie unwiderstehlich, darauf fiel sie immer wieder herein. Nicht so von Droste.

»Was willst du vom Mossad?«, fragte er.

»Mir ist in Tanger ein Geschäft mit den Ägyptern geplatzt.

Dreihundert Sturmgewehre hat man aus meinem Lager geklaut, als dort ein Aufstand tobte, zwei meiner Männer sind dabei getötet worden. Ich will wissen, ob sich der Mossad die Lieferung unter den Nagel gerissen hat.«

Sturmgewehre? Dann handelte Xavier also mit Waffen. Das erklärte ihr endlich, warum er, auf seine Geschäfte angesprochen, immer so ausweichend antwortete. Sie hatte immer gedacht, er würde Wein und Spirituosen oder Maschinen im großen Stil schmuggeln. Waffenhandel ... Hatte natürlich einen Hautgout. Damit konnte man schlecht im Damenkränzchen beim Fünfuhrtee angeben. Doch letztendlich, merkte Sophie, war es ihr egal, womit Xavier sein Geld verdiente.

»Irgendein konkreter Verdacht?«, hörte sie von Droste fragen.

»Ein windiger Itzig aus Paris, der die Waffen bis zur spanischen Küste gebracht hat. Er wusste, wann die Lieferung in Tanger ankommt.«

»Name?«

»Ich kenn ihn als Artur Löwenstein. Aber der Kerl wechselt Namen und Aussehen wie Hemden. Er ist einer von denen, die durch alle Höllen gegangen sind und die nichts mehr schreckt.«

»Wo steckt er?«

»Zuletzt Paris. Seit ein paar Tagen wie vom Erdboden verschluckt.«

»Und er hat dem Mossad einen Tipp gegeben?«

»Es wussten nur wenige Leute von der Lieferung. Auch davon, dass sie nur zwei bis drei Tage in Tanger lagern sollte, bis die Ägypter die zweite Rate bezahlt und den Weitertransport organisiert hätten.«

»Ich nehme an, wenn's der Jude nicht war, waren es deine Leute vor Ort? Araber?«

»Komm schon, Hermann. Du kennst das Spiel. Man listet alle auf, überprüft einen nach dem anderen, bis der Schuldige übrig bleibt.«

»Hab gehört, ein Araber ist hier in der Gegend. Um dir Bericht zu erstatten, oder was?«

»Hast wie üblich alles im Blick?«

»Muss ich, mein Lieber, sonst säße ich nicht auf dem Posten, auf dem ich jetzt bin. Warum ist Abdul Nourridine hier?«

»Er ist mein Statthalter in Tanger, kam her, um mir persönlich von dem Überfall zu berichten. Spielt vielleicht ein doppeltes Spiel. Also, was ist mit dem Mossad?«

Von Droste ließ sich Zeit, bevor er antwortete: »Unsere Beziehung ist im Moment geradezu innig, gezwungenermaßen. Das Wiedergutmachungsgesetz. Der Kanzler will es durch den Bundestag pauken, damit die Amis zufrieden sind. Hier jammern alle wegen dem vielen Geld, in Israel schäumen die Zionisten, aber Ben Gurion braucht das deutsche Geld, sonst ist sein schöner neuer Staat pleite. Wir und der Mossad müssen also alles tun, damit nicht irgendein Irrer, egal von welcher Seite, das Geschäft vermasselt. Artur Löwenstein. Ein Irgun-Mann?«

»Irgun, Hagana, der kann auf allen Hochzeiten getanzt haben. Hauptsache, ich erfahre, ob er hinter der Sauerei steckt.«

»Wenn der BND mit deinen Informationen etwas anfangen kann, reden wir darüber. Wann kannst du in Bonn sein?«

»Ich muss in den nächsten Tagen geschäftlich nach Koblenz. Der Abstecher in die neue Bundeshauptstadt wäre also kein Problem.«

»Ich stelle einen Kontakt zu unserem Nahost-Experten her. Adelbert Schulz. Er wird sich bei dir melden. War mit Rommel in Afrika.«

»Dann hat er zumindest schon mal Wüstensand geküsst.« Von Droste lachte trocken.

»Ein letztes Glas auf die alten Zeiten?«, schlug Xavier vor.

»Ein letztes Glas.«

Wieder hörte Sophie Reisacher das Klirren von Gläsern

und kurz darauf Schritte. Auf Zehenspitzen hüpfte sie um die Ecke, lief dann zurück zum Haupteingang und von dort hinauf in ihr Zimmer. Sie stopfte die nassen Schuhe mit Papier aus, hängte die Strümpfe über einen Stuhl, schlüpfte in ihr Nachthemd und dann ins Bett. Falls Xavier noch kam, was allerdings sehr, sehr unwahrscheinlich war, würde er sie schlafend finden. Nur äußerst selten hatte sie es zugelassen, dass er die Nacht in ihrem Bett verbrachte. Sie wollte auf keinen Fall, dass hier im Haus ihre Liaison publik wurde. Obwohl … jetzt, wo Xavier so eindeutig von Heirat gesprochen hatte, konnte sie ihn doch als ihren Verlobten einführen. Bald, sehr bald würde sie dieses Hotel verlassen und Madame Pfister sein.

Hundseck

»Die Frau Reisacher schickt die Seife so schnell wie möglich retour und lässt schön grüßen«, richtete Agnes Hartmann aus, nachdem die fremde Frau endlich gegangen war und sie sich zurück ins Foyer des Hundseck traute. Gleich hinter der Tür stand Hartmann und sah der Goldberg nach. »Soll ich mit den Abrechnungen der Kellner oder der Küche weitermachen?«

So schnell würde sie der Direktor nicht zurück an die Arbeit lassen, wusste sie nach einem hastigen Blick in sein Gesicht. Der musste erst Dampf ablassen. Ein Wasserkessel kurz vor dem Explodieren! Sie senkte den Kopf und hoffte, dass das Donnerwetter schnell vorüberging. Am Empfang konnte er sie nicht so gut abkanzeln wie hinten im Büro, wo er sie bei ihrem Vorstellungsgespräch sogar gezwungen hatte, die Hosen runterzulassen. Nicht im eigentlichen Sinn, aber den schmalen Rock und die neue Bluse, die ihr die Mutter genäht hatte, musste sie ausziehen. Geschlottert hatte sie, wie damals, als die schwarzen Teufel kamen, aber in den Augen des

Direktors hatte keine fiebrige Gier geleuchtet; er roch auch nicht nach Bock oder läufigem Hund, als er ihre Unterwäsche inspizierte. »Wissen Sie, Fräulein Agnes, außen hui und innen pfui gibt es in einem Hotel wie dem unseren nicht«, belehrte er sie, als sie so halbnackt vor ihm stand. »Sehen Sie zu, dass Ihre Unterwäsche die Qualität Ihrer Oberbekleidung hat, und wechseln Sie sie häufiger, als Sie das bisher getan haben. Ich kann hier am Empfang keine gebrauchen, die nach Kuhstall oder Monatsblut stinkt. Zeigen Sie mal Ihre Fingernägel her!« Sie hatte sich nicht getraut, mit der Mutter oder der Walburg darüber zu reden, nur mit der Martha, die jetzt im Parkhotel in Baden-Baden arbeitete. Die erzählte ihr, dass man das in allen vornehmen Hotels so machte und Agnes sich einfach drei neue Unterhosen kaufen und den Rest vergessen sollte. »Vergessen können wir doch gut. Wir haben schon Schlimmeres vergessen müssen«, sagte sie zum Schluss. Und wo sie recht hatte, die Martha, da hatte sie recht.

»Kannst du mir sagen, wo du dich herumgetrieben hast, nachdem du Frau Goldberg im Wald begegnet bist?« Hartmann ging ihr zur Rezeption voraus und zerrte wie ein schlechter Zauberer ihr Taschentuch unter dem Tresen hervor. »Das hat sie gefunden und wollte es dir persönlich zurückgeben. Persönlich! Ich hab dich schon mal gefragt, ob du die Frau kennst. Untersteh dich, mich noch mal anzulügen!«

»Ich schwör's bei allen Heiligen, dass ich die Frau nicht kenn«, flüsterte Agnes. Ganz schummrig war ihr, weil der Name jetzt schon zum zweiten Mal fiel. Ob sie die Frau Goldberg, geborene Silbermann, kenne, hatte sie auch Madame Reisacher gefragt.

»Hat sie dich wo hingeschickt? Musstest du etwas für sie erledigen?«, bohrte Hartmann weiter.

Agnes schüttelte den Kopf. Ob die Frau dem Hartmann erzählt hatte, dass sie den Berg heruntergeseckelt war, als wären Teufel und Luzifer gemeinsam hinter ihr her? Nein, entschied sie. Da würde der Direktor anders fragen.

»Dann erklär mir mal, warum Frau Goldberg eine halbe Stunde vor dir hier ankam, obwohl sie sich noch in den Heidelbeeren verirrt hat!«

»Ich habe die Walburg getroffen, Herr Direktor«, flüsterte Agnes und hielt den Kopf weiter gesenkt. »Sie hat sich den Arm an einem Weidezaun aufgerissen. Ich hab sie verbinden müssen.« Die Ausrede hatte sie sich noch draußen ausgedacht, als ihr eine Eingebung, klar wie ein Sommermorgen, sagte, was sie zu tun hatte. Als die Namen Silbermann und Goldberg nur eine fixe Idee der Madame Reisacher gewesen waren.

»Gnade dir Gott, wenn ich rausfinde, dass du mich für dumm verkaufen willst«, drohte ihr Hartmann. »Du machst heut nicht nur die Abrechnungen für Kellner und Küche, sondern auch die für die Brauerei und die Weinlieferanten. Und wenn nur eine Stelle hinter dem Komma nicht stimmt, setz ich dich vor die Tür. Und jetzt bring erst mal deine Kleider in Ordnung.«

Die nächsten Stunden sortierte Agnes Belege, schrieb Zahlen in die entsprechenden Spalten des Buchungsbuches, addierte, subtrahierte, multiplizierte, dividierte, kontrollierte, bis sie sich sicher war, dass ihre Rechnerei keine Fehler aufwies. Menschen machten ihr Angst, die Zahlen niemals. Die gehorchten ihr, die konnte sie bändigen wie ein Dompteur seine Raubkatzen.

Es dämmerte bereits, als sie Hartmann die Abrechnungen vorlegte und er sie gnädig in den Feierabend entließ. In ihrem Zimmer tauschte sie die weiße Hemdbluse und den engen Rock gegen ihr weites Alltagskleid, schnürte sich die Wanderschuhe und steckte die Taschenlampe ein, die ihr die Mutter letztes Jahr zu Weihnachten geschenkt hatte. Der Spaten stand im Schuppen hinter den Schneeschippen, wie sie es in Erinnerung hatte. Sie trug ihn eng am Körper auf der linken Seite. Niemand konnte ihn sehen, der zufällig aus dem Fenster blickte, als sie den Parkplatz vor dem Hundseck überquerte.

Wie schon bei ihrer Suche nach Walburg oberhalb der Hertahütte blieb ihr wegen der anbrechenden Dunkelheit nicht viel Zeit. Die Stelle, wo sie dieser Frau Goldberg in die Arme gerannt war, fand sie schnell wieder. Jesses, sie hatte wirklich eine Spur, breiter als die einer Herde Wildsäue, hinterlassen! Sie schulterte den Spaten und kletterte den Berg hinauf, überquerte dann die Lichtung, suchte die Tanne mit dem krummen Wipfel, die sie sich gemerkt hatte, als sie mittags auf dem Rückweg von der Bühlerhöhe, aufgeschreckt durch die Schüsse im Wald, nach Walburg gesucht und den toten Araber gefunden hatte. Ganz automatisch hatte sie beim Eintritt in den Wald die Bäume gezählt und an jedem ein Ästchen abgeknickt. Beim fünfzehnten hatte der schwarze Engel gelegen. Es war jetzt bereits so dunkel, dass sie Mühe hatte, die abgeknickten Äste zu finden. Eigentlich war sie froh darüber, denn totgeschossen bot der schwarze Engel keinen schönen Anblick. Es fiel bestimmt leichter, ihn zu verscharren, wenn sie nicht mehr jede Einzelheit erkennen konnte. Dennoch klopfte ihr das Herz bis zum Hals, je näher sie dem fünfzehnten Baum kam. Und dann war da nichts mehr. Mit der Taschenlampe leuchtete sie den Boden ab, lief sogar noch bis zum sechzehnten, siebzehnten Baum und zu den Bäumen rechts und links daneben. Nichts. Der schwarze Engel war verschwunden. Für einen Augenblick dachte sie, der Teufel persönlich hätte ihn sich geholt, und ein Schauer, kalt wie der Abendhauch, erfasste sie. Nicht dass der Beelzebub sie auch noch mitnahm, so sehr, wie sie sich den Tod des Drecksseckels gewünscht hatte!

Doch dann schalt sie sich für ihre Dummheit und fasste sich an den Kopf, weil sie nicht gleich auf die richtige Lösung gekommen war. Die Walburg hatte den schwarzen Engel begraben. Nur eine wie Walburg, die den Wald so gut kannte wie sonst keiner, konnte eine Leiche hier spurlos verschwinden lassen. Mit einem Mal fühlte sich Agnes leicht wie ein Vöglein im Sommerwind. Die Walburg hatte ihr

Versprechen wahr gemacht und den schwarzen Engel in die Hölle geschickt. Nie mehr würde sie ihm begegnen, nie mehr würde er nachts als Alp auf ihr Gemüt drücken. Er schmorte jetzt im Feuer der ewigen Verdammnis. Nur Walburg und sie wussten das. Und sie würden dieses Geheimnis mit ins Grab nehmen.

Am Tag der Ankunft
des Kanzlers

Bühlerhöhe

Zum Frühstück teilte der Oberkellner Rosa ein Katzentisch-chen zu, weit weg von den Panoramafenstern, dafür ganz nah an der Tür, die zur Rundhalle führte. Ein Serviermädchen brachte ihr Kaffee in einem Silberkännchen, und sie orderte ein weichgekochtes Ei und zu den Brötchen ein Schälchen dunklen Tannenhonig. Durch die nahe Tür schraubte sich in kleinen Stößen das Gemurmel aus der Rundhalle in den Frühstückssalon.

Sie ließ sich die Regionalzeitung bringen, rührte sie aber nicht an. Stattdessen dachte sie an ihren Traum. In einem schwindelnden Reigen hatten alle auf sie eingeredet: Nour-ridine und Pfister, die Hausdame und von Droste, Oz und Tilly Lapid, aber sie verstand nicht, was sie von ihr wollten, und erntete dafür höhnisches Gelächter. Zwischendurch war immer wieder Rachel aufgetaucht und streckte ihr das Foto mit den Leichenbergen entgegen. Mit einem Kloß im Hals war sie aufgewacht.

Sie zwang sich, einen Schluck Kaffee zu trinken, und blickte kurz auf. Die Tische im Salon waren gut besetzt, drei Kellner und zwei Serviermädchen schwebten geräusch-los durch den Raum. Die Damen und Herren schwiegen oder flüsterten, lasen Zeitung oder bissen mit Verve in ein Brötchen und interessierten sich offensichtlich für nieman-den. Dennoch fühlte sich Rosa beäugt und taxiert. Sie spürte

Missbilligung, ja Abscheu hinter der distinguierten Höflichkeit und der bräsigen Zufriedenheit der Leute. Ihr war, als trüge sie ein Kleid aus gelben Stoffsternen, als warteten alle nur auf ein Zeichen, um sie hinauszuwerfen, um wieder unter sich zu sein. Auf ewig würde sie eine Ausgestoßene bleiben, eine, die man, wenn der politische Wind sich drehte, wieder vertreiben, entehren, vergasen würde. Sie konnte niemandem trauen. Nicht einmal dem einbeinigen Staatsanwalt, der sie als Einziger freundlich grüßte, nachts aber wohl von Dämonen geplagt wurde, wie sie aus leidvoller Erfahrung wusste. Auch in dieser Nacht hatte er sie mit seinen Schreien zweimal aus dem Schlaf geholt. Als Einziger von all den Gästen hier, so schien es ihr, konnte er den Krieg nicht vollständig verdrängen.

»Denk nicht an das, was die Deutschen getan haben«, hatte Tilly gesagt. »Denn sonst wirst du verrückt. Du brauchst einen klaren Kopf, um handlungsfähig zu sein.« Tilly im fernen Haifa hatte gut reden, aber Rosa wusste, dass sie recht hatte. Also° zwang sie sich, ihre Gedanken wieder auf den Auftrag zu richten. Am Nachmittag sollte endlich der Kanzler eintreffen. Das hatte Rosa auf dem Weg zum Frühstück von zwei schwatzenden Zimmermädchen aufgeschnappt. So wie sie es *en passant* erfahren hatte, konnte es jedem zu Ohren gekommen sein. Wahrscheinlich wussten alle von der Ankunft des Kanzlers. Auch der Scharfschütze, wenn er sich bereits hier aufhielt. Und was würde sie tun, wenn der Kanzler ankam? Ein paar Stunden, um das zu überlegen, blieben ihr noch.

Vielleicht konnte sie im Lokalteil der Zeitung wenigstens etwas über Nourridine erfahren, denn es bestand zumindest vage die Möglichkeit, dass Agnes die Polizei verständigt und diese die Leiche weggeschafft hatte. »Omnibus auf der Höhenstraße in der Nähe der Unterstmatt abgestürzt. Von den 28 Fahrgästen wurden 21 teils schwer, teils leicht verletzt«, las sie, und etwas weiter unten stand: »Letzter Bühlertaler Kriegsgefangener heimgekehrt«. Nichts über einen Leichenfund im Bretterwald. Sie dachte an den merkwürdigen Anruf. Wer hatte angerufen und sich für Nourridine ausgegeben? Wer wusste, dass sie den Toten gesehen hatte? Sie schrak zusammen, als sich Morgenthaler neben ihr diskret räusperte.

»Die Praxis von Doktor Neuhaus fragt an, ob Sie den Termin bei ihm noch einhalten können. Er wartet auf Sie.«

Im ersten Moment verstand sie nicht, was er von ihr wollte. Doch dann fiel es ihr ein. Die Frischzellenkur, zu der sie angemeldet war. War es schon so spät? Musste sie da wirklich hin? Wie gern hätte sie sich mit Eckstein besprochen, sogar mit Ari. Sie war es nicht gewohnt, allein zu sein oder allein zu entscheiden. In Omarim besprachen sie alles gemeinsam. Der Junge räusperte sich schon wieder.

»Richten Sie aus, dass ich gleich komme. Ich muss nur noch einmal kurz auf mein Zimmer.«

Dort wickelte sie vorsichtig die Parabellum aus dem Kaufhauspapier, packte dann das Holzkästchen wieder darin ein und stellte es zurück in den Schrank. Die Waffe steckte sie in ihre Handtasche und merkte im selben Moment, wie unsinnig das war. Was sollte ihr jetzt eine Waffe helfen?

Als sie den Schlüssel an der Rezeption abgab, bat sie den jungen Morgenthaler, ihr den Weg zu Doktor Neuhaus' Klinik zu zeigen.

Eifrig hielt der Junge ihr die Tür auf und lief dann vor ihr den Kiesweg entlang. Hinter dem Tor mit dem steinernen Adler gabelte sich der Weg. Dort blieb Morgenthaler stehen und zeigte auf ein hinter der Buchenhecke aufragendes weißes Gebäude. »Das ist die Klinik«, sagte er. »Es sind keine fünf Minuten.«

Rosa bedankte sich, tat, als ob sie loslaufen wollte, fasste sich stattdessen an den Kopf, so als wäre ihr noch etwas eingefallen. »Ich wollte Sie fragen, ob Sie den Anruf gestern Abend selbst entgegengenommen haben.«

Er schüttelte den Kopf. »Der Zettel lag in Ihrem Fach. Madame Reisacher hat die Nachricht notiert. Wenn Sie wollen ...«

»Nein, nein«, unterbrach ihn Rosa schnell. »Aber ich habe ganz vergessen, mich zu erkundigen, ob dieser Monsieur Nourridine eine Nummer hinterlassen hat, wo er zu erreichen ist.«

»Hundseck«, antwortete er. »Kann ich sonst noch etwas für Sie tun?«

»Nein danke.« Rosa zauberte sich ein dankbares Lächeln ins Gesicht. Sie holte ein Markstück aus dem Portemonnaie und drückte es ihm in die Hand. Also die Hausdame. Die Reisacher wurde ihr immer unheimlicher. Durchsuchte ihr Zimmer, fälschte Nachrichten.

»Immer zu Diensten«, murmelte Morgenthaler mit glühenden Ohren, und das glaubte ihm Rosa wirklich. Der Junge konnte ihr vielleicht noch anderweitig nützlich sein, sie sollte etwas netter zu ihm sein. »Kommen Sie hier aus der Gegend?«, fragte sie.

»Aus Baiersbronn«, berichtete er bereitwillig. »Das ist auf der anderen Seite vom Berg. Dort ist der Schwarzwald schwäbisch.«

»Wie ist Ihr Vorname?«

»Otto«, antwortete er, und jetzt glühten nicht nur seine Ohren, sondern das ganze junge Gesicht.

»Und wie alt sind Sie?«

»Ich werde schon achtzehn im August.«

»Achtzehn, soso.«

»Auf Wiedersehen, gnädige Frau.«

Achtzehn! An ihren achtzehnten Geburtstag erinnerte sich Rosa genau. Da war endlich die Wasserleitung in Omarim gelegt, und die Männer hatten die Duschen fertiggebaut. Die Zeiten, als sie sich direkt an der Quelle oder in der Zinkwanne waschen mussten, gehörten der Vergangenheit an. Als Geburtstagskind durfte sie als Erste duschen. Was für ein Genuss war es gewesen, als ihr das Wasser von oben aus dem Kopf der Brause über den Körper rann! Die wohlduftende Seife, mit der sie sich einschäumte! Ein Geschenk von Rachel. Weiß der Himmel, wo sie die aufgetrieben hatte! Und frisch gewaschene Kleider warteten auf Rosa. Aber das größte Geschenk an diesem Tag war der Boden, den sie endlich wieder unter den Füßen spürte. Ausgerechnet auf den glitschigen Kacheln! Omarim, ja, Omarim war ihre Heimat. Dort gehörte sie hin, dort war ihr Zuhause. Sie rutschte mit den Füßen auf dem nassen Boden hin und her, hüpfte auf und ab, hatte immer Stand. Tränen der Erleichterung mischten sich mit Wasser, Glück glitzerte in Tausenden von Wassertropfen in diesem noch blütenweißen Raum.

Da stand sie nun an einer Weggabelung, grub die Schuhe in den Kies und sehnte sich nach festem Boden. Spätestens seit dem Vortag war der Auftrag ein paar Nummern zu groß für sie. Die Frischzellenkur kam ihr so überflüssig vor wie die Waffe in ihrer Handtasche. Aber was sollte sie sonst tun? Ob an der Wunderkur etwas dran war? »Es war verdammt schwer, überhaupt noch einen Termin für dich zu kriegen. Bei dem Mann stehen Patienten aus der ganzen Welt Schlange«, hatte Tilly Lapid gesagt. »Neuhaus ist eine Koryphäe.« Vielleicht verhalfen die Frischzellen ihr nicht nur zu neuer Energie und glatter Haut, sondern auch zu einem klaren Kopf? Nichts brauchte sie im Augenblick dringender.

Am Empfang der Klinik erwartete sie ein altersloses Fräulein in frisch gestärktem Weiß. Sie müsse sich gedulden, wies sie Rosa an, der Herr Doktor habe eine andere Patientin vorgezogen. »Sie haben wirklich Glück, dass er Sie überhaupt noch empfängt«, fügte sie schnippisch, regelrecht eingeschnappt hinzu.

Rosa wartete eine halbe Stunde, dann bat Neuhaus sie in sein Büro, das von einem Schreibtisch aus Mahagoni beherrscht wurde. Den gutbürgerlichen Charakter des Zimmers verstärkten burgunderrote Perserteppiche und große

Ölgemälde an den Wänden. Alpenlandschaften vor allem und Szenen bäuerlichen Lebens. Tilly hatte ihr erzählt, dass Neuhaus Bilder aus dem Leibl-Kreis sammelte und sich für Archäologie interessierte.

Ganz Wiener Charmeur, küsste Neuhaus ihr die Hand, bevor er sie bat, Platz zu nehmen. Dass er mehr als einen Kopf kleiner war als sie, hatte Rosa erst bemerkt, als er vor ihr stand. Der Mann wirkte nicht klein. Er hatte etwas Präsentes, etwas Raumfüllendes. Er wirkte wie jemand, der sich auf jedem Parkett bewegen konnte.

»Wenn S' ein offenes Wort erlauben, Frau Professor Goldberg, ich weiß nicht recht, was ich für Sie tun kann.«

Er setzte sich hinter seinen Schreibtisch, bedachte sie mit einem anerkennenden Blick und nestelte eine silberne Taschenuhr aus der Westentasche, deren Deckel er auf- und wieder zuschnappen ließ. Er zeigte ihr, wie knapp und kostbar seine Zeit war, sie musste ihm zeigen, dass er sie mit ihr nicht vergeudete.

»Wissen S', ich kümmer mich um die ermüdeten Helden der deutschen Wunderwirtschaft mit Herzkasperln, um alternde Operndiven oder Millionärswitwen mit einer Vorliebe für Mohnbuchteln und Malakofftorten. Und natürlich um wichtige Leut wie den Herrn Bundeskanzler. Leider nicht um schöne Frauen. Was soll ich denn bei Ihnen besser machn?«

Rosa löste das Tuch, das sie um den Hals geschlungen hatte, und deutete auf ihr Dekolleté. »Mein Mann ist Archäologe«, begann sie ihre Lügengeschichte, »ich begleite ihn auf seinen Forschungsreisen. Die letzten zwei Jahre haben wir in der Nähe des Toten Meers nach der Herodes-Festung Masada gesucht, von der Flavius Josephus schreibt. Wüste, wohin das Auge reicht, sengende Sonne von früh bis spät, da schrumpelt die Haut schon im Schatten, und meine erst recht. Meine Mutter hat sehr früh Falten bekommen, müssen Sie wissen, sie ist sozusagen über Nacht gealtert. Sie können sich mein Entsetzen sicher vorstellen, als ich am Dekolleté die ersten Falten entdeckte. Und wenn einer versteht, dass man so lang wie möglich jung aussehen will, dann doch Sie, Doktor Neuhaus. Deshalb hoffe ich sehr, dass Sie etwas für mich tun können. Oder hilft Ihre Frischzellenkur nicht gegen Falten?«

Neuhaus seufzte. Rosa wusste, dass er über siebzig war, aber das sah man ihm nicht an. Sein Gesicht glänzte blitzblank, und seine Distelaugen sprühten vor Energie. Vielleicht spritzte er sich selbst diese Frischzellen? Vielleicht waren sie tatsächlich ein Jungbrunnen?

»Zellulartherapie, Frau Professor, Zellulartherapie«, korrigierte Neuhaus sie. »Sicher setze ich sie auch gegen Falten ein, wobei man bei Ihnen doch höchstens von Fältchen sprechen kann.« Er beugte sich über den Schreibtisch und schielte auf die Stelle an ihrem Dekolleté, auf die sie zeigte. »Ein, zwei Spritzen mit dem gefriergetrockneten Extrakt der Haut eines Kalbembryos, aufgelöst in Kochsalzlösung. Damit könnt ich Ihre Haut revitalisieren«, bot er ihr gnädig an.

»Revitalisierung!« Rosa legte Begeisterung in ihre Stimme. Das war genau das, was sie jetzt brauchte. »Je schneller, desto besser. Können Sie sofort damit anfangen?«

»Wo denken S' hin? Fragen S' Fräulein Irmtraut wegen eines Termins.« Er deutete mit dem Kopf nach draußen. »Ich kann Ihnen allerdings nicht versprechen, ob das in den nächsten Tagen klappt. Wissen S', der Kanzler reist an, er hat natürlich absolute Priorität. Und bei ihm steht die Politik immer an erster Stelle, da weiß man nie … Deshalb hängt's ein bissel vom Weltgeschehen ab, wann er einen Behandlungstermin bei mir einschiebt. Und das, obwohl, und das sag ich in aller Bescheidenheit, Deutschland und die Welt vielleicht schon auf den Doktor Adenauer verzichten müsstn, ohne meine Zellulartherapie. Sechsundsiebzig ist er im Jänner geworden. Bis dahin haben S' noch viel Zeit.«

Neuhaus erhob sich, die Audienz war zu Ende, er begleitete sie wieder zur Tür. Er roch nach sehr guten Zigarren. Sie hingegen roch nach Secret d'Orient, einem Parfüm, das Rachel ihr in Tanger empfohlen hatte und von dessen verführerischer Kraft die Schwester überzeugt war. Auf Neuhaus schien es so wenig zu wirken wie ihre Erzählungen über Masada.

Wieder küsste er ihr die Hand, er hatte es eilig, an seinen Schreibtisch zurückzukehren. Rosa sackte das Herz in die Hose. Sie hatte nichts in Erfahrung bringen können. »Doktor Neuhaus«, rief sie, und ihr Herz klopfte im Eiltempo, weil sie sich auf dünnes Eis wagte. »Das Gemälde mit den zwei Bäuerinnen hinter Ihrem Schreibtisch, ist das von Leibl?«

»Gnädige Frau kennen den Leibl?«

Seine Augen blitzten. Sie hatte ihn überrascht.

»Seine Porträts vor allem ...« Rosa hielt ihre Antwort bewusst vage. »Was, wenn er mich in ein Fachgespräch verwickelt? Ich habe doch keine Ahnung von diesem Leibl«, hatte sie bei Tilly gejammert, als diese ihr Kunstpostkarten von Leibl-Bildern zeigte. »Stichworte genügen«, hatte sie erwidert. »Er wird reden, weil er über nichts lieber redet als über seine Kunstsammlung. Sieh zu, dass er dir nicht nur die Bilder, sondern auch die Klinik zeigt!«

»Im Ruheraum hängt noch ein weiterer Leibl und in der Bibliothek ein Schuch und ein Trübner«, verriet er ihr, während er wieder seine Taschenuhr herauszog und die Uhrzeit prüfte: »Kommen S', ich zeige sie Ihnen. Wissen S', 's gibt nicht viele Menschen mit so einem Kunstverstand.«

Er bot ihr den Arm, Rosa hakte sich bei ihm ein und mochte nicht so recht glauben, dass die Strategie der Psychologin wirklich aufging. Neuhaus schwadronierte über Leibl, holte bei jedem Bild weit aus. Es war, wie Tilly Lapid vorhergesagt hatte: Rosa musste nur zuhören und bekam *en passant* noch das Laboratorium, den Operationssaal und die Zimmer für die Patienten gezeigt.

»Und der Kanzler? Wo ist er untergebracht?«

»Der Kanzler liebt das blaue Stüberl. Er schaut so gerne auf die alte Eiche vor dem Fenster.« Natürlich, wenn die Frau Professor das sehen wolle, dann mache man noch einen Abstecher in den zweiten Stock. Es sei schon hergerichtet für den hohen Besuch. »So kommen S'.« Kurz blitzte in seinen Augen ein Funke Bösartigkeit auf, als er ihr auf der Treppe den Vortritt ließ.

»Schauen S', der Rosenstrauch ist vom Haider«, erklärte er voll Besitzerstolz und deutete auf ein kleines Gemälde über dem Bett. »'s gibt ja nichts, was er so sehr liebt wie Rosen, der Kanzler.«

Rosa schmierte Neuhaus' Redefluss mit vielen Ohs und Ahs, hielt ihn mit Halbsätzen zur Farbgebung oder Strichsetzung der Bilder auf Trab und prägte sich die wichtigen Einzelheiten der Klinik ein. Das Ruhezimmer des Kanzlers lag im zweiten Stock, und die Eiche, von der Neuhaus gesprochen hatte, stand im geschlossenen Innenhof der Klinik. Rosa war erleichtert, dass sie bei einem Blick aus dem Fenster keine gute Position für einen Scharfschützen ausmachen konnte.

»Möchten S' noch unterm Bett nachschaun?«

»Nein, nein«, stammelte Rosa, der abwechselnd heiß und kalt wurde. »Es ist nur … weibliche Neugier … Wann hat man schon einmal denselben Blick aus einem Fenster wie der Kanzler?«

»Wenn sich die Neugier einer Frau so leicht befriedigen lässt …«

Der leise Spott in seiner Stimme war so dosiert, dass Rosa nicht wusste, ob er sie neckte oder warnte, weil er ahnte, dass sie ihm etwas vorspielte. Erneut zog er seine Taschenuhr heraus, klappte sie auf und wieder zu.

»Ich bedauer, dass ich jetzt pressieren muss. Ich tät so gern weiter mit Ihnen plaudern. Wissen S' was? Kommen S' doch morgen Abend zu unserer kleinen Soiree. Dann kann ich Ihnen zeigen, was bei uns zu Hause noch alles an den Wänden hängt. Meine Frau spielt ein bisserl Schumann: »Kinder-

szenen«, ›Träumerei«, »Glücks genug« und so weiter. Es sind
ein paar Patienten und Freunde da, und vielleicht gibt uns
auch der Kanzler mit seiner Tochter die Ehre. Den Herrn
Gemahl bringen S' natürlich mit.«

»Gerne«, erwiderte Rosa baff. Plötzlich lief es, und sie bekam Angst vor der eigenen Courage.

Hundseck

Das Trillern eines Zaunkönigs holte Agnes aus dem Schlaf.
Sie schlug die Bettdecke zur Seite, tapste ans offene Fenster
und entdeckte den winzigen Vogel auf einer windschiefen
Kiefer. Sein hartes »Tek, tek, tek« wurde von einem aufgeregten »dzrr, dzrr« abgelöst, als er sie bemerkte. Da sie stehen
blieb und sich nicht rührte, beruhigte sich der Vogel und
rief bald wieder sein freches »Tek, tek, tek«. Als Agnes den
Blick über den Vogel hinweg zu dem taubenetzten Rasen
des Skihanges in Richtung Waldrand richtete, sah sie dort
eine Ricke mit zwei Jungen grasen und freute sich an den
noch unsicheren Bewegungen der Rehkitze. Hinter dem
Mehliskopf kroch nun die Morgensonne empor und ließ die
Tautropfen auf dem Gras wie Perlen glitzern. Agnes sog die
frische Morgenluft und das friedliche Bild ein und nahm dies
alles als Zeichen dafür, dass der schwarze Engel nun endgültig aus ihrem Leben verschwunden war.

Die ersten ein, zwei Stunden des Morgens verbrachte sie
wie meist allein in dem kleinen Büro, während der Direktor
seine Runde bei den Gästen machte. »Gästebetreuung ist
das A und O in der Hotellerie! Da ein Kompliment, dort
ein Nachfragen, immer dezent, nie aufdringlich, immer
freundlich, immer zuvorkommend. Das kann nicht jeder,
das braucht jahrelange Erfahrung plus ein Elefantengedächtnis plus das nötige Fingerspitzengefühl. Vieles kann man
lernen, vieles muss man lernen, aber es muss einem auch im

Blut liegen. Und in Ihrem Blut liegt nichts davon. Das ist so schwerfällig und grobschlächtig wie das der Holzfäller und Bauern, von denen Sie abstammen«, predigte ihr Hartmann immer, wenn er seine Runde beendet hatte und ins Büro zurückkehrte.

Heute würde ihr die Predigt nicht zusetzen, heute war sie froh über ihr schwerfälliges Blut, das nach den Schrecken der letzten Tage endlich wieder träge durch ihren Körper floss. Sie schrieb Rechnungen, übertrug Buchungsbelege in Tabellen, kontrollierte die Abrechnungen der Kellner, holte die Post und legte sie auf den Schreibtisch des Direktors, der sie nach seiner Rückkehr sofort sortierte.

»Bringen Sie in der Mittagspause die zwei Briefe zur Bergwacht.« Hartmann reichte ihr die Umschläge. Dann holte er Luft und begann mit seiner Predigt.

Zwei Stunden später trat sie hinaus in die helle Mittagssonne, und ihr wurde leicht ums Herz. Sobald sie die Terrasse hinter sich gelassen hatte, hüpfte sie den Rest des Weges wie ein kleines Mädchen. Ihre Freude hielt an, als sie die Lambretta sah. Also hatte der Fridolin Gschwender wieder Dienst.

»Und, hast du die Walburg g'funde?«, wollte er wissen, als er ihr die Briefe abnahm.

Agnes nickte.

»Hab mir ein bissel Sorgen g'macht. Hätt dich nicht allein lassen sollen so spät am Abend bei der Hertahütte. Bin froh, dass du g'sund und munter bist. Gar nimmer so käsig wie beim letzten Mal.«

Er lächelte. Agnes lächelte zurück und merkte dabei, wie ein seltsames Kribbeln ihren Körper streifte. Der Fridolin hatte sich Sorgen um sie gemacht! Manch eine aus dem Bühlertal hatte schon ein Auge auf ihn geworfen, auch sie, aber nur heimlich. Er war ein fescher Kerl und ein begehrter Tänzer. Sein Vater war der Schreiner von Bühlertal, der Fridolin auch Schreiner, wenn er nicht bei der Bergwacht … So einer galt halt schon als gute Partie.

»Hast es ruhig heut.«

»Zum Glück. Gestern mussten wir bis zur Hornisgrinde hoch, weil sich eine 's Bein gebrochen hat. Eine Berlinerin! Kein vernünftiges Schuhwerk, nur Schlappen an den Füßen, schwer wie eine trächtige Kuh. Zwei Stunden haben wir gebraucht, bis wir sie runter zum Mummelsee g'schleppt haben.«

»Ich muss jetzt wieder«, sagte Agnes, obwohl sie merkte, dass sie gar nicht wegwollte.

»Schad«, antwortete der Fridolin, verzog kurz den Mund, dann lächelte er erneut.

»Die Arbeit halt.« Agnes lächelte zurück und schaute dem Fridolin ins Gesicht.

»Weißt schon, wann du das nächste Mal heim ins Bühlertal kannst? Wenn ich dann Dienst hab, könnt ich dich mit der Lambretta mitnehmen.«

Agnes schüttelte den Kopf. »Es ist Hochsaison. Und der Bundeskanzler kommt. Da ist der Hartmann mit einem freien Tag geiziger als der Eckerle-Wirt mit dem Freibier auf der Kirchweih.«

»Aber zum Liebfrauenfest muss er dich gehen lassen, sonst les ich ihm persönlich die Leviten.«

Agnes versuchte sich vorzustellen, wie der Fridolin dem Hartmann die Leviten las. Um nicht loszukichern, sagte sie schnell: »Mariä Himmelfahrt ist Patroziniumsfest, da muss er mir freigeben. Sonst würde er ja Ärger mit dem Bühlertaler Pfarrer kriegen.«

»Machst ein Weihesträußel für die Muttergottes?«

Agnes nickte.

»Und nach dem Hochamt«, fuhr der Fridolin vorsichtig fort. »Da könnten wir zwei im Festzelt miteinander tanzen. Was meinst?«

»Mol, mol«, stimmte sie zu. Dann drehte sie sich um und rannte schnell davon, damit der Fridolin nicht merkte, wie sie vor Freude ganz rot wurde. Sie drehte sich noch einmal um und sah, dass er sich nicht vom Fleck gerührt hatte. Sie winkte und war so froh wie lange nicht mehr.

Wieder am Schreibtisch, setzte sie ihre Arbeit fort, und wenn ihre Augen eine Pause von den Zahlenkolonnen brauchten, sah sie aus dem Fenster und dachte an das Weihesträußel. Für die Buben der Palmstecken an Palmsonntag, für die Mädchen das Weihesträußel an Mariä Himmelfahrt. Dreiunddreißig Pflanzen brauchte man dafür: Lavendel und Frauenmantel, Spitzwegerich und Wolfsmilch, Frauenlein, Beinwell und Goldrute, Tausendgüldenkraut und Kamille.

»Sie müssen mich zehn Minuten an der Rezeption vertreten«, unterbrach Hartmann ihre Gedanken. »Lächeln, freundlich sein, nicht stottern. Gäste beißen nicht, das habe ich Ihnen schon tausendmal gesagt. Wehe, Ihnen wird wieder schlecht und Sie brauchen ein 4711-Fläschchen!«

Max, der mit einem schweren Tablett voller Kaffeekännchen und einem Teller mit Schneckennudeln das Foyer durchquerte, zwinkerte Agnes zu, als sie ihren Platz hinter der Rezeption einnahm. Der Duft von frischem Kaffee und warmem Hefegebäck ließ ihr das Wasser im Mund zusammenlaufen. Es wäre schon schön, mal Gast und nicht Diener in so einem Haus zu sein. Draußen auf der Terrasse zu sitzen, mit dem Finger zu schnipsen und sich dann nicht nur eine Schneckennudel, sondern auch noch ein Stück Bismarckeiche mit Schlagsahne zu genehmigen. Und wenn Hartmann dann seine Runde drehte, müsste er »gnädiges Fräulein« zu ihr sagen. Sie kniff den Mund zusammen, damit sie nicht losprustete und die Schweizer Damen verärgerte. Die legten mal wieder Patiencen und trugen wie immer Twinsets aus federleichter grauer Wolle. Graue Twinsets würde sie nie anziehen, eher so ein Blumenkleid mit Petticoat wie die junge Frau Wendler, die gestern abgereist war. Dem Fridolin würden die Augen aus dem Kopf fallen.

Brav setzte Agnes ein freundliches Lächeln auf, als ein Schwall älterer Frauen in Sonntagskostümen ins Foyer drängelte. Aber die Frauen interessierten sich nicht für Agnes, sie stürmten allesamt auf die Damentoilette zu. Sie waren mit dem Bus aus Schwetzingen unterwegs, der auf dem Parkplatz stand. Für sie schleppte Max Kaffee und Kuchen auf die Terrasse. Als die Frauen von der Toilette kamen, tratschten sie. Agnes schnappte ein paar Satzbrocken auf: Schwerverletzte, zweimal überschlagen, aufgerissenes Dach. Sie wusste Bescheid. Das Busunglück vom Vortag, alle redeten davon. Ganz in der Nähe, auf der Unterstmatt, war ein Reisebus mit einem Postauto zusammengestoßen. Immer wieder blickten die Frauen sich um. Sie deuteten auf dies und das, versicherten sich, was für ein Glück es war, dass sie nicht in dem Bus gesessen hatten, und starrten dann die Schweizer Damen so neugierig an, dass diese verärgert die Nasen rümpften. Hartmann würde die Frauen auffordern, sich nach draußen zu begeben. Sollte sie, Agnes, also auch ...? Nein, die würden bestimmt gleich von selbst gehen.

Schafgarbe, Schachtelhalm, Salbei, Zitronenmelisse, Majoran, Königskerze, Holunder, Wermut, zählte sie im Kopf weitere Pflanzen für das Weihesträußel auf. Grade mal siebzehn waren es bisher, ob ihr die fehlenden noch einfielen oder ob sie die Mutter danach fragen musste?

Monsieur Pfister zog ihre Aufmerksamkeit auf sich. Mit seinem energischen und zugleich leichten Schritt glitt er förmlich die Treppe herunter. Ein kurzes Kopfnicken in Richtung der Schwetzinger Frauen, dann trat er zum Tisch der Kartenspielerinnen, küsste Hände, prüfte Karten, schäkerte mal mit der einen, mal mit der anderen. Verwandelte die strengen, im Augenblick sogar schlechtgelaunten Damen in gackernde Hühner. Monsieur Pfister war einfach ein Zauberer!

Taubnessel, Labkraut, Kamille, Johanniskraut, Farn, zählte Agnes still weitere Pflanzen auf, und dann sah sie plötzlich sich und Fridolin auf der mit Holzleisten eingerahmten Tanzfläche stehen. Sie spürte Fridolins Hand in ihrem Rücken und seinen warmen Atem in ihrem Gesicht. Ihre Füße schwebten über die rauen Dielen, ihre Körper drehten sich, und die Girlanden aus Tannenzweigen und die Rosen aus Seidenpapier verwischten zu einem grün-weißen Streifen. Fridolin strahlte sie an, dass ihr ganz schwindelig wurde vor Glück.

»Fräulein Agnes?«

Das Gesicht von Monsieur Pfister so nah, dass sie sein Eau de Toilette roch. Vor lauter Tanzen hatte sie nicht mitbekommen, wie er von den Schweizer Damen zu ihr an die Rezeption gelangt war.

»Heute so verträumt. Mir können Sie es verraten«, flüsterte er verschwörerisch. »Gibt es einen Bräutigam?«

Während sie schon wieder rot wurde und nicht wusste, was sie sagen sollte, fragte er, ohne eine Antwort abzuwarten: »Haben Sie Monsieur Nourridine gestern ausgerichtet, dass ich mit ihm zu Abend essen wollte?«

Teufelsbiss und Blutstropfen fielen ihr ein, während sie stumm den Kopf schüttelte. Die mussten auch in das Weihesträußel. Die höllischen Pflanzen hatte sie bisher genauso außer Acht gelassen wie die Tatsache, dass das Verschwinden des schwarzen Engels nicht unbemerkt bleiben würde.

»Wissen Sie, wo er steckt?«

»Er, er, er«, stammelte Agnes. Ihr wurde so schwindelig, dass sie sich am Tresen festhalten musste.

»Monsieur Nourridine ist gestern zur Jagd.« Hartmann scheuchte Agnes mit einer ärgerlichen Handbewegung vom Tresen weg. »Wenn ich mich nicht täusche, wollte Herr Frey ihn begleiten.«

»Auf der Jagd mit Herrn Frey?«, wiederholte Pfister ungläubig.

»Am besten, Sie fragen ihn selbst. Er kommt gerade«, erklärte Hartmann und deutete mit dem Kopf zum Eingang.

Pfister winkte den Mann an den Tresen. »Du warst mit Nourridine auf der Jagd? Stimmt das, Frey?«

Frey nickte. »Bei unserem Ausflug nach Baden-Baden hat der Araber damit geprahlt, dass er im Atlasgebirge Leoparden jagt. Wer's glaubt, wird selig, hab ich gedacht und ihm vorgeschlagen, es mal mit Schwarzwälder Wildschweinen zu versuchen. Ein Wildschwein war ihm nur ein verächtliches Grinsen wert. Also hab ich ihm ein Jagdgewehr geliehen, und wir sind gestern Nachmittag los. Noch bevor uns die erste Wildsau vor die Flinte kam, hat ihn ein Rebhuhn erschreckt. Er ist über eine Wurzel gestolpert und hat sich den Fuß verstaucht. So viel zu diesem Großwildjäger. Ich habe ihn zurückgeschickt und bin alleine weiter. Ein junger Eber und zwei Füchse. Die Fuchsschwänze sind beim Kürschner, der Eber eine Spende an die Küche des Hauses, nicht wahr, Herr Hartmann?«

Hartmann nickte.

»Ist Nourridine zurück ins Hotel?«, wollte Pfister wissen.

Frey zuckte mit den Schultern.

»Ich habe ihn gestern nicht mehr gesehen«, hüstelte Hartmann. »Fräulein Agnes?«

»Ich auch nicht«, brachte Agnes heraus.

Pfister ging hinüber zu den Schweizer Damen und flüsterte mit ihnen. Sie schüttelten alle den Kopf. Auch sie hatten Nourridine nicht gesehen. Wie auch? Der war doch schon tot, wusste Agnes. Wieder einmal hatte sie nur von A nach B gedacht.

»Fremde Kulturen ... Bei diesen Arabern weiß man nie«, murmelte Hartmann.

Frey nickte. »Der Kerl hat sich ja bis auf die Knochen blamiert, so was steckt ein stolzer Araber nicht so einfach weg, oder, Pfister? Ist bestimmt schon auf dem Weg zurück ins Morgenland.«

Pfister antwortete nicht. In Gedanken versunken, bat er darum, umgehend informiert zu werden, wenn Nourridine wieder auftauchte, und verabschiedete sich.

Agnes schlich sich zurück ins Büro. Sie musste unbedingt

Walburg treffen. Sie fragen, ob sie die Leiche so tief verscharrt hatte, dass weder Mensch noch Tier sie finden konnten. Und wenn dem so war und sie beide schwiegen wie ein
Grab, dann würden nicht nur sie, sondern auch Pfister und
alle anderen den Araber vergessen.

Bühlerhöhe

Es hängt immer von den Umständen ab, was für ein Mensch
man wird, dachte Sophie Reisacher, und besonders davon,
wem man unter miserablen Umständen begegnet. Bastien
Briancourt war ihr unter miserabelsten Umständen begegnet,
und er hatte, trotz oder wegen der Umstände, ihre besten
Seiten zum Strahlen gebracht. An seiner Seite wäre sie ein
guter Mensch geworden. Seine Liebe hätte verhindert, dass
dieses zerstörerische Feuer immer wieder in ihrer Phantasie
züngelte. Missgunst wäre für sie ein Fremdwort gewesen.
Anstelle der Härte, die sich stetig weiter in ihrem Herzen
einnistete und immer tiefere Schnitte durch ihr Gesicht zog,
hätte Milde aus ihren Zügen geleuchtet. Sie wäre ein guter
Mensch geworden, wenn Bastien Briancourt nicht sang- und
klanglos aus ihrem Leben verschwunden wäre.

Von Droste hatte den Colonel für heute angekündigt. Wie
hoch war die Wahrscheinlichkeit, dass ein zweiter Briancourt
in der französischen Armee diente? Nein, nein, dieser Hoffnung durfte sie sich nicht hingeben, Colonel Briancourt war
ihr Bastien. Seine Begeisterung für die Ideen Robert Schu-
mans von einem geeinten, friedlichen Europa, von einem
Ende der Erbfeindschaft zwischen Deutschen und Franzosen
prädestinierten ihn für Verhandlungen mit den Deutschen.
Obwohl sein Deutsch hundsmiserabel war. Wie auch immer,
sie musste sich auf ein Wiedersehen mit ihm einstellen. Vielleicht half ihr ja die baldige Heirat mit Xavier. Ihr einziger
echter Vorteil war, dass sie sich, im Gegensatz zu ihm, für

die Begegnung wappnen konnte. Er würde überrascht sein, sie zu sehen. Woher sollte er wissen, dass sie auf der Bühlerhöhe arbeitete?

Im Winter 1947 war er in Baden-Baden von einem auf den anderen Tag verschwunden. Am 13. 12. 1947, um genau zu sein, dem ersten Tag in jenem Jahr, an dem Schnee fiel. Obwohl sich im Schnee doch die winzigsten Spuren abzeichnen, hinterließ Bastien Briancourt keine einzige. Kein Wort des Abschieds, kein Anruf, kein Telegramm, nicht die kleinste Notiz, kein Brief, auch später nicht. Er sei versetzt worden, sagte man ihr im Offizierskasino, nein, man könne ihr nicht sagen, wohin. Wie eine Hure hatte man sie abgefertigt, wie eine, die sich einem Soldaten für ein halbes Pfund Butter an den Hals warf.

Natürlich hatte auch sie ihren Körper als Ware eingesetzt, bevor sie Bastien Briancourt begegnet war. Gott, wer tat das nicht in der ersten Zeit der Besatzung? Die Nachricht von den Marokkanern, die als Vorhut der Franzosen brandschatzten und vergewaltigten, hatte sich in der Gegend wie ein Lauffeuer verbreitet. Aber sie war nicht all dem, was ihr als Deutschenliebchen in Straßburg drohte, entflohen, um sich dann in Baden-Baden vergewaltigen zu lassen. Ihre Anstellung im Parkhotel und die Tatsache, dass sie Französisch sprach, halfen ihr, schnell einen »Beschützer« zu finden. Wenn man Glück hatte, erwischte man einen, von dem man nicht wie ein Beutestück behandelt wurde. Sophie hatte nur bedingt Glück. Dubois war zweite Wahl. Doch dank ihm blieb sie von den Marokkanern verschont. Und Dubois war ein Meister des Schwarzhandels. Nichts, was er nicht auftreiben konnte, hungern musste sie wirklich nicht. Aber eine Drecksau war er, vor allem im Bett. Zwei Abtreibungen gingen auf sein Konto.

Schließlich traf sie Briancourt. Wenn Sophie daran dachte, wie verschreckt er wirkte, als er zum ersten Mal durch die Drehtür des Parkhotels trat, wo sie damals arbeitete. Wie ein

Parzival, der gerade erst den Wald hinter sich gelassen hatte, war er ihr vorgekommen. Unwillkürlich musste sie lächeln. Das Erste, was Sophie an Briancourt imponierte, war der Respekt, mit dem er sie behandelte. »*Mademoiselle*« und »*vous*«, alles ohne jede Anzüglichkeit. Er erzählte, dass sich Deutsche und Franzosen lange genug gedemütigt hätten, es an der Zeit sei, sich auf Augenhöhe zu begegnen. Für ihn galt es, den Wahn von einem großdeutschen Reich, überhaupt diesen ganzen irrsinnigen Nationalismus zu begraben und stattdessen die Vision von einem friedlichen Europa mit Leben zu füllen. Ein Idealist, dachte Sophie zu Anfang, aber sie merkte schnell, dass man ihm kein X für ein U vormachen konnte. Ihr Dubois dagegen glaubte, dass er den jungen Offizier um den Finger wickeln konnte, aber von wegen! Er war nicht das bourgeoise Bübchen, für das Dubois ihn hielt, er wusste, wie der Hase lief. Dubois' »Geschäfte«, von denen er schnell Wind bekam, waren ihm ein Dorn im Auge. Sie, Sophie, setzte alles auf eine Karte, als sie ihm steckte, dass Dubois ihm die Unterschlagung einer großen Lieferung Champagner in die Schuhe schieben wollte, die er sich selbst unter den Nagel gerissen hatte. Immer noch erfüllte sie ein Gefühl großer Genugtuung, wenn sie daran dachte, wie geschickt sie Dubois ausmanövriert hatten und wie es Briancourt gelungen war, ihn zu einer Einheit in Algerien versetzen zu lassen.

Kurz darauf engagierte er sie als Dolmetscherin. Der berufliche Alltag verschaffte ihnen gewisse Freiheiten. »*Expression libre*, Narrenfreiheit«, sagte er gern, wenn er sie zu Verhandlungen mit Dorfbürgermeistern mitnahm und hinterher mit ihr zu einem verschwiegenen Plätzchen fuhr. Bis heute wusste Sophie nicht, ob er sich zuerst in sie oder sie sich zuerst in ihn verliebt hatte. Plötzlich war sie da gewesen, die Liebe. Die Sonne schien mit einem Mal heller, die Farben leuchteten kräftiger, die Blumen dufteten wie nie zuvor. All die Dinge, die sie über die Liebe gehört hatte, stimmten tatsächlich. Sogar ihr Herzschlag verdoppelte sich, wenn sie an Bastien dachte. »Lass uns den Anfang machen in dieser neuen Zeit, als deutsch-französisches Liebespaar! Damit nach uns viele andere diesen Weg gehen können«, hatte Bastien geschwärmt. Leichtigkeit lag in der Luft, und zwischen den Wolken schwebten drei Zauberworte: *Tout est possible!* Alles ist möglich! Sie entschloss sich, die Wahrheit zu sagen, und gestand ihm, dass sie keine Deutsche, dass sie Elsässerin und damit nun wieder Französin war, zudem eine, die, wenn auch nur für eine kurze Zeit, mit einem SS-Mann verheiratet gewesen war. Er schluckte, und sie hatte Angst, dass er sie fallenließ, aber das tat er nicht. Der Krieg, so meinte er, habe die merkwürdigsten Lebenswege gezimmert, Fehler inbegriffen.

Es war Bastien gewesen, der anfing, von Heirat und von einem gemeinsamen Leben zu sprechen. Was seine berufliche Zukunft betraf, hatte er sich noch nicht entschieden. Vielleicht blieb er beim Militär, oder aber er ging zurück nach Hause in die Charente, wo seine Familie ein kleines Weingut besaß. »Wenn ich bei der Armee bleibe, kann ich auf den Offiziersbällen mit dir angeben«, neckte er sie, und in ihrem Kopf blitzte, wie schon ein paar Jahre zuvor, das Bild von Lilian Harvey auf. Das Abendkleid, das sie sich immer gewünscht hatte. Erstaunt stellte sie fest, dass es ihr nicht mehr so wichtig war. Wichtig war Bastien. Ihr gefiel seine Himmelstürmerei genauso wie seine Aufrichtigkeit. Sie war sich absolut sicher, dass sie sich immer auf ihn verlassen konnte.

Obwohl es erst elf Uhr war, zündete sich Sophie, die nie vor ihrer blauen Stunde rauchte, in ihrem Büro eine Zigarette an. Sie sah hinaus auf den sonnenbeschienenen Park, ihr Blick blieb an einem Strauch roter Buschrosen hängen.

»Colonel Briancourt«, meldete ihr der junge Morgenthaler.

»Schicken Sie den Pagen zu Herrn von Droste, damit er Bescheid weiß. Ich komme sofort.« Während sie weiterrauchte, verfolgte sie in Gedanken den Weg des Pagen zu von Drostes

Zimmer und wieder zurück. Zwei, drei Minuten würde es dauern, bis der Hauptmann an der Rezeption ankam. So lange wartete sie und heftete dabei den Blick fest an den Rosenstrauch. Ein leichter Wind streifte die Blütenblätter. Einige glitten zu Boden. Bevor der Wind sie wegwehte, drehte sich Sophie vom Fenster weg und lief zum Spiegel. Sie puderte ein wenig Rouge auf die Wangen und frischte ihren Lippenstift auf. Sie kontrollierte ihre Hände, schraubte mit einem energischen Griff den Mondstein, den sie an einem goldenen Ring am Ringfinger trug, nach innen und verließ das Büro. Briancourt wartete vor der Rezeption.

»*Bienvenue à la Bühlerhöhe, Colonel*«, sagte sie betont freundlich.

Korrekt sitzende Uniform, Bügelfalten in der Hose, gewienerte Schuhe, die Mütze unter den Arm geklemmt. In den Haaren das erste Grau, sein Blick so sanft, wie sie ihn in Erinnerung hatte, doch es blitzte etwas in ihm auf.

Sie reichte Briancourt die Hand, spürte, wie sein Ehering sich an dem Mondstein auf der Innenseite ihres Fingers rieb, fragte sich, ob er ihre dumme Mogelei durchschaute. Seine Hand war kalt wie der Morgen, an dem er verschwunden war. Stumm wie ein Fisch starrte er sie an, und sie starrte durch ihn hindurch zur Treppe, die gerade von Droste heruntereilte. Sophie zog ihre Hand zurück und wies Briancourt mit der anderen in von Drostes Richtung.

»*Bonjour, Colonel*«, begrüßte ihn von Droste.

Kurz bevor sie sich die Hand reichten, schlugen beide automatisch die Hacken zusammen.

»Ich habe Ihnen die Bibliothek reserviert«, erklärte Sophie. »Ich lasse Ihnen Kaffee und Cognac bringen. Oder möchte der Colonel lieber einen Mokka?«

Sie übersetzte den Satz für Briancourt, er antwortete mit einer abwehrenden Handbewegung, immer noch brachte er keinen Ton heraus. Von Droste ließ dem Colonel den Vortritt, Sophie schickte den Pagen nach Kaffee und Cognac und sah den beiden Männern nach, die nebeneinander die Rundhalle durchquerten. Briancourt war einen Kopf kleiner als von Droste, registrierte Sophie, bevor sie für einen Moment die Augen schloss.

Sie roch das Feuer, bevor sie die Flammen sah. Die fraßen sich munter in die wehenden Vorhänge, züngelten immer schneller und kräftiger, wischten über den Marmorboden hinweg zu den Sesseln in den Nischen, räucherten alles ein und ließen die beiden Männer in beißenden Rauchwolken verschwinden.

»Die Rosen für den Kanzler, Madame Reisacher. Soll ich sie in seine Suite bringen?«

Erschrocken öffnete sie die Augen und nahm erst die Rosen im Arm des jungen Morgenthaler und dann sein verwirrtes Gesicht wahr. In der Rundhalle wütete nicht das winzigste Feuer. Briancourt und von Droste waren verschwunden.

Kurhaus Sand

Neuhaus' Frau wollte also Schumann auf der Soiree spielen, dachte Rosa, als sie den Arzt verließ. Ausgerechnet Schumann. Mit der »Träumerei« hatte sich Rachel in ihrem Klavierunterricht abgemüht, geflucht hatte sie über den blöden Schumann, das Stück dann aber auf Großvaters Siebzigstem doch ganz passabel vorgespielt. Beifall von der kompletten Familie, Lob von Papa, ein silbernes Armband vom Großvater, ein extragroßes Stück Plava mit Zitronensoße zum Nachtisch. An diesem Tag hätte ihr Rosa am liebsten die kleinen, flinken Finger zertrümmert, so eifersüchtig war sie auf die große Schwester. 1930 musste das gewesen sein. Da ahnte noch keiner etwas von der heraufziehenden Katastrophe, die auch sie ins Unglück stürzen würde. Sie waren noch eine normale Familie, in der Streitereien den ansonsten friedlichen

Alltag mit der nötigen Portion Pfeffer würzten. Rangeleien unter Schwestern, stellte sie nicht ohne Bitterkeit fest, waren ein Vergnügen, das friedlichen Zeiten vorbehalten war.

Auf dem Weg nach draußen vergaß Rosa fast, sich von dem alterslosen Fräulein einen Termin geben zu lassen. Jetzt, nachdem Neuhaus Rosa in den Kreis seiner Patientinnen aufgenommen hatte, lächelte die falsche Schlange zuvorkommend. Rosa packte den Zettel, auf dem Datum und genaue Uhrzeit notiert waren, in ihre Handtasche und verließ die Klinik.

Neuhaus' Spott verfolgte sie. Das Parkett, auf dem sie herumstakste, war spiegelglatt. Männer wie Neuhaus und von Droste bewegten sich darauf wie Berufstänzer. Wie ja nun angeblich auch Ari. Sie aber nicht. Sie war eine, die die Tänzer nach Herzenslust mal in die eine, mal in die andere Richtung drehen oder stolpern lassen konnten.

Sie war froh, auf dem Weg zurück den Kies unter den Schuhen zu spüren. Noch brach der Boden nicht weg. Entschlossen lenkte sie ihre Schritte in Richtung Kurhaus Sand, wo niemand sie kannte, wo sie nicht von den neugierigen Blicken der Reisacher oder des jungen Morgenthaler belagert wurde. An der Rezeption, die wie alle Höhenhotels auch eine Telegrafenstation war, bat sie um ein Formular. »Abdul Nourridine? Alles, was du in Erfahrung bringen kannst. Eilt!«, notierte sie. Oz würde ihr den Kopf abreißen, wenn er erführe, dass sie Rachel um Hilfe bat, aber das war ihr in diesem Moment herzlich egal. Sie musste mit jemandem in Verbindung treten, dem sie wirklich vertraute, und sie brauchte schnell mehr Informationen über Nourridine. Rachel vertraute sie wie niemand anderem, und Rachel kannte in Tanger Gott und die Welt.

Wieder dachte sie an den Anruf, den die Hausdame für sie notiert hatte. »Monsieur Nourridine bittet um Rückruf.« Falls die Nachricht von Nourridines Mörder kam, der sie bei der Leiche gesehen hatte, war sie erstaunlich nichtssagend.

Wie eine Drohung klang das nicht. Wenn aber nicht sein Mörder, wer hatte dann an Nourridines Stelle angerufen und zu welchem Zweck? Sie überlegte hin und her, aber ihr fiel nichts ein. Stattdessen hoffte sie, dass Rachel ihr helfen könnte, auch dies zu klären. Als wäre sie noch immer die große Schwester, die alles lösen konnte. Erstaunt über diese kindliche Naivität, schüttelte sie den Kopf und gab endlich das Telegramm auf. Sie bezahlte es und verließ das Kurhaus.

Während sie die Treppen hinunterstieg, reisten ihre Gedanken zurück zur Schifffahrt nach Tanger. Nach dem Gespräch mit Oz und seinen Leuten hatte sie nicht nach Omarim zurückkehren dürfen. Tilly Lapid, die dicke Psychologin, besorgte ihr von irgendwoher Sandalen und ein Baumwollkleid und überreichte ihr eine Tasche, in der Rosa neben den beiden mit Instruktionen versehenen Büchern eine Zahnbürste, einen Kamm, ein Handtuch und einen Satz Unterwäsche fand. Ihr Schiff verließ Haifa am nächsten Tag, ein Frachter, der Keramikkacheln aus Bagdad geladen hatte. Tilly und ihr matzenfressendes Hündchen begleiteten sie. Tagsüber saßen sie unter einer Plane inmitten der mit Stroh gepolsterten Kacheln an Deck, und Tilly, in ein zeltartiges hellblaues Gewand gehüllt, fragte all die Informationen ab, die sie ihr eingetrichtert hatten, zerstreute alte und neue Zweifel und beantwortete geduldig die Fragen, die Rosa stellte. Der Hund hechelte die ganze Zeit, weil es so heiß war, Tilly tupfte sich unentwegt Hals und Stirn, auch ihr machte die Hitze zu schaffen. Aber auf Rosas Frage, weshalb Tilly sie begleitete und weshalb sie über Tanger reisten, antwortete diese nur ausweichend.

Die Nächte verbrachten sie unter Deck in der einzigen winzigen Gästekabine, die Tilly fast alleine ausfüllte. Rosa konnte sie erst betreten, wenn Tilly bereits in der Koje lag, um sich dann hoch auf die zweite Koje zu schwingen. Tilly schnarchte; wenn sie sich umdrehte, ächzte das Bettgestell unter ihrem Gewicht und der Köter jaulte. An Deck rieben trotz des Strohs die Keramikkacheln aneinander. Das Meer klatschte gegen die Planken und schaukelte das Schiff. Rosa kämpfte mit schmerzenden Ohren, Übelkeit und der bangen Frage, ob Rachel das Foto mit den Leichenbergen immer noch mit sich herumtrug.

Bald nach Ende des Krieges drangen mit jedem Schiff, dem es gelang, die englischen Blockaden zu umgehen und Haifa zu erreichen, immer mehr Überlebende und mit ihnen immer grauenvollere Nachrichten über das, was in den Lagern geschehen war, nach Palästina. Rosa hoffte, dass der Mutter und Ben dank nichtjüdischer Kölner Freunde, den Meierbecks, den Linders, den Plaschkes, oder dank Doktor Bruckner, der die Kanzlei des Vaters nach dessen Tod übernommen hatte, die Lager erspart geblieben waren, dass sie in einem Keller oder einer Dachkammer überlebt hatten. Doch Rachel glaubte nicht an solch ein Wunder. »Sie sind vergast worden oder verhungert wie alle anderen!« Sie zeigte Rosa immer wieder ein Foto der Leichenberge, das sie irgendwo ausgeschnitten hatte. Rosa wollte es nicht sehen, die anderen Kibbuznikim wollten es nicht sehen. Das Bild wies ins Reich des Wahnsinns, doch sie mussten nach vorne schauen. Sie mussten denen, die die Barbarei überlebt und es bis nach Palästina geschafft hatten, helfen, Fuß zu fassen. Alle Kraft musste auf die baldige Gründung des Staates Israel verwendet werden. Rachel konnte das nicht, sie machte das Grauen verrückt. Vielleicht hätte Oz ihre Flucht verhindern können, aber Oz war in dieser Zeit nicht da. Als einer der führenden Köpfe der Hagana war er überall im Land im Einsatz, dann, in den zwei letzten Kriegsjahren, kämpfte er in der britischen Armee gegen die Nazis. Rachel und Oz hatten – genau wie Nathan und sie und viele andere Paare – entschieden, dass sie erst Hochzeit feiern würden, wenn der Krieg zu Ende und die Lager befreit waren. Bei Rachel und Oz zweifelte niemand daran, denn alle wussten, dass die beiden füreinander bestimmt waren. Aber eines Morgens war Rachel weg, sie hinterließ nur eine kurze Nachricht auf der Tafel des Gemeinschaftshauses: »Gehe nach Tanger«. Bei seiner Rückkehr tobte Oz zwei Tage und Nächte lang. Ihr Weggang traf ihn nicht nur mitten ins Herz, ihr Weggang kam auch einer politischen Todsünde gleich. Niemand verließ Palästina. Niemand stellte seine persönliche Verzweiflung über die Arbeit, die getan werden musste.

Es dauerte ein Jahr, bis die erste Postkarte aus der weißen Stadt in Omarim ankam und Rosa die Gewissheit erhielt, dass Rachel tatsächlich in Tanger angekommen war.

Rosa und Tilly erreichten Tanger am frühen Morgen des fünften Tages. Rosa hangelte sich aus ihrer Koje, packte ihre Tasche, taumelte aus der Kabine, damit auch Tilly aufstehen konnte, und kletterte nach oben an Deck.

Ein grauer Schleier, durchzogen mit hellroten Streifen, hing über der Stadt. Kantig und kalt klebten die weißen Häuser an Felswänden, zwischen ihnen ragten Minarette auf. Ein Ruck durchlief das Schiff, als der Kapitän den Motor stoppte, um es in den Hafen zu manövrieren. In die plötzliche Stille hinein klatschten Wellen an die Planken, und von der Stadt drang der einsame Ruf eines Muezzins zu ihnen.

»In zwei Tagen nehme ich das Schiff zurück nach Haifa.« Tilly war neben sie an die Reling getreten. Der Köter in ihrem Arm kläffte plötzlich den näher rückenden Hafen an, als wäre er Feindesland. »Hinterlasse im Hotel Claridge eine Nachricht für mich, falls du noch etwas wissen musst. Die Billetts für die Weiterfahrt haben wir im Reisebüro am Grand Socco für dich reserviert. Du musst sie in den nächsten Tagen abholen.«

Rosa nickte. Schweigend verfolgten sie das Anlegen des Schiffes. Selbst der Köter war still.

»Hier!« Tilly drückte ihr einen Umschlag in die Hand. »Das ist Geld, mit dem du in Tanger einkaufen kannst. Bei der Banque de Suisse liegen auf den Namen Goldberg Schecks bereit, mit denen du alles Weitere auf dieser Reise bezahlst. Du musst den neuen Ausweis vorlegen, den wir für dich ausgestellt haben.«

Rosa steckte den Umschlag unkonzentriert in ihre Tasche und hielt mit schneller schlagendem Herzen am Kai nach Rachel Ausschau. Bevor sie in Haifa ablegten, hatte sie ihr telegrafiert. Da, die Frau in dem weinroten Kaftan winkte ihr zu. Rachel! Sie winkte zurück, hastete über das Oberdeck, konnte es kaum erwarten, bis die Landungsbrücke heruntergelassen wurde.

»Massel tov, Rosa«, rief ihr Tilly hinterher. »Massel tov.«

»Rachel«, schrie Rosa, während sie die Landungsbrücke hinunterpolterte.

»Rosa!«

Sie fanden sich schnell, fielen sich in die Arme, hielten sich fest, vergruben die Gesichter im Nacken der anderen und lauschten ihren pochenden Herzen.

Erst als sie sich losließen, traute sich Rosa, Rachel in die Augen zu schauen. Schwarz umrandet waren sie, wie die der Berberfrauen auf dem Markt in Be'er Scheva, und unstet, so als könnten sie nirgends mehr lange verweilen. Mit den Armen schob Rosa die Schwester ein Stück weg, um sie in Gänze betrachten zu können. Ihr Kaftan war an Ausschnitt und Ärmeln mit goldenen Stickereien verziert, darunter trug sie eine arabische Pluderhose. An beiden Armen klimperten goldene und silberne Reifen, sogar um die Knöchel trug sie welche! Das Haar hatte sie mit Henna gefärbt und zu einem losen Knoten geschlungen, der sich bei einem kräftigen Windstoß oder einer heftigen Bewegung sofort lösen würde. An den Ohren baumelten tropfenförmige Ohrringe in schönster marokkanischer Schmiedekunst. Die Schwester, stellte Rosa erstaunt fest, hatte in Tanger den Orient für sich entdeckt, zumindest was ihre Kleidung betraf.

»Möchtest du einen Kaffee? Oder einen Pfefferminztee?«, sprudelte Rachel los. »Bestimmt hast du noch nicht gefrühstückt! Lass uns ins Café de Paris gehen, da haben sie echte französische Croissants.«

Sie griff mit der einen Hand nach Rosas Tasche, mit der anderen nach ihrer Hand und zog sie durch das Menschengewirr am Kai, an hupenden Autos, an mit Fässern beladenen Maultierkarren und an fliegenden Händlern vorbei, die lautstark kleine Herkulesstatuen oder getrocknete Eidechsen offerierten. Ein bisschen erinnerte alles an ihre Ankunft in Haifa, Rosa zumindest war genauso aufgeregt. Rachel hingegen bewegte sich lässig und selbstverständlich durch die Stadt und lotste Rosa zielsicher in eine breite Straße.

»Der Boulevard Pasteur zeigt schnurgerade nach Europa«, erklärte sie und deutete auf das Meer. Doch Europa in Gestalt der spanischen Küste konnte man nur erahnen. »Aber wer will schon in Francos Spanien leben? Komm weiter! In Tanger hast du die ganze Welt auf ein paar Quadratmetern zusammengepresst. Schau, hier das Hotel Rif, der alte Treffpunkt der Deutschen, da das El Minzah, der Treffpunkt der Engländer, der der Russen im Continental, die Spanier haben sich aufgeteilt. Im Café Central sitzen die Franquisten und im Café Fuente die Republikaner. Das Grand Café de Paris ist natürlich der Treffpunkt der Franzosen. *Alors, s'il vous plaît, Mademoiselle.*«

Rachel wies ihr den Weg zu einem der kleinen Tische, die im Schatten einer Markise auf dem Boulevard standen. Rosa stolperte hinter ihr her, sie kam aus dem Staunen nicht heraus. Dieses Café war so französisch wie die, die sie beim Besuch von Großtante Sara in Paris gesehen hatten. Nicht nur das Café, alles hier wirkte französisch. Die Häuser, die Balkone, die Geschäfte, die Menschen.

»Du musst mir alles erzählen«, redete Rachel weiter und hob gleichzeitig den Arm, um dem Kellner zu winken. »Wie geht es Chajm und Dana? Lea und Levi? Sind Daniel und Judith ein Paar geworden? Was macht der alte Jakob? Tragen die Olivenbäumchen, die wir gesetzt haben? Ist der neue

Speisesaal fertig? Hast du ein Foto von Ben dabei? Wie alt ist er jetzt?«

Sechs Jahre lebte Rachel nun schon in Tanger. Sechs Jahre, in denen sie sich nicht gesehen hatten. Mit Rachels Postkarte hatte sie auch endlich eine Adresse bekommen, doch Rosa schrieb lange nicht zurück. Erst als sie die Nachricht vom Tod der Mutter und von Ben erreichte, meldete sie sich bei Rachel. Weil sie da begriff, weshalb Rachel aus Omarim geflohen war. Weil Rosa beim Blick in den Spiegel dasselbe fiebrige Nichtbegreifen in den Augen sah, weil sie selbst am liebsten davongerannt wäre, weil die Wüste mit ihrem weiten Nichts zu einem Sehnsuchtsort für einen schnellen Tod geworden war. Warum sollte sie weiterleben? Sie sah nichts als Tote um sich herum. Nicht nur Mutter und Bruder. Auch Tante Esther, Onkel Levi, die lustige Tante Debora, die Cousins und Cousinen Ruben, Saul, Simon, Esra, Gilli, Judith, Ruth, ihre Schulkameradinnen Sara und Hannah aus der Grundschule Lützowstraße, alle, alle tot. Rachel und sie waren die einzigen Überlebenden der Familie Silbermann.

Tag für Tag schleppte sie sich mit den anderen auf die Felder, immer die Möglichkeit vor Augen, runter nach Safed zu laufen, an der Straße den Bus nach Be'er Scheva zu nehmen und von dort so tief in die Negev zu laufen, bis sie nicht mehr konnte. Aber sie tat es nicht. Wegen Nathan, wegen dem, was sie in Omarim aufbauten, weil sie trotz allem weiterleben wollte. Die tägliche Arbeit und die alten Rituale halfen ihr, die Verzweiflung einzudämmen. Sie verhängte die Bilder und den Spiegel in ihrem Zimmer und saß die Schiwa, obwohl weder sie noch Rachel sonderlich gläubig waren.

»*Deux grands cafés au lait et deux croissants*«, bestellte Rachel, und ihre Armreife klimperten. »Hier habe ich ein gutes Französisch gelernt, ich spreche es jetzt fließend. Auch mein Spanisch ist nicht schlecht, und mein Italienisch so lala. Aber, so erzähl doch endlich! Du glaubst gar nicht, wie sehr ich mich freue, dass du hier bist.«

Kein Foto von Ben, wie auch, sie war nach dem Treffen mit Oz gleich weitergereist. Obwohl sie Tilly Lapid vor gerade mal zwei Stunden das Gegenteil versprochen hatte, erzählte Rosa Rachel in allen Einzelheiten von ihrem Auftrag. Wenn sie ihrer Schwester nicht vertrauen konnte, wem dann? Nur Oz ließ sie aus dem Spiel. »Ich muss mir hier die passende Garderobe kaufen«, schloss sie ihren Bericht. »Ich habe keine Ahnung, was die Frau von Welt heute trägt. Ich brauche deine Hilfe.«

Während sie erzählte, versuchte Rosa Rachels Reaktion einzuschätzen, aber die schwarzumrandeten Augen verrieten nichts. Sechs Jahre waren eine lange Zeit. Nach ihrem Bericht wusste Rosa nicht, was sie sagen sollte, und Rachel übertünchte das Schweigen mit hektischer Betriebsamkeit. Sie rutschte auf dem Stuhl hin und her, ließ die Armreife klimpern, plauderte mit dem Kellner, der den Kaffee servierte. Die zwei redeten sich mit Namen an, sie schienen vertraut miteinander.

»Probier das Croissant«, forderte Rachel sie auf und tunkte ihres in den Kaffee. »Und natürlich den Milchkaffee. Einen besseren bekommst du auch in Paris nicht.«

Das ließ Rosa sich nicht zweimal sagen.

»Bühlerhöhe! Das ist fast zwanzig Jahre her. Erinnerst du dich an Walburg?«, fragte Rachel. »Weißt du noch, wie dankbar wir ihr in der ersten Zeit in Omarim waren für das, was sie uns alles gezeigt hat? Wie man giftige Pflanzen von heilenden unterscheidet, wie man mit der Axt Holz kleinhackt oder eine Kuh melkt.«

»Oz hat den Mund vor Staunen nicht mehr zubekommen, als du dich zum ersten Mal vor eine Ziege gesetzt hast und diese aus dem Stand heraus melk–« Verdammt! Jetzt hatte sie seinen Namen doch erwähnt!

Rachel senkte den Kopf und drehte das Croissant dreimal in der Tasse, bevor sie es in den Mund steckte und stumm kaute.

»Arbeitest du in diesem Café?«, fragte Rosa schnell. »Spielst du hier Klavier?«

Wieder klimperten die Armreife, Rachels Blick irrte unstet im Café umher. Sie würden nicht über Oz reden, auch nicht über ihre ausgelöschte Familie und all die anderen, die sie nur noch als Geister in Alpträumen oder als verblassende Bilder der Vergangenheit begleiteten.

»Spielst du hier Klavier?«, wiederholte Rosa.

»Nein, im Perroquet Vert, einer Bar in der Kasbah, aber erst heute Nacht. Was gut ist, denn jetzt müssen wir uns um deine Garderobe kümmern.« Sie griff nach ihrer Kaffeetasse und leerte sie in einem Zug. »Dafür kommen nur Madame Roselle und Signorina Tollini in Frage. Was Besseres gibt es in Tanger nicht. In den beiden Studios lässt selbst Barbara Hutton ihre Kleider nähen.«

»Barbara Hutton?«, echote Rosa.

»Eine reiche Amerikanerin, die in Tanger gern wilde Partys feiert. Überhaupt werden hier gerne wilde Partys gefeiert. Bekifft eine sanfte Schöne oder einen glutäugigen Araberjungen streicheln oder sich über die bevorstehende Revolution in Rage reden ist gut fürs Vergessen. – Ahmed!« Sie legte ein paar Münzen auf den Tisch, winkte dem Kellner, stand auf und fragte dann: »Wie lange bleibst du in Tanger?«

»Fünf, sechs Tage.«

»Oh, das könnte knapp werden. Dann sollten wir sofort bei Madame Roselle vorbeigehen. Madame fertigt nur Unikate, Madame ist eine Perfektionistin, und Madame hat eher einen orientalischen als einen europäischen Begriff von Pünktlichkeit. Mal sehen, womit ich ihr Feuer unterm Hintern machen kann, damit sie ihren Näherinnen die Peitsche gibt und deine Garderobe rechtzeitig fertig wird.«

Sie spazierten auf dem Grand Socco zwischen den Marktständen hindurch, und Rachel geriet sofort in den schlendernden Gang der Orientalen. Sie roch an zu Türmen aufgeschüttetem Ras el Hanout, prüfte die Konsistenz des

Gewürzes mit den Fingern und hielt Rosa eine Prise davon unter die Nase. Sie grüßte Bekannte, zeigte Rosa die Schlangenbeschwörer und Handleserinnen. Der Platz summte wie ein Bienenkorb: Amerikanischer Swing und französische Chansons drangen aus den Bars und Cafés, Sprachen aus aller Herren Länder waren zu hören, quäkende Flötenlaute, krächzende Papageien. Als Rachel einen Stand mit Erdbeeren entdeckte, feilschte sie lautstark um den Preis einer kleinen Tüte. »Iss, iss«, forderte sie Rosa auf. »Ist bestimmt lange her, seit du zum letzten Mal Erdbeeren gegessen hast. Weißt du noch, dass es sie immer gab, wenn wir im Schwarzwald waren?« Über den Schwarzwald ließ sich leicht reden, so leicht, dass sie erst damit aufhörten, als sie in der angenehm kühlen und ruhigen Straße anlangten, in der sich das Modestudio befand.

Madame Roselle war mausklein, hatte aber den Blick eines Habichts. Rachel und sie begrüßten sich mit Vornamen und Wangenküssen.

Die Vertrautheit mit dem Kellner im Café de Paris, das mehrfache »*Salut, Rachel*« auf dem Platz Grand Socco, die Küsschen mit der Schneiderin. Rosa war sich inzwischen sicher, dass Rachel *tout* Tanger kannte. Während die Schwester in fließendem Französisch Madame Roselle ihr Anliegen vortrug, erinnerte sich Rosa daran, wie Rachel auch früher schon überall Freunde gefunden hatte. Wie schnell sie immer wusste, wer mit wem verbandelt und wo am besten dies oder das zu holen war. Überall konnte Rachel die Menschen für sich gewinnen. Eine »rheinische Frohnatur« hatte sie der Großvater gerne genannt. Wie es aussah, hatte Rachel dieses Verhalten auch in Tanger nicht abgelegt.

Madame bat sie, auf den mit Goldbrokat bespannten Sesseln in einer Ecke des Raumes Platz zu nehmen, rief einen Araberjungen, der mit einem Tablett kleiner Tässchen herbeieilte und ihnen aus der kupfernen Cezve-Kanne Mokka eingoss.

Drei bis vier Sommerkleider, ein kleines Kostüm, ein Übergangsmantel, drei leichte Hosen, ein Paar im Stil von Marlene Dietrich, ein Luftanzug, ein Complet, Blusen klassisch und im Kimonostil, ein Blazer, ein Twinset für kühlere Tage, zwei Cocktailkleider und eine komplette Abendgarderobe zählte Rachel auf. »Pariser Chic«, sagte sie in Rosas Richtung und dann zu Madame: *»Rien d'oriental.«*

Madame nickte, die kleine Hand notierte alles. Als sie hörte, wie schnell alles fertig sein sollte, hob Madame die Hände an die Schläfen, schüttelte heftig den winzigen Kopf, rollte die Augen in Richtung Decke und rief immer nur: *»Impossible! Impossible!«* Rachel redete nun wie ein Wasserfall, gestikulierte wild, ließ ihre Stimme dramatisch anschwellen, deutete immer wieder auf Rosa, die jedes Mal eifrig nickte, wenn sie ihren Namen hörte. In einem immer schnelleren Wechsel flogen Madames *»Impossible«* und Rachels Worte hin und her, bis Madame irgendwann gnädig nickte und Rachel einen erleichterten Seufzer ausstieß.

»Mit Geld lässt sich fast jedes Unmöglich in ein Möglich verwandeln«, flüsterte Rachel, und Rosa schnappte nach Luft, als Rachel ihr die Summe nannte, die sie Madame versprochen hatte. »Reg dich nicht auf, so funktioniert das Geschäft. Nirgendwo anders wirst du in der kurzen Zeit für weniger Geld eine entsprechende Garderobe kriegen«, erklärte Rachel. »Allerdings musst du mit den Stoffen vorliebnehmen, die Madame auf Lager hat.«

Madame schnipste mit den Fingern, und der Araberjunge räumte die Mokkatässchen weg, machte Platz für ein Mädchen, das eine Reihe von Modeheften auf dem Tisch ausbreitete. Sofort gerieten Rachel und Madame ins Fachsimpeln, deuteten auf dieses oder jenes Kleid, und Rosa nickte entweder oder schüttelte entschieden den Kopf, wenn ihr ein Modell überhaupt nicht gefiel. Weitere Mädchen schafften Stoffballen heran, rollten sie auf, zeigten den Fadenlauf in Leinen- oder Seidenstoffen, führten changierende Muster vor, fächelten Stoffbahnen vor ihnen auf. Madame und Rachel fühlten, prüften, eilten mit den Ballen ans Tageslicht und wieder zurück, ordneten die Stoffe bestimmten Modellen zu. Zeitgleich wurde Rosa vermessen: Hüftweite, Brustumfang, Armlänge und so weiter. Von jedem ausgewählten Stoff ließ Rachel sich für Signorina Tollini einen Streifen abschneiden, damit diese die passenden Hüte fertigen, zudem Handtaschen, Schuhe, Schals, Handschuhe, Nachtwäsche und alles, was eine Frau von Welt sonst noch brauchte, zusammenstellen konnte.

Rosa schwirrte der Kopf, als sie nach zwei Stunden den Salon Tollini verließen, aber Rachel trieb sie direkt zur nächsten Station. »Haare und Hände«, bestimmte sie und führte Rosa zu einem Etablissement, das L'école d'amour de Madame Simone hieß.

»Das ist ein Puff«, stammelte Rosa verstört, als sie an zwei breitschultrigen Mohren in Pluderhosen vorbei das in Purpur und Gold eingerichtete Foyer betraten und dort zwei barbusigen Mädchen begegneten. Mit offenem Mund starrte Rosa in lockenumrahmte Gesichter, die so jung und unschuldig wirkten, als hätten sie gerade erst ihre Bat-Mizwa gefeiert.

»Schalom Dana, Schalom Nurit.« Rachel begrüßte die zwei mit französischen Küssen, fuhr dann aber auf Deutsch fort. »Das ist meine kleine Schwester Rosa, die dringend eine neue Frisur braucht. Und fragt Fräulein Salome, ob sie ein Wundermittel für ihre Bauernhände hat. Die müssen in zwei Wochen als die einer Frau von Welt durchgehen.«

»Rachel, nein, nicht hier!«, flüsterte Rosa ihr zu.

»Fräulein Salome ist die Beste. Vertrau mir. Ich muss noch etwas erledigen und hole dich in zwei Stunden wieder ab.«

»Komm mit«, forderte Dana sie auf. Sie warf sich lässig einen seidenen Morgenmantel in leuchtendem Rot über und glitt mit nackten Füßen über die schweren Teppiche, mit denen der Raum und der angrenzende Flur ausgelegt waren. Staub tänzelte vor den mit rotem Samt bespannten Wänden, und in tönernen Öllampen flackerte schwaches Licht. Ein schweres Parfüm hing in der Luft, machte dann aber Platz für den pudrigen Duft der sonnengelben Mimosen in dem kleinen Innenhof, den sie auf ihrem Weg durchquerten. Das Plätschern des Wassers verfolgte sie, das in diesem Innenhof aus Kaskaden in einen Brunnen mit türkisfarbenen Steinen floss. Fast fühlte sich Rosa wie in einem Palast aus Tausendundeiner Nacht, wäre nicht aus den angrenzenden Zimmern das Quietschen von Bettfedern und eindeutiges Stöhnen in den Flur gedrungen.

»Du kommst aus Israel, nicht wahr?«, fragte Dana. »Aus dem Kibbuz, in dem auch Rachel gelebt hat.«

Rosa nickte, stolperte weiter hinter ihr her und fragte: »Und du?«

»Aus der Hölle«, antwortete Dana.

Rosa war sich nicht sicher, ob sie sie richtig verstanden hatte. »Woher?«

»Auschwitz«, antwortete Dana und öffnete die Tür zu einem Raum, der tatsächlich wie ein Friseursalon aussah. »Rachels kleine Schwester«, erklärte sie einer Frau mit Katzenaugen und einem kunstvoll aufgetürmten Knoten. »Haare und Hände. Mach eine Frau von Welt aus ihr.«

»Ach herrje!«, meinte Fräulein Salome, nachdem sie Rosa von Kopf bis Fuß gemustert hatte.

Plötzlich war Rosa wieder im Schwarzwald. Immer noch stand sie am Fuß der Treppe des Kurhotels Sand. Aufgeschreckt folgte ihr Blick einem Männerarm, der auf einen Wagen deutete, der an der Tankstelle vor dem Kurhaus Sand betankt wurde.

»Darf ich diesmal Sie zu einer Fahrt einladen? Nach unserer Begegnung in Baden-Baden habe ich nicht damit gerechnet, Sie wiederzusehen! Gestatten Sie, dass ich mich vorstelle? Xavier Pfister.«

Sie war so lange durch ihre Tanger-Erinnerungen geirrt,

dass sie schließlich hier stehen geblieben sein musste. Jetzt roch sie das Benzin und den nahen Wald, sie spürte den leichten Wind, der durch die Linden vor dem Kurhaus strich. Bilder von Pfister überschlugen sich in ihrem Kopf: der Mann, dem sie in Baden-Baden fälschlicherweise das Passwort eingeflüstert hatte, der Mann aus dem Schwimmbad, dem ein Geschäft in Tanger geplatzt war, der Mann, der mit dem ermordeten Nourridine bekannt war, der Mann, der Geschäfte mit den Waffenfabrikanten Fritsch und Frey machte. Schon mehrfach hatte sie sich über ihn den Kopf zerbrochen, aber nie darüber nachgedacht, wie sie reagieren würde, wenn er ihr, wie jetzt, plötzlich gegenüberstand. Zweimal war sie ihm seit der gemeinsamen Taxifahrt in Baden-Baden begegnet. Ihr Vorteil: Beide Male hatte nur sie ihn gesehen, er sie aber nicht. Sie wusste mehr über ihn als umgekehrt.

»Stimmt!« Sie tat so, als ob sie ihn erst jetzt wiedererkannte. »Sie sind in meinem Taxi mitgefahren. Entschuldigen Sie, es hat etwas gedauert, bis ich Ihr Gesicht einordnen konnte.«

»Darf ich mich heute revanchieren?« Er deutete noch einmal auf den Wagen. »Wohin kann ich Sie chauffieren?«

Wieder dieses gewinnende und gleichzeitig siegessichere Lächeln. Als Poussierstängel hätte ihre Mutter ihn bezeichnet. Wahrscheinlich konnte man die Frauen nicht zählen, denen er schon den Kopf verdreht hatte. Rosa wusste, dass sie im Interesse ihres Auftrages sein Angebot annehmen sollte. Nur so konnte sie mehr über ihn erfahren. Wieder sah sie das spiegelglatte Parkett vor sich, dachte an von Droste und Neuhaus, daran, dass sich Pfister bestimmt noch besser als die beiden auf diesem Parkett bewegen würde. Immer noch strahlte er sie mit diesem überwältigenden Lächeln an, kombinierte es mit einem feinen Augenzwinkern und wartete auf Antwort.

»Sehr freundlich, aber ich möchte zu Fuß gehen.« Wirklich? Was bist du für ein elender Feigling, schimpfte sie sich im Stillen und sagte dann: »Wissen Sie, ich bin zum Wandern hier.«

»Nun gut.« Das Lächeln verlor sein Strahlen und wurde mit einer Prise wohldosiertem Bedauern gewürzt. »Aber dann versprechen Sie mir, dass wir bei unserem nächsten Aufeinandertreffen ein Glas miteinander trinken. Gerne natürlich mit dem Herrn Gemahl. Ist er in der Zwischenzeit angekommen?«

»Einverstanden«, sagte sie schnell und schüttelte die Hand, die er ihr zum Abschied reichte.

Das Tuten des Postautos lenkte Rosas Blick auf die Straße. Der Bus fuhr forsch auf den Platz vor dem Kurhaus und wirbelte eine Menge Staub auf, als er zum Stehen kam. Beladen mit Briefen und Zeitungen, kletterte der Postbote aus der Fahrerkabine. »Eden, Acheson und Schuman beraten in Straßburg. Intensivste politische Aktivitäten seit Kriegsende«, las Rosa in einer Schlagzeile. Dann wurde ihr siedend heiß.

Die Ankunft des Kanzlers! Ein Blick auf die Uhr. Bereits drei Uhr nachmittags. Sie hatte ihre Zeit mit Erinnerungen vertrödelt. Sie musste schnell auf die Bühlerhöhe zurück. Ja, wenigstens vor Ort sollte sie sein, auch wenn sie vermutlich ein Attentat allein nicht zu verhindern vermochte. Aber sie konnte die Augen aufhalten und gegebenenfalls von Droste informieren. Tief in ihrem Inneren spürte sie, dass sich in den dunklen Wäldern der Umgebung etwas zusammenbraute und der tote Nourridine nur der Anfang von etwas viel Größerem war.

»Wissen Sie was?«, rief sie Pfister hinterher, der schon auf dem Weg zu seinem Wagen war. »Wenn Sie über die Bühlerhöhe fahren, können Sie mich doch mitnehmen.«

Wieder das strahlende Siegerlächeln. Er hielt ihr die Beifahrertür auf und setzte sich dann hinters Steuer. Ein Goliath! Der Name des Wagens ein schlechtes Omen, wie die Insignie eines mächtigen Gegners kam er ihr vor. Sie presste die Handtasche mit der Parabellum auf ihren Schoß. Die Parabellum, ihre Version von Davids Steinschleuder. »Wenn du mit fremden Leuten reden musst«, so hatte ihr Tilly eingebläut, »bestimme den Lauf des Gespräches. Gib die Themen vor!«

»Machen Sie auch Ferien im Schwarzwald?«, fragte sie, als Pfister den Motor anließ.

»Nicht direkt.« Seine Stimme klang weich und warm, sein »ch« krächzte im Hals. »Ich verbinde im Schwarzwald das Angenehme mit dem Nützlichen. Geschäfte mit guter Luft, Verhandlungen mit feinem Essen.« Ein kurzer Seitenblick, jetzt wieder das charmante Lächeln. »Sie können gerne das Fenster öffnen, wenn Ihnen zu warm ist.« Er deutete auf die Kurbel. »Verraten Sie mir auch Ihren Namen? Oder ist er ein Geheimnis?«

»Goldberg.« Rosa versuchte es ebenfalls mit einem Lächeln. »Was für Geschäfte? Wenn ich so neugierig fragen darf?«

Ein amüsierter Seitenblick, bevor er sagte: »Ich handle mit Eisen und Stahl. Langweilig, wenn man so wie Sie als Frau dem Schöngeistigen zugewandt ist. Ich muss sehr viel reisen, das könnte vielleicht für Sie interessant sein. Frankreich, Spanien, Algerien, Marokko.«

»In Tanger war ich vor anderthalb Wochen noch.« Rosa wusste, Tanger musste Pfister interessieren. »Wirf ihnen schöne Fleischbrocken vor die Füße und mach was draus«, hatte Tilly gesagt.

»Etwa auch an dem Sonntag, als der Pöbel rabatzte?« Pfister jetzt regelrecht elektrisiert. »Wissen Sie, meine Firma hat eine Dependance in Tanger«, fügte er als Erklärung hinzu.

»Wie interessant. In welchem Stadtteil?«

»Direkt am Hafen. Deshalb frage ich nach dem Aufstand. Wenn Sie vor anderthalb Wochen in Tanger waren, müssen Sie ihn erlebt haben.«

»Nein, zumindest nicht direkt. Meine Schwester hat mir an diesem Sonntag die berühmten Herkuleshöhlen gezeigt. Als wir zurückkamen, war der ganze Spuk bereits vorbei«, erzählte sie wahrheitsgemäß und sah die zerbrochenen Fensterscheiben, die geplünderten Geschäfte und das Bild des geisterhaft leeren Grand Socco vor sich, auf dem Stunden zuvor noch Straßenschlachten getobt hatten. Rachels Freund Rachid schäumte bei ihrer Rückkehr vor Wut. Rosa verstand nicht alles, was er Rachel polternd und aufgeregt erzählte. Von einem Ränkespiel der Großmächte war die Rede, einer Intrige, einem Schlag gegen die Istiqlal, die für die marokkanische Unabhängigkeit kämpfte.

»Wissen Sie, was man sich in Tanger darüber erzählt?« Pfister gierte nach mehr Informationen.

»Nur was in den Zeitungen zu lesen war.« Sie sagte nichts über Rachids Untertauchen, nichts über das, was Rachel mit ihren marokkanischen Freunden besprochen hatte, nichts darüber, dass ihre Schwester mit einem Araber zusammenlebte. »Danach sollen die Aufständischen die internationale Polizei wie Hasen durch Tanger gehetzt haben. Das Chaos hat Francos Fremdenlegionäre aus Spanisch-Marokko auf den Plan gerufen. Die sollen kurz davorgestanden haben, die Stadt unter ihre Kontrolle zu bringen, als der Aufstand wie von Geisterhand beendet wurde«, berichtete Rosa.

»Geisterhand!« Pfisters Finger trommelten auf das Lenkrad. »Weiß man auch, wer da Aladin mit der Wunderlampe gespielt und den Zauber ausgeknipst hat?«

»Haben Sie noch nicht an Ihre dortigen Angestellten telegrafiert?«, fragte Rosa zurück. »Die können Ihnen sicher besser Auskunft geben als ich.«

»Das sind Einheimische, und die sind schwer durchschaubar. Deshalb bin ich sehr an Ihrer Einschätzung interessiert.«

»Nun, die offizielle Version lautete: die internationale Polizei. Ortsfremde, verhetzte Elemente haben den Plebs aufgewiegelt. Plünderungen, meist ausländischer Geschäfte. Mehrere Tote, viele Schwerverletzte, aber nach anfänglichen Schwierigkeiten hat die internationale Polizei den Aufstand niedergeschlagen. – Ist etwa auch Ihre Dependance betroffen?«, fragte sie.

Erst jetzt fiel ihr ein, dass Nourridines Waffenhandel

möglicherweise wegen des Aufstands gescheitert war. Wieso war ihr der Gedanke nicht schon früher gekommen? Weil sie alles, was mit Rachel und Rachid zusammenhing – und dazu gehörte der Aufstand –, verdrängt hatte. Den Schock, dass Rachel mit einem Marokkaner zusammen war, hatte sie noch nicht verdaut. Das musste warten, so vieles musste warten.

»Es ist schwierig, aus der Ferne gesicherte Informationen zu erhalten«, hörte sie Pfister neben sich sagen. »Deshalb interessiert es mich natürlich brennend, ob Sie auch die inoffizielle Version über die Hintergründe des Aufstandes kennen.«

»Nur die Spekulationen der dortigen Presse. Danach war es nicht die internationale Polizei, die die Ruhe wiederherstellte, sondern undurchsichtige Agenten Moskaus.«

»Die Kommunisten sind die größten Unruhestifter in Nordafrika.« Pfister jetzt in einem ärgerlichen Ton. »Nachdem es ihnen nicht gelungen ist, mit Hilfe der spanischen Republikaner Franco zu stürzen, zündeln sie auf Teufel komm raus in den Kolonien. Haben ihre Rädelsführer überall. Erst Feuer legen, und wenn's gefährlich wird, schnell löschen und die Hände in Unschuld waschen. Nikolaj Sebenef? Andrej Koltzov? Sagen Ihnen diese Namen etwas? Ich wette, sie stecken hinter dem Aufstand.«

Rosa schüttelte den Kopf. »Wie gesagt«, wiegelte sie ab. »Ich habe den Konflikt nur in der Presse verfolgt. Hält sich der Schaden Ihrer Firma in Grenzen?«

»Versteh einer die Russen«, echauffierte sich Pfister und überging ihre Frage. »Profitieren doch genauso von Tanger als internationaler Zone wie viele andere auch und machen trotzdem Rabatz.« Dann versank er in Gedanken.

Rosa kurbelte das Fenster herunter und sah rechter Hand den Gasthof Plättig liegen. Es war nicht mehr weit bis zur Bühlerhöhe. Ihr fiel partout nicht ein, wie sie Pfister nach Nourridine fragen sollte, ohne sich verdächtig zu machen.

Aber immerhin wusste sie nun, dass das missglückte Tanger-Geschäft von Wichtigkeit, möglicherweise existentiell für ihn war.

»Leben Sie in Paris, Frau Goldberg?«

»Wie bitte?« Mit dieser Frage hatte sie überhaupt nicht gerechnet.

»Du hast drei Möglichkeiten, wenn dir jemand unangenehme Fragen stellt.« Tilly schwitzend auf dem Schiff, sich mit einem Fächer aus Rosenpapier Luft zufächelnd. »Erstens: Du sagst die Wahrheit. Zweitens: Du lügst. Drittens: Du lenkst vom Thema ab. Nebelkerzen zünden ist eine hohe Kunst in unserem Geschäft.« Erstens, zweitens, drittens! In der Theorie hörte sich das sehr einfach an.

»In Paris hat mein Mann nur einen Vortrag gehalten«, log Rosa. »Wir leben in Safed.«

»Safed in Palästina?«

»Israel«, korrigierte sie ihn.

Bühlerhöhe

Die Bourbon-Rosen erfüllten die Suite mit ihrem zarten Duft. Einen Strauß der rosaroten Reine Victoria hatte Sophie auf dem kleinen Couchtisch arrangiert, den Strauß mit den weißen Boule de Neige platzierte sie auf dem Schreibtisch des Kanzlers. Mit einem Tuch wischte sie mehrfach über Vasen und Tische, damit nicht ein Wassertropfen ins Holz sickerte und Flecken hinterließ. Sie unterzog die Zimmer einer letzten Inspektion, bevor sie alle Fenster weit öffnete und wieder einmal hinausblickte. Weißer Dunst füllte die sonnenbeschienene Ebene, das Straßburger Münster darin war nur zu erahnen. Wie eine Fata Morgana kam es ihr vor.

»Die Weltgeschichte klopft bei jedem an, doch als Torwächter herrscht immer der Zufall«, hatte sie mal irgendwo gelesen. Ihr hatte der Zufall nur Nieten geschickt. Was, wenn anstelle von Rüdiger Reisacher ein anderer die Bäckerei ihres Vaters betreten hätte? Was, wenn sie an diesem Tag bei den Großeltern in Ribeauvillé gewesen wäre? Was, wenn Philippe Granville, mit dem ihr Vater sie so gerne verheiratet hätte, nicht wie ein schlaffer Mehlsack, sondern wie Jean Gabin dahergekommen wäre? Was, wenn sie anstelle von Dubois einen netten Sergent als Beschützer gewonnen hätte? Was, wenn Briancourt nicht verschwunden wäre? – Um ihren Gedanken Einhalt zu gebieten, schüttelte Sophie energisch den Kopf und straffte die Schultern. Man konnte verrückt werden, wenn man das Was-wäre-wenn-Spiel spielte.

Briancourt jedenfalls hatte sie nach all den Nieten für einen Lotteriegewinn gehalten. Und das war er auch zweieinhalb Jahre lang. Seine Liebe hatte sich so stark angefühlt, als ob man darauf Häuser bauen könnte. Stattdessen war sie fragiler als Glas gewesen.

In den ersten Tagen nach seinem Verschwinden hatte sie alle Möglichkeiten durchgespielt, die so ein Verhalten rechtfertigten: ein Todesfall in der Familie, ein Freund, der sofort Hilfe brauchte, eine militärische Geheimmission. Aber als nach Tagen, nach Wochen, nach Monaten keine Nachricht von ihm kam, da verstand sie. Sie verfluchte sich dafür, dass sie diesem Mann ihr Herz geöffnet, diesem Mann wie noch keinem anderen vertraut hatte. Aber sosehr sie auch fluchte und ihn und sich verfluchte, bis zu diesem Tag brachte sie die Bilder von dem aufrichtigen Mann und dem, der wortlos gegangen war, nicht übereinander. Sie passten nicht, etwas stimmte nicht. Eine Zeitlang tröstete sie sich mit der Vorstellung, Bastien sei bei einer Geheimmission gestorben. Regelmäßig durchforstete sie im Offizierskasino die Todesanzeigen von Soldaten, ohne je auf seinen Namen zu stoßen. Dann suchte sie auf Landkarten das Dörfchen Mont Villiers, das er ihr als Heimatort genannt hatte. Vergeblich. Es gab kein Dorf dieses Namens in der Charente. Der Mann, der so offen und ehrlich auf sie gewirkt hatte, wurde mehr und mehr zum Rätsel.

Vielleicht stürzte sie sich deshalb so gerne auf fremde Geheimnisse, weil sie das entscheidende Rätsel ihres Lebens nicht lösen konnte.

Vorbei, vorbei, alles war längst vorbei. Sie hatte sich nicht unterkriegen lassen, und jetzt würde sie Xavier Pfister heiraten und die Bühlerhöhe verlassen. Keine tumben Zimmermädchen mehr, über die sie sich ärgern musste, keine jungen Rezeptionisten mehr, die nur spurten, wenn man sie hart an die Kandare nahm. Nie mehr die Launen unangenehmer Gäste ertragen oder nach der Pfeife des Direktors tanzen! Der Alptraum, hier bis ans Ende ihrer Tage bleiben zu müssen, würde nicht wahr werden: sie als alte Frau, einsam in einer Dienstbotenkammer hockend, auf Gedeih und Verderb vom Gnadenbrot des jeweiligen Direktors abhängig, mit Blick auf das Straßburger Münster, das unerreichbar war. Genau so stellte sie sich die Hölle auf Erden vor.

Wie lange Briancourt und von Droste wohl für ihre Besprechung brauchten? Nicht allzu lang, vermutete sie, schließlich rechnete von Droste in den nächsten zwei Stunden mit der Ankunft des Kanzlers. Sie wollte Briancourt nicht noch einmal begegnen. Er musste in einem Militärfahrzeug gekommen sein, sein Sergent würde am Parkplatz auf ihn warten.

Sie verließ die Suite nach einem letzten, alles kontrollierenden Blick und stieg die Treppe zum Dachboden hoch, wo die Zimmermädchen im Winter die Wäsche aufhängten. Sie glitt unter den leeren Wäscheleinen hindurch, schnappte sich eine der großen Verkleidungskisten, die man hier für Kostümfeste einlagerte, und stellte sie unter eine der Dachluken. Auf der Kiste stehend, öffnete sie das Fenster. Ein paar Tauben flatterten auf, Sophie folgte ihrem Flug, der sie in Richtung Parkplatz trieb. Sie erblickte den Militärjeep mit der französischen Standarte und, etwas entfernt davon, den

Sergent, der im Schatten einer Buche rauchte, jetzt aber hektisch die Zigarette austrat. Briancourt näherte sich dem Wagen. Er drehte sich noch einmal um und blickte zurück auf die Bühlerhöhe. Sophie duckte sich ertappt, rutschte auf der Kiste ab. Als sie wieder sicher stand und nach draußen sah, waren Briancourt und der Sergent am Wagen angelangt. Der Sergent ließ Briancourt einsteigen, setzte sich dann hinters Steuer, und sie fuhren davon. Sophie wollte schon von der Kiste klettern, als ein ihr vertrauter Wagen auf den Parkplatz einbog, Briancourts Jeep passierte und dann anhielt. Xaviers Goliath. Es kam ihr wie ein Zeichen vor, dass die Wagen der beiden Männer sich kreuzten. Der eine fuhr davon, der andere kam, um zu bleiben.

Sie waren nicht verabredet. Kam Xavier, um ihr endlich den Heiratsantrag zu machen? Schlechter Zeitpunkt, *cher ami*, wo doch gleich der Kanzler anreiste. Aber auch zwischen Tür und Angel, ein Heiratsantrag blieb ein Heiratsantrag. Auf Romantik konnte sie verzichten. Wirklich? Sie lächelte, als sie merkte, wie freudig ihr Herz plötzlich pochte. Schlagartig verwandelte sich das freudige Pochen in ein wütendes Klopfen, als sie sah, wem Xavier aus dem Wagen half. Einmal, zweimal, dreimal sah sie hin, ein Irrtum, ein böser Streich, eine Narretei des Schicksals. Sie musste sich täuschen.

Hundseck

Beide Arme in die Hüften gestemmt und mit Wut im Blick stand Hartmann vor ihr. In seiner Entschlossenheit erinnerte er Agnes an ein Bild des Führers, das im Klassenzimmer der Höheren Handelsschule in Achern gehangen hatte.

»Der kann doch nicht einfach verschwinden, der Araber! Der kann sich doch nicht in Luft auflösen! Du sagst mir jetzt sofort, was du über ihn weißt!«

»Was soll ich denn wissen? Ich weiß gar nichts«, wisperte

Agnes. Wie die »Gegrüßet seist du, Maria« beim Rosenkranz sagte sie sich im Stillen immer wieder auf: Schweigen wie ein Grab, schweigen wie ein Grab.

»Du lügst doch wie gedruckt, du dumme Rotzbipp. Seit der Araber da ist, machst du nichts als Ärger. In die Hose hast du dir gemacht vor lauter Angst. Jetzt sagst du mir endlich, woher du den kennst!«

Schweigen wie ein Grab! Schweigen wie ein Grab! »Ich kenn den nicht. Aber er hat mich an wen erinnert. Sie wissen schon … nach dem Krieg, die Marokkaner … die waren doch auch auf dem Klotzberg …« Agnes rollten die Tränen.

Hartmann schnaubte wie ein altes Schlachtross, bevor er die Arme fallen ließ. Dann stapfte er nach draußen und kehrte mit dem Reservierungsbuch zurück. »Für drei Nächte hat er das Zimmer gebucht. Wer zahlt das, wenn er nicht wieder auftaucht?«

»Vielleicht«, schluchzte Agnes, »ist er noch mal nach Baden-Baden zu … Sie wissen schon.«

»In Jagdkleidung? Mit einem verstauchten Knöchel?«

Wütend starrte Hartmann sie an. Agnes liefen immer noch die Tränen, ihr Taschentuch schon ganz nass vom vielen Schnäuzen.

»Und diese Frau Goldberg.« Hartmann deutete auf Agnes' Taschentuch. »Kennt die den Araber?«

Agnes schüttelte den Kopf. »Aber neugierig ist die.«

»Was hat sie von dir wissen wollen?«

»Ob ich den kenn, ob er mir was getan hat. Aber ich kenn den doch nicht.« Sie konnte einfach nicht aufhören mit dem Heulen.

»Blöd wie Haferstroh«, regte sich Hartmann auf. »Ich darf mir gar nicht ausmalen, was ich an deiner Stelle aus dieser Frau Goldberg alles herausgekitzelt hätte.«

»Sie ist mir begegnet, als ich den Cognac für Monsieur Pfister ins Séparée gebracht hab.«

»Du meinst, sie hat gelauscht?«, fragte er überrascht.

197

Agnes zuckte mit den Schultern. »Die Frau Reisacher von der Bühlerhöhe wollt auch wissen, ob ich die Frau Goldberg kenn. Vielleicht kann die helfen? Aber ich kenn die nicht, ich kenn doch keinen von diesen Herrschaften. Woher auch?«

»Und deine Schwester?«

»Woher soll denn die Walburg ...?«

»Aus den Zeiten vor dem Krieg. Hat sie da nicht die Kinder von Hotelgästen betreut?«

Agnes schüttelte den Kopf. »Die Walburg hat nie in ihrem Leben was mit feinen Herrschaften zu tun gehabt.« Aus einem fernen Nebel tauchten plötzlich Geschichten auf, die Walburg ihr als Kind erzählt hatte. Geschichten von zwei vornehmen Stadtmädchen, die eine frech wie Rotz, die andere nachdenklich wie ein Professor. Zwei Mädchen, die sich nicht zu fein waren, mit Walburg durch die Wälder zu ziehen. Zwei Mädchen, die wissen wollten, wie man Kühe melkt, Zäune repariert oder Brotteig ansetzt. Zwei schrecklich neugierige Mädchen.

Agnes zuckte zusammen, als Hartmann das Reservierungsbuch zuschlug.

»Vielleicht ist er wirklich ein Zechpreller. Wenn Sie Monsieur Pfister vor mir sehen, sagen Sie ihm, dass ich ihn sprechen will. Er weiß am ehesten, wo man nach dem Araber suchen muss.«

Agnes nickte erleichtert. Hartmann siezte sie wieder, also hatte er sich halbwegs beruhigt.

»So oder so«, fuhr Hartmann fort. »Wenn er bis morgen früh nicht auftaucht, informiere ich die Polizei.«

Bühlerhöhe

Keine Polizeiautos, nur zwei schwarze Limousinen eskortierten den Wagen des Kanzlers. Zusammen mit der hiesigen Presse sowie einigen Schaulustigen verfolgte Rosa die Ankunft

Adenauers vom Innenhof der Bühlerhöhe aus, nachdem Pfister sie hier abgesetzt hatte. Die Fotografen hockten auf dem Brunnenrand, die Reporter standen mit gezückten Schreibblöcken daneben, eine Blasmusikkapelle wartete auf ihren Einsatz. Unter den Schaulustigen entdeckte Rosa einige Gäste des Hauses: den einbeinigen Staatsanwalt Brassel, das altjüngferliche Mutter-Tochter-Gespann, die drei amerikanischen Matronen. Die mit dem riesigen Busen hatte sich neulich in knödeligem Deutsch lautstark bei der Hausdame beschwert, weil es keine Telefonapparate auf den Zimmern gab. Zu ihrer Rechten standen ein paar gewichtig dreinschauende Herren in feinem Zwirn, die Rosa als Honoratioren aus dem Bühlertal einstufte. Jeden Einzelnen taxierte sie, suchte in ihren Mienen nach etwas Verräterischem, tastete die Jacken der Männer und die Handtaschen der Frauen mit dem Blick auf Beulen ab. Nirgendwo fand sie einen Hinweis auf eine Waffe. Aber was hieß das schon? Der sechste Mann wäre ein noch blutigerer Anfänger als sie selbst, wenn er sich so einfach entlarven ließe.

Von Droste und zwei seiner Männer warteten unter dem steinernen Adler des Eingangstores. Als der Wagen des Kanzlers anhielt, öffnete ihm von Droste die Tür und nahm Haltung an. Der Kanzler wartete auf seine Tochter, die nach ihm ausstieg. Libeth hieß sie, von Droste hatte ihren Namen erwähnt, und die Zimmermädchen heute Morgen hatten zu berichten gewusst, dass sie den verwitweten Vater oft auf seinen Reisen begleitete. Rosa kannte die junge Frau von dem Foto, das ihr Oz' Leute gezeigt hatten.

Winkend grüßte Adenauer die Wartenden, Kameras klickten, Stifte wurden gezückt, erste Fragen gestellt: »Wie lange bleiben Sie dieses Jahr auf der Bühlerhöhe? Machen Sie den sonntäglichen Kirchgang wieder zur Antoniuskapelle? Ist ein baldiges Ende für Kehl als geteilte Stadt in Sicht? Stimmt es, dass das Wiedergutmachungsgesetz unter Dach und Fach ist? Wie beurteilen Sie den Erfolg der Londoner Schuldenkonferenz?«

»Herrschaften, so lassen Sie mich doch erst mal ankommen. Einmal im Jahr braucht auch der Bundeskanzler eine Pause von der Politik. Da darf er sich einfach nur an der guten Schwarzwaldluft erfreuen.«

Der Tonfall jovial und eindeutig rheinisch. »An der *juten* Schwarzwaldluft!« Vertraute Klänge. Jetzt nicht an die alte Heimat Köln denken, Rosa! Konzentrier dich.

Die Blasmusik spielte, und während der Kanzler, durch von Droste und seine Männer geschützt, Honoratiorenhände schüttelte, eilte Rosa nach drinnen. In der Rundhalle stand das Personal parat: blankgewichste Schuhe, schneeweiße Hemden und Schürzen, die noch den Geruch von Hoffmanns Ideal-Stärke verströmten. Wieder musterte Rosa Gesichter. Nicht eines, das sie in den letzten Tagen nicht schon gesehen hätte. Aber das bedeutete gar nichts. Vielleicht weilte der sechste Mann schon seit Wochen im Schwarzwald? Vielleicht hatte er sich als Kellner oder Chauffeur auf der Bühlerhöhe eingeschlichen? Rosa umklammerte ihre Handtasche, spürte das Gewicht der Parabellum. Die konnte sie doch nicht einfach ziehen und damit die versammelte Mannschaft in Schach halten. Ein absurder Gedanke. Am Treppenaufgang warteten der Direktor, die Hausdame und ein kleines Mädchen in Schwarzwälder Tracht mit einem Strauß weißer Nelken.

Von Droste ging dem Kanzler voraus, der freundlich nach rechts und links nickte. Seine Tochter folgte ihm. Am Fuß der Treppe angekommen, reichte er dem Direktor die Hand, das Trachtenmädchen knickste und hielt der Tochter die Blumen hin. Der Kanzler winkte noch einmal und ließ sich dann vom Direktor hinaufgeleiten. Kaum war der hohe Besuch verschwunden, scheuchte die Reisacher das Personal zurück an die Arbeit.

Rosa, erleichtert, dass die Ankunft des Kanzlers friedlich verlaufen war, und unfähig zu entscheiden, was sie als Nächstes tun sollte, setzte sich in der Rundhalle in einen der Nischensessel. Kellner mit Bierkrügen für die Musikanten durchquerten die Halle im Sauseschritt, ihr Zimmernachbar stakste mit seinem Holzbein auf und ab, ein frisch eingetroffenes Ehepaar kontrollierte seine Gepäckstücke. Um nicht blöd in die Luft zu starren oder angesprochen zu werden, griff Rosa nach einer Illustrierten, blätterte sie durch, blieb an der Überschrift »Was das Weib denkt und brütet« hängen. »Philosophen zerbrachen und zerbrechen sich die Köpfe darüber. Doch es ist so wenig und so einfach.« Sie hatte vergessen, dass es Illustrierte mit solchen Themen gab. Ihre Tante Miriam hatte sie früher gern gelesen. Rosa blickte auf. Das Trachtenmädchen, das stehen geblieben war, löste erleichtert die Schleife seines Bollenhutes. »Steht mir der blaue Hut besser als der weiße?«, las Rosa weiter. »Wie *er* wohl küssen mag? Ob *er* stärkere Arme hat? Soll ich die beigen Strümpfe nehmen oder die hechtgrauen? – Viel anderes ist es bei Gott nicht, was das Weib denkt.« Rosa klappte verärgert die Zeitschrift zu. Rachel, wusste sie, hätte sie in eine Ecke gepfeffert und laut über den Schwachsinn gelästert, der da geschrieben stand. Das Trachtenmädchen nahm nun seinen Hut ab, schüttelte den Kopf so kräftig, dass die Zöpfe hin und her flogen, und hüpfte dann durch die Rundhalle. Das brachte Rosa zum Lachen.

»Benimm dich!«, pflaumte die Hausdame, die hinter der Rezeption hervorgeschossen kam, das Kind an. »Mach, dass du zu deiner Mutter kommst.« Sie scheuchte das Mädchen vor sich her und grüßte Rosa im Vorübergehen mit einem kurzen Nicken und einem Lächeln, das wie aufgemalt wirkte. In dem Blick aber, den Rosa in der Kürze eines Wimpernschlags auffing, lag unterdrückter Hass. Rosa rieb sich die Arme, um die plötzliche Gänsehaut zu vertreiben. Von Anfang an war ihr die Reisacher feindselig begegnet. Bei der Durchsuchung ihres Zimmers hatte Rosa gedacht, dass sie im Auftrag von wem auch immer handelte, aber dieser Blick sprach eine andere, eine sehr persönliche Sprache. Als hätten sie eine Rechnung offen. Nur was für eine?

»Soll ich Ihnen ein Stühlchen vor die Suite des Kanzlers stellen lassen?«

Von Droste bot ihr eine Zigarette an und zündete sich, als sie ablehnte, selbst eine an.

»Sie sehen, alles im grünen Bereich. Nirgendwo lauern durchgeknallte Zionisten«, flüsterte er ihr zu und setzte sich in den Sessel neben ihr.

»Würden Sie direkt bei der Ankunft zuschlagen? Es gibt in den nächsten Tagen möglicherweise bessere Gelegenheiten«, erwiderte Rosa leise und legte die Illustrierte zur Seite.

»Und? Unter den Anwesenden schon einen möglichen Attentäter ausgemacht?«

Rosa schüttelte den Kopf.

»Da haben Sie's. Bei uns ist der Kanzler so sicher wie in Abrahams Schoß. Telegrafieren Sie das Oz Sharet, dann können Sie zurück nach Israel reisen.«

Nichts, was sie lieber täte! Aber sie konnte nicht gehen. Sie konnte auch Oz nicht telegrafieren. Der würde sie erst in der Luft zerreißen und dann die Patriotenkarte ziehen: »Du tust es für Israel, Rosa! Wenigstens eine der Silbermann-Schwestern hält dem Land der Väter die Treue.«

»Oder Sie bleiben noch ein paar Tage«, fuhr von Droste fort, ohne eine Antwort abzuwarten, und paffte Rauchkringel in die Luft. »Genießen Sie den Schwarzwald. Besuchen Sie das Café Hohritt, wandern Sie zum Edelfrauengrab, entspannen Sie beim Luftbaden. Fahren Sie zum Einkaufen oder zum Tanztee nach Baden-Baden.«

Überlegen Sie, ob Sie sich lieber beige oder hechtgraue Strümpfe kaufen wollen, fügte Rosa in Gedanken hinzu. Auch er schien zu glauben, dass Frauen nichts anderes als Männer und Garderobe im Kopf hatten. Dass ihr Spatzenhirn nicht ausreichte, einen weitergehenden Gedanken zu fassen.

»Aber!« Keine Rauchkringel mehr, stattdessen ein scharfer Seitenblick. »Machen Sie sich nicht lächerlich, indem Sie mir mit einer stümperhaften Aktion in die Quere kommen.«

»Was hat der Kanzler denn heute noch so vor?« Rosa sah seinen amüsierten Blick und biss sich auf die Lippen. Sie hätte besser den Mund gehalten. Sie benahm sich ihm gegenüber tatsächlich so, als hätte sie nur ein Spatzenhirn. Konnte ihr nicht einmal eine treffsichere Replik einfallen?

»Entspannung, Frau Goldberg, nichts als Entspannung.« Jetzt wieder Rauchkringel. »Und genau das würde ich Ihnen ebenfalls raten.«

Hundseck

Die Nacht hüllte das Hundseck ein, alle Gäste waren zu Bett gegangen, nur der Nachtportier hielt unten an der Rezeption Wache. Mit gefalteten Händen kniete Agnes vor ihrem Bett, den Blick auf das Bild der heiligen Agnes gerichtet, das ihr die Großmutter zur Kommunion geschenkt hatte.

»Abends, wenn ich schlafen geh, vierzehn Engel um mich stehn.«

1940 war das gewesen. Das letzte große Familienfest, bei dem der Vater noch dabei war. Drei Wochen später wurde er eingezogen, an Weihnachten kam er zum letzten Mal heim. Am 15. 4. 1941 starb er auf dem Balkanfeldzug in der Nähe von Belgrad.

»Zwei zu meiner Rechten, zwei zu meiner Linken.«

Er hatte noch eine Sau geschlachtet, bevor er wieder ins Feld ziehen musste, und so viel Holz gehackt, dass sie damit über den Winter kamen. Agnes sah ihn in der schweren Winterjacke vor dem Hackklotz stehen, kräftig in die Hände spucken, dann mit der einen Hand nach der Axt und mit der anderen nach einem Holzscheit greifen, dieses auf den Holzklotz setzen und zu schmalen Spächele hacken. Sie hörte den Takt der Axtschläge und das Zersplittern des Holzes, roch das Holz und sah den Schweiß, den sich der Vater zwischendurch mit dem Sacktuch aus dem Gesicht wischte.

»Zwei zu meinen Häupten, zwei zu meinen Füßen.«

Sie war froh, dass ihr der Vater in der Winterjacke erschien und nicht in dem gestreiften Hemd, das er immer hochkrempelte, bevor er sie übers Knie legte und ihr den Hintern versohlte. Weil sie Milch verschüttet, Eier zerdeppert oder den Mostkrug fallen gelassen hatte. Weil sie vergessen hatte, die Sau zu füttern, das Hühnergatter zu schließen oder die Kühe von der Weide zu holen.

»Zwei, die mich decken, zwei, die mich wecken.«

Wenn ihr nach den Schlägen der Hintern brannte und der Rotz lief, hatte sie sich in ihrer Kammer zum Bild der heiligen Agnes geflüchtet. Ihre Tränen tropften dann auf die bodenlangen goldenen Locken, die die Heilige einhüllten, oder rannen hinunter zu dem weißen Lamm, das zu ihren Füßen lag, nie aber über das Lichtgewand, das zwei Engel über ihrem Kopf ausbreiteten.

Fleckig und gewellt begleitete sie das Bild der Heiligen nun schon ein Dutzend Jahre lang. Hier auf Hundseck hatte sie es mit einer Reißzwecke neben das Kreuz im Herrgottswinkel geheftet. Schon mit zwölf Jahren war die heilige Agnes den Märtyrerweg gegangen. Wie einem Lamm hatte man ihr das Schwert in die Kehle gebohrt.

Als damals der schwarze Engel mit seinem Messer vor ihr stand, erflehte Agnes von ihrer Namenspatronin, dass ihn ein Dämon tötete. So wie in Rom den reichen Jüngling, der der Heiligen Gewalt antun wollte. Zu viel, wusste sie, sollte man von einer Heiligen nicht verlangen, und sie hatte zu viel gewollt. Auch wenn die heilige Agnes nicht alles erfüllen konnte, so hatte sie ihr Flehen doch gehört. Kein Schwert hatte sich in ihre Kehle gebohrt. Sie war noch am Leben.

»Zwei, die mich führen.«

Und jetzt, acht Jahre später, hatte die Heilige doch noch einen Dämon geschickt und den schwarzen Engel für seine schändlichen Taten bestraft. Der Dämon war's, der Walburgs Arm führte, als sie den Araber erschoss. Und jetzt würde die heilige Agnes gemeinsam mit den vierzehn Engeln dafür sorgen, dass der Araber auf immer und ewig verschwunden blieb. Die Engel und die Heilige würden sie und Walburg in einen Nebel aus Licht hüllen, so dass keine Spur jemals zu ihnen wies.

»Zwei, die mich führen«, wiederholte Agnes voller Inbrunst. »Zwei, die mich führen ins himmlische Paradies. Amen.«

Bühlerhöhe

Es lag ein Fluch über diesem Haus, von Anfang an hatte die Bühlerhöhe unter keinem guten Stern gestanden. Herta Isenbart, die Generalin, Gründerin des Hotels, reiche Jüdin, zuerst Bankiersfrau, dann Ehebrecherin, dann Generalmajorsgattin, dann Witwe, hatte keine glückliche Hand gehabt. Dabei hatte sie nichts anderes gewollt, als hier oberhalb Bühls ihren Traum von einem Genesungsheim für Offiziere zu verwirklichen. Als ein unübersehbares Zeichen der Zuneigung zu ihrem Seligen. Sie kaufte achtunddreißig Hektar Land, stritt sich mit der Kommunal- und Forstverwaltung, ließ vierhundertfünfzig Einzelentwürfe für das Anwesen entwickeln, verschliss Architekten und Landschaftsgärtner und verzweifelte am schleppenden Fortgang der Bauarbeiten. Sie verpulverte ihr ganzes Vermögen und nahm sich, als sie endgültig ruiniert war, zwei Jahre vor der Eröffnung des Hauses das Leben. Eine Fotografie von ihr hing in der Bibliothek: hohe Stirn, slawische Wangenknochen, ein weicher, voller Mund, das Haar schon grau, die Brauen noch pechschwarz, die dunklen Augen wach und ernst. Das Gesicht einer Frau, die zu viel gewollt hatte und gescheitert war.

Sophie saß vor ihrem Frisiertisch, zwang ihr langes Haar in Lockenwickler und fragte sich, warum sie ausgerechnet heute an die Generalin denken musste. Weil ihr so ungeschminkt und nicht frisiert das eigene Scheitern tief ins Gesicht geschrieben stand? Möglich. Wer wusste schon, woher die Gedanken kamen und warum sich dieser oder jener in den Vordergrund drängte? Sophie klemmte den letzten Lockenwickler fest und drehte sich vom Spiegel weg. Drei Rosen aus dem Strauß des Kanzlers, zwei rosafarbene und eine weiße, hatte sie für sich abgezwackt und in der zarten Glasvase auf das dreifüßige Tischchen gestellt. Daneben lagen ihre Zigaretten und das ungeöffnete Billett von Briancourt, das ihr der junge Morgenthaler überreicht hatte.

Das Fenster hinter dem Tischchen war weit geöffnet. Der Nachtwind bauschte die leichten Vorhänge auf und wehte die mit Moos- und Tannenduft getränkte Luft ins Zimmer. Noch vor ein paar Wochen hätte sie es nicht für möglich gehalten, dass sie sich einmal nach der Melange von Beton und Benzin, nach dem säuerlichen Gestank der Straßburger Hinterhöfe oder dem fauligen Wasser der Ill sehnen würde. Liebend gern würde sie die Schwarzwaldluft gegen dieses Drecksgemisch eintauschen.

Dieses Haus machte sie verrückt, so wie es die Generalin verrückt gemacht hatte.

Sie drehte sich zum Spiegel zurück und griff nach der Pinzette. Jeden Abend musste sie den frisch gesprossenen Härchen zu Leibe rücken, um ihre Augenbrauen in Form zu halten. Sie rupfte und zupfte, bis sie zufrieden war. Lange hatte sie auch ihr Leben mit ein bisschen Rupfen in Form zupfen können, aber es fiel ihr zusehends schwerer, es im Griff zu haben.

Dieses Haus war schuld, dieses Haus, das sie verrückt machte.

Sie fuhr mit dem Zeigefinger in die Cremedose und trug sie in einer dicken Schicht auf Gesicht und Hals auf. Auf den Hals vor allem, nirgendwo zeigte sich das Alter so deutlich wie am Hals. Von der Fünfunddreißig war es nicht mehr weit bis zur schrecklichen Vierzig. Mit den Fingerkuppen trommelte sie auf die schmierige Creme unter den Augen. Eine gute Durchblutung war nach Doktor Neuhaus das A und O für einen jugendlichen Teint. »Drei Minuten lang. Jeden Abend.« Als sie die Hände senkte, blickten sie aus dem mit weißer Creme gepolsterten Gesicht zwei furchtsame Kinderaugen an.

Dieses Haus war schuld, dass sie Angst hatte, dieses Haus, das sie verrückt machte.

Im Spiegel fiel ihr Blick auf das Rosensträußchen und den Brief. Sie schob den Stuhl zurück, trat ans Fenster und schaute hinaus in die tiefschwarze, stille Nacht. Dunkelheit, wohin man sah, Dunkelheit auch in ihr, noch nie hatte sie sich so einsam gefühlt. Die Schwärze griff nach ihr, kroch ihr über die Zehen, umschlang ihre Beine, fesselte ihre Arme, drückte ihr die Brust, würgte den Hals. Das Dunkel wollte sie verschlingen und ins große Nichts ziehen. Sie schloss die Augen, spürte den sich leicht wiegenden Körper, den Sog, von dem er ergriffen wurde, und wehrte sich nicht. Schlafen, verschwinden, sich auflösen. Nichts mehr tun müssen, nichts mehr sein müssen.

Das Gebell eines Hundes schreckte sie auf. Eine der zwei Spürnasen, die heute mit ihren Hundeführern angekommen waren. Sie griff nach den Zigaretten, zündete sich eine an und blies den Rauch in die Dunkelheit. Sie stellte sich vor, dass da draußen in dem schwarzen Nichts einer stand und sie beobachtete. Ihr geisterhaftes Nachthemd, ihr weißes Gesicht und das flackernde Glimmen der Zigarette. Ein Gespenst, ein Schatten ihrer selbst war sie. Sie dachte an Xavier. Xavier, der nicht ins Haus gekommen war, nur den Wagen gewendet hatte und wieder fortgefahren war, nachdem er die Goldberg abgesetzt hatte. Xavier, der sie heiraten und von hier fortbringen würde. Das musste er.

Denn das Haus machte sie verrückt, wirklich verrückt.

Sie schnippte die Zigarettenkippe hinaus in die Nacht, sah das rote Feuerpünktchen nach unten taumeln und verlöschen. Schloss das Fenster, zog die Vorhänge zu, griff nach dem Brief, wog ihn in der Hand. Mit was für einer Entschuldigung Briancourt wohl sein schlechtes Gewissen beruhigen wollte? Oder bot er ihr nur eine magere Erklärung? Sie riss den Umschlag ein, legte ihn zurück auf den Tisch, zögerte wieder. Dann ließ sie ihr Feuerzeug aufleuchten und zündete ihn an. Ihr Blick folgte den kleinen Flammen, die sich in das Papier fraßen, es wellten, erst braun, dann schwarz färbten und als graue Ascheflocken enden ließ. Der Feuerteufel, der nun, nachdem er das Papier vernichtet hatte, über das Holz des Tisches leckte, erregte sie. Sie konnte schon den giftigen Qualm riechen, der aufstieg, wenn alles in Flammen aufging.

Das Haus machte sie verrückt, wirklich verrückt.

Bühlerhöhe

Es gab keine Duschkabinen in den Badezimmern der Bühlerhöhe. Deshalb hockte Rosa mit angezogenen Knien in der Badewanne. Einen Arm hielt sie um ihre Beine geschlungen, mit dem anderen dirigierte sie den Brausekopf über Schultern und Rücken. Das Wasser plätscherte sanft wie ein Bergbach, es liebkoste ihre Haut, es wusch die Last von ihr, es verjüngte sie, ließ sie wieder Kind sein. Sie wiegte sich in dem engen Wannenbecken hin und her und summte das Honolulu-Lied, das sie gerne mit ihrer lustigen Tante Debora gesungen hatten. Mutter schimpfte immer, wenn sie das Lied sangen, sie fand den Text frivol. Damals hatte Rosa keine Ahnung, was das Wort bedeutete. Rachel und sie liebten den Honolulu-Lenz, weil er wegen der vielen Ls ein echter Zungenbrecher war, besonders laut sangen sie immer die Stelle, wo es hieß: »Und den Ozean ersetzt die kalte Brause«. Ihre Brause war nicht kalt, sie war warm und wohlig und ersetzte ihr im Augenblick alle Ozeane dieser Welt.

Nichts wäre ihr lieber, als auf immer und ewig in der Wanne zu sitzen, sich vom Wasser zurück in die Kindheit tragen zu lassen, wo Tante Debora sang, wo die Mutter sie nach dem Baden in vorgewärmte Handtücher wickelte und danach ein leckerer Lekach-Würfel oder ein Stück Apfelkuchen auf sie warteten.

Ein Schrei ihres Zimmernachbarn holte sie in die Gegenwart zurück. Brassel wurde mal wieder von Alpträumen geplagt. In der Hölle von Stalingrad soll er im Krieg gewesen sein, hatte ihr der Nachtportier erzählt. Sie verließ die Wanne, trocknete sich ab und schlüpfte in den leichten Baumwollpyjama. In diesem Punkt hatte sie sich gegen Rachel und Signorina Tollini durchgesetzt, die sie zu spitzenbesetzten Nachthemden überreden wollten. Nachts war es herzlich egal, was die Frau von Welt heute trug. Es reichte, dass sie sich tagsüber in enge, unbequeme Kleider zwängen musste. Durch die offenen Fenster drang kühle, frische Nachtluft. Die Sonnenschirme auf der Hirschterrasse waren geschlossen, die Stühle ordentlich an die Tische gelehnt. Unten im Rheintal machte Rosa ein paar winzige Lichtpunkte aus. Straßenlaternen oder die Scheinwerfer von Autos, die noch spät unterwegs waren und wie Leuchtkäfer den Berg hochkrabbelten. Keine Geräusche, nur die wohlige Stille der Nacht.

Sie ließ das Fenster offen, legte sich ins Bett und dachte an Ben, der im Kindertrakt zwischen Jokele und Aaron schlief, sie sah die Locke vor sich, die ihm wie seinem Vater beim Schlafen in die Stirn fiel. Wenn sie ihm doch jetzt das Haar aus dem Gesicht streichen könnte, wenn sie nur schon wieder zu Hause wäre.

Ach, säße sie doch unter einem der drei Olivenbäume, die den Platz vor dem Gemeinschaftsraum begrenzten! Könnte sie ihr silbriges Rauschen hören oder ihren kühlen Schatten an fiebrigen Sommertagen spüren! All die Feste, die sie schon auf dem Platz gefeiert hatten, zogen im Halbschlaf an ihr vorüber: die Hochzeit von Chajm und Dana, die Bar-Mizwa von Simon und David, die erste Weinlese, der Tag der Unabhängigkeit und die vielen Pessachfeste. Jahr für Jahr begingen sie in Omarim den Auszug aus Ägypten, tranken das Salzwasser als Erinnerung an die Tränen, beschworen mit dem Bitterkraut die Kraft des Frühlings, leerten die vier Becher roten Weins. Alles im Schnelldurchlauf, sie waren nicht wie die Jerusalemer Schtetl-Juden, die die alten Rituale akribisch einhielten und stundenlang vor dem gedeckten Tisch ausharrten. Sie wollten noch singen und tanzen, nicht nur zu »Hava Nagila«, nein auch zu Swing oder Hillbilly Boogie, jetzt, da sie in Omarim ein Grammofon besaßen.

Trotz der friedlichen Bilder, die Rosa ihm schickte, verweigerte ihr der Schlaf den Zutritt zu seinem Reich. Langsam, aber stetig kehrte alles, was sie durch das lange Duschen und die heraufbeschworenen Erinnerungen verdrängt hatte, in ihren Kopf zurück. Ein wildes Bilderkarussell begann zu kreisen, Blitzlichtgewitter leuchteten ihre Fehler aus, wie Peitschenhiebe traf sie ihr Versagen. Die Nacht öffnete der Verzweiflung Tür und Tor und schwemmte in Rosas Kopf die Hoffnung auf einen guten Ausgang der irrsinnigen Aktion hinweg. Wie ein Raubvogel hackte die Angst auf sie ein, hämmerte ihr Bilder von einem blutüberströmten Adenauer, von seinen todesstarren Augen in den Kopf.

Rosa ließ das elektrische Licht aufblitzen, sprang aus dem Bett, suchte wie bei ihrer Rückkehr das Zimmer nach Spuren von Eindringlingen ab. Papierkügelchen, Fädchen, Steinchen, alle an ihrem Ort, aber vielleicht war die Reisacher geschickter gewesen als beim letzten Mal? Der Karton der Parabellum, hatte Rosa ihn nicht ein paar Zentimeter weiter links platziert? War das Freiburger Einpackpapier schon vorher an der Seite eingerissen? Stand die Nachttischschublade nicht etwas zu weit auf? Hatte sie die Handtasche nicht auf den linken Sessel gestellt? War jemand in ihrem Zimmer gewesen, während sie schlief?

Zittrig sank sie in den Sessel, griff nach der Handtasche, ließ den Verschluss aufschnappen, nahm die Parabellum heraus, richtete die Waffe erst auf die Tür, dann auf das offene Fenster, dann auf das Dunkel unter dem Bett.

Bühlerhöhe

Als sie aufwachte, saß Rosa immer noch im Sessel. Die Waffe lag in ihrem Schoß. Es war bereits hell, Vögel zwitscherten, und es klopfte erst leise, dann etwas kräftiger an die Tür. Rosa steckte die Waffe zurück in die Handtasche, danach stand sie auf und öffnete die Tür einen Spaltbreit.

»Ein Ferngespräch für Sie, Frau Goldberg«, richtete ihr der kleine Segelohrige aus. Wie hieß er noch mal? Sie hatte ihn doch gestern nach seinem Vornamen gefragt.

Schnell zog sie sich an und lief nach unten. Der junge Mann wies ihr Kabine drei zu, sie nahm den Hörer ab und sagte leise: »Ja?«

»Rosa, hier ist Onkel Simon. Ich habe gute Nachrichten: Tante Ruth geht es viel besser, und dein Päckchen habe ich auf den Weg gebracht. Außerdem kommt Ariel uns besuchen.«

»Oh«, antwortete Rosa.

»Hast du mich verstanden? Ariel kommt!«, wiederholte Simon Eckstein.

»Wann denn genau?«, fragte Rosa.

»Heute im Laufe des Tages. Wir freuen uns sehr. Wir haben ihn so lange nicht gesehen. Ruth wird bestimmt noch schneller gesund, wenn er endlich da ist.«

»Bestimmt. Gute Besserung und liebe Grüße an sie.«

Rosa legte den Hörer auf. Sie hatte die Botschaft verstanden. Ari war auf dem Weg hierher. Er sollte noch heute eintreffen. So lange hatte sie auf diese Nachricht gehofft, aber rechte Erleichterung wollte sich nicht einstellen. Vielleicht weil sie noch so müde war, vielleicht weil sie fürchtete, dass ihm noch etwas dazwischenkam. Glauben würde sie das Ganze erst, wenn Ari leibhaftig vor ihr stand.

Bühlerhöhe

Beim Aufwachen hing noch Brandgeruch im Zimmer, und Sophies Kopf summte, als hätte sich ein Wespenschwarm darin verirrt. Der Schwarm spielte verrückt, als ihr Blick auf das Brandmal fiel, das das Feuer in den kleinen Tisch geflammt hatte. Der große schwarzbraune Fleck erinnerte sie an die Umrisse einer Frankreichkarte. Als würde das Feuer ihre Sehnsüchte kennen! Da, der tiefschwarze kleine Fleck unter der Spitze an der Ostseite, das war Straßburg! Als sie eine Decke über den Tisch ausbreitete, erschreckte sie ihr eigenes Lachen.

Um die Erinnerung an die Flammen zu vertreiben, schüttete sie sich eisiges Wasser ins Gesicht. Als sie wenig später mit Zahnputzwasser gurgelte, entschied sie, Doktor Neuhaus zu konsultieren. Sie durfte sich nicht länger in diese Feuerphantasien hineinsteigern. Sie musste den Doktor um ein starkes Schlafmittel bitten. Wenn sie wieder Schlaf fand, würde es ihr bessergehen. Sie spuckte das Wasser aus, rollte dann energisch die Lockenwickler aus dem Haar und wischte sich die Cremereste aus dem Gesicht. Vor allem aber: Sie durfte ihr Ziel nicht aus den Augen verlieren. Noch hatte ihr Xavier den Heiratsantrag nicht gemacht.

Sie frisierte die Haare, bügelte die Bluse, bürstete das Kostüm, kontrollierte die Seidenstrümpfe auf Laufmaschen. Schritt für Schritt wappnete sie sich für den Tag. Bevor sie ihr Zimmer verließ, ein letzter Blick in den Spiegel über der

Frisierkommode. Alles zu ihrer Zufriedenheit, sah man von einem winzigen nervösen Flackern in den Augen ab. Aber das sah nur sie. Das würde niemandem auffallen. Sie hatte sich unter Kontrolle.

Drei Abreisen, ein Gespräch mit dem Koch über Details des Speiseplans für nächste Woche, eines mit den Damen Grünhagen über das Busunglück auf der Unterstmatt, eines mit dem Direktor, der wieder darauf drängte, dass sie wegen der Telefonanschlüsse Druck machte, die Morgenpost, die sie gerne persönlich durchsah und einsortierte. Erst dann fand sie Zeit für einen Anruf im Hundseck.

»Leider erwischen Sie mich in einem ungünstigen Moment, liebe Frau Reisacher. Der Frühschoppen für den Kanzler, Ihnen brauche ich nicht zu erzählen, was so was an Arbeit mit sich bringt.«

Hartmann klang aufgeregt, und Wichtigkeit triefte aus jedem seiner Worte.

»Aber natürlich lasse ich trotzdem nach Monsieur Pfister schicken. Fräulein Agnes! Klopfen Sie mal bei Zimmer 203! Ich weiß allerdings nicht, ob er noch im Haus ist …« Hartmann senkte die Stimme und flüsterte jetzt. »Wissen Sie, einer seiner Geschäftspartner ist verschwunden, der auch hier logiert. Seit zwei Tagen, nachdem er mit einem anderen Geschäftspartner von Monsieur Pfister auf der Jagd war. Merkwürdig, nicht? Ich will heute deswegen noch die Polizei benachrichtigen, aber das muss bis nach dem Frühschoppen …«

»Wie heißt der Geschäftspartner?«, grätschte Sophie dazwischen und merkte sofort, dass ihre Stimme viel zu interessiert klang. »Ich frage das nicht aus Neugierde«, fügte sie schnell hinzu. »Aber es könnte doch sein, dass er ein Zechpreller ist, und wenn er dann hier auftaucht, dann weiß ich Bescheid. Über solche Gäste sollten wir uns immer austauschen.«

»Wie recht Sie haben! Also, sein Name ist Abdul Nourridine, ein Araber aus Tanger.«

»Und wann genau ist er verschwunden?«

»Vor zwei Tagen. Am späten Nachmittag ist er auf die Jagd und davon nicht zurückgekehrt.«

»Ein Jagdunfall?«

»Nein, die Jagd hat er wegen eines verstauchten Knöchels abgebrochen. Frey nimmt an, dass er zurück ins Hotel ist, aber wie gesagt … Natürlich habe ich die Bergwacht informiert, die das Jagdgebiet durchkämmt hat. Nichts! Der Mann ist wie vom Erdboden verschluckt.«

»Wirklich merkwürdig«, bestätigte Sophie. »Und dieser Frey gehört zu …?«

»Fritsch & Frey, schwäbische Nähmaschinenfabrikanten«, erklärte Hartmann. »Sind Gäste beim Frühschoppen, absolut seriöse Geschäftsleute! Herr Frey kann sich nicht erklären, wohin der Araber verschwunden ist. Monsieur Pfister ist deswegen richtig besorgt.«

»Vor zwei Tagen, sagen Sie«, wiederholte die Reisacher. »Das war doch der Tag, an dem es geregnet hat.«

»Ja, ja. Und da fällt mir ein, dass diese Frau Goldberg an dem Nachmittag völlig derangiert hier ankam. Angeblich hat sie sich beim Heidelbeersuchen verirrt. Sie machte einen recht verwirrten Eindruck.«

Verwirrt wirkte die Goldberg auch noch bei ihrer Rückkehr auf die Bühlerhöhe, erinnerte sich Sophie. Morgenthaler hatte ihr den »Anruf« von Nourridine ausgerichtet. Die Reaktion der Goldberg war ihr gleich merkwürdig erschienen. Und jetzt erzählte ihr Hartmann, dass der Mann verschwunden war. Just an diesem Spätnachmittag.

»Wissen Sie, ob die Goldberg und der Araber miteinander bekannt sind?«, erkundigte sich Sophie.

»Zusammen gesehen habe ich die beiden nie«, berichtete Hartmann, wechselte dann den Tonfall und sagte: »Ja, Fräulein Agnes?«

Sophie hörte, wie er den Telefonhörer zur Seite legte. Es dauerte einen Moment, bis er sich wieder meldete.

»Madame Reisacher? Es ist, wie ich befürchtet habe! Monsieur Pfister ist nicht im Haus. Natürlich richte ich ihm aus, dass er zurückruft. Und Sie geben Bescheid, falls dieser Nourridine bei Ihnen auftaucht. Der hat bei uns nämlich noch eine Rechnung offen.«

Bühlerhöhe

Ausgerechnet ihr Zimmernachbar Brassel erwies sich an diesem Morgen als Glücksbringer. Rosa begegnete ihm auf dem Weg zum Frühstück. Herausgeputzt in einem dunklen Anzug, verströmte er den Hautgout eines einsamen älteren Herrn. Er grüßte wie immer freundlich, und Rosa wollte schon schnell weitergehen, als Brassel anfing, mit ihr über den Frühschoppen zu Ehren des Kanzlers zu plaudern. Er sei auf der Gästeliste gelandet, weil er mit etlichen einheimischen Unternehmern bekannt sei, denen er gelegentlich mit juristischem Rat beistand. Rosa, die sich schon den Kopf zerbrochen hatte, wie sie Zutritt zu dieser Veranstaltung erhalten könnte, hörte Brassel interessiert zu, fragte nach, ob der Kanzler eine Rede halte, und ließ sanft durchblicken, wie gerne sie Adenauer wenigstens einmal reden hören würde.

»Wird über die rote Gefahr sprechen, der Kanzler«, überging Brassel ihren Wink mit dem Zaunpfahl und hielt an, um sein Holzbein auf die erste Treppenstufe zu setzen. »Beim Russen kann man nicht vorsichtig genug sein. Die Behauptung, er würde Deutschlands Neutralität unterstützen, nichts als eine Finte des Moskauer Zentralkomitees. Für den Weltkommunismus würde der Russe glatt einen dritten Weltkrieg vom Zaun brechen. Es ist gut, dass der Kanzler den Schulterschluss mit dem Amerikaner sucht.«

»Ich würde ihn so gerne mal persönlich sprechen hören«, insistierte Rosa, die mit Brassel auf der Treppe pausierte. »Er soll ja ein begnadeter Redner sein.«

»Vielleicht kann ich Sie als Begleitung einschleusen«, schlug Brassel endlich vor. »Ein weiblicher Farbtupfer wird der Herrenrunde guttun. Mein Taxi ist für 11 Uhr 15 bestellt. Ich bitte um Pünktlichkeit.«

Auf der Schwarzwaldhochstraße herrschte an diesem Morgen ein Betrieb wie in der Dizengoffstraße in Tel Aviv am Feierabend. Vor der Zufahrt zum Hundseck staute sich eine so lange Autoschlange, dass selbst der einbeinige Brassel fünfhundert Meter früher ausstieg, um zwar hinkend, dafür aber pünktlich beim Frühschoppen einzutreffen.

Wieder spielte eine Blasmusik, im Foyer des Hundseck wimmelte es vor schwarzen Anzügen, und eine Mischung aus Zigarrenqualm und Stimmenwirrwarr füllte die Luft. Rosa war nicht der einzige »Farbtupfer«, es mischten sich noch weitere Frauen unter die Herren. Eine dralle Matrone in einem bunten Blumenkleid und eine Bohnenstange mit einem wagenradgroßen Hut fielen ihr auf, zudem zwei Fräulein in grauen Kostümen. Sekretärinnen, schätzte Rosa, weil sie sich im Windschatten sich wichtigtuender Herren bewegten. Die Rezeption war verwaist, und die Schweizer Damen waren genauso verschwunden wie der Glaskasten mit dem ausgestopften Auerhahn und dem ausgestopften Fuchs. Als Herr des Hauses machte Hartmann die Honneurs bei den Gästen. Die kleine Agnes konnte Rosa nirgends entdecken. Mit Tabletts voller Biergläser schlängelten sich die Kellner durch die Wartenden und taten dies nicht weniger geschickt als die Köbes bei den Karnevalsfeiern ihrer Kindheit. Die Flügeltüren zum großen Speisesaal standen weit auf. Dort bogen sich lange Tische unter Spanferkeln, gewaltigem Schinken und bunten Platten. Wirtschaftswunderpracht. Hungern musste in Deutschland sieben Jahre nach Kriegsende niemand mehr.

Rosa hielt wieder nach dem sechsten Mann Ausschau. So wie es ihr ohne viel Aufwand gelungen war, könnte auch er auf diesen Empfang gelangt sein. Sie taxierte Gesichter, suchte nach Hinweisen auf eine Waffe. Vergebens mal wieder. Es beruhigte Rosa, dass die meisten Männer so alt waren, dass sie ihnen einen treffsicheren Schuss nicht mehr zutraute. Zudem hielten die meisten ein Bierglas in der Hand, auch nicht gerade förderlich beim Schießen. Die meisten! Die meisten hatten sie nicht zu interessieren, sie musste den einen finden, den, der den Kanzler erschießen wollte. Um sie herum prostete man sich mit Biergläsern zu, offerierte dicke Zigarren, fragte nach Geschäften oder nach der Gattin. Eine vertraute Gesellschaft. Hier fiel man als Fremder nur nicht auf, wenn man wie sie ein Anhängsel war. Hatte sich der sechste Mann auch so eingeschlichen?

Ein Raunen ging durch den Raum, und ganz ohne Moses und seinen Stab teilte sich die Menge und machte Platz für den Tross des Kanzlers. Mit von Droste schützten Adenauer sechs Mann. Rosa folgte dem Blick des Sicherheitschefs die Treppe zu den Hotelzimmern hoch, dem einzigen Platz, den auch sie als Position für einen Scharfschützen ausgemacht hatte. Auf der Treppe stand niemand, der Tross eilte in den Speisesaal, nur von Droste blieb zurück. Hinter dem Kanzler und seinen Beschützern schloss sich die Menge wieder und drängte nun ebenfalls in den Saal. An Brassels Seite ließ sich Rosa hineinschieben, achtete dann aber darauf, dass sie sich direkt neben der Eingangstür aufstellte.

Ein paar Minuten später gesellte sich von Droste zu ihr. »Sie sind wirklich hartnäckig, Gnädigste. Wen haben Sie dafür becirct? Den alten Brassel? Bevor Sie die Pferde scheu machen und überall herumfragen: Nach der Rede Gespräche mit Parteiführern und Unternehmern aus der Region im Séparée. Heute Nachmittag Frischzellenkur. Wie oft muss ich es noch wiederholen, damit Sie endlich aufhören, dem Kanzler hinterherzulaufen: Wir haben die Situation vollkommen im Griff.«

»Sie haben Ihren Auftrag, ich den meinen.« Rosa war überrascht, wie energisch ihre Stimme klang. Von Drostes Arroganz weckte ihren Widerspruchsgeist.

»Übertreiben Sie es nicht mit dem Pflichtbewusstsein.« Sein Tonfall changierte zwischen Amüsement und Verärgerung. »Ich würde es sehr bedauern, einer so schönen Frau gegenüber unangenehm werden zu müssen. Ich darf mich empfehlen.«

Von Droste kehrte zurück ins Foyer, und Rosa wandte ihren Blick dem Saal zu. Vielleicht, dachte sie, bin ich so etwas wie der Stachel in seinem Fleisch. Vielleicht sporne ich ihn durch meine pure Anwesenheit dazu an, noch besser auf den Kanzler zu achten, weil er glaubt, es der unerfahrenen, ungeschickten, nervtötenden Israeli zeigen zu müssen. Wenn dem so war, dann wäre ihre Untätigkeit hier doch zu etwas nutze.

Rosa schaute nach vorn. Dort war ein Podest aufgebaut. Dies betrat nun der Landrat, wie ihr Brassel zuflüsterte, in Personalunion auch Kreisvorsitzender der CDU. Er begrüßte den Kanzler und bat ihn ans Rednerpult, um über die wirtschaftliche Lage des Landes zu sprechen. Das Gemurmel im Saal verstummte, alle Blicke waren auf den Kanzler gerichtet.

Vom beschwerlichen Weg seit der Währungsreform und von den Lasten der Vergangenheit sprach der Kanzler. Davon, dass der verlorene Krieg das Tempo des Wirtschaftslebens und des Wiederaufbaus diktiere. Davon, dass niemand zu hoffen gewagt habe, heute wieder so weit zu sein, »… wie wir dank der Tüchtigkeit des deutschen Volkes und ausländischer Hilfe sind.« Der Kanzler hatte natürlich »Tüschtichkeit« gesagt.

Doch nicht die rote Gefahr, dachte Rosa und schaute sich um, damit Adenauers rheinischer Singsang sie nicht dazu verführte, sich in Heimweh zu verlieren. Ein paar Reihen weiter machte sie Fritsch und Frey aus, die in trauter Eintracht den Worten des Kanzlers lauschten. Auch einige der Herren und ein paar der Presseleute, die bereits bei der Begrüßung des

Kanzlers auf der Bühlerhöhe anwesend gewesen waren, entdeckte sie unter den Gästen.

»Der Bundesrepublik Deutschland ist die schwere Aufgabe zugefallen, die Trümmer zu beseitigen, die der politische Wahnwitz und Größenwahn verursacht hatten. Wir haben angefangen, die zerstörten Städte wieder aufzubauen, und wir sind bemüht, den Millionen von Schwerverwundeten, den Vertriebenen und Ausgebombten ein menschenwürdiges Dasein zu ermöglichen. Wir versuchen, die letzten Kriegsgefangenen, die noch heute entgegen allem Völkerrecht, noch immer fern der Heimat festgehalten werden, wieder nach Hause zu führen. Es muss einmal ausgesprochen werden, dass es die schwerste Aufgabe der Bundesrepublik ist, mit der Konkursmasse des Dritten Reiches fertig zu werden.«

Ob der Kanzler die sechs Millionen ermordeten Juden auch zur »Konkursmasse« des Dritten Reiches zählte? Ob er auf das Wiedergutmachungsgesetz zu sprechen kam? Wiedergutmachung … Sie dachte an die zerlumpten und abgemagerten Gestalten, die sie im Hafen von Haifa gesehen hatte. Zwischen diesen Schatten aus dem Totenreich war sie herumgeirrt auf der Suche nach der Mutter und Ben. Ihre Familie hatte das Grauen der Lager nicht überlebt, aber die, die es geschafft hatten und in Israel angekommen waren, brauchten ein Dach über dem Kopf, eine Suppe im Topf, medizinische Versorgung, Schulen für die Kinder. Das alles kostete Geld. Geld, das der junge Staat Israel nicht hatte. Geld, das Adenauer, gegen einen breiten Widerstand der deutschen Bevölkerung, bereit war zu zahlen. Das Gesetz dazu musste er allerdings erst durch den Bundestag bringen. Oz' Leute hatten ihr erzählt, dass der Kanzler nicht auf die volle Unterstützung seiner Partei und seiner Koalitionspartner setzen konnte, er aber gewieft genug war, sich die nötige Mehrheit im Parlament zu verschaffen. Ohne Adenauer würde es das Gesetz – und in Folge das nötige Geld – nicht geben. Das wussten Ben Gurion und die israelische Regierung, das wusste der Mossad, das wusste leider auch die GCPS.

Beifall brandete auf, als der Kanzler seine Rede beendete. Danach forderte der Landrat die Gäste auf, beim Büfett kräftig zuzugreifen. Der Kanzler schüttelte Hände und wechselte hie und da ein paar Worte, bevor ihn die Sicherheitsleute ins Séparée dirigierten. Rosa kehrte ins Foyer zurück, weitere Gäste folgten ihr. Brassel gesellte sich zu ihr, in der Hand einen Teller mit gefüllten Eiern.

»Er hat zwar nicht von der roten Gefahr gesprochen«, erklärte er. »Dafür können wir russische Eier vertilgen. Die Russen! Napoleon hätte Hitler eine Warnung sein sollen. Zu groß das Land und zu kalt. Die russischen Winter haben alle in die Knie gezwungen. Stalingrad war die Hölle. Die Sowjets können ihr unwirtliches Land gern behalten! Aber dass sie jetzt nach der Weltherrschaft streben ...«

Rosa hätte ihm weiter höflich zugehört, Brassel hatte ihr schließlich einen Gefallen getan, aber da entdeckte sie Pfister unter den Gästen. Er bewegte sich in Richtung Ausgang. »Entschuldigung«, unterbrach sie Brassel. »Ich bin gleich zurück.«

Sie folgte Pfister mit Abstand. Er verließ das Hotel und steuerte direkt auf von Droste zu, der auf der Straße unterhalb der Terrasse eine Zigarette rauchte. Rosa ging auf die Terrasse, setzte sich leise an einen der Tische am Rand und hoffte, dass die Männer sich nicht umdrehten.

»Hast du meine Nachricht erhalten, alter Knabe?«, fragte Pfister und zündete sich ebenfalls eine Zigarette an.

Von Droste reagierte nicht.

»Das G 45, ich bitte dich«, fuhr Pfister fort. »Im Amt Blank muss man doch Freudensprünge machen, wenn man hört, wie weit Frey schon mit der Entwicklung ist.«

»Freudensprünge sind im Amt Blank eher selten«, antwortete von Droste eisig.

»Also, was ist jetzt? Ich habe es dem alten Fritsch versprochen, du weißt, er hat ja damals mehrfach den Führer getroffen, und jetzt würde er gerne dem Kanzler persönlich von den Fortschritten ...«

»Deine Versprechen gehen mich nichts an«, unterbrach ihn von Droste und trat seine Zigarette aus. »Du glaubst doch nicht im Ernst, dass der Kanzler sich mit einem Waffenfabrikanten der Nazis trifft? Eine Audienz wird es nicht geben. Du entschuldigst mich.«

Rosa suchte in ihrer Handtasche schnell nach Taschentuch und Kölnisch Wasser, damit sie sich mit plötzlicher Übelkeit und dringend notwendiger frischer Luft herausreden konnte. Aber sie brauchte die Ausrede nicht, denn sowohl von Droste als auch Pfister kehrten, ohne sie zu bemerken, ins Haus zurück. Sie folgte ihnen. Von Droste verschwand im Gang zum Séparée, und Pfister trat zu Fritsch und Frey. Die zwei hatten im Saal in einer Ecke, nahe dem Rednerpult, auf ihn gewartet. Rosa ging zum Büfett, nahm sich einen Teller und legte ein paar Schnittchen darauf. Sie nickte Brassel zu, der sich gerade mit weiteren russischen Eiern versorgte, und sah dann wieder zu dem Trio hinüber. Sie waren zu weit entfernt, als dass sie sie hören konnte, und sie standen zu sehr abseits, als dass sie sich unauffällig hätte nähern können.

»Den Mann mit dem beigen Anzug kenne ich auch«, Brassel deutete mit dem Kopf auf Pfister und biss in ein russisches Ei.

Rosa fühlte sich ertappt. Aber wenn Brassel ihr Interesse eh schon bemerkt hatte, warum sollte sie es leugnen. »Pfister? Was wissen Sie über ihn?«

»Hab ihn mal in Begleitung unserer Hausdame gesehen.«

»Madame Reisacher?«, fragte Rosa ungläubig. »Wohin hat sie ihn begleitet?«

»Durch den Park. Die haben miteinander geredet, die zwei. War später Abend, aber mondhell. Kann oft nicht schlafen und steh dann im Dunkeln am Fenster und schaue nach draußen. Sprachen leise, kann nicht sagen, über was sie geredet haben. Vielleicht haben sie eine Intrige ausgeheckt. Trau diesem Giftzahn alles zu. Kann sie nicht ausstehen, diese Madame Reisacher!«

»Sie ist so schrecklich neugierig«, stimmte Rosa ihm zu.

»Verbirgt es nicht einmal! Ungeheuerlich, dass ein Haus wie die Bühlerhöhe solche Domestiken in führender Position beschäftigt. Kann nur mit dem Mangel an gutem Personal erklärt werden. Hoffe Jahr für Jahr, Direktor Klarbach merkt endlich, was für eine falsche Schlange er an seinem Busen nährt. Bisher leider vergebens.«

»Kennen Sie auch die beiden anderen Herren?«, wollte Rosa wissen.

»Nein, aber der Herr in dem beigen Anzug – Pfister sagen Sie, heißt er? – hat vor ein paar Tagen mit Hauptmann von Droste, Adenauers Sicherheitschef, in der Rundhalle der Bühlerhöhe gesprochen. Habe die zwei gesehen, als sie sich verabschiedet haben. Später Abend, konnte mal wieder nicht schlafen, bin im Haus herumgeirrt. Die Herren duzten sich, schienen sehr vertraut. Vielleicht alte Kriegskameraden?«, schlug Brassel vor.

»Fragen können wir ja schlecht«, rutschte es Rosa heraus.

»Neugierde ist nichts, was die Hausdame für sich alleine gepachtet hat, oder, Frau Goldberg?« Brassel zwinkerte ihr zu.

»Aber ich wette, unsere Madame Reisacher würde schnell herausfinden, was die beiden Männer verbindet.«

»Ich wäre dumm, bei der Wette dagegen zu setzen. Aber …« Er machte eine kleine Pause, und in seinen Augen konnte Rosa neben der Neugierde Abenteuerlust ausmachen. »Ich wette, dass ich es innerhalb von zwei Tagen herausfinde.«

Rosa betrachtete ihn überrascht. »Die Wette halte ich«, erwiderte sie, ohne nachzudenken. »Worum wetten wir?«

»Um ein gemeinsames Abendessen.«

»Die Wette gilt.«

Sie schüttelten sich die Hand, und plötzlich freute sich Rosa darauf, dass Ari heute tatsächlich kam. Denn von diesem unverhofften Coup würde sie ihm gerne erzählen. »In Ihrem Deutsch höre ich wie in dem des Kanzlers den rheinischen Singsang heraus, liebe Frau Goldberg.« Brassel wischte sich mit einer Papierserviette die Mundwinkel sauber. »Wo sind Sie aufgewachsen?«

»In Köln«, antwortete Rosa und fügte schnell hinzu: »Wenn Sie mich kurz entschuldigen würden?«

Als der Kanzler eine Stunde später seine Gespräche beendet hatte und mit seiner Entourage davongefahren war, wollte sich auch Brassel wieder auf den Heimweg machen. Rosa schlug freundlich seine Einladung aus, mit ihm im Taxi zurückzufahren. Die Neugierde Brassels sollte sich auf Pfister und von Droste richten, nicht auf sie. Rosa lief in strammem Marsch zurück. Simon Eckstein hatte Ari angekündigt, vielleicht war er schon da.

Auf der Bühlerhöhe erwartete sie jedoch nur der junge Morgenthaler und verkündete, dass ein Telegramm für sie eingetroffen sei. Ari! Wieder würde er nicht kommen war Rosas erster Gedanke. Aber sie irrte sich. Rachel hatte ihr das Telegramm geschickt. Es war in ihrer alten Kindergeheimschrift verfasst, darum hatte Rosa in ihrem Telegramm gebeten. Die wenigen Worte hatte sie schnell dechiffriert. Um 15 Uhr sollte sie auf der Post in Bühl auf Rachels Anruf warten.

Hundseck

Das ganze Haus stand kopf. Alles, was in der Gegend Rang und Namen hatte, würde an diesem Morgen ins Hundseck kommen. Zweihundert Gäste waren zum Frühschoppen mit dem Kanzler geladen. Bereits um sieben Uhr hatte Hartmann das gesamte Personal aufmarschieren lassen und mit ihm den Ablauf generalstabsmäßig geplant.

Eigentlich sollte ihm Agnes an diesem Vormittag alle Anrufe vom Leib halten, aber bei Madame Reisacher von der Bühlerhöhe machte er natürlich eine Ausnahme. Um Monsieur Pfister ans Telefon zu holen, stieg Agnes brav die Treppen zu den Gästezimmern hoch, aber sie lief nur einmal den Flur auf und ab und klopfte nicht an seine Zimmertür. Denn der lichte Nebel der heiligen Agnes hatte sich mit dem Morgengrauen aufgelöst und der Angst Platz gemacht. Und die riet ihr, Monsieur Pfister aus dem Weg zu gehen, damit er sie nicht wieder zum Verschwinden des Arabers löchern konnte.

»Sie helfen in der Küche bei den kalten Platten«, befahl Hartmann Agnes, als sie unverrichteter Dinge zur Rezeption zurückkehrte. »Bleiben Sie um Himmels willen den Gästen fern. Keine Ohnmachtsanfälle, kein 4711!«

Und so legte sie nun Essiggurken auf Zungenwurst, stäubte Paprikapulver auf Zwiebelringe, steckte Salzstangen in Romadur, tat überhaupt alles, was die Kaltmamsell ihr auftrug. Ihr war es recht, hier abseits des Geschehens zu stehen, geradezu erholsam fand sie es, Hartmann ein paar Stunden lang nicht mit Haut und Haaren ausgeliefert zu sein.

Viel zu schnell beorderte er sie nach Ende des Frühschoppens an die Rezeption zurück. Sie hatte die Rechnungen auf ihrem Schreibtisch noch nicht sortiert, als Hartmann sie zum Empfang rief. Er hielt den dicken Schlüsselbund mit allen Ersatzschlüsseln in der Hand. Auf der anderen Seite des Tresens stand Monsieur Pfister und blinzelte ihr freundlich zu.

»Monsieur kann seinen Schlüssel nicht finden. Gehen Sie mit ihm nach oben und sperren Sie ihm sein Zimmer auf«, befahl ihr Hartmann und drückte ihr den Schlüsselbund in die Hand.

Sie wusste es seit der eisigen Aprilnacht 1945. Auf Engel und Heilige war kein Verlass. Man hatte niemanden außer sich selbst, dem man vertrauen konnte. Schweigen wie ein Grab, redete sie sich wieder ein, während sie stumm vor

Monsieur Pfister die Treppe hochstieg und dann vor seiner Zimmertür nach dem richtigen Schlüssel suchte.

»Wie dumm von mir! Da hab ich doch alle Taschen abgeklopft, bis auf die an der Brust, und da hat er gesteckt!«

Pfister hob lachend seinen Schlüssel hoch, und Agnes wollte schon alle Engel und Heiligen um Vergebung für ihre Zweifel bitten und wieder nach unten gehen, als er ihr ins Ohr flüsterte: »Wo Sie schon mal hier sind, sperren Sie mir doch das Zimmer von Nourridine auf. Vielleicht finden wir zwei ja einen Hinweis für sein Verschwinden.«

In dem Zimmer hing noch der strenge Duft von Nourridines Parfüm. Agnes wollte es nicht betreten. Sie blieb auf der Türschwelle stehen und sah mit offenem Mund zu, wie Monsieur Pfister den Schrank öffnete, in Jackentaschen griff, mit der Hand zwischen gefaltete Hemden fuhr, den Koffer vom Schrank holte, seine Wände nach doppelten Böden abklopfte. Er tat dies systematisch und geschickt, so als ob er darin Übung hätte. Den Schreibtisch nahm er sich zum Schluss vor.

»Sein Pass ist hier.« Er hielt das Dokument in die Höhe. »Man lässt doch seinen Pass nicht zurück, wenn man untertaucht. Verstehen Sie das, Fräulein Agnes?«

Agnes schüttelte den Kopf. Pfister forderte sie auf, näher zu treten. Obwohl sie am liebsten davongerannt wäre, folgte sie seiner Anweisung.

»Der Direktor hat mir erzählt, dass er Sie an dem Nachmittag auf die Bühlerhöhe geschickt hat. Da sind Sie doch durch den Bretterwald gelaufen. Sind Ihnen die Jäger begegnet?«

Agnes schüttelte wieder den Kopf und fügte mit piepsiger Stimme hinzu: »Nur Schüss hab ich g'hört.«

»Aus welcher Richtung?«

»Mehliskopf«, log sie.

»Nicht aus dem Bretterwald?«

»Nein.« Agnes kniff die Schenkel zusammen. Ihr durfte nicht wieder ein Malheur passieren.

»Ist Ihnen nicht gut?« Pfister betrachtete sie, als könnte er in ihr Innerstes blicken. »So setzen Sie sich doch aufs Bett.«

»Das ist das Bett eines Gastes«, piepste sie noch eine Oktave höher.

Ohne ihren Einwand zu beachten, kam er auf sie zu, nahm sie an den Schultern, dirigierte sie zum Bett, drückte sie sanft auf die Matratze und setzte sich so nah neben sie, dass ihre Arme sich berührten. »Ist Ihnen sonst jemand begegnet?«, fragte er.

Sie klemmte die Hände zwischen die Schenkel, damit er nicht sehen konnte, wie sehr sie zitterten. »Die Frau Goldberg«, presste sie heraus. »Ich glaub, sie logiert auf der Bühlerhöhe.«

»Und wo ist sie Ihnen begegnet?«

Seine Stimme klang ganz sanft. Er wollte ihr nichts Böses. Monsieur Pfister hatte ihr noch nie etwas Böses gewollt. Sie brauchte keine Angst zu haben, wieso nur hatte sie welche? »Kurz hinter dem Kurhaus Sand, da, wo der Weg eine scharfe Biegung macht.«

»Sie waren auf dem Rückweg von der Bühlerhöhe, richtig?«

Agnes nickte.

»Und die Frau Goldberg kam auch von der Bühlerhöhe?«

»Weiß ich nicht.«

»Sie stand also einfach so da. Mitten auf dem Weg? Hat sie auf wen gewartet?«

»Weiß ich nicht.«

»Wohin ist sie gegangen, nachdem Sie sie getroffen haben?«

»Weiß ich nicht. Ich bin schnell weiterg'rannt.«

»Wieso sind Sie denn gerannt?«

»Hab doch wieder zurück im Hundseck sein müsse.«

»Und dabei ist Ihnen niemand mehr begegnet? Herr Fritsch oder Herr Frey zum Beispiel?«

Nein, wirklich nicht. Diesmal schüttelte sie überzeugt den Kopf.

»Sie sind also schnurstracks nach Hundseck zurück. Wie kommt es dann, dass Sie erst nach Frau Goldberg dort angekommen sind? Das haben mir die Schweizer Damen erzählt.«

In Monsieur Pfisters Blick nichts weiter als ein freundliches Staunen darüber, dass er etwas nicht verstand. Er wollte ihr nichts Böses. Wirklich nicht.

»Hab noch meine Schwester g'troffe.«

»Mitten im Wald? So zufällig wie die Frau Goldberg? Ein bisschen viele Zufälle, finden Sie nicht? Wovor haben Sie Angst, Fräulein Agnes? Mir können Sie es doch sagen! Sie wissen doch, dass ich es gut mit Ihnen meine.«

Sie nickte. Ja, Monsieur Pfister meinte es wirklich gut mit ihr. Er war immer spendabel beim Trinkgeld, manchmal schenkte er ihr sogar Schokolade. Keiner verzieh ihre Ungeschicklichkeiten so großzügig wie er. Und sie dankte es ihm nicht. Wieso erzählte sie ihm nicht einfach, was passiert war? Vielleicht konnt er ihr in der schrecklichen Sach eher helfen als die Engel und Heiligen?

»Bestimmt wissen Sie, dass der Direktor die Polizei informieren will«, sprach er weiter. »Nourridine ist spurlos verschwunden, er hat seinen Pass zurückgelassen. Da ist ein Verbrechen, ja sogar ein Mord nicht auszuschließen.«

Wie bei einem elektrischen Schlag zuckte sie zusammen, als Monsieur Pfister mit zwei Fingern unter ihr Kinn griff. Er drehte ihren Kopf in seine Richtung und zwang sie, ihm in die Augen zu sehen.

»Im Gegensatz zu mir wird sich die Polizei nicht für Ihre Ängste interessieren, Fräulein Agnes. Die haben ihre brutalen Methoden nicht an der Garderobe der neuen Republik abgegeben. Sie wissen schon: Daumenschrauben, brennende Zigaretten und so weiter. Ich wünsche keinem, deren Verhören ausgesetzt zu sein, und Ihnen schon gar nicht. Also:

Erzählen Sie mir, was Sie wissen. Dann muss die Polizei vielleicht gar nicht gerufen werden.«

Immer noch hielt er ihr Kinn fest. Seine stahlblauen Augen bohrten sich in die ihren. Agnes sah darin nichts als Zuneigung und Verständnis. Er weiß alles, dachte sie. Es wird eine Erlösung sein, es ihm zu erzählen. »Ich hab die Schüss g'hört. Ganz nah. Und dann einen Schrei aus Richtung Riesenkopf. Hab denkt, dass was passiert ist, bin in die Richtung g'rannt und dann ...«

»Oh, excusé, ich hab gedacht, jetzt, wo die Tür auf ist, kann ich das Zimmer endlich ...«

Vor ihnen stand die Gerda, eines der Zimmermädchen, und wusste nicht, wohin sie den Blick wenden sollte. Agnes sprang vom Bett hoch, ihr war sofort klar, wie die Gerda das Ganze einschätzen musste: sie und Monsieur Pfister in einer eindeutigen Situation und dann noch in einem fremden Zimmer. Personal und Gäste, das ging nie und nimmer, wegen so was flog man aus dem Hundseck hochkant raus.

»Wir sind doch fertig, oder?« Jesses, jetzt denkt die Gerda bestimmt, dass sie fertig mit dem »einen« sind, schoss es Agnes durch den Kopf, bevor sie weiterstammelte: »Dann kann doch jetzt die Gerda das Zimmer machen ... Und ich muss doch sowieso zurück.«

Sie wartete nicht, bis Monsieur Pfister antwortete. Sie schlüpfte an Gerda vorbei in den Flur und lief eilig in Richtung Treppe. Ihr Herz schlug schneller als das eines aus dem Nest gefallenen Vögleins. Beinahe hätte sie die Walburg verraten. Sie hätte Monsieur Pfister alles erzählt. Dabei wusste sie doch, dass er ein Magier war. Einer ganz ohne Hokuspokus, einer, der mit seinen Augen, seiner Stimme, seinem Lächeln zauberte. Jeden Tag konnte sie das bei den Schweizer Damen und auch bei sich selbst beobachten. Und wie jeder Zauberer bekam er immer, was er wollte.

Während Ari weiter auf sich warten ließ und der Kanzler im blauen Stüberl lag, wo ihm die Neuhaus'schen Frischzellen in die Venen träufelten, bestieg Rosa vor der Bühlerhöhe ein Taxi.

»Machmede macheii …« Bei dem Streit am Abend nach dem Besuch in Madame Simones Etablissement hatte Rachel die zwei Worte zum ersten Mal benutzt.

Unter dem fremden neuen Kurzhaarschnitt hatte Rosa der Kopf geschwirrt und in ihrem Bauch Empörung gekocht. »Es sind Jüdinnen«, pflaumte sie Rachel an. »Sie wurden schon in den Lagern misshandelt und missbraucht, und du lässt zu, dass sie hier ihre Körper für Geld verkaufen.« – »Ich lasse gar nichts zu, aber ich akzeptiere, dass es viele Wege gibt, um danach weiterzuleben.« – »In Israel wären sie willkommen! Da müssten sie nicht so ein unwürdiges Dasein …« – »Würde?«, unterbrach sie Rachel. »In den Lagern wurde ihnen all ihre Würde genommen! Meinst du, da muss man nur mit dem Finger schnipsen und mit dem Gelobten Land locken, und die Würde ist wiederhergestellt? Nicht für jeden Juden ist Israel der richtige Ort, um nach Auschwitz weiterzuleben.«

»Es gibt keinen besseren Ort«, gab Rosa hitzig zurück.

Rachel schüttelte den Kopf. »Ich wäre verrückt geworden, kleine Schwester. Säen und ernten im Bewusstsein der Gaskammern und Krematorien.« Rachels Stimme klang ganz ruhig, und in dieser Ruhe spürte Rosa eine große Traurigkeit. »Und komplett durchgedreht wäre ich, hätte ich noch miterleben müssen, wie ihr nach der Staatsgründung die Araber aus Haifa vertrieben habt. Man kann doch Unrecht nicht mit neuem Unrecht fortsetzen. Dieser verdammte Nationalismus. Wo das hinführt, haben uns die Nazis doch gerade aufs furchtbarste gezeigt.«

»Das kannst du nicht mit Israel vergleichen«, widersprach Rosa. »Endlich, nach zweitausend Jahren, haben wir Juden wieder eine Heimat. Wir sind zurückgekehrt ins Land unserer Väter. Wir haben gelernt, uns zu wehren, wir können uns gegen die inneren und äußeren Feinde verteidigen. Nie mehr lassen wir uns dieses Land wegnehmen! Es soll zur Heimstatt aller Juden dieser Welt werden. Zu einem sicheren Ort. Aus der Wüste machen wir blühende Landschaften, aus dem alten Hebräisch der Schrift entwickeln wir eine lebendige Sprache, aus unseren Wurzeln wächst etwas Neues.«

»Bist du als offizielle Botschafterin Israels unterwegs?«, spottete Rachel. »Gesegnet seien die, die noch ans Gelobte Land glauben können! Spar dir deine Worte bei mir, ich komme nicht zurück. Tanger ist ein besserer Ort. In Tanger übertüncht man den Wahnsinn nicht mit grenzenlosem Aufbauoptimismus, in Tanger lobt man den Himmel nicht mehr als die Hölle, in Tanger ist alles so möglich wie unmöglich, in Tanger kann man jeden Tag in die Luft gehen, aber davor wird noch einmal richtig gefeiert. Du wirst es merken, wenn wir gleich im Perroquet Vert sind.«

Und dann sagte sie zum ersten Mal dieses »Machmede macheii …«. Sie dehnte die Worte, krächzte das »ch« hart wie ein Araber. »Findest du nicht, dass die zwei Worte wunderschön klingen?«, schwärmte sie, als Rosa sie irritiert anstarrte. »Und die vielen bunten Perlen klingen um meinen Hals, o, machmede macheii … immer wiegen meine Lenden meinen Leib wie einen dunkelgoldenen Stern‹.«

Rosa erschrak. »Rachel?«, fragte sie. »Arbeitest du etwa auch wie Dana und Nurit in Madame Simones Etablissement?«

»Merk dir eines«, erwiderte Rachel schroff. »Es ist tausendmal besser, seinen Körper als seine Seele zu verkaufen.«

Rosa traute sich nicht weiterzufragen. Stumm lief sie neben der Schwester her. Das Perroquet Vert lag irgendwo in der völlig verwinkelten Kasbah. Keine noch so gute Wegbeschreibung hätte Rosa helfen können, es zu finden. Ein auf die Hauswand aufgemalter kleiner grüner Papagei markierte den Eingang der Bar. Eine steile Treppe führte nach unten in einen höhlenartigen Raum, der sich wiederum zu mehreren kleinen Höhlen verzweigte, die alle mit orientalischen Sitzkissen und Wasserpfeifen bestückt und noch menschenleer waren. Das Klavier stand neben der Bar auf einem Podest. Rachel führte Rosa in ihre Garderobe, deutete auf einen zerschlissenen Diwan und drückte ihr ein zerlesenes Büchlein in die Hand. *Die Nächte der Tino von Bagdad*, Else Lasker-Schüler hieß die Autorin, Rosa hatte noch nie von ihr gehört. Sie wollte auch jetzt nicht ihre Bekanntschaft machen, sie wollte nicht lesen. Sie wollte die alte Vertrautheit mit Rachel zurück. Sie sehnte sich nach der kraftvollen, kämpferischen Rachel, die keine Gefahr schreckte. Die, die sich auf einmal für sinnlose Worte wie »Machmede macheii« begeisterte, war ihr fremd.

Auf dem Diwan liegend, beobachtete Rosa, wie Rachel in ein schlichtes schwarzes Satinkleid mit einem tiefausgeschnittenen Rücken schlüpfte. Sie war so schlank wie eh und je, jeder Knochen ihres Rückgrats zeichnete sich unter der Haut ab. Am Hals zeigten sich die ersten Falten, kein Wunder, in drei Jahren wurde sie vierzig. Nachdem sie den Kajal um ihre Augen verstärkt und das Haar zu einem festen Knoten geschlungen hatte, kam sie Rosa gleichzeitig trauriger und schöner denn je vor. Zum Schluss legte sich die Schwester ein Gewirr von Silberketten um den Hals, in denen große und kleinere Aquamarinsteine verarbeitet waren. Das schwarze Kleid und der Schmuck: Okzident und Orient.

»Such dir eines aus«, schlug sie Rosa vor und deutete auf eine Stange, an der weitere Abendkleider hingen. »In dem billigen Baumwollkleidchen kannst du schlecht in die Bar gehen.«

»Später«, antwortete Rosa, die Rachel noch weiter zusehen wollte.

»Wünsch dir ein Lied, das ich nur für dich spiele«, forderte Rachel sie auf und nebelte sich mit einer Parfümwolke ein. »Secret d'Orient. Haut jeden Mann um. Das müssen wir auch für dich kaufen.«

»Honolulu-Lenz.« Rosa fächelte sich ein wenig von dem Parfüm zu.

»Nackig unter Palmen wandelt manches süße Ding, das im Honolulu-Lenz nach Liebe lechzt«, sang Rachel sofort. »Das erinnert mich immer an …«

»Die lustige Tante Debora«, sagten sie unisono und lachten beide auf, nur um im nächsten Moment die Trauer in den Augen der anderen zu sehen.

»Bergen-Belsen«, sagte Rosa leise, und Rachel nickte.

Im warmen Licht der Öllampen tanzten die Parfümtröpfchen und lösten sich in nichts auf. Staubflocken irrten umher. Die Luft war dick und schwer, man hätte sie schneiden können.

»Spielst du überhaupt deutsche Stücke in deinem Programm?«, fragte Rosa nach einer Weile.

»Selten. Wenn, dann ein bisschen Hollaender. ›Nimm dich in Acht vor blonden Frauen‹ oder ›Wenn ich mir was wünschen dürfte‹. Aber meist französische oder amerikanische Lieder. Rück mal!«

Frisch frisiert und geschminkt, plumpste sie neben Rosa auf den Diwan, streckte sich aus, legte einen Arm um sie und kuschelte sich eng an die Schwester. Rosa schloss die Augen und sog die alte Vertrautheit in sich ein. Rachel griff nach dem Buch und las: »… immer träumender hebt sich mein Finger – geheimnisvoll wie der Stängel der Allahblume. Machmede macheii …‹ Das muss dir doch gefallen, kleine Schwester! Du hast doch früher immer für Poesie geschwärmt.«

»Du aber nicht.«

»Menschen ändern sich. An keinem geht spurlos vorbei, dass die Welt in Trümmern liegt. Ich habe entdeckt, dass die Poesie Trost spenden kann.« Rachel legte das Buch zur Seite, drehte sich auf den Bauch und strich Rosa eine der frisch geschnittenen Haarsträhnen aus dem Gesicht. »Auch du hast dich geändert. Du bist härter geworden, du trägst Züge einer

Kriegerin. Kein Wunder, dass Oz dich für den Auftrag ausgewählt hat.«

»Er hat mich genommen, weil du nicht mehr da bist«, korrigierte sie Rachel.

»Heb mich nicht in den Himmel, und stell dein Licht
nicht unter den Scheffel!«

Da war ein drohender Ton in ihrer Stimme. Gleich würde
sie aufspringen. Aber als es klopfte, hob sie nur den Kopf und
sagte: »Herein.«

»Sie warten auf dich. Bist du so weit, Rachel?«, fragte der
Mann in der Tür auf Französisch.

Rachel sprang auf und lief auf ihn zu. Als sie ihre Arme
um seinen Hals schlang und ihn auf den Mund küsste, zuckte
Rosa zusammen und musterte ihn voller Misstrauen. Er war
noch keine dreißig, besaß den sehnigen, schlanken Körper
eines jungen Mannes, eine Haut in der Farbe von jungem Oli-
venöl, Augen, schwarz wie Kohle. Seine Nase war so fein wie
die des Prinzen Achmed im Scherenschnitt von Lotte Rei-
niger. Er erinnerte überhaupt sehr an den schönen Prinzen.

»Das ist Rachid«, stellte Rachel ihn vor. »Ihm gehört das
Perroquet Vert. Du kannst dich also gleich unbesorgt an die
Bar setzen. Rachid wird auf dich aufpassen.«

»*Bonne chance*«, wünschte er Rachel, die sich ihre Notenmappe schnappte und die Garderobe verließ, und warf ihr
einen Handkuss hinterher. Dann bat er Rosa, ihm zu folgen.

»Ich muss mich noch umziehen«, sagte sie. »Ich komme
gleich.«

Sie ließ sich Zeit, zog sich erst um, als er noch einmal
klopfte und sie darauf hinwies, dass Rachel gleich auftreten
würde. Er hatte ihr einen der besten Plätze an der vollbe-
setzten Bar frei halten lassen. Sie beobachtete, wie er Gläser
füllte, Kellner dirigierte, Gäste begrüßte und die Männer, die
glaubten, sie wäre eine wie Dana oder Nurit, mit ein paar ins
Ohr geflüsterten Worten auf Abstand hielt. In dem engen
Raum hinter der Bar und auch in den schmalen Gängen zwi-

schen den Höhlen bewegte er sich mit der Geschmeidigkeit eines Panthers. Im Vergleich dazu war Oz ein polternder, kraftstrotzender Bär.

Rachel startete ihr Programm mit einem Jazzstück, das Rosa nicht kannte. Aber ihre Art, sich über das Klavier zu beugen, die ersten Tasten anzuschlagen, den Kopf zu drehen, die Stimme zu heben, all das war Rosa in einem Maße vertraut, dass es weh tat. Das war doch ihre gute alte Rachel, ganz ohne Machmede macheii …

Zigarettenqualm, dick wie Londoner Nebel, hing im Perroquet Vert, und nur noch ein paar einsame Trinker klebten an der Bar, als Rachel, wieder in dem weinroten Kaftan und den weiten Hosen, aus ihrer Garderobe kam. Es war Zeit, nach Hause zu gehen. Sie stiegen die steilen Treppen zur Straße hoch, Rachel dirigierte Rosa nach rechts. In den engen Gassen der Kasbah irrlichterte nur selten ein Gaslicht, ihre Schritte hallten im Dunkel nach. Die Kasbah wirkte wie ausgestorben, nur das Katzengekreische zerriss manchmal die Stille der Nacht. Rachel nahm Rosa am Arm und bewegte sich mit ihr sicher durch das finstere Gassengewirr.

Rachel wartete eine ganze Weile, bevor sie fragte: »Wie findest du ihn?«

»Es ist nicht, weil er dich im Perroquet Vert auftreten lässt?«, fragte Rosa vorsichtig. »Er bedeutet mehr für dich?«

Rachel nickte. »Also?«, bohrte sie nach.

»Er ist zehn Jahre jünger und ein Araber«, antwortete sie zögerlich, dabei hätte Rosa am liebsten geschrien, so sehr wühlte sie das Geständnis der Schwester auf. Sie verstand nicht, wieso Rachel ihre große Liebe verriet.

»Ich kann nicht glauben, dass es dich stört, dass Rachid Araber ist«, zischte Rachel verletzt. »Haben die Nazis nicht genug selektiert, aussortiert, ausradiert? Müssen wir Juden das jetzt auch tun? Sagen wir jetzt, alle Araber sind unsere Feinde oder weniger wert als wir?«

»Natürlich nicht«, stimmte ihr Rosa zu. »Aber ...«

»Ich weiß, du denkst an Oz. Aber die Umstände, das Leben ... Manchmal zerbricht die Liebe daran. Auch die zwischen dir und Nathan ...«

»Er hat mich, Omarim und Israel verlassen. Genau wie du.« Rosas Stimme hallte so laut durch die Kasbah, dass streunende Katzen aufgeschreckt fauchten und Rachel sie eilig weiterziehen wollte.

Aber Rosa ließ sich nicht ziehen, sie schlug Rachels Hand weg und verharrte auf der Stelle. Ihr Körper bebte, und sie spürte wieder die Wut, die nach Rachels Flucht in ihr gebrodelt hatte. Ohne ein Wort war die Schwester gegangen, hatte sie, Rosa, mit keiner Silbe in ihre Pläne eingeweiht. Dabei hatten sie immer alles miteinander besprochen, ja sogar die Gedanken der anderen lesen können. Und dann ließ Rachel nur diese drei Worte auf der Tafel des Gemeinschaftsraums zurück: »Gehe nach Tanger.« Rosa war so geschockt wie die anderen, als sie den Satz las. Sie rannte sofort in ihr Zimmer, war sicher, Rachel hatte zumindest einen erklärenden Brief für sie zurückgelassen, aber sie fand nichts. Sie fühlte sich, als hätte man sie zerrissen, als wäre sie nur noch ein halber Mensch. »Du hättest nicht so weggehen dürfen.« Rosa legte sich schützend die Hand auf die Brust. Das beruhigte den galoppierenden Herzschlag.

»Wenn ich mit dir gesprochen hätte ...« Rachels Stimme klang brüchig und voller Schmerz. »Dann hätte ich nicht mehr gehen können, aber ich musste weg.«

Rosa nickte und setzte sich langsam wieder in Bewegung. Rachel folgte ihr und hakte sich bei ihr unter. Jede in ihren Gedanken gefangen, aber mit Schritten im Gleichklang, liefen sie durch die dunklen Gassen. Rachel war die Erste, die das Schweigen brach.

»Wir müssen diese ungeheuerliche Last tragen«, flüsterte sie. »Rosa, du weißt, wie viele Tote auf unseren Schultern ruhen. Jeder muss seinen Weg finden, um damit zu leben.

Rachid hilft mir dabei. Er ist ganz anders als Oz. Oz' Liebe gehört an erster Stelle seinem Land, Rachids Liebe gehört nur mir. Seine Sanftheit beruhigt mich, an seiner Seite finde ich wieder Schlaf. Das ist in diesen Zeiten ein großes Glück. Findest du nicht?«

Rosa nickte zwar, merkte aber, dass sich alles in ihr dagegen sträubte. Außerdem ärgerte sie sich über Oz. Hatte Oz, der sonst alles wusste, nichts von Rachels neuer Liebe gewusst? Oder hatte er sie, Rosa, über Tanger reisen lassen, weil er, genau wie sie, gehofft hatte, Rachel ließe sich zur Rückkehr überreden? Rosa kämpfte gegen die Tränen. Nein, sie konnte sich nicht am Glück der Schwester erfreuen. Sie fühlte nur den Verlust.

»Gnädige Frau.« Der Fahrer drehte sich zu ihr um. Erst jetzt bemerkte Rosa, dass er angehalten hatte. »Der Bahnhof Bühl. Hier wollten Sie aussteigen.«

Bühlerhöhe

Damit weder die Angestellten noch die Gäste bemerkten, wie aufgelöst sie nach dem Telefonat mit Xavier war, hatte sich Sophie für ein paar Minuten in die menschenleere Bibliothek zurückgezogen. Fast schon bereute sie es, dass sie noch einmal im Hundseck angerufen hatte. Bereits die zweite Zigarette rauchend, stand sie vor dem Porträt der Generalin, versunken in die dunklen Augen der Begründerin von Bühlerhöhe, einer Frau, die für ihre Regelverletzungen schwer bestraft worden war. Sie hatte ihren Bankiersgatten für einen ebenfalls verheirateten preußischen Offizier verlassen. Zu Beginn des Jahrhunderts ein Skandal. Gesellschaftlich geächtet, zog das Paar ruhelos in der Welt herum, bis der General 1908, nach nur sechs Ehejahren, in Assuan plötzlich starb. So bitter konnte das Leben sein. Zurück in Deutschland, kämpfte die Witwe gegen den Verlust und um gesellschaftliche Rehabilitation, ein Grund, weshalb sie die Bühlerhöhe bauen ließ und dem deutschen Kaiser als Geschenk anbot. Der aber wollte das großzügige Präsent nur annehmen, wenn die Witwe auch für den Unterhalt aufkam. Finanziell am Ende und vom Leben enttäuscht, nahm sie sich das Leben.

Nein, Selbstmord kam für Sophie nicht in Frage. Obwohl sie die Erlösung, die der Tod versprach, in der vergangenen Nacht deutlich gespürt hatte. Aber sie war keine, die vor der Zeit ausstieg. Sie hatte sich nicht durch dieses verdammte Leben gebissen, um es wegzuwerfen, wenn es schwierig wurde.

Xavier! Als sie ihn endlich telefonisch erreicht hatte, verbot er ihr, die Goldberg weiter auszuspionieren, anstatt sich dafür zu bedanken, dass sie ihm die Frau auf einem Silbertablett servierte. Und das in einem Ton, in dem nicht mal sie ihre Zimmermädchen abkanzelte. So nervös und aufgescheucht hatte sie ihn noch nie erlebt, dieses verpatzte Tanger-Geschäft und das Verschwinden von Nourridine gingen ihm wirklich an die Nieren. Ihr ging an die Nieren, dass er sich nicht von ihr helfen lassen wollte.

Sie wandte sich von dem Porträt ab und ließ ihre Finger über die Buchrücken in den Regalen gleiten. Gesamtausgabe Goethe in grünem, Gesamtausgabe Schiller in rotem Leinen, *Der Große Brockhaus* in braunem Leder mit goldener Schrift, der große *Herder* ebenfalls in Braungold. Zwischen *Brockhaus* und *Herder* der Bildband über Paris, den sie gerne durchblätterte, wenn ihre Sehnsucht nach Frankreich übermächtig wurde. Heute war ihr aber nicht danach.

Xavier hatte recht, ihre Behauptung, die Goldberg habe Nourridine gekannt und etwas mit seinem Verschwinden zu tun, beruhte nur auf einer Vermutung. Aber auf einer sehr begründeten Vermutung, keineswegs auf einer realitätsfernen Verschwörungstheorie. Hätte die Goldberg auf den fingierten Anruf mit einem eindeutigen »Ich kenne keinen

Nourridine« reagiert, dann hätte auch sie, Sophie, eher ein Minuszeichen hinter ihren Verdacht gesetzt, aber allein die Frage »Wann hat er angerufen?« musste doch bei jedem die Alarmglocken klingeln lassen. Nicht bei Xavier. Selbst die Tatsache, dass die Goldberg und Nourridine zeitgleich von Tanger aus in den Schwarzwald gereist waren, bügelte er als Zufall ab.

Für sie ließ sein Verhalten nur zwei Schlussfolgerungen zu: Entweder er traute ihr nicht, oder die Goldberg hatte ihn mit ihrem Rehblick verhext. Sie hasste diese Frauen mit Rehblick, die immer so taten, als könnten sie kein Wässerchen trüben! Schön wäre weder das eine noch das andere. Aber sie würde sich Xavier nicht von dieser dahergelaufenen Jüdin wegnehmen lassen! »Bist du etwa eifersüchtig, Sophie?«, hatte er im Laufe dieses furchtbaren Telefonates gefragt. Eifersucht! Als ob die eine Rolle spielte. Es ging um viel mehr. Um die Zukunft. Ihre, seine, die gemeinsame.

Sophie wandte sich von den Regalen mit den schweren Klassikerbänden ab und strich auf der anderen Seite der Bibliothek an den weniger edlen Buchrücken der Frauenromane entlang, die deutlich mehr Gebrauchsspuren aufwiesen als die Werke der alten Herren. Auch Sophie versorgte sich in dieser Abteilung mit Lektüre. Ihre Finger zuckten zurück, als die den Buchrücken von Daphne du Mauriers *Rebecca* berührten. Diesem Roman hatte sie die schreckliche Mrs Danvers zu verdanken, die durch ihre Alpträume geisterte. Schnell griff sie nach dem Buch daneben und schlug die erste Seite von Annemarie Selinkos *Désirée* auf: »Ich glaube, eine Frau kann viel leichter bei einem Mann etwas erreichen, wenn sie einen runden Busen hat. Deshalb habe ich mir vorgenommen, mir morgen vier Taschentücher in den Ausschnitt zu stopfen …« Sophie schlug das Buch wieder zu. Wie wenig sich doch seit den Tagen Napoleons geändert hatte! Nein, mit Taschentüchern musste sich Sophie ihren Büstenhalter nicht auspolstern, aber Schminke und Cremes brauchte auch sie, um sich bei den Männern ins rechte Licht zu rücken. Weibliche Verführungskunst galt bei den Vertretern des starken Geschlechts weit mehr als guter Instinkt oder scharfer Verstand. Gescheite Gefährtinnen standen nicht hoch im Kurs. Wieso nur musste eine Frau in der Mitte des zwanzigsten Jahrhunderts ihre Klugheit immer noch verstecken?

Ihr Blick kehrte zu Herta Isenbarts Porträt zurück, und für einen Moment schien es ihr, als würde ihr die Generalin tief in die Seele blicken, als würde sie in ihr eine Schwester im Geiste sehen. Wenn, dann nur eine arme Schwester, konstatierte Sophie bitter. Immerhin hatte die Generalin trotz des Skandals eine stattliche Apanage aus dem Familienvermögen erhalten, sie dagegen hatten die Eltern nur mit Schimpf und Schande beladen, als sie kurz vor der Ankunft der US-Armee nach Baden-Baden floh. Wie Herta Isenbart war auch sie die Ehe mit dem falschen Mann eingegangen. Die erste Ehe der Generalin war arrangiert gewesen, Sophie hatte eine quasi arrangierte abgelehnt. Sie konnte bis heute nicht sagen, ob ihr Vater ihr übelnahm, dass sie Reisacher geheiratet oder dass sie Granville nicht geheiratet hatte. Aber für Letzteres sprach eindeutig mehr. Ihr Vater und Granville senior kannten sich aus der Bäckerinnung und dem Kolpingverein, für die beiden Männer war die Verbindung der Kinder eine ausgemachte Sache gewesen. Schließlich war Philippe auch Bäcker geworden. Ein einziges Mal war sie auf Druck der Mutter mit ihm ausgegangen. Noch heute schüttelte es sie, wenn sie an seine wässrigen Kalbsaugen und seinen Mehlsackkörper dachte. Als er mit seinen rotfleischigen Fingern nach ihrer Hand greifen wollte, war sie davongelaufen und hatte jedes weitere Rendezvous verweigert. Reisacher war danach die erste sich bietende Gelegenheit gewesen, den beinahe täglichen Vorwürfen der Eltern zu entkommen. Dass sie die Chance genutzt hatte, bereute sie nicht, nur dass sie sich dafür den falschen Mann ausgesucht hatte.

Mit dem richtigen Mann, mit Bastien Briancourt, war sie nur ein einziges Mal in Straßburg gewesen. Das Münster, die Ill, das deutsche Viertel, La Petite France, sie hatte ihm ihre Heimatstadt mit Freude gezeigt. Nur die Straßen in der Nähe der elterlichen Bäckerei mied sie. Bastien hätte gerne ihre Eltern kennengelernt, aber sie wollte bis zur Verlobung warten, bevor sie ihn vorführte. Keine halben Sachen mehr, so ihre damalige Devise. Keine Viertel-, keine Achtelsache wurde daraus, nur ein großes Nichts. Bereute sie, dass sie seinen Brief verbrannt hatte? Nein. Tausend Erklärungen für sein Verschwinden hatte sie im Kopf durchgespielt, keine rechtfertigte diese jahrelange Funkstille. Dass der richtige Mann sich als falsch erwiesen hatte, konnte Jahre später nicht mit ein paar Zeilen rückgängig gemacht werden.

Nach Bastien hatte es in ihrem Leben keinen richtigen Mann mehr geben können, nur noch den passenden. Einen wie Xavier eben, leidenschaftlicher Liebhaber und Bruder im Geiste. Es gab Paare, die weit weniger verband als sie beide. Das wusste nicht nur sie, das wusste auch er. Auch wenn er im Moment durch einen Rehblick verwirrt oder wegen eines gescheiterten Geschäftes durcheinander war. Selbst gegen seinen Widerstand musste sie jetzt das Ruder ergreifen, um ihn aus stürmischer See wieder in ruhiges Fahrwasser zu manövrieren.

Hundseck

Der schwere Schlüsselbund hatte geklirrt und geklimpert, durchs Treppenhaus geschallt wie Festtagsgeläut, als Agnes die Stufen hinunterstolperte. Im Foyer blickten die Schweizer Damen ob des Lärms kurz und missbilligend von ihren Karten auf, aber Gott sei Dank stand Hartmann nicht hinter der Rezeption. Also hastete sie nach draußen, umrundete das Haus und ließ sich hinter dem Hügel des Eiskellers auf einen Baumstamm zwischen Farnen und jungen Buchen plumpsen. Eine fliegende Hitze beherrschte ihren Körper, presste Schweißtropfen auf Stirn und Ausschnitt, ließ die Knie wie Espenlaub zittern. Agnes klemmte den Schlüsselbund zwischen die Knie, schlang die Arme um die Beine, wiegte den aufgebrachten Körper hin und her, versuchte, ruhig zu atmen und ihre Gedanken zu ordnen.

Schweigen wie ein Grab! Von wegen! Ruck, zuck hatte Monsieur Pfister ihr die Zunge gelöst. Sie hätte ihm alles erzählt, wenn die Gerda nicht aufgetaucht wäre. Hatte die heilige Agnes die Gerda geschickt, damit sie Walburg nicht an Monsieur Pfister verriet? Auch um den Preis, dass sie, Agnes, nun auf Hundseck als leichtes Mädchen dastand? Wenn die Gerda das dem Hartmann steckte, dann würde er sie rausschmeißen. War die Gerda so eine? Unter den Zimmermädchen gab's schlimmere Brätschen, aber auch wenn die Gerda den Vorfall nicht an die große Glocke hängte, es reichte ein falsches Wort am falschen Ort. Sollte sie, Agnes, Hartmann zuvorkommen? Ihm vorlügen, dass die Mutter sie für die Feldarbeit und den Hof brauchte und sie deshalb gehen müsste? Eine Last, schwer wie Wackersteine, fiel bei der Vorstellung, nicht mehr hier arbeiten zu müssen, von ihr ab. Lieber heut als morgen würde sie aufhören. Die Mutter hatte immer gesagt, dass sie zum Schaffen lieber zur Holzhandlung Gschwender oder zur Gemeinde in die Buchhaltung gehen sollte und nicht in so ein feines Hotel. Aber so fein war das Hotel gar nicht. Satan und Beelzebub trieben in dieser vornehmen Welt ihr Unwesen, schlimmer als im ganzen Bühlertal. Das wusste sie spätestens, seit sie den toten Nourridine gefunden hatte.

Denk nicht nur von A nach B, warnte sie sich selbst und zwang sich, weiter zu überlegen. Wenn sie so Knall auf Fall, mitten in der Hauptsaison, hier kündigte, dann würde ihr der Hartmann mit Sicherheit kein gutes Zeugnis schreiben. Und ohne gutes Zeugnis würden sie wahrscheinlich auch

die Holzhandlung Gschwender oder die Gemeinde Bühlertal nicht nehmen. Und sie brauchten das Geld, das sie
verdiente. Die Mutter bestellte den Hof, die Walburg schoss
gelegentlich ein Reh, doch Tauschgeschäfte waren nach Ende
des Schwarzhandels und spätestens seit der Währungsreform
nicht mehr üblich. Jetzt wurde wieder mit barer Münze bezahlt. Und die verdiente von ihnen dreien nur sie.

Und was, spann sie ihre Gedanken fort, wenn der Hartmann wegen dem Araber wirklich die Polizei holte? Würde
eine überraschende Kündigung sie nicht verdächtig machen?
Würde sie dann nicht schnell ins Visier der Gendarmen
geraten? Wäre es also nicht klüger, weiter wie ein Grab zu
schweigen, sich so unsichtbar wie möglich zu machen und
darauf zu hoffen, dass die Gerda den Mund hielt?

Ja, das wär's, entschied sie schweren Herzens, während sie
aufstand und den Rock glattstrich. Sie wunderte sich, dass
es ihr tatsächlich gelungen war, mal weiter als von A nach
B zu denken, ohne dass Engel, Heilige oder der Teufel sie
verwirrten. Weil ihr Verstand gerade so klar war, fasste sie
schnell noch zwei weitere Entschlüsse: Erstens, sie musste
Walburg finden, um zu wissen, was wirklich passiert war.
Zweitens, sie musste vermeiden, noch einmal mit Monsieur
Pfister allein zu sein. Denn gefährlich waren nicht nur die
Angstmacher und Schläger, gefährlich waren auch die Sanf-
ten und Leisen, die einem Geheimnisse auf eine Art und
Weise entlockten, dass man glauben mochte, man habe sie
freiwillig preisgegeben.

Bühl

Bühl war ein kleines Städtchen, Kirche, Rathaus, ein Stadt-
garten, die Post schnell gefunden. Rosa informierte den Mann
am Schalter über den bevorstehenden Anruf aus Tanger, ein
R-Gespräch, das sie bezahlen würde, setzte sich dann auf

die schmale Holzbank und wartete. Am Bahnhof hatte sie die hiesigen Tageszeitungen gekauft, die sie wieder vergeblich nach Berichten über Nourridines Verschwinden oder der Entdeckung seiner Leiche durchforstete. Immer noch beherrschte das Busunglück auf der Unterstmatt die Lokalseiten. Es dauerte keine halbe Stunde, bis das Fräulein vom Amt ihr ein Zeichen gab und auf eine der zwei Telefonkabinen deutete.

»Nourridine arbeitet für uns«, legte Rachel los, kaum dass Rosa Schalom gesagt hatte. »Nach dem Weltkrieg hat er Waffen für die Hagana besorgt und ist seit der Staatsgründung dem Mossad zu Diensten. Nicht offiziell natürlich, der Mann hat sich immer dadurch ausgezeichnet, dass er schnell, diskret und ohne Nachfragen beschaffen konnte, was gebraucht wurde. Du erinnerst dich an den kleinen Aufstand während deines Tanger-Besuches? Den hat er genutzt, um eine größere Lieferung Sturmgewehre für uns aus der Stadt zu bringen. Nach der Vertreibung der Araber aus israelischem Staatsgebiet sind im Maghreb Geschäfte mit Israel nicht gern gesehen und nur unter der Hand abzuwickeln. Nourridine ist einer der wenigen Araber aus Tanger, der noch für uns arbeitet.«

Rosa war sich sicher, dass Rachels Informationen stimmten. Sie wusste genau, wie geschickt Rachel war, wenn es galt, etwas herauszufinden, wie meisterhaft sie Fäden spinnen konnte, wie weitverzweigt ihr Netz aus Kontakten war. Trotz der verstörenden neuen Liebe zur Machmede-macheii-Poesie, die alte Rachel gab es noch! Nur weil sie Oz und Israel verlassen hatte, selbst jetzt, wo sie mit einem Araber liiert war, hatte sie ihre Kontakte nicht abgebrochen, auch nicht die zu den Mossad-Leuten. Egal wie kritisch sie sich im Gespräch mit ihr zu Israel geäußert hatte, jedem anderen gegenüber würde sie das Land bis aufs Messer verteidigen.

»Ist Nourridine vielleicht Maurice Masaad?«

Rachel sagte der Name nichts. Sie war sich aber sicher,

dass der Mossad bei keinem ihm bekannten Irgun-Mann Waffen kaufen würde.

»Der Überfall auf sein Lager war also fingiert?«

»Davon kannst du ausgehen. Aber warum interessiert dich Nourridine? Was hat er mit Adenauer und deinem Auftrag zu tun?«

»Das ist es ja, was mich so verrückt macht!«, stöhnte Rosa und senkte dann ihre Stimme. »Stell dir vor, jemand hat ihn aus nächster Nähe im Bretterwald erschossen«, flüsterte sie in den Hörer hinein und hoffte, dass Rachel sie verstand. »Als ich die Leiche zwei Stunden später auf Spuren untersuchen wollte, war sie verschwunden.«

Eine Zeitlang drang nur ein merkwürdiges Rauschen an ihr Ohr, aber Rosa sah deutlich Rachels Gesicht vor sich. Sie wusste, dass Rachel die Lippen zusammenpresste und mit der Hand die Stirn massierte, wie immer, wenn eine überraschende Nachricht sie zum Nachdenken zwang.

»Warum war Nourridine denn im Schwarzwald?«

Ganz die alte Rachel! Erst alle verfügbaren Informationen einsammeln, bevor man sich an eine Einschätzung wagte! Rosa berichtete, was sie in Erfahrung gebracht hatte.

»Verdammt!«

Das ärgerliche, altvertraute Zungenschnalzen der Schwester erklang.

»An die Ägypter, sagst du? Diente er jetzt mehr als einem Herrn, oder spielte er ein raffiniertes Doppel?«

Diese Frage hatte sich Rosa auch schon gestellt. Ohne Ergebnis.

»Wird Nourridine vermisst? Gibt es offizielle Ermittlungen?«, hakte Rachel nach.

»Keine, die es in die Presse geschafft haben.«

»Weiß jemand, dass du die Leiche entdeckt hast?«

»Vielleicht.« Rosa erzählte von der merkwürdigen Telefonnachricht und der Durchsuchung ihres Zimmers.

»Ist dir heute jemand gefolgt? Wirst du beobachtet?«

Vorsichtig, wie sie seit der ersten Fahrt in Baden-Baden war, hatte Rosa das Taxi nicht an der Post, sondern am Bahnhof anhalten lassen. Sie schloss die Augen, sah sich aus dem Taxi steigen, in dem kleinen Bahnhofskiosk eine Zeitung kaufen, in die Stadt schlendern, dann hier in die Post gehen. Nein, ihr war niemand gefolgt, und niemand beobachtete sie.

»Gut«, antwortete Rachel. »Dann ist das Postamt Bühl zumindest jetzt noch eine sichere Verbindung. Die Gespräche auf der Bühlerhöhe werden bestimmt von dieser Hausdame abgehört. Was ist sie für eine? Wie lange arbeitet sie bereits auf der Bühlerhöhe? Woher könnte sie Nourridine kennen?«

»Keine Ahnung, aber sie kennt diesen Pfister.«

»Arbeitet sie für ihn?«

»Weiß ich noch nicht. Ich habe erst heute Morgen erfahren, dass sie ihn kennt.«

»Wenn Pfister unser Mann ist, kannst du davon ausgehen, dass sie dir in seinem Auftrag hinterherspioniert.«

Stimmte das? Erklärte das auch den Hass, den Rosa in den Augen der Hausdame gesehen hatte? Setzte sie, Rosa, mit Pfister auf den richtigen Mann?

»Wie schätzt Ari die Situation ein?«, fragte Rachel weiter.

Rosa versuchte, ihre Stimme so gelassen wie möglich klingen zu lassen, als sie sagte: »Er ist noch nicht da, aber unser Freiburger Kontaktmann hat ihn für heute angekündigt.«

»Du bist allein?«

Rachel mühte sich um einen ruhigen Ton, aber Rosa spürte ihre Sorge. Sie schloss die Augen, sie sah Rachels Raubtierblick vor sich und ihren mit jeder Faser kampfbereiten Körper. Zum Angriff bereit wie früher, wenn sie die kleine Schwester in Gefahr glaubte. Früher ...

»Nicht mehr lange.«

»Du musst dir Verbündete suchen, hörst du?«, redete Rachel weiter, ohne Rosas Einwand zu beachten. »Ist noch jemand vom alten Personal auf der Bühlerhöhe? Du weißt, wie sehr sie Großvater immer hofiert haben. Was ist mit

Lepold, dem Oberkellner? Der hat nicht nur Großvater, sondern auch uns beide sehr gemocht. Eine ehrliche Haut, etwas Seltenes in der Hotellerie. Erinnerst du dich?«

»Natürlich.« Lepold war alt geworden und schon lange nicht mehr Oberkellner. Als Hausdiener schlurfte er durch die Flure der Bühlerhöhe. Rosa war ihm aus dem Weg gegangen. Man hatte sie nicht hergeschickt, um an alte Zeiten anzuknüpfen. Dass Lepold ihr helfen könnte, auf die Idee war sie noch gar nicht gekommen.

»Er war uns immer wohlgesinnt«, fuhr Rachel fort. »Frag ihn über die Hausdame aus. Er hat seine Augen und Ohren überall, er weiß alles. Und was die Hausdame und Pfister angeht, musst du vorsichtig sein, hörst du? Ich verstehe nicht, wieso Oz dich mit so einem heiklen Auftrag alleinlässt«, brach es aus ihr heraus. »Er benutzt dich wie eine Schachfigur. Mach, dass du da wegkommst! Kehr zurück nach Israel!«

Nach von Droste war Rachel die Zweite, die sie nach Hause schicken wollte. »Spätestens heute Abend ist Ari auf der Bühlerhöhe«, wiederholte sie.

»Der kommt nicht«, rief Rachel aufgebracht. »Den gibt es doch gar nicht, sie lassen dich ganz allein.«

Rosa hörte das Rauschen und ein gelegentliches Knattern in der Leitung und presste sich den Hörer fester ans Ohr. Rachels Fürsorge rührte sie. Aber Rachel war weit weg und nicht mehr in allem die Alte. Das Grauen der Lager hatte ihren Kampfgeist gebrochen und Schmerz und Zweifel gesät.

Dass am Ende des Gesprächs Rosa die Schwester beruhigen musste, war neu in ihrer Beziehung. Aber sie selbst hatte sich auch verändert. Nachdem Rachel Omarim verlassen hatte, war sie langsam, aber stetig aus dem Schatten der Schwester getreten. Ihre Stimme in der Kibbuz-Versammlung gewann an Gewicht, die Kibbuznikim schätzten ihre ruhige und besonnene Art. Sie übernahm die Molkerei, und neben dem Schießtraining war ihr vor zwei Jahren auch die

Außenvertretung des Kibbuz anvertraut worden. Oz hatte ihr diesen Auftrag gegeben, nicht weil sie Rachels kleine Schwester, sondern weil sie Rosa war.

Bühlerhöhe

Die Goldberg habe sich vor einer Stunde ein Taxi nach Bühl bestellt, erfuhr Sophie Reisacher auf Nachfrage vom jungen Morgenthaler. Eine halbe Stunde Fahrt bis Bühl, Minimum eine halbe Stunde für das, was sie in Bühl erledigen wollte, blieb noch eine sichere halbe Stunde. Die Zeit musste Sophie für eine erneute Durchsuchung des Zimmers nutzen, denn für sie blieb die Goldberg der Dreh- und Angelpunkt für Nourridines mysteriöses Verschwinden. Sie ließ die Tür einen Spalt auf, lauschte auf jedes Knarzen der Flurdielen. Sie durfte sich nicht wieder überraschen lassen. Ein zweites Mal würde die Goldberg ihr die Geschichte mit der Glühbirne oder dem fehlenden Seifenstück – Ausrede Nummer zwei – nicht glauben, sie würde sich möglicherweise deswegen sogar beim Direktor beschweren, der wie alle Männer auf ihren Rehblick hereingefallen war. Und das wäre mehr als unangenehm. Mit Argusaugen und flinken Fingern durchsuchte sie erneut das Zimmer. Neu hinzugekommen war lediglich das Päckchen, das die Goldberg aus Freiburg mitgebracht hatte. Verpackt, verschnürt und scheinbar unberührt stand es neben den Schuhen im Schrank. Bei genauer Betrachtung entdeckte Sophie Knickstellen im Papier, wie sie entstehen, wenn Papier ein zweites Mal gefaltet wird. Das Päckchen war also sorgfältig aus- und wieder eingepackt worden. Nach einem Kontrollblick in den Flur entknotete sie die Schnur, wickelte das Papier ab und hielt ein grob gezimmertes, billiges Holzkästchen in der Hand. Ein Holzkästchen, das leer war und nach Motorenöl stank. Sie packte es wieder ein, stellte es in den Schrank und gelangte über Flur und Treppe zurück zur Rezeption.

Was immer in dem Päckchen gewesen war, nach einem Geschenk für den Gatten sah es nicht aus. Was also hatte die Goldberg aus Freiburg mitgebracht? Trug sie, was immer es war, in der Handtasche bei sich? Übergab sie es gerade in Bühl an wen auch immer?

Herr Eiligmann, der Impresario des Trios, das das Sommerkonzert zu Ehren des Kanzlers bestreiten würde, unterbrach ihre Gedanken. Er brachte zwei Ankündigungsplakate mit und wollte das Klavier testen, um zu entscheiden, ob der Klavierstimmer bestellt werden müsste. Sie führte ihn ins Spielzimmer, damit er seine Arbeit erledigen konnte.

Wieder zurück, wartete der alte Hausdiener Lepold auf sie und drückte ihr ein Blatt Papier in die Hand.

»Ich hab sie g'funden«, sagte er nur und schlurfte wieder davon.

»Unter den Ulmen, Köln-Marienburg«, las sie in sorgfältig gemalten Sütterlin-Buchstaben. Die damalige Adresse des alten Herrn Silbermann. Sie hatte Lepold gebeten, sie aus den im Keller gelagerten früheren Gästebüchern herauszusuchen.

Sie legte den Zettel in die oberste Schublade ihres Schreibtisches und widmete sich in der nächsten Stunde dem Personalplan des kommenden Monats. Fünf der Zimmermädchen hatten Ernteurlaub eingereicht. Erst das Heu, dann die Kirschen, gefolgt von Weizen, Zwetschgen und Äpfeln, zum Schluss die Weinlese. Es ärgerte sie jedes Jahr, dass sie in der Hauptsaison wegen der ganzen Ernten immer wieder mit Personal jonglieren musste. Und wenn dann noch eine wegen Krankheit ausfiel, dann musste sie auch mal selbst Betten machen. Vielleicht sollte sie zukünftig nur noch Heimatvertriebene ohne Haus und Hof einstellen? Nein, zukünftig würde sie niemanden mehr einstellen, denn zukünftig würde sie verheiratet sein und die Bühlerhöhe verlassen haben und, wenn überhaupt, nur noch als Gast hierher zurückkehren.

Es juckte sie in den Fingern, eine der Zeitschriften durchzublättern, die sie gesammelt hatte, weil ihr die dort abgebildeten Einrichtungsvorschläge für Wohnungen gefielen und sie in Gedanken gerne ihre und Xaviers Wohnung plante. Leicht und frisch sollte alles sein. Ganz modern, unbelastet von allem alten Kram. Keine altdeutsche Eiche, keine schweren Vorhänge, keine sperrigen Polstermöbel, keine düsteren Tapeten wie in der Wohnung der Eltern oder in der, die man Rüdiger und ihr nach der Heirat, im Rahmen der Arisierung von Wohnraum, möbliert zugewiesen hatte. Hell vor allem. Bunt und freundlich. Vorhänge und Tapeten mit Mondrian-Mustern, einen Nierentisch, Drahtsessel von Knoll, eine Etagenbank für Gummibaum und Bogenhanf. Und natürlich einen Radioschrank! Zukunftsmusik. Noch. Erst die Pflicht, dann das Vergnügen, entschied sie und fügte noch ein paar Korrekturen in den Personalplan ein.

Mit dem Blatt in der Hand kehrte sie zur Rezeption zurück und wies gerade den jungen Morgenthaler an, ihn im Aufenthaltsraum der Zimmermädchen auszuhängen, als ein neuer Gast das Foyer betrat. Großgewachsen, sehnig, um die vierzig. Eigensinniges Kinn, hinter Brillengläsern tiefschwarze Augen, die sich nicht einfach ergründen ließen. Er roch nach Metropolen und nach internationalem Parkett.

»Willkommen auf der Bühlerhöhe«, zwitscherte Sophie und schlug das Gästebuch auf. Ein einzelner Gast war für heute nicht angemeldet. Aber die wirklich interessanten Gäste waren immer die überraschenden. »Was kann ich für Sie tun, mein Herr?«

»Mein Name ist Goldberg, meine Frau erwartet mich.«

Seine Stimme, ein rauer, heiserer Tenor, bescherte Sophie eine leichte Gänsehaut. Um ihre Überraschung zu verbergen, schob sie ihm geschäftig das Anmeldebuch hin und bat um seinen Pass. Professor Ariel Goldberg, geboren 1910 in Berlin, wohnhaft in Safed, Israel, genau wie die Goldberg. Den Gatten gab es wirklich! Er stand leibhaftig vor ihr.

»Ihre Frau Gemahlin ist leider nicht im Haus, bestimmt

aber zum Diner um halb acht zurück. Ich weise den Kellner an, dass er auf ihrem Tisch ein zweites Gedeck auflegt«, erklärte sie nach kurzem Zögern. Sie reichte ihm den Pass zurück, nahm den Zimmerschlüssel von der Leiste, rief einen Pagen für das Gepäck herbei und inspizierte, während der Mann sich ins Gästebuch eintrug, mit geübtem Seitenblick unauffällig seine Hand: Er schrieb mit der linken. Gepflegt war sie, feingliedrig wie die eines Arztes und wies keine Spur von körperlicher Arbeit auf. Seine rechte Hand steckte in der Hosentasche. Mit Absicht? Wollte er ein paar im Krieg verlorene Finger verstecken? Oder seinen Ehering nicht zeigen?

Bühlerhöhe

»Ihr Gatte ist angekommen«, verkündete der kleine Morgenthaler bei Rosas Rückkehr aus Bühl aufgeregt. »Er erwartet Sie in der Rundhalle.«

Wäre es die Reisacher gewesen, die ihr dies mitteilte, sie hätte die Auskunft für einen weiteren ihrer intriganten Schachzüge gehalten, aber Otto Morgenthaler strahlte sie so freudig an, dass sie ihm glauben musste. Er machte mit dem Kopf eine aufmunternde Bewegung in Richtung Rundhalle, und sie drehte sich langsam um. Das Licht, das von der Hirschterrasse auf den Marmorboden fiel, blendete Rosa. Im ersten Moment war Ari ein Schattenriss vor sich bauschenden Vorhängen, umweht von Klaviermusik, die aus dem Spielzimmer in die Rotunde drang. Auszüge aus einem Beethoven-Trio, Rosa erkannte das Stück. Rachel, Nathan und ein unbekannter Cellist hatten es einmal in Omarim gespielt.

»Rosa.« Der Schatten trat auf sie zu. »Wie schön, dich zu sehen.« Seine Umarmung ließ sie zusammenzucken, und sie war steif wie ein Brett, als er ihre Wangen mit zwei Küssen streifte. »Entschuldige die Verspätung, aber ich konnte nicht früher kommen.«

Sie nickte mechanisch wie dieses Spendendosen-Neger-lein, das sie als Kind gesehen hatte, als sie ihre Freundin An-nemi in den Dom begleitete.

»Nimm meinen Arm«, bat der Mann leise, aber bestimmt auf Hebräisch, während er die Umarmung löste. »Dann lass uns unauffällig auf unser Zimmer gehen. Wir stehen hier mitten auf dem Präsentierteller.«

Rosa nickte wieder und hakte sich bei ihm ein. Das hätten sie mit mir üben müssen, dachte sie. Tilly hätte mit mir üben müssen, wie ich reagiere, wenn ich zwar nicht unerwartet, aber plötzlich einem wildfremden Mann gegenüberstehe, der der meine sein soll.

»Unseren Schlüssel hab ich schon«, erklärte der Mann, als sie an der Rezeption vorbeigingen.

Er führte sie ins Treppenhaus und drückte ihren Arm fest an den seinen, während sie die breite Wendeltreppe hoch zum dritten Stock stiegen. Er schloss die Tür auf, ließ ihr den Vortritt, folgte, drehte den Schlüssel zweimal um, so wie sie es auch immer tat. Rosa registrierte den fremden Koffer und die Kuhle im Kopfkissen des zweiten Betts.

»Hätte ich lieber hier auf dich warten sollen?«, fragte er wieder auf Deutsch und setzte sich in einen der Sessel. »Du wirkst ziemlich überrascht.«

»Überrascht?«, wiederholte Rosa und spürte, wie sich in die Erleichterung, dass er endlich da war, Wut darüber mischte, dass er sie so lange alleingelassen hatte. »Wieso sollte ich wohl überrascht sein? Du kommst doch nur fünf Tage zu spät. Hast es nicht für nötig befunden, irgendein Lebens-zeichen zu schicken.«

»Jetzt bin ich ja da«, sagte er und stand wieder auf, weil sie sich bisher nicht gesetzt hatte.

»Ich hab dich für ein Phantom gehalten.« Zum ersten Mal betrachtete Rosa den Mann genauer. Das also war Ari. Der mit allen Wassern gewaschene Mann von Welt. »Wo hast du gesteckt?«

»Du weißt von dem Desaster in Paris, nehme ich an?«

Rosa nickte. »Wieso konnte euch der sechste Mann entkommen? Weißt du, wer er ist?«

»Ich berichte, sowie wir Zeit dafür haben. Aber erst musst du mich auf den aktuellen Stand bringen. Vom Rezeptionisten habe ich erfahren, dass wir gleich zu einer Soiree bei Doktor Neuhaus eingeladen sind. Der berühmte Nervendoktor, dem Adenauer vertraut. Auch der Kanzler kommt heute Abend, hat mir der junge Kerl zugeflüstert. Gute Arbeit, Rosa, dass du uns ein Entree zu diesem Empfang beschafft hast. Erzähl mir, was du sonst noch erfahren oder getan hast.«

Er fuhr sich mit der Hand durch das dichte Haar, setzte sich auf die Sessellehne und blickte sie neugierig an. Auch sie musterte ihn. Er sah ganz passabel aus. Zumindest was das anging, hatte Tilly ihr nicht zu viel versprochen. Endlich setzte sie sich.

»Es tut mir leid, dass ich dich so überrumpelt habe. Glaub mir, ich hatte keine Gelegenheit, mich vorher zu melden«, erklärte er, und sein Bedauern klang echt. »Also, wie ist der Stand der Dinge?«

Erst noch zögerlich, dann immer schneller sprudelten die Worte aus ihr heraus. Sie holte weit aus, schlug Haken und Wendungen, kehrte wieder zurück, wenn sie merkte, dass sie etwas vergessen hatte. Ari federte von der Sessellehne hoch und lief im Zimmer auf und ab, während er aufmerksam zuhörte und sie nur unterbrach, wenn er etwas nicht verstand oder genauer wissen wollte.

»Gut«, meinte er, nachdem Rosa ihren Bericht abgeschlossen hatte, und setzte sich wieder. »Kommen wir nun zum heutigen Abend. Da wir, laut Oz und Tilly, eine glückliche Ehe führen, müsstest du mal lächeln, Rosa. Dich freuen, dass ich endlich da bin, jetzt, wo du den Ärger über mein Zuspätkommen verdaut hast.«

Er sah ihr in die Augen. Seine waren von einem undurchdringlichen Schwarz. Sie hielt seinem Blick stand.

»Nun ja«, seufzte er, sprang wieder auf und setzte das Auf-und-ab-Gehen fort. »Auch eine glückliche Ehe ist nicht frei von Konflikten. Also, worüber streiten wir, außer über mein ewiges Zuspätkommen? Was lieben wir am anderen am meisten? Wie ist unsere Wohnung in Safed eingerichtet? Was für Expeditionen haben wir neben der nach Masada noch gemeinsam gemacht? Der Teufel steckt im Detail, musst du wissen. Apropos, wie haben wir uns kennengelernt? Das ist eine beliebte Frage auf Partys.«

Stück für Stück bastelten sie sich gemeinsam ein Phantasieleben zusammen. Rosa anfangs noch zögerlich, dann aber mit mehr und mehr Einsatz. Es erinnerte sie an die Stell-dir-vor-ich-wäre-Spiele, die sie als Schulkind mit heller Begeisterung gespielt hatte. Irgendwann setzte Ari einen Schlusspunkt hinter die Herumspinnerei. »Wir müssen uns noch umziehen und sollten nicht zu spät kommen. Denn Pünktlichkeit ist …«

»… eine deutsche Tugend«, ergänzte Rosa, und wenn auch verhalten, lachten sie zum ersten Mal gemeinsam.

Rosa wählte ein mauvefarbenes, eng auf Taille geschnittenes Cocktailkleid, unter dem sie einen dieser neumodischen Petticoats trug. Dazu eine Stola aus federleichtem nilgrünem Alpakawollstoff. Sie zog sich mit dem Kleid ins Bad zurück und schloss die Tür ab. Die glückliche Ehe war schließlich reine Theorie, Ari ein fremder Mann, der sie auf keinen Fall in Unterwäsche sehen sollte. Genauso wenig wie sie ihn! »Bist du auch fertig?«, rief sie laut, nachdem sie eine Viertelstunde später mit ein paar Spritzern Secret d'Orient ihre Toilette beendete.

Er erwartete sie in einem Sessel sitzend und stand auf, als sie aus dem Badezimmer trat. Sein Smoking saß wie angegossen.

»Es ist mir ein Vergnügen, dein Mann zu sein.« Kurz und spielerisch küsste er ihre Hand, und zum ersten Mal kam er Rosa wirklich wie ein Mann von Welt vor.

»Hast du meinen Ehering mitgebracht? Bei meinen Unterlagen war keiner dabei.«

»Nein.« Rosa war überrascht. Davon war in allen Gesprächen mit Oz' Leuten nie die Rede gewesen. »Und jetzt?«, fragte sie.

»Ich schlage vor, dass ich ihn bei den Grabungsarbeiten am Toten Meer verloren habe«, meinte Ari. »Das passt doch zu einem Archäologen.«

Ari strahlte wie einer, dem gerade ein netter Coup gelungen war, und in Rosas Kopf sagte Tilly: »Ein attraktiver Mann, ein großer Charmeur. Sei vorsichtig, wenn du für romantische Gefühle empfänglich bist.« Romantische Gefühle! Es war ewig her, seit sie so etwas empfunden hatte.

»Darf ich bitten, Frau Goldberg.« Er reichte ihr den Arm, und sie hakte sich mit festem Griff bei ihm unter.

Als sie, Seite an Seite, die Wendeltreppe hinunterschritten, spürte Rosa selbst unter den hochhackigen Pumps wieder festen Boden unter den Füßen. Zu gerne hätte sie zumindest für diesen Abend an das Märchen vom glücklichen Archäologenehepaar geglaubt.

Hundseck

Die Köche schrubbten die verkrusteten Herdflächen sauber und schickten mit viel Gepolter und Geschrei die letzten dreckigen Pfannen in die Spülküche, als Agnes sich ein spätes Abendessen abholte. Zwei Stück Brot und die Reste eines Hirschgulaschs knallte ihr der Saucier auf einen Teller und scheuchte sie mit einer ungeduldigen Handbewegung aus der Küche. Sie floh nach draußen, und dort traf sie fast der Schlag. Ausgerechnet die Gerda und die Rufina, ein anderes Zimmermädchen, saßen auf der Holzbank. Die Gerda häkelte eine Bordüre, und in Rufinas Stickrahmen konnte Agnes den ersten Buchstaben eines Monogramms ausmachen.

Die zwei rückten ein wenig zusammen und deuteten auf den freien Platz. Wenn Agnes auf die Schnelle eingefallen wäre, wo sie stattdessen ihr Gulasch essen könnte, sie hätte sofort die Biege gemacht. Sie hielt immer einen gewissen Abstand zu den Zimmermädchen, und unter diesen Umständen schien ihr das erst recht geboten. So aber setzte sie sich, löffelte das nur noch lauwarme Fleisch, bröckelte Brot in die Soße und kam sich wie ein Kaninchen in der Falle vor. Immer wieder schielte sie zu Gerda, die direkt neben ihr hockte und mit flinken Fingern Luftmaschen oder Stäbchen häkelte. Gerda tat so, als würde sie nichts mehr interessieren als ihre Bordüre.

Dann glitt Agnes' Blick hinüber zum Waldrand, wo sie sich vor zwei Tagen mit Walburg getroffen hatte. Hätte sie bloß den Schnabel gehalten! Wenn sie der Walburg nichts von dem Araber gesagt hätte, dann wäre der noch lebendig und schon wieder abgereist, dann würde Monsieur Pfister sie nicht mit seiner Fragerei verrückt machen, die Gerda hätte sie nicht mit ihm auf einem fremden Bett sitzen sehen und dächte jetzt nicht, dass sie … Der Walburg darf man so ebbes nie sagen, schimpfte sie stumm mit sich selbst. Weil die Walburg, die macht immer Nägel mit Köpf. Da kennt die nix. So wie mit den drei Rotzlöffeln vom Doninger-Bauern, die den Juden-Michel mit Drecksbollen beworfen haben. Den Arsch hat sie ihnen versohlt, allen dreien. Denn auf den Juden-Michel hat die Walburg nichts kommen lassen. Der beste Viehhändler weit und breit, und nur weil er ein Jud ist, sollt er jetzt ein Rosstäuscher sein? So was versteht doch kein vernünftiger Mensch. Hat Ärger kriegt, die Walburg, mit dem Ortsbauernführer Schaberle, droht hat er, dass er sie nach Achern in die Irrenanstalt Illenau steckt. Zeter und Mordio hat die Mutter geschrien. Aber weil der Vater dann für Volk und Vaterland gefallen ist und weil jeder im Tal die drei Doninger-Buben für Rotzlöffel g'halten hat, ist die Sach irgendwie im Sand verlaufen.

»Stille Wasser, Agnes, gell«, platzte Rufina heraus und biss den Faden ihrer Stickarbeit mit den Zähnen ab. »Dass ausgerechnet du was mit dem feinen Schweizer Monsieur ...«

»Gar nix hab ich mit dem«, greinte Agnes. »Das war nur, weil der was über den toten Araber hat wissen wollen.«

»Tot ist der?«, wiederholte die Gerda mit wagenradgroßen Augen, und die Nadel in ihrer Hand hörte auf, Luftmaschen und Stäbchen zu häkeln.

»Das glaubt Monsieur Pfister«, ruderte Agnes zurück. »Weil der doch jetzt schon so lang verschwunden ... und sein Pass liegt in seinem Zimmer ... und da muss man doch mit dem Schlimmsten rechnen. Deshalb hab ich ihm doch das Zimmer von dem Araber aufsperren müssen.«

»Umbracht hat man den? Jesses, Maria und Josef!« Rufina legte den Stickrahmen zur Seite und riss von der Garnrolle einen neuen Faden ab.

»Des weiß noch keiner so recht. Aber nach der langen Zeit, und dann kein Lebenszeichen ... Sogar die Bergwacht hat nichts gefunden, gar nichts!«

»Aber wieso denkt der Monsieur, dass du ...«, wollte Gerda wissen und rollte die Häkelwolle wieder um den Finger.

»Weil ich an dem Tag im Wald war. Der Hartmann hat mich rüber auf die Bühlerhöhe g'schickt. Mit Kernseife für die Wäscherei. Aber ich hab nur die Schüss g'hört. Ihr wisst, wie groß der Bretterwald ist.«

Die beiden Zimmermädchen nickten.

»Nur zum Erzählen hast du mit dem auf dem Bett g'sessen?« Die Rufina leckte den Faden ab. »Hat er nix anderes von dir wolle?« Sie schob den Faden ins Nadelöhr und bewegte ihn mit einem schmierigen Lächeln ein paarmal vor und zurück, bevor sie ihn ganz durchzog.

Agnes schüttelte panisch den Kopf. Die Zimmermädchen nickten verständnisvoll, aber zumindest Rufinas Blick sagte, dass sie so ihre Zweifel hatte. »Machen Sie sich nie mit den Zimmermädchen gemein, die haben alle eine dreckige Phantasie«, predigte ihr Hartmann jedes Mal, wenn wieder irgendwelche Bettgeschichten von Gästen die Runde unter den Angestellten machten.

»Ich glaub der Agnes.« Die Gerda häkelte wieder Stäbchen und Luftmaschen.

Sie war gutmütiger als die Rufina. Warum hatte sie ausgerechnet der Rufina …? Sie hätte wirklich ihr Maul halten können!

»Du weißt schon, dass Monsieur und Madame Noeckerli …«, fuhr Gerda fort.

Agnes starrte die Gerda mit offenem Mund an. »Aber, aber«, stotterte sie. »Die Noeckerli ist doch eine alte Frau. Die ist mindestens sechzig!«

»Ja, glaubst, da geht nix mehr?« Rufina machte einen Knoten in den Faden. »Auch im Alter kann dich noch der Hafer stechen.«

»Die macht jeden Morgen Gymnastik in ihrem Zimmer. Wie Leni Riefenstahl«, erzählte die Gerda.

»Außerdem …« Die Rufina nahm wieder den Stickrahmen in die Hand.

»… hat die Noeckerli Geld wie Heu«, vollendete die Gerda den Satz.

»Schöner Gigolo, armer Gigolo«, summte die Rufina und stach auf ihr Leinen ein.

Monsieur Pfister? Nein, das konnte nicht sein. »Ihr denkt, er ist so einer?«, stammelte Agnes.

»So sicher wie das Amen in der Kirche.«

Die beiden blickten von ihrer Handarbeit auf und sahen Agnes an wie eine, die nicht bis drei zählen konnte.

»Weiß das der Hartmann?«, fragte Agnes weiter.

»Solang einer seine Rechnungen zahlt und vornehm genug daherkommt, juckt's den Hartmann nicht, wo er's Geld dafür herhat«, erklärte die Rufina. »Außerdem: Über so was schwätzen wir nicht mit dem Hartmann.«

»Auch nicht über …?« Agnes verstummte. Sie wusste einfach nicht, wie sie herausfinden konnte, ob die beiden Hartmann etwas über sie und Monsieur Pfister sagen würden.

Die Gerda legte kurz ihre Häkelarbeit beiseite und tätschelte ihr den Oberschenkel. Sollte das heißen, mach dir keine Sorgen?

»Sag mal, und der Hartmann selber?«, fragte die Gerda dann. »Lebt er wie ein Mönch oder …?«

Die zwei hatten ihr etwas über Pfister erzählt, jetzt wollten sie von ihr etwas über Hartmann erfahren. Eine Hand wäscht die andere. Und in diesem Fall fiel Agnes das Händewaschen gar nicht schwer. »Er hofiert die Frau Reisacher von der Bühlerhöhe«, erzählte sie bereitwillig. »Deshalb hat er mich doch mit der Kernseife … Sie ist sehr schön für ihr Alter. Die kann den Männern immer noch den Kopf verdrehen.«

»Jesses«, regte sich die Gerda auf. »Ausgerechnet die Reisacher? Dann lass uns beten, dass das nix wird. Die ist eine richtige Beißzange, ein Drachen, eine Hundertfünfzigprozentige. Die setzt dich vor die Tür, wenn zwei Handtücher nicht akkurat nebeneinanderhängen. Ihr kennt doch die dicke Emma aus dem Längenberg? Der ist das genau so passiert. Das wird die Hölle auf Erden, wenn die Reisacher hier das Regiment übernimmt.«

»Also darf das nichts werden zwischen der und dem Hartmann«, folgerte die Rufina. »Da musst du ein Auge drauf haben, Agnes. Versprich's!«

Die Reisacher wollte sowieso nichts vom Hartmann, da war sich Agnes sicher, also fiel es ihr nicht schwer, überzeugt zu nicken.

»Und jetzt holst du uns drei Gläsle Eierlikör«, fuhr die Rufina fort. »Und dann vergessen wir die ganze Sach …«

Die Dame des Hauses öffnete ihnen die Tür. Klein war sie
wie Neuhaus, aber im Gegensatz zu ihm kugelrund, mit
einem silbrigen Dutt, rosa Bäckchen und der zarten Haut
eines Pfirsichs. Ari hatte sich vom jungen Morgenthaler noch
eine Flasche Cognac besorgen lassen, die er ihr galant überreichte. Blumen wären auch nicht schlecht gewesen, dachte
Rosa, aber an Gastgeschenke hatte sie keinen Gedanken ver-
schwendet.

Frau Neuhaus führte sie in einen Salon, der mit Sesseln
und Chaiselongues, mit Chintz bespannt, möbliert war. An
den Wänden prangten Ölgemälde in barocken Rahmen, natürlich von Leibl und Malern aus seinem Kreis. Der Flügel
war an der Fensterfront platziert, durch die man den Klinik-
park sah. Die Tür zur Terrasse stand offen, Rosa machte die
Silhouette von Neuhaus und die hagere Gestalt des Kanzlers aus. Neben dem Kanzler wirkte Neuhaus noch kleiner,
als sie ihn in Erinnerung hatte. Frau Neuhaus stellte sie den
anderen Gästen vor: den Schweizer Damen, die Rosa bereits
vom Sehen aus dem Hundseck kannte, den drei schwerge-
wichtigen Amerikanerinnen aus der Bühlerhöhe, einem Ehepaar Kaltenbach aus Baden-Baden, einem Doktor Keller aus
Genf. Frau Neuhaus wies das Serviermädchen an, ihnen ein
Glas Sekt zu servieren, forderte Ari und Rosa auf, sich mit
Käsehäppchen und den Schälchen mit Krabbencocktail zu
bedienen. Die Türglocke läutete, die Dame des Hauses entschuldigte sich.

Sie waren mit Abstand die jüngsten Gäste. Rosa bemerkte
die taxierenden, durchaus wohlwollenden Blicke, mit denen
sowohl die Amerikanerinnen als auch die Schweizer Damen
Ari musterten. Frau Neuhaus brachte neue Gäste herein,
der Doktor kehrte mit dem Kanzler zurück in den Salon.
Hinter ihnen betraten von Droste und Adenauers Tochter
den Raum. Er nickte Rosa zu und schickte ein amüsiertes

Lächeln in ihre Richtung. Wieder Hände schütteln, für jeden ein freundliches Wort des Kanzlers, dann bat Neuhaus, Platz zu nehmen. Er dirigierte die einen nach rechts, einen anderen nach links, gefiel sich in der Rolle des Zeremonienmeisters. Als alle saßen, folgten ein paar knappe Begrüßungworte, dann ein längeres Referat über die Gesundheit von Körper und Geist, über die Bedeutung von Kunst und Musik und wie sich doch alles zu einem großen Ganzen fügte. Zum Schluss wandte er sich direkt an Adenauer:

»Es ist uns eine Riesenfreud, dass Sie uns die Ehre geben, Herr Bundeskanzler. Meine Frau ist aufg'regt wie ein Backfischl, weils' für Sie spielen darf!« Und für alle fügte er hinzu: »Nach dem Konzert wird sich der Doktor Adenauer schnell expedieren, was nicht am Spiel meiner Frau liegen wird. So gern ich ihn als Gastgeber länger in unserer Runde hätt, als sein Arzt rat ich ihm zu strikter Ruhe. Wenigstens ein paar Tage im Jahr sollt er mal mehr als acht Stundn schlafn können. Bei Ihnen anderen hoff ich aber sehr, dass Sie hinterher noch auf ein Glasl bleiben.«

Frau Neuhaus setzte sich an den Flügel, die Bäckchen noch eine Spur roter, der Doktor stellte sich schräg hinter sie, um ihr die losen Notenblätter umzudrehen. In Rosa tauchte ein vertrautes Bild aus längst vergangener Zeit auf. Im Hause Silbermann hatte die Mutter Rachel immer mit den Notenblättern geholfen. Die kleine Frau Neuhaus pflegte einen zarten, verhaltenen Anschlag, Rachel hatte die »Träumerei« damals mit mehr Verve und Tempo gespielt. Der Kanzler saß in der ersten Reihe, seine Tochter neben ihm, auf seiner anderen Seite das Ehepaar Kaltenbacher. Von Droste hatte die Tür zur Terrasse geschlossen und sich dann an der Tür zum Flur postiert. Kurz trafen sich ihre Blicke.

Rosa zuckte zusammen, als Ari seine Hand auf ihr Knie legte, dann aber spielte sie die liebende Gattin und legte ihre Hand auf die seine. Rachel hatte an Großvaters achtzigstem Geburtstag so gestrahlt. Ben war damals gerade mal zwei gewesen und unter dem Tisch herumgekrabbelt, der Vater hielt eine Rede, die Mutter trug ein neues Kleid aus silbergrauem Chiffon, in dem sie ungeheuer elegant wirkte, und sie roch nach diesem wunderbaren Fleur de Muguet, dessen Duft Rachel und sie über alles liebten. Rachel teilte mit Rosa ein Stück Plava, was Rosa wieder mit ihr versöhnte. Bei der Geburtstagstorte, einer Schwarzwälder Kirsch, hatte sich die Köchin selbst übertroffen. Berge von Schlagsahne und Schokolade, dazwischen Sauerkirschen. Später erzählte Rabbi Finkelstein Witze, die Rosa nicht verstand, Tante Debora trank zu viel Perlwein und sang den Honolulu-Lenz. Es war so ein fröhliches, so ein lustiges Fest gewesen! Und jetzt waren außer Rachel und ihr alle Geburtstagsgäste tot. Bis auf Vater und Großvater hatte man sie alle ermordet. Rosa schrak auf, als Ari ihr seine Hand entzog, um zu applaudieren. Wieder einmal hatte sie sich in ihren Erinnerungen verloren. Sie musste sich zusammenreißen.

Die Dame des Hauses wurde mit Glückwünschen überschüttet, der Kanzler sprach mit den Amerikanerinnen, Ari neben ihr plauderte mit den Schweizer Damen. Rosa betrachtete die Bilder an den Wänden, als von Droste auf sie zukam. Sie stand auf.

»Der Kanzler geht jetzt wirklich schlafen«, flüsterte er ihr ins Ohr. »Und morgen Vormittag schwimmt er im Hundseck.«

Sie nickte und griff nach Aris Arm, der nun ebenfalls aufstand. »Darf ich Ihnen meinen Mann vorstellen?«

»Frisch aus Paris eingetroffen, wie ich höre.« Von Droste schlug die Hacken zusammen. »Ich hoffe, dass Sie all Ihre … Geschäfte erledigen konnten.« Die Pause vor »Geschäfte« war lang genug gewesen, um das Wort doppeldeutig klingen zu lassen.

»Ich weiß nicht, wie viel Sie von Archäologie verstehen«, erwiderte Ari ohne die geringste Spur von Verunsicherung. »Aber in unserem Metier ist die Quellenforschung in einigen

Fällen erstaunlich diffizil. Das dauert manchmal länger als geplant.«

Rosa spürte eine ungeheure Erleichterung. Ari beherrschte tatsächlich die Kunst, mit so einem wie von Droste die Klingen zu kreuzen. Ihm fehlten nicht, ganz anders als ihr, die Worte. Er parierte einen Angriff geschliffen und gekonnt.

»Leider muss ich mich schon entschuldigen«, erwiderte von Droste nach einem Blick auf Adenauer. »Der Bundeskanzler will sich zurückziehen.«

»Masada, erzählte Ihre Frau, die alte Herodes-Festung«, knüpfte der Doktor an das Gespräch an, nachdem er den Kanzler und seine Entourage verabschiedet hatte.

Fast bedauerte Rosa von Drostes Rückzug. Zu gerne hätte sie den beiden Männern weiter zugehört und sich von Ari das ein oder andere abgeschaut.

»Wie weit sind Sie mit den Ausgrabungen? Haben Sie bereits Festungsreste gefunden?«, wollte Neuhaus wissen und deutete auf zwei Fauteuils.

Wahrscheinlich saß er lieber, vermutete Rosa, weil dann nicht auffiel, wie klein er war.

»Wie Sie vielleicht wissen, gab es die ersten Hinweise auf die Existenz der Festung bereits 1838, der amerikanische Gelehrte Edward Robinson hat darüber geschrieben«, holte Ari aus, nachdem sie sich gesetzt hatten. »Ich war in Paris, weil ich Originaldokumente des französischen Gelehrten de Saulcy einsehen wollte, der glaubte, 1851 den sogenannten Schlangenpfad entdeckt zu haben. Seit unserer Expedition weiß ich, dass er sich geirrt hat, weil dieser Pfad viel weiter nördlich verläuft. De Saulcy hat wahrscheinlich über die römische Rampe den Berg erklommen. Sie wissen schon, dass die Festung auf einem schwer zugänglichen Bergplateau inmitten der Wüste liegt?«

Ari war ein Profi, das hatten Oz und Tilly mehrfach betont, und Rosa merkte, was für ein Vergnügen es sein konnte, einen Profi bei der Arbeit zu begleiten. Mittlerweile hatten sich andere Gäste zu ihnen gesellt. Einige blieben stehen, andere setzten sich auf die Chaiselongue. Wie souverän Ari über die Masada-Forschung plauderte. Als wäre er tatsächlich ein Archäologe. Wie elegant er die Amerikanerinnen und Schweizerinnen in das Gespräch einband. Es erleichterte Rosa, dass er und nicht mehr sie im Mittelpunkt des Interesses stand.

»Was Sie vielleicht aber nicht wissen, ist, welche Bedeutung Masada für die jüdische Geschichte hat«, fuhr er fort. »Auf Masada soll eben nicht nur die Herodes-Festung gestanden haben, es soll auch der letzte Rückzugsort der Zeloten gewesen sein, die gegen die Römer für ein freies Judäa kämpften. Flavius Josephus hat über den erbitterten Kampf in Masada geschrieben, auch darüber, dass die Zeloten, als die Schlacht verloren war, den Freitod wählten, anstatt sich in Gefangenschaft zu begeben. Für alle Masada-Forscher, und ganz besonders für mich als jüdischen Forscher, geht es darum, herauszufinden, ob Josephus in seinem Bericht die Wahrheit schrieb. Wenn wir nicht nur die Reste der Herodes-Festung, sondern auch Spuren der Zeloten finden können, käme dies einer Sensation gleich. Die Bedingungen dafür sind gut, denn das Wüstenklima konserviert vieles, aber für die Ausgrabungsarbeiten fehlt uns noch der rechte Zugang zum Berg.«

Oz hätte seine helle Freude gehabt, wenn er hören könnte, wie Ari über jüdische Geschichte sprach. Rosa kam aus dem Staunen nicht mehr heraus.

»Wir sind Kämpfer, immer gewesen«, fuhr er fort.

Vor allem die Damen hingen förmlich an seinen Lippen. Noch vor zehn Jahren hätten sie sich vermutlich angewidert abgewandt und ihn anschließend denunziert.

Rosa sah in die mit Selbstzufriedenheit gepuderten Gesichter und wandte sich ab. Keiner der Anwesenden war für seine jüdischen Nachbarn eingestanden, keiner hatte seine jüdischen Geschäftspartner verteidigt. Alle hatten sie mitgemacht. Alle, alle, alle.

Rosa brauchte frische Luft, sie löste sich aus dem Kreis,

schlenderte zur Terrassentür, die wieder offen stand, und trat hinaus in den kühlen Abend. An der Brüstung lehnte Doktor Keller aus Genf, der sich wohl weder für Archäologie noch für jüdische Geschichte interessierte. Er musste sie gehört haben, doch er drehte sich nicht für einen kurzen Gruß zu ihr um, er ignorierte sie. Auch recht. Sie musste nicht reden. Ihr tat die Stille gut. Sie schlang sich die Stola um den Hals und betrachtete den halben Mond, der, eingebettet in ein Meer von Sternen, über der großen Eiche stand.

»Ach, da sind S', Frau Professor!«

Neuhaus trat auf die Terrasse, und noch vor ihr drehte sich Doktor Keller um. Schnell ging er auf Neuhaus zu und flüsterte ihm etwas ins Ohr. Neuhaus nickte, seufzte, nickte wieder und sagte dann: »Geben S' mir noch zehn Minuten, Herr Kollege. Ich hab der Frau Professor versprochen, ihr meine Bilder zu zeigen.«

Er war nicht bei der Sache, als er ihr im Salon, im Speisezimmer, in der Bibliothek weitere Leibls, Schuchs und Trübners zeigte. Natürlich sprach er über die Bilder, aber ohne jede Begeisterung. Zwischendurch ließ er immer wieder seine Taschenuhr aufschnappen.

»Entschuldigen S', Gnädigste«, sagte er, als sie in den Salon zurückkehrten, wo Ari immer noch von den anderen Gästen umringt wurde. Keller ging sichtbar ungeduldig auf der Terrasse auf und ab. »Aber der Kollege hat sich ganz überraschend angekündigt und ist pressant. Vielleicht findet sich bei Ihrem nächsten Termin Gelegenheit? Fräulein Irmtraut hat Ihnen doch einen gegeben, oder?«

Rosa bestätigte das und fragte: »Ihr Kollege ist auch ein Experte in Zellulartherapie?«

»Na, na«, wehrte er ab. »Der ist Experte in einem Bereich, den eine Frau wie Sie noch weniger braucht als meine Frischzellen. Außer …«, in seinen Augen blitzte wieder dieser Funke Bösartigkeit auf, »Sie wollten ein ganz neuer Mensch sein.«

»Wie bitte? Ich verstehe …«

»Rosa«, rief Ari da und winkte sie zu sich. »Komm her. Die Geschichte mit dem verlorenen Ehering musst du erzählen.«

Keller trat in den Salon, kam auf Neuhaus zu, Neuhaus wies auf sein Arbeitszimmer und wirkte alles andere als erfreut. Musste sie mehr über diesen Keller erfahren? Oder lenkte er sie nur auf einen weiteren Nebenschauplatz, der für ihren Auftrag bedeutungslos war?

»Rosa!«, wiederholte Ari.

»Erzähl du«, bat sie und gesellte sich wieder zu der großen Runde. »Du kannst viel besser erzählen als ich.«

Ari stand auf, legte den Arm um ihre Schultern und schmückte die Geschichte, die sie sich vor wenigen Stunden ausgedacht hatten, mit vielen Details aus. »Kurzum«, endete er. »Obwohl ich stundenlang im heißen Sand danach gegraben habe, der Ring blieb verschwunden.«

»Nicht nur du, auch ich hab danach gesucht«, ergänzte ihn Rosa.

»Natürlich, entschuldige, meine Liebe.« Ari küsste ihr die Hand.

»Es ist doch kein gutes Omen, wenn einer den Ehering verliert«, erklärte sie.

»Lassen Sie sich nicht von solche Aberglauben verruckt machen«, warf eine der Amerikanerinnen ein. »Ein Ring ist immer nur ein Ring, *that's all.*«

»Lassen Sie ihn nachmachen«, schlug eine der Schweizer Damen vor. »In Baden-Baden gibt es diesen vorzüglichen Juwelier Kupfermüller. Der kopiert Ihnen jeden Ring! Neulich habe ich ihn Monsieur Pfister empfohlen«, wandte sie sich an ihre Landsmänninnen. »Weil er doch seinen Verlobungsring verloren hat.«

»Monsieur Pfister ist verlobt?«, fragte eine andere Schweizerin überrascht.

»Hat er dir das nicht erzählt? Mit der Kroepfli-Tochter, ja, von Feinmechaniker-Kroepfli. Eine gute Partie für so einen windigen Entrepreneur.«

»Was meinst du, Rosa?«, fragte Ari. »Sollen wir den Ring nachmachen lassen?«

»Nicht beim Juwelier Kupfermüller!« Erst an den überraschten Blicken der anderen merkte Rosa, wie schrill ihre Stimme klang.

Bühlerhöhe

Im Billardzimmer hing noch der Rauch schwerer Zigarren, als Sophie Reisacher am Ende des Tages nach dem Rechten schaute. Auf der Fensterbank zum Innenhof machte sie zwei vergessene, noch halbvolle Cognacschwenker aus. Sie musste später im Personalplan nachsehen, welcher Kellner für das Billardzimmer zuständig gewesen war.

An diesem Abend hatte sie die große Runde gedreht. Nord- und Südflügel, Bäder- und Küchentrakt, dann war sie nach draußen gegangen. Sie hätte sich längst auf ihr Zimmer zurückziehen können, aber die Angst vor dem Feuerteufel, der dort vielleicht wieder auf sie wartete, hielt sie davon ab. Unkontrollierte Verzweiflung, verschwommene Melancholie, all das war ihr immer fremd gewesen. Eiserner Wille und ein klarer Verstand waren die Werkzeuge, mit denen sie ihr Leben bisher gemeistert hatte. Bewegung half ihr beim Nachdenken, schon mehr als einmal hatte sie erlebt, dass sich durch das Gehen ein im Kopf verhakter Gedanke löste und ihr ein neuer den richtigen Weg wies. Deshalb war sie im letzten Licht des Tages am Luftbad und den Tennisplätzen vorbei bis hoch zum Irrgarten gelaufen und, als es endgültig dunkel wurde, über den Wilhelmturm und das Aquädukt ins Haus zurückgekehrt. Den Turm hatte die Generalin für ihren verstorbenen Gatten bauen lassen, ihm war auch die Inschrift über dem Haupteingang gewidmet: »Vielen zur Erholung, einem zum Gedächtnis«. Diese steinernen Zeugen einer großen Liebe bescherten Sophie immer eine

Gänsehaut, obwohl sie doch eigentlich wenig für Romantik übrighatte.

Die Rundhalle hatte sie menschenleer vorgefunden, genauso wie Spielzimmer, Bar und Bibliothek. Der Nachtportier bestätigte ihr, dass sich alle Gäste auf ihre Zimmer zurückgezogen hatten, bis auf die, die zur Soiree bei Doktor Neuhaus eingeladen waren. Darunter auch das Ehepaar Goldberg.

Das Ehepaar Goldberg ... Sie hatte die beiden bei der Schlüsselabgabe beobachtet. Ein schönes, elegantes Paar, das alle Blicke auf sich zog. Dass er ein Mann von Welt war, hatte sie auf den ersten Blick erkannt, überraschend dagegen, wie verwandelt die Frau plötzlich wirkte. So als wäre ihre linkische Unsicherheit mit seiner Ankunft verflogen. Hinreißend hatte sie ausgesehen in diesem weit schwingenden Cocktailkleid, dazu der grüne Schal, den Sophie sich bei ihrer ersten Zimmerinspektion probeweise umgelegt hatte. Leicht wie eine Feder und doch wärmend. Feinste Alpakawolle, exquisite Handarbeit. Der Kauf eines solchen Schals würde wahrscheinlich ihr Monatssalär sprengen.

Weil es nie half, den Kopf in den Sand zu stecken, musste sie sich nun endgültig der Frage stellen, die sie den ganzen Spaziergang über vor sich hergetragen hatte: Betrog sie ihr Instinkt? Hatte sie sich in der Goldberg getäuscht? Sie musste sich eingestehen, dass das Auftauchen von Herrn Goldberg ihr schönes, in sich doch so schlüssiges Konstrukt ins Wanken gebracht hatte. Es ärgerte sie maßlos, dass der Direktor sie ausgerechnet kurz vor der Rückkehr der Goldberg in sein Büro gebeten hatte, um mal wieder über die Telefone zu jammern, sie also das Wiedersehen des Paares verpasst hatte. Natürlich hatte sie den dummen Morgenthaler dazu befragt. »Überrascht ist sie halt gewesen!« Mehr hatte er nicht gesehen! Kein Blick für Feinheiten, kein Gespür für das Unausgesprochene! Es würde noch Jahre dauern, bis er ein anständiger Rezeptionist würde, wenn überhaupt.

Sie trat neben den Billardtisch, an dem noch ein Queue lehnte, auch den musste sie auf die schwarze Liste für den Kellner setzen, sie nahm ihn, rieb seine Spitze mit Kreide ein, platzierte die drei Kugeln und spielte eine der roten an.

Gab es tatsächlich eine harmlose Erklärung für die sonnenverbrannte Haut und die rauen Finger? War die Goldberg etwa eine leidenschaftliche Gärtnerin, die ihre Erfüllung in der Aufzucht von Rosen und Nelken fand? Und Tanger? Zufall, wie Xavier vermutete? Blieb noch die merkwürdige Reaktion auf den »Anruf« von Nourridine. Los, Sophie, spiel den Advocatus Diaboli, forderte sie sich selbst auf. »Wann hat er angerufen?«, hatte die Goldberg gefragt, nicht wer. Wann, wer. Hatte sie, Sophie, sich verhört? Nein! Da war sie ganz sicher. Auch keinerlei Nachfragen wegen des ungewöhnlichen Namens. Also was? Ihr wollte nichts Harmloses einfallen …

Musste sie Xavier jetzt eingestehen, dass sie sich geirrt hatte? Das würde ihn gnädig stimmen, er mochte es, wenn sie Fehler zugab. Außerdem musste sie ihm noch mitteilen, dass Herr Goldberg angekommen war. Rehblick, adieu, Xavier! Die Dame war vergeben! Was das anging, kam ihr Herr Goldberg grade recht. Ein Problem weniger.

Aber wie konnte sie Xavier sonst gnädig stimmen? In der Sache Nourridine kam sie im Augenblick nicht weiter. Sie legte den Queue auf die zweite Kugel an, er rutschte ab. Karambolage war ein Vergnügen älterer Herren, nicht ihr Spiel. Was gab es Langweiligeres, als drei Kugeln hin und her zu schießen? Sie klemmte den Stab in die Wandhalterung und legte die Kugeln wieder in Position. Vielleicht musste sie wirklich erst einmal vor ihm zu Kreuze kriechen oder mit Sex auf der Lichtung locken. Das würde die Situation entspannen.

Sie löschte das Licht und spürte, wie in der Dunkelheit die Angst vor dem Feuerteufel zurückkehrte. Ihre Hand suchte in der Jackentasche nach dem Pillentütchen, das Neuhaus ihr gegeben hatte. Es war noch da. Eine davon würde genügen, um sie wie ein Stein schlafen zu lassen, hatte er versprochen, also würde sie jetzt eine nehmen. Sie griff nach dem Tütchen, fingerte eine Pille heraus und steckte sie sich schnell in den Mund. Dann lief sie hinüber zum Fenster und kippte erst die Reste aus dem einen und dann die aus dem anderen Cognacschwenker hinterher. Die leeren Gläser in der Hand, wollte sie sich auf den Weg zur Küche machen, als Schritte auf dem Kies des Innenhofs knirschten. Geschützt im Dunkeln stehend, blickte sie hinaus auf den von Laternen erhellten Weg, in dessen Mitte schwarz und wuchtig der Brunnen stand.

Das Ehepaar Goldberg kehrte zurück! Als wären sie zwei Fremde, gingen sie mit großem Abstand stumm nebeneinanderher. Sie umrundete den Brunnen von rechts, er von links. Hatten sie sich gestritten und straften sich gegenseitig mit Schweigen? Oder hatten sie sich als Paar nichts mehr zu sagen? Aber selbst bei Paaren, die sich nichts mehr zu sagen hatten, spürte man, dass sie durch lang eingeschliffene Gewohnheiten oder durch gemeinsame Altlasten miteinander verbunden waren. Doch die zwei wirkten wie Fremde.

Mit einem Mal fühlte Sophie eine wohlige Müdigkeit in sich aufsteigen. Kommt Zeit, kommt Rat, dachte sie bei einem langen Gähnen. Wer weiß, was sie noch über das Ehepaar herausfand?

Bühlerhöhe

Ari war wie ausgewechselt, seit sie die Soiree verlassen hatten. Unnahbar, abweisend, von jetzt auf gleich. Eine kurze Frage zu den Kupfermüllers, sie hatte ihre Antwort allgemein gehalten, nichts von Nathan gesagt. Ein Nicken, eine Ermahnung: »Wir dürfen nicht daran denken, was sie uns angetan haben. Wir müssen unsere Gefühle kontrollieren!« Dann fragte er nach Keller. Er hatte registriert, wie sich der Arzt auf der

Terrasse separierte, wie nervös er wirkte, als Neuhaus ihn warten ließ. Was hatte Neuhaus über seinen Kollegen gesagt? Keller war Aris Meinung nach der einzige kritische Gast des Abends. Überraschend aufgetaucht. Nicht sonderlich willkommen. Rosa konnte nicht viel zu Keller sagen, Ari kommentierte das Gehörte nicht, er vergrub sich in Schweigen. »Ein noch größerer Scharlatan als Neuhaus? Einer, der noch merkwürdigere Dinge spritzt als Tierföten?«, spekulierte sie, aber er reagierte nicht. »Was weißt du über den sechsten Mann? Könnte Keller …«, fragte sie weiter. »Nicht jetzt!«, unterbrach sie Ari scharf. »Ich muss nachdenken.«

Und danach kein Wort mehr. Sie hatte es noch ein paarmal versucht, aber nicht einmal harmlose Fragen wie die nach der Heimatstadt der drei Schweizer Damen beantwortete er. Die Hände in die Hosentaschen gebohrt, lief er stumm neben ihr her, ein Eisblock auf zwei Beinen. Auf dem Zimmer ging er schnurstracks ins Bad, kehrte in einem marineblauen Schlafanzug und mit einem wohlgeordneten Kleiderhäuflein in den Händen zurück und legte es auf einen der Sessel. Dann fragte er nach der Aufstehzeit, schlug das Plumeau zurück, wünschte gute Nacht, kroch ins Bett, kehrte ihr den Rücken zu und schlief sofort ein.

Rosa, die immer noch verloren mitten im Zimmer stand, sah nur sein grauesprenkeltes Haar, ein dreckiges Stück Hundefell, das sich in weißes Leinen geschmuggelt hatte.

Sie streifte sich die Pumps von den Füßen und setzte sich in einen der Sessel. Die Erleichterung nach seiner Ankunft, die Freude, endlich mit ihm über alles reden zu können, der Spaß, mit ihm eine Ehegeschichte zu erfinden, die Souveränität, die ihr seine bloße Anwesenheit verlieh, alles wie weggewischt. Der Mann, der da schlief, war kein verlässlicher Kampfgefährte. Er war ein windiger Schmock, der zwischen der Rolle des charmanten Erzählers und des verstockten Einzelgängers in einer Geschwindigkeit wechselte, die jedem Schauspieler Ehre gemacht hätte.

Vielleicht sind Profis so, dachte sie. Vielleicht ist der Wechsel zwischen Schein und Sein so anstrengend, vielleicht kosten sie bestimmte Rollen so viel Kraft, dass ihnen danach nichts anderes übrigbleibt als der Rückzug in sich selbst. Sie sollte nicht zu hart mit Ari ins Gericht gehen. Es war sein erster Tag, und es war nicht sein Auftrag, ihr zu gefallen. Dennoch hätte sie gerne gewusst, wer hinter den Rollen der echte Ari war. »Er ist ein Hurenbock, ein selbstherrlicher Revierfürst, aber Israel gegenüber hundertprozentig loyal.« So hatte Tilly ihn charakterisiert. »Bewegt sich auf diplomatischem Parkett so sicher wie in einer Hafenspelunke. Ich kann den bourgeoisen Hund nicht ausstehen, aber seine Arbeit ist brillant.« Das war Oz' Einschätzung.

Sie stand auf, nahm ihren Pyjama aus dem Schrank und ging endlich ins Bad. Wieder zurück, schlug sie die Decke zur Seite und legte sich neben Ari ins Bett. Er reagierte nicht. Sein Gesicht war abgewandt, sie sah nur sein struppiges Haar. Für sie war Ari so wie die Fotos, die man ihr von ihm gezeigt hatte. Unscharf, nicht fassbar, verwischt. Aber vielleicht komplizierte sie mit ihren Überlegungen zu Ari alles nur unnötig. Die Hauptsache war doch, Ari machte seine Sache weiter so gut wie bei Neuhaus. Hauptsache, sie schafften es gemeinsam, dass der Kanzler die Bühlerhöhe lebendig und unversehrt verließ.

Dritter Tag des
Kanzlerbesuches

Hundseck

Jedem neuen Gast flüsterte der Hartmann es zu, als wär's
nur was für Eingeweihte: »Sie wissen, dass wir ein Schwimmbad haben. Selbst der Kanzler badet bei uns.« Diese zwei
Sätze hatte Agnes Hartmann so oft flüstern hören, dass sie
ihr in Fleisch und Blut übergegangen waren, sie selbst benutzte sie auch schon, wenn sie bei einem neuen Gast alles
richtig machen wollte. Die Sach mit dem Kanzler war dem
Hartmann natürlich besonders wichtig, dass ausgerechnet
er das Schwimmbad benutzte, das war wie höhere Weihen.
Die Angestellten durften überhaupt nicht darin baden, obwohl heimlich nachts der eine oder andere ... Es kursierten
Gerüchte, aber sie, Agnes, niemals, sie konnte ja auch nicht
schwimmen. Wo hätt sie das denn lernen sollen im Bühlertal?
Kein See weit und breit, grad mal knietiefe Bächle, und der
Stausee hinter der Ölmühle das Revier von den Buben, da
hätt sich niemals ein Mädel ins Wasser getraut. Schwimmen
hatten die Kerle auch nicht recht können, eher den Kopf
über Wasser halten. Richtiges Schwimmen war was für die
vornehmen Leut wie die alte Madame Noeckerli. Jeden Tag
vierzig Bahnen, das Geheimnis ihrer Figur, rank und schlank
wie Leni Riefenstahl, oder eben etwas für den Bundeskanzler. »Schon vor dem Krieg hat er ...«, raunte der Hartmann.
Nur das Verzwickte war, den Kanzler hatte, im Gegensatz zu
der Noeckerli – blau-weißes Badejupe, weiße Badekappe –,

noch niemand je im Schwimmbad gesehen. Und weil ihn eben noch keine Menschenseele je im Hundseck-Wasser gesehen hatte, da war schon mal der Gedanke aufgekommen, dass der Hartmann das erfunden … nachdem der Kanzler vielleicht einmal seine Füß ins Wasser reing'hängt hatte. Das machte er doch gern, der Hartmann, aus einer Mücke einen Elefanten. »Der Kanzler badet bei uns«, auch wenn's vielleicht nur der kleine Zeh vom Kanzler gewesen war.

Aber jetzt, den Skihang hinuntersteigend, machte Agnes große Augen. Der Kanzler war tatsächlich mit mehr als einem kleinen Zeh im Wasser. Um kurz nach fünf Uhr in der Früh als Einziger. Es war ein frischer Morgen, auf dem Gras kühler Tau, das Wasser musste eisig sein. Wacker schwamm er seine Bahnen, am Beckenrand paradierte nur der steife Preuß auf und ab, der für seine Sicherheit zuständig war.

Sie sah dem Schauspiel ein paar Minuten verwundert zu, aber sie stand hier nicht wegen dem Kanzler. Sie war bereits beim ersten Licht des Tages aus den Federn gekrochen, um nach der Walburg zu suchen. Der Heiner von der Bergwacht – der Fridolin war leider nicht da gewesen – hatte die Schwester am Bärenstein gesehen. Vom Bärenstein bis zu den Gertelbach-Wasserfällen war es nicht mehr weit, deshalb vermutete Agnes, dass Walburg in diesem Unterschlupf übernachtet hatte. Schon um halb fünf war sie dort gewesen, aber die Walburg war nicht da. Es war wie verhext. Wie beim letzten Mal hinterließ sie eine Nachricht und machte sich auf den Rückweg.

Und deshalb konnte sie nun eine knappe Stunde später dem Kanzler beim Schwimmen zusehen …

Bühlerhöhe

Der Kanzler sei schon vor einiger Zeit aufgebrochen, erfuhr Rosa von Otto Morgenthaler, er frühstücke nie an den

Tagen, an denen er schwimmen gehe. Dies war bereits die zweite schlechte Nachricht des Tages. Die erste hatte ihr Ari serviert, als er sich direkt nach dem Aufwachen mit dem verschwommenen Hinweis verabschiedet hatte, er müsse dringend etwas erledigen, Näheres später, er hoffe, am Nachmittag wieder zurück zu sein. Sie hatte ihn dafür verflucht, und jetzt verfluchte sie von Droste, der gestern mit keinem Ton erwähnt hatte, dass der Kanzler bereits so früh zum Schwimmen ging. Er machte sich einen Spaß daraus, sie an der Nase herumzuführen. Und Ari? Anstatt diesen arroganten Junker wie gestern in seine Grenzen zu weisen, verschwand er, um undurchsichtigen Geschäften nachzugehen. Wäre er doch erst gar nicht aufgetaucht!

»Soll ich Ihnen ein Taxi rufen?«, fragte der junge Morgenthaler fürsorglich.

»Nein, ich geh zu Fuß.« Sie belferte den Satz so barsch und voller Wut heraus, dass der Junge hinter der Rezeption zusammenzuckte.

Als sie Hundseck nach strammem Marsch eine Dreiviertelstunde später erreichte, sah sie den Wagen des Kanzlers gerade davonfahren. Von Droste winkte ihr aus dem Fond zu. Zu gerne hätte sie ihm die geballte Faust entgegengereckt oder ihm frech wie ein Kind die Zunge herausgestreckt, aber sie wollte sich nicht noch lächerlicher machen.

Im Foyer grüßten sie die Schweizer Damen, die wieder bei ihrem Kartenspiel saßen. Sie erkundigten sich nach Ari, Rosa erfand einen Termin, die Damen nickten verständig. Die Männer seien immer so geschäftig, damit müsse man als Frau leben, das Geld liege nun mal nicht auf der Straße und so weiter. Rosa hätte ihnen am liebsten die Karten aus den Händen gerupft und an den Kopf geworfen. Hartmann, wie immer alles im Blick, wieselte in gewohnt serviler Dienstfertigkeit auf sie zu. Ob er der gnädigen Frau …? Nein, konnte er nicht, er konnte sie mal.

Sie floh nach draußen, umrundete mit weiten Schritten das Hundseck, hörte Tennisbälle ploppen, Wasser aufspritzen, Tannen rauschen, Vögel kreischen. Das Blut pochte ihr fast zu den Ohren hinaus. Sie wurde sehr selten wütend, aber wenn …

Da sah sie mit einem Mal den grauen Rock der kleinen Agnes keine zehn Meter von ihr entfernt vorbeiwischen. Ohne nachzudenken, setzte sie sich auf ihre Fährte, stolperte hinter ihr in den Wald hinein, kreuzte Rinnsale und Wurzeln, stob hinweg über Laub und Nadeln, knickte Farne und Zittergras um. Erst als das Mädchen auf eine Lichtung lief, bremste sie ab, um im Schutz des Waldes zu bleiben. Agnes im Gegenzug beschleunigte ihre Schritte. Sie flog geradewegs auf die Gestalt unter der prächtigen Buche zu, die am Ende der Lichtung auf sie zu warten schien. Die Gestalt stützte sich auf einen Stock, an ihrer Seite hockte ein Hund.

Rosa nahm sie ins Visier, beobachtete, wie Agnes auf sie einredete, sie an den breiten Schultern fasste und auf ihr Kopfschütteln mit heftigem Nicken antwortete. Aus der Ferne konnte Rosa nicht ausmachen, ob es sich um einen Mann oder eine Frau handelte. Das Gespräch der beiden dauerte an, den Gesten nach zu urteilen, ging es um etwas Schwieriges. Weil die beiden nicht nach rechts und links sahen, traute sich Rosa näher heran. Der Stock war ein Gewehr, stellte sie alarmiert fest, die Gestalt eine Frau, sie trug Zöpfe. Dann erkannte sie das wettergegerbte Gesicht. Faltiger, älter, aber unverwechselbar. Walburg! Sie hatte Walburg wiedergefunden! Von jetzt auf gleich kehrte das Glücksgefühl jener letzten unbeschwerten Sommerferien zurück, Erinnerungen purzelten in ihr umher, füllten ihr das Herz mit kindlicher Freude, ließen sie alles andere vergessen.

»Walburg«, rief sie aufgeregt und lief auf sie zu. »Walburg, kennst du mich noch?«

Agnes schrie erschreckt auf und suchte hinter Walburgs breitem Rücken Schutz. Walburg nahm das Gewehr hoch,

spannte den Finger um den Abzug und klemmte es schuss-
bereit zwischen Arm und Hüfte. Rosa verlangsamte ihre
Schritte, machte mit den Händen eine beruhigende Geste.
Sie hielt Abstand, als sie stehen blieb. Walburg musterte sie
misstrauisch von Kopf bis Fuß, die kleine Agnes lugte ängst-
lich hinter Walburgs Oberarm hervor.

»Rachel?«, fragte sie unsicher.

»Nah dran!«

»Rosa?«

Rosa nickte eifrig, und Walburg stellte das Gewehr zurück
auf den Boden. Dann schüttelte sie Agnes ab, die sich an
ihrem Arm festgekrallt hatte, und kam auf Rosa zu.

»Ich hab nicht denkt, dass ich eine von euch einmal lebend
wiederseh.« Sie reichte Rosa die Hand. »Nach dem, was die
Nazis mit den Juden … Rachel? Lebt die auch?«

Rosa nickte.

»Wo ist sie?«

»In Tanger.«

»Wie habt ihr überlebt? In einem der Lager?«

Mit einem Mal war Rosa, als bohrte jemand einen Finger in eine offene Wunde. Walburg war die Erste in diesem
Land, die fragte, wie sie die Nazigräuel überlebt hatten. Keiner, dem sie bisher begegnet war, hatte das wissen wollen.
Und jetzt erlebte sie, dass es mehr schmerzte, danach gefragt
zu werden, als darüber zu schweigen. Stockend begann sie
von ihrer Ausreise nach Palästina zu erzählen, von ihrem
Leben im Kibbuz. Was das sei? Von einem Kibbuz hatte
Walburg noch nie etwas gehört. Rosa beschrieb, wie Omarim aufgebaut war, wie ihr Alltag aussah, was sie säten und
pflanzten, welche Tiere sie hielten, und diese Schilderung
von Vertrautem linderte den Schmerz. »Und was machst du
im Schwarzwald?«, wollte Walburg dann wissen, die während Rosas Erzählung immer wieder ungläubig den Kopf
geschüttelt hatte.

Das sei eine lange Geschichte, antwortete Rosa ausweichend. Sie schielte zu Agnes hinüber, die sich nicht vom Fleck gerührt hatte.

»Jetzt komm schon her, Agnes«, befahl Walburg. »Brauchst keine Angst vor der Rosa haben. Sie ist die kleine Schwester von der Rachel. Ich hab dir doch erzählt von den beiden. Das ist lang her, das war vor dem Krieg, da bist noch ein Kind g'wesen. Und die Agnes«, wandte sie sich an Rosa, »ist meine kleine Schwester. Sie schafft auf'm Hundseck.«

»Ich weiß«, bestätigte Rosa. »Wir zwei sind uns schon begegnet.«

»Das ist die, die ich mein«, flüsterte Agnes Walburg zu und krallte sich wieder an ihren Arm. »Die Wunderfitzige, die von der Bühlerhöhe … Ich muss los. Sonst rechnet mir der Hartmann wieder vor, dass ich fürs Scheißen länger brauch als fürs Essen. Du wartest hier, bis ich Mittag hab, gell? Sag nix, Walburg!«, beschwor sie die Schwester. »Sag nix!« Dann ließ sie Walburgs Arm los, knickste linkisch vor Rosa und sauste davon.

Walburg sah Agnes hinterher, dann pfiff sie nach dem Hund, der treu und brav unter der Buche auf ihren Befehl gewartet hatte und jetzt auf sie zutrottete. Sie schulterte ihr Gewehr und machte Rosa ein Zeichen, ihr zu folgen. Walburg führte sie tief in den Wald, querfeldein, bergauf und bergab, feste Wege hatten sie nie interessiert. Sie legte ein scharfes Tempo vor, Rosa hatte Mühe, mit ihr Schritt zu halten. Sie redeten nicht, und Rosa hatte keine Ahnung, wohin die Reise ging. Walburg konnte sie weiß Gott wohin bringen, aber wie schon als Kind vertraute sie ihr blind.

Als die drei Felsbrocken zwischen den Tannen auftauchten, wusste Rosa, wohin Walburg sie führte. Die Teufelsfelsen, ihr Lieblingsort in jenem Sommer. Wie damals klopfte ihr das Herz, als sie von dem schmalen Grasstreifen vor den Felsen einen Blick in den steinernen Abgrund wagte. Ein gefährlicher Ort, ein falscher Tritt, aus und vorbei. Genau das hatte sie gereizt, und natürlich der Umstand, dass es für jede

von ihnen einen Felsen gab. Rosa setzte sich auf den »ihren«,
den linken, Walburg auf den in der Mitte, der Hund neben
ihr, und nach einem kurzen Blick auf den dritten Felsen
schaute Rosa über das sanfte Hügelmeer, das unterhalb des
Steinbruchs in diesigem Licht simmerte.

Walburg schwieg, sie hatten auf dem ganzen Weg nur das
Nötigste geredet. Aber Schweigen konnte viel sagen, man
musste es nur zu lesen wissen. Stolz entdeckte Rosa in Walburgs Gesicht, und Aufrichtigkeit, aber da war noch etwas
anderes. Härte? Bitterkeit? Sie lebte im Wald, vermutete
Rosa aufgrund ihres Aussehens und ihres strengen Geruchs,
sie hatte sich für ein einsames Leben ohne eigene Familie
und jenseits der Dorfgemeinschaft entschieden. Keiner ging
freiwillig in die Emigration. Was hatte sie dazu getrieben?
Walburg schoss schnelle, scharfe Seitenblicke in ihre Richtung, sie war misstrauisch, sie war auf der Hut. Aber auch
sie musste ihren Glückssommer in guter Erinnerung haben,
sonst hätte sie sie nicht hierher zu den Teufelsfelsen geführt.
Dennoch würde Walburg ihr niemals etwas erzählen, wenn
sie dies nicht wirklich wollte. Im Schweigen war sie schon
immer eine Meisterin gewesen. Und ohne dass sie, Rosa, ihre
Karten auf den Tisch legte, würde sie schon gar nicht reden.

»Der Araber, der deiner Schwester Angst macht, heißt
Abdul Nourridine und kommt aus Tanger. Er handelt mit
Waffen und beliefert auch mein Land, Israel. Er ist in den
Schwarzwald gekommen, weil bei einem Geschäft etwas
schieflief. Es kann sein, dass er eine Lieferung Sturmgewehre unterschlagen hat. Auf Hundseck hat er sich mit einem
Schweizer namens Pfister getroffen, der die Sturmgewehre
besorgt hatte. Pfisters Rolle ist mir nicht ganz klar. Ich weiß
nicht, ob er Geld verdient oder Geld verloren hat.«

In Walburgs Augen entdeckte Rosa ungläubiges Staunen,
so als würde es ihr nicht gelingen, das Kind Rosa, das sie
einmal kannte, mit der Frau, die Rosa jetzt war, in Einklang
zu bringen. Wie auch? Ein gemeinsamer Sommer vor mehr

als zwanzig Jahren, danach Funkstille. Damals hatte Rosa Walburg in kindlicher Begeisterung von Winnetou und Old Shatterhand vorgeschwärmt. Wieso sollte Walburg ihr trauen? Wieso traute sie Walburg noch?

»Ich bin hier, weil ich herausfinden will, ob Abdul Nourridine der ist, der er vorgibt zu sein«, fuhr Rosa fort. »Doch der Mann ist tot. Ich habe seine Leiche gefunden. Er wurde im Bretterwald erschossen. Und vor mir hat deine Schwester den Toten entdeckt. Ihre Spuren, die ich, weil du es mir beigebracht hast, lesen kann, haben mich zu ihm geführt. Ich wollte mit ihr darüber sprechen, aber sie hat sich vor mir versteckt. Keine zwei Stunden später bin ich noch mal zum Fundort zurück, da war die Leiche verschwunden. Agnes hat den Leichenfund nicht gemeldet. Ich frag mich, warum?«

Walburg wandte den Blick ab. Wie eine Ewigkeit kam es Rosa vor, bevor sie fragte: »Hast du den Gendarmen Bescheid gegeben?«

Rosa schüttelte den Kopf, Walburg nickte erleichtert.

»Gell, du traust denen nicht?«, fragte sie weiter. »Denkst, dass sich an den Gestapomethoden nichts geändert hat?«

So weit hatte Rosa nie gedacht. Für sie hätte die Polizei alles nur verkompliziert. Aber wenn, hätte sie mit Sicherheit genau deswegen nichts gesagt. »Ist das der Grund, warum Agnes den Mund hält?«

Kaum merklich schüttelte Walburg den Kopf.

Warum also? Sie musste es selbst herausfinden, die Puzzleteilchen, die sie kannte, richtig zusammensetzen. Walburg würde es ihr nicht sagen. Nourridine war Agnes schon einmal begegnet. Sie hatte ihn erkannt, als er die Sonnenbrille abnahm. Seine Augen, diese ungewöhnlich grünen Augen. Woher kannte ein Schwarzwälder Bauernmädchen einen Araber? Natürlich, der Krieg! In den letzten Tagen hatte sie die Zimmermädchen immer wieder über Marokkaner tuscheln hören. Marokko war französische Kolonie, Marokkaner mussten in der französischen Armee dienen. Nach Kriegsende wurde

Baden französische Besatzungszone. Wie überall war es auch hier zu Plünderungen und Vergewaltigungen gekommen.

»Agnes kennt Nourridine, weil er als französischer Soldat hier war«, folgerte sie. »Hat er etwa Agnes …?«

Rosa erschrak, weil sich Walburgs Hand so fest ins Fell des Hundes krallte, dass dieser vor Schmerz aufjaulte. Dann sah sie diesen leeren Blick in ihren Augen, den sie in den letzten Jahren schon häufiger gesehen hatte. Nicht nur Agnes war vergewaltigt worden, auch Walburg.

Hatte Agnes ihren Peiniger erschossen? Sie hatte kein Gewehr bei sich, als sie Rosa in die Hände lief, auch neben der Leiche hatte sie keine Waffe gefunden. Agnes war viel zu verstört gewesen, als dass sie nach der Tat die Waffe hätte verstecken können. Wieder blickte sie zu Walburg hinüber, die immer noch den leeren Blick auf die Rheinebene gerichtet hielt, deren Hand jetzt aber sanft auf dem Kopf des Hundes ruhte. Neben ihr lag das Gewehr. Natürlich! Dass Rosa nicht schon früher darauf gekommen war.

»Hast du ihn erschossen?«, flüsterte sie.

»Ich hätt's g'macht, wenn ich ihn erwischt hätt«, antwortete Walburg, ohne ihr das Gesicht zuzuwenden. »Wie ein eitriges G'schwür hockt der Lumpesiach in mir seit der Aprilnacht 1945. Und die Agnes! Zwölf ist sie g'wesen, noch ein Kind. Ich hab sie nicht beschützen können. Ja, ich hätt ihn erschossen, damit er uns endlich in Ruh lässt. Aber 's gibt einen, der war schneller als ich.«

»Lässt er euch jetzt in Ruhe?«, fragte Rosa leise.

»Dazu muss er erst begraben und vergessen sein. Und dieser Monsieur Pfister, der wirbelt Staub auf, der will rausfinden, was mit dem Dreckskerle passiert ist. Der glaubt, dass die Agnes was weiß«, regte sich Walburg auf. »Der hat die Nase von einem Spürhund, der riecht ihre Angst. Und sie hat denkt, dass ich … Jetzt, wo sie weiß, dass ich's nicht war, hoff ich, dass der Pfister von ihr ablässt.«

Der Hund spürte Walburgs Unruhe und legte seinen Kopf

in ihren Schoß. Sie kraulte ihm das Fell. »Warum muss die Agnes ausgerechnet auf dem Hundseck ihr Geld verdienen? Das ist mir so fremd. Mir ist alles so fremd bis auf den Harreis und den Wald.«

Mit einem Mal sehnte sich Rosa nach ihrem Wald, nach Omarim. Könnte sie doch endlich nach Hause fahren! Sie suchte Walburgs Blick, aber der war wieder in die Ferne gerichtet. Also lauschte sie dem hastigen Rascheln der Feldmäuse, dem Summen und Surren der Insekten, dem Trällern und Krächzen der Vögel. Ihr Blick folgte Zitronenfaltern und Schwalbenschwänzen und ließ sich von geschäftigen Bienen und Hummeln ablenken. Und plötzlich sah sie Rachel auf dem dritten Felsen sitzen. Die junge, die tatkräftige, die überschwängliche Rachel jenes Glückssommers. Sie stellte sich vor, dass Rachel, Walburg und sie Freundinnen geblieben wären und jeden Sommer Wiedersehen im Bretterwald gefeiert hätten. Walburgs Schweigen schien ebenfalls erinnerungsgetränkt. Den Kopf des Hundes auf ihrem Schoß zärtlich kraulend, hellte sich ihr Blick manchmal auf. Rosa erzählte ihr von Rachels Erfolg beim Melken, und Walburg kicherte laut, dann zog sie sich wieder in ihr stummes Nichts zurück. Sie regte sich erst wieder, als die Sonne fast senkrecht am Himmel stand, und schob behutsam den Kopf des Hundes von ihrem Schoß.

»Es ist bald Mittag. Ich muss zurück.« Sie richtete sich auf. »Ich will die Agnes nicht warten lassen.«

Rosa nickte, stand ebenfalls auf und stellte endlich die Frage, die sie noch stellen musste. »Der, der schneller war als du. Weißt du, wer er ist?«

Walburg schüttelte den Kopf. »Dieser Pfister, der hält alle Fäden in der Hand«, sagte sie dann. »Hat mit der Agnes nur am falschen gezogen.« Sie schulterte Gewehr und Rucksack und warf einen letzten Blick ins Tal.

»Und wenn er es selbst war? Wer weiß, was der für Dreck am Stecken hat?«

»Wer weiß?« Walburg zuckte mit den Schultern. »Seinen kleinen Stecken jedenfalls, den sticht er gern in die Frau Reisacher von der Bühlerhöhe. Ich hab die zwei g'sehen, nachts im Unteren Plättig. Ihr nackter Arsch auf freier Wildbahn, und er in ihr drin … Wie zwei läufige Hund. So! Jetzt weißt du alles, was ich von der Sach weiß. Also, *allez hopp!*«

Bühlerhöhe

Es kam nicht oft vor, dass Sophie Reisacher schon vormittags nach einer der Zeitungen griff. Wenn der frühe Postbus sie angeliefert hatte, legte sie sie ungelesen in die Bibliothek und holte sich dann eine davon zu ihrer blauen Stunde. Aber die Titelgeschichte des *Badischen Tagblatts*, »Toter im Mummelsee gefunden«, verlangte danach, sofort gelesen zu werden. »In den frühen Abendstunden des gestrigen Tages hat der Bootsmann, der Ruderboote an Sommerfrischler und Feriengäste vermietet, einen Toten im Wasser entdeckt und die Polizei verständigt« stand da geschrieben. »Die Gendarmen der Polizeistation Achern, die die Leiche aus dem Wasser holten, haben umgehend die Kriminalpolizei in Baden-Baden eingeschaltet. Als sicher gilt, dass der Mann nicht ins Wasser gestürzt und in den eisigen Fluten des Gletschersees ertrunken ist, sondern bereits tot war, als man ihn ins Wasser warf. Er ist aus nächster Nähe erschossen worden. Die Identität des Toten hat man noch nicht feststellen können, aufgrund von Hautfarbe und Physiognomie geht die Kriminalpolizei aber davon aus, dass es sich um einen Mann nordafrikanischer Herkunft, möglicherweise um einen Angehörigen der französischen Armee handelt.«

Die Möglichkeit, dass man Nourridine ermordet hatte, war Sophie bisher gar nicht in den Sinn gekommen. Der Krieg und die wilde, gesetzlose Zeit danach, in der ein Menschenleben keinen Pfifferling wert gewesen war, lagen schon ein paar Jahre zurück, und der Schwarzwald war schließlich nicht Chicago, sondern eine friedliche Gegend. Sie konnte sich nicht erinnern, dass es, seit sie auf der Bühlerhöhe arbeitete, jemals einen Mord in der Region gegeben hatte. Erschossen hatte man Nourridine. Aus unmittelbarer Nähe und danach in den See geworfen. Xaviers Nervosität bekam plötzlich eine neue Dimension. Plötzlich verstand sie seine Unruhe und Angespanntheit.

Noch unsicher, was sie mit dieser Information machen sollte, kehrte sie zur Rezeption zurück, wo der junge Morgenthaler mit hochrotem Kopf und glühenden Segelohren am Telefon Auskunft gab. Nein, in den letzten Tagen und Wochen habe man keine arabischen Gäste gehabt, und nein, es gebe auch keinen Gast, der verschwunden sei.

»Die Polizei?«, fragte sie, nachdem Morgenthaler aufgelegt hatte.

Er nickte.

»Auskunft über Gäste, sei es privater oder offizieller Natur, erteilen in diesem Hotel nur Direktor Klarbach oder ich«, wies sie ihn in eisigem Ton zurecht.

»Das weiß ich doch«, haspelte er schuldbewusst, »aber Direktor Klarbach ist kurz außer Haus, und Sie habe ich nicht gefunden. Jeden anderen hätte ich vertrösten können, aber der Polizei muss man doch sofort Auskunft geben, und deshalb hab ich …«

»In einer Demokratie kann die Polizei auch mal eine Viertelstunde warten, bis der richtige Ansprechpartner zurück ist«, unterbrach sie ihn. »Noch so einen Fauxpas, und ich schicke Sie zum Silberputzen in den Service. Haben wir uns verstanden?«

»Jawohl, Madame Reisacher.«

Er versuchte, sich unsichtbar zu machen, und das war gut so, denn sie musste nachdenken. Naheliegend, dass die Baden-Badener Polizei in den Höhenhotels nach Hinweisen suchte, um die Identität des Toten zu klären. Sophie wusste, man würde im Hundseck fündig werden. Sowie die Polizei Hartmann am Apparat hatte, erfuhr sie, wer der Tote war. Zudem, dass Nourridine Xaviers wegen in den Schwarzwald gereist war. Neben diesem Frey wäre er ihr einziger Bezugspunkt zu dem Toten. Xavier seinerseits würde nicht über Nourridine und ihre gemeinsamen Geschäfte reden wollen, und er würde es schon gar nicht schätzen, von der Polizei überrascht zu werden.

Da sie nicht sicher war, ob Xavier auf einen Anruf von ihr reagieren würde, griff sie kurzentschlossen zu Stift und Papier. Sie schrieb ein paar Zeilen, steckte das Blatt in einen Umschlag und legte den Schlüssel der kleinen Jagdhütte im Unteren Plättig bei, die bei schlechtem Wetter gelegentlich als Quartier für ihre Liebesspiele hatte herhalten müssen und Xavier nun als Unterschlupf dienen könnte, um eine Strategie für die neue Situation zu entwickeln.

»Morgenthaler!«

»Madame Reisacher!« Der Junge stand Gewehr bei Fuß.

Um seinen Fehler auszubügeln, würde er für sie bis nach Straßburg marschieren, ohne wissen zu wollen, warum. Also befahl sie ihm, möglichst im Dauerlauf zum Hundseck zu rennen und dort das Billett Monsieur Pfister höchstpersönlich zu überreichen, und nur falls Monsieur in und um Hundseck nicht zu finden wäre, in seinem Schlüsselfach deponieren zu lassen.

Was so eine Tablette und ein erholsamer Schlaf doch für Wunder wirkten! Ihr Verstand war so klar wie in ihren besten Zeiten. Sie hielt wieder die Fäden in der Hand. Tausend zu eins, dass Xavier ihren Vorschlag annahm. Heute Abend würde sie zu ihm in die Jagdhütte laufen, ihn trösten, ihm zuhören, ihn beraten, ihn auf sich reiten lassen. Ganz die gescheite Gefährtin sein, die er in dieser Notlage an seiner Seite brauchte. Immer enger würde sie ihr Netz um ihn legen, bis er gar nicht mehr anders konnte, als ihr endlich den Antrag zu machen.

Sie inspizierte Hirschterrasse und Teesalon und fand diesmal im Billardsalon alle Queues wohl eingeordnet. Morgenthaler kehrte binnen kürzester Zeit zurück, er musste den Weg wirklich im Dauerlauf zurückgelegt haben.

»Monsieur angetroffen. Billett persönlich abgegeben«, vermeldete er.

Sie schickte ihn an die Schreibmaschine. Es mussten frische Reservierungen bestätigt und verschickt werden. Damit war er die nächste Stunde beschäftigt. Sie selbst sortierte die Post, die zwischenzeitlich eingetroffen war. Postkartengrüße aus aller Welt für den Kanzler, ein Schreiben der US-Botschaft für die dicke Amerikanerin, der Brief einer Hamburger Anwaltskanzlei für die ältere der Damen Grünhagen. Nichts, was Sophie interessierte. Einzig ein an von Droste adressiertes Päckchen erregte ihre Aufmerksamkeit. Es roch nach Zigarren. Der Absender des Päckchens war seine Frau. Von Drostes Zigarrensorte gab es vielleicht nur in Köln zu kaufen, oder die Gattin schickte sie als Liebesbeweis oder als kleines Vergissmeinnicht. Noch einmal besah sich Sophie den Absender. Den Straßennamen hatte sie neulich anderswo gelesen. Sie ging das Reservierungsbuch durch, und als sie dort nicht fündig wurde, verglich sie die Straße mit der Adresse, die ihr der alte Lepold aus den Gästebüchern im Keller herausgesucht hatte, und landete einen Volltreffer. Sogar die Hausnummer war identisch. Unter den Ulmen, Köln-Marienburg. Die ehemalige Adresse des alten Herrn Silbermann. Sie hatte die Schwachstelle des Hauptmanns gefunden.

Klarbach störte sie. Diesmal nicht wegen der leidigen Telefone, sondern wegen des bevorstehenden Maskenballs. Alle Jahre wieder, diesmal hatte er ihn in die Besuchszeit des Kanzlers gelegt. »Köln und Karneval«, hatte er geschwärmt. »Die Feierfreude der Kölner ist legendär. Stellen Sie sich vor, was für ein rauschendes Fest das wird!« Karneval sei im Winter, der Kanzler nicht zum Feiern, sondern zur Erholung hier, hatte sie erwidert. Außerdem möge er Karneval nicht besonders. Ob Hartmann im März nichts über diesen Eklat in der Zeitung gelesen habe? Um einen beliebten Kölner Büttenredner sei es gegangen, der den Einfluss alter Nazis auf die junge Bundesrepublik so heftig kritisierte, dass der Kanzler aufgebracht gegen dessen zersetzende und gehässige Satiren gewettert hatte. Den Mund hatte er den politischen Karnevalisten verbieten wollen. »Aber unser Maskenball ist doch überhaupt nicht politisch! Nur ein kleines Amüsement im Einerlei von Luftbaden und Kuren.« Also, alles wie jedes Jahr. Ob sie bereits die Verkleidungskisten, die man für Gäste, die über keine Kostüme verfügten, bereithielt, inspiziert habe? Klarbach ließ nicht locker. Ob alles gelüftet sei?

Nein, noch nicht. Und warum ausgerechnet sie sich darum kümmern musste, leuchtete ihr auch nicht ein. Aber Klarbach bestand darauf. Also stieg sie nach oben auf den Dachboden, hängte Federboas und Lamettaschlangen über Wäscheleinen, bürstete Zylinder, Sombreros und Seppelhüte aus, entstaubte Reifröcke und Ritterstiefel. Damit alles auch ordentlich durchlüftete, stieg sie auf die leere Kiste und öffnete die Dachluke, durch die sie neulich Briancourts Abfahrt beobachtet hatte. Als hätte sie ein Déjà-vu, fuhr wieder Xaviers Goliath auf den Parkplatz. Doch diesmal stieg nicht Frau, sondern Herr Goldberg aus.

Bretterwald

Damals hatten sie auf den Teufelsfelsen gestanden und ins stumme Tal hinuntergeschrien, was sie einmal werden wollten. Rosa Forscherin, weil sie in den Büchern immer so viel Spannendes über das Leben am Amazonas oder im Himalaya las und es sich großartig vorstellte, mit Tropenhelm und Schmetterlingsnetz nach verborgenen Schätzen zu suchen. Die Welt für sie in jenem Sommer weit und schön, die Gedanken frei, die Phantasie überbordend, die Möglichkeiten unendlich, die Zukunft prickelnd. Walburg hatte sich erst auf ihr Drängen hin auf den Felsen gestellt und leise, aber bestimmt gesagt: »Ich will immer mein eigener Herr sein.« Für Rachel und sie damals ein unverständlicher Wunsch, denn das war man doch sowieso, man konnte doch selbst bestimmen, wohin es im Leben ging. Weit gefehlt!

Der Blick ins Tal hatte sich nicht verändert, nur die Welt. Rückblickend betrachtet hatten sie damals in übermütiger Ahnungslosigkeit auf einem Vulkan getanzt, dessen Ausbruch Rachel und sie wenige Jahre später nach Palästina getrieben und dem Rest der Familie … »Hör auf, daran zu denken«, befahl sie sich. »Das macht dich meschugge.«

Walburg begleitete Rosa zu einem Weg, der direkt zur Bühlerhöhe führte. Sie trug Grüße für Rachel auf, drehte sich um, lief in den Wald und war binnen Sekunden verschwunden. Sich unsichtbar machen, dieses Talent hatte sie schon damals besessen. Walburg kam und verschwand so unvermittelt, dass man sich immer fragte, ob sie wirklich da gewesen war. Auch jetzt. Einzig der strenge Geruch nach Wild und Schweiß, der noch kurz in der Luft hing, versicherte Rosa, dass Walburg wirklich hier gewesen war.

Sie wusste jetzt, warum Agnes Angst vor Nourridine gehabt hatte. Durchaus möglich, er hatte nicht nur die beiden Schwestern, sondern auch noch weitere Frauen aus der Gegend vergewaltigt. Aber die Wahrscheinlichkeit, dass eine von denen Nourridine erkannt und erschossen hatte, schätzte Rosa als recht gering ein. Abgesehen davon, dass sie Agnes und Walburg als Todesschützen ausschließen konnte, hatte sie also nicht viel gewonnen. Doch. Etwas Neues über Pfister hatte sie erfahren. Nichts, was sie überraschte, aber eine Vermutung bestätigte. Er hatte tatsächlich ein Verhältnis mit der Hausdame. Folglich spionierte die Reisacher sie aus, weil Pfister wissen wollte, wo Nourridine steckte. Wenn er ihn nicht selbst umgebracht hatte, wusste er noch nichts von Nourridines Tod. Dann hatte die Reisacher mit dem ominösen Anruf feststellen wollen, ob sie mit Nourridine bekannt war. Und ihre Antwort hatte das bestätigt. Rosa ärgerte sich, weil sie in diese Falle gegangen war und weil sie mal wieder nicht weiterwusste. Waren sie und auch Agnes nun in Gefahr? Musste sie Pfister als sechsten Mann endgültig ausschließen? Wenn sie doch nur mit Ari darüber reden könnte, mit dem wissbegierigen, offenen Ari, nicht mit dem Eisklotz. Ari! Mit einem Mal wurde ihr siedend heiß. Er hatte sie nicht nach dem Codewort gefragt, und sie hatte das seine nicht eingefordert. Was, wenn sie in die nächste Falle stolperte und Ari gar nicht Ari war?

Der Schreck fuhr ihr in alle Glieder und bremste sie aus. Sie zwang sich, einen Fuß vor den anderen zu setzen, und schleppte sich schwerfällig in Richtung Bühlerhöhe. Je näher sie dem steinernen Adler über dem Eingangstor kam, desto klarer wurde ihr, dass es nur einen Weg gab, um weiterzukommen. Sie musste mit Ari Tacheles reden.

Ja, der Gemahl sei zurück, unterbrach die Reisacher ihre Anweisungen für den jungen Morgenthaler, der vor der Rezeption ein Plakat mit Reißzwecken auf eine Staffelei pinnte. Herr Goldberg befinde sich neben einigen anderen Gästen im Spielzimmer.

Rosa folgte Morgenthaler, der die Staffelei am Eingang zur Rundhalle platzierte. Beethoven Klaviertrios, las Rosa im Vorbeigehen auf der Ankündigung. Piano: Friedel Zitterbart, Violine: Nathan Nagelstein. Weiter kam sie nicht. Der Name des Cellisten verschwamm vor ihren Augen.

Die Rundhalle drehte sich, als würde sie darin herumgewirbelt. Nathan. Seine Abreise im Morgengrauen. Kein Wort des Abschieds, wie ein Dieb in der Nacht hatte er sich davongeschlichen. Davor wochenlange, zerfleischende Debatten. Was immer sie als Argumente gegen seine Rückkehr ins Feld führte, am Ende stand: »Ich muss zurückkehren. Ich muss.« Ben in ihrem Bauch noch nicht spürbar, vielleicht hätte er Nathan in Israel halten können. Aber sicher war sich Rosa nicht. Warum noch einmal eine Begegnung mit Nathan, wo es ihr doch gelungen war, das kurze Wiedersehen in Freiburg zu vergessen? Wo sie doch eine Meisterin im Vergessen war, zumindest zu Hause. Doch alles, was sie in Omarim fest in ihrem Innersten verschließen konnte, brach hier in Deutschland aus ihr heraus oder über sie herein. Niemals hätte sie sich auf diesen Auftrag einlassen dürfen. Aber Oz konnte so verdammt überzeugend sein. Oz zwängte einem gern seinen Willen auf. Oz ließ Dinge einfach erscheinen, die höchst kompliziert waren. Oz wusste immer, für was und wen man kämpfen würde: Ben, Omarim, Israel. Dennoch hätte sie den Auftrag ablehnen müssen. Oz hätte eine andere dafür gefunden. Oz hatte immer einen Ersatzplan. Sie hatte gar keinen Plan, nur ein Riesenschlamassel.

»Frau Goldberg!« Von Droste kam auf sie zu, deutete einen Handkuss an und fragte: »Als was verkleiden Sie sich heute Abend?«

Seine Stimme und sein amüsierter Blick trafen sie wie eine kalte Dusche, die immerhin bewirkte, dass das Karussell in ihrem Kopf zum Stehen kam. »Pardon?«, fragte sie.

»Der Maskenball.« Er beugte sich zu ihr und flüsterte ihr ins Ohr: »Wenn Sie dem Kanzler gefallen wollen, verkleiden Sie sich als Tanzmariechen. Tanzmariechen sind das Einzige, was er an Karneval liebt. Aber ich kann Ihnen nicht versprechen, dass er überhaupt kommt.«

»Und wenn überhaupt, bemerken Sie dummes Huhn das erst, wenn er schon wieder weg ist«, führte Rosa den Satz stumm zu Ende. Laut fragte sie: »Und als was verkleiden Sie sich? Als Zerberus?«

»Ich fürchte, etwas so Ausgefallenes wie eine doppelköpfige Hundemaske wird der schmale Kostümfundus des Hauses nicht bieten. Gnädige Frau. Die besten Grüße an den Herrn Gemahl.« Eine knappe Verbeugung zum Abschied, dann durchquerte er die Rundhalle und trat hinaus auf die Hirschterrasse.

Den Gemahl fand sie umringt von den Amerikanerinnen, die bunte Hüte in Händen hielten und heftig kauderwelschten. Weitere Hüte lagen auf dem Konzertflügel, aus einer offenen Holztruhe davor quollen glitzernde Schals, bunte Schleier und anderer Tand.

»Rosa!«, rief Ari ihr lachend zu. »Die Ladys haben mich überredet, jetzt schon eine Verkleidung für den heutigen Abend auszusuchen. »Entscheide du! Eher als Cowboy ...«, er ließ sich von der fettesten Amerikanerin den entsprechenden Hut geben, »... oder als Musketier?« Die Jüngste der drei reichte ihm kichernd einen Federhut.

»Natürlich als Musketier«, sagte sie und fügte schnell hinzu: »Ari, ich muss dich kurz sprechen.«

»Meine Frau hat entschieden.« Er legte den Hut zur Seite. »Wenn mich die Damen entschuldigen würden.« Ari nickte nach rechts und links, löste sich aus dem Kreis, kam auf Rosa zu und griff nach ihrem Arm. Es kostete sie Kraft, diese vertraute Geste zuzulassen. Sie kehrten zurück in die Rundhalle. Ari wollte auf die Rezeption zusteuern, aber Rosa lotste ihn in Richtung Hirschterrasse.

»Wir gehen spazieren«, schlug sie in einem Ton vor, der keinen Widerspruch duldete, und streifte seinen Arm ab. Ihr Hotelzimmer, dessen Wände Ohren hatten, war kein geeigneter Ort, wenn man Tacheles reden wollte. »Wo warst du heute Morgen?«, fragte sie, als sie das Haus verlassen hatten.

»Ich habe die Gegend erkundet, musste mir doch einen Eindruck von möglichen Gefahrenpunkten machen.«

»Du hättest mich fragen sollen. Ich kenne die Gegend. Deshalb hat mich Oz doch hergeschickt.« Rosa legte ein Tempo vor, das Walburg alle Ehre gemacht hätte.

»Beruhige dich, Rosa. Ich weiß, die Zeit allein war schwierig für dich. Aber jetzt bin ich da, und ich leite die Aktion, schon vergessen?« Ari hielt mühelos mit ihr Schritt. »Wir brauchen übrigens ein Auto. Hast du eine Ahnung, wo welche zu mieten sind?«

»In Bühl auf der Hauptstraße gibt es einen Autoverleih.«

»Gut, dann kümmere ich mich darum. Wie geht es dem Kanzler?«

»Ist zur Frischzellenkur. Es ist noch nicht klar, ob er heute Abend zum Maskenball kommt. Er hasst Karneval, sagt von Droste. Nur Funkenmariechen mag er. Der Junker hat die Frechheit besessen, mir vorzuschlagen, mich als Funkenmariechen zu verkleiden.«

Sie hatten jetzt das Luftbad und die Tennisplätze hinter sich gelassen und befanden sich allein auf weiter Flur.

»Der Hauptmann kann Frauen nicht auf Augenhöhe begegnen …«

»Aber du«, spottete Rosa, die sich von Ari keineswegs so behandelt fühlte.

»Ja«, sagte er ernst, beugte sich über sie und flüsterte ihr etwas ins Ohr.

Rosa, völlig überrascht, brauchte ein paar Augenblicke, bis sie kapierte, dass er ihr das Codewort genannt hatte, und noch ein bisschen mehr Zeit, bis bei ihr der Groschen fiel und sie als Antwort »Sm-smadar« stotterte.

»Eigentlich unverzeihlich«, sagte Ari dann. »Ist mir noch nie passiert, aber bei diesem Auftrag lief bisher nichts nach Plan. Du kennst Oz, der würde im Viereck springen, wenn er wüsste, dass wir bei unserer ersten Begegnung nicht an das Codewort gedacht haben. Aber das erfährt er nie, das bleibt unter uns! So, Rosa Silbermann, jetzt können wir endlich Klartext reden.«

Hundseck

Es machte Agnes das Herz leicht, dass kein Blut an Walburgs Händen klebte. Obwohl sie und Walburg fast der teuflischen Versuchung erlegen wären, hatte die Heilige Jungfrau Erbarmen mit ihnen gezeigt und sie vor schwerer Schuld bewahrt. Es waren wirklich verschlungene Wege, auf die die Heiligen den Verzweifelten schickten, der ihre Hilfe erflehte. Aber wenn die Wege grade und eben wären, dann müssten die Leut ja nicht um himmlische Unterstützung bitten. Am Sonntag würde sie ihrer Namenspatronin eine Kerze in der Bühlertaler Kirche entzünden und am Abend den Engeln beim Nachtgebet danken.

Aber eine neue Sorge gab's, die ihr wie eine Schmeißfliege durch den Kopf schwirrte. Wie konnte die Walburg dieser Frau Goldberg trauen? Stur wie ein Hund und nur weil sie die als Kind mal gekannt hatt, vertraute sie der. Was, wenn sie ihr gestanden hatt, dass sie den Araber umbringen wollt? Was, wenn die Goldberg den Araber selbst erschossen hatt? Auf die Fragen hätt die Walburg doch kommen müssen, wo sie immer weiter als von A nach B dachte. Und jetzt, wo die Goldberg vielleicht wusste, wie sehr die Walburg und sie dem Saukerle den Tod gewünscht hatten, da konnt die doch behaupten, sie wären's gewesen. Und wenn's hart auf hart ging, wem würd man dann eher glauben, der feinen Dame oder Walburg und ihr? Denn ausgestanden war die Geschichte noch lang nicht, einer musst ja den Araber erschossen haben. Sich selber hatt der sich sicher nicht das Hirn weggepustet. Und sie konnt ja jetzt nimmer sagen, dass sie ihn im Bretterwald tot gefunden hatte, weil dann doch jeder wissen wollt, warum sie damit nicht schon viel früher rausgerückt war.

Das alles ging ihr durch den Kopf, während sie allein in dem kleinen Büro saß und die Rechenmaschine mit Zahlen fütterte. Der Hartmann war zum Glück im Haus unterwegs und ließ sie in Ruh. Wenn er sie früh genug gehen ließ, würde sie am Abend noch schnell zur Antoniuskapelle laufen und schon heute eine Kerze für die Heilige entzünden. Und dann am Sonntag noch eine, denn doppelt genäht hält besser.

Als Hartmann zurückkehrte, war sie noch lange nicht fertig mit den aktuellen Zahlenkolonnen. Die Glocke der Rezeption ersparte ihr die Schimpfpredigt. Hartmann ging nach draußen, kommandierte sie ein paar Minuten später zu sich und deutete mit gewichtiger Miene auf zwei Männer in Hüten und Sommermänteln, die frisch angekommen waren. Ob's an den undurchsichtigen Mienen der Herren oder an ihren Mänteln lag, konnte Agnes nicht sagen, sie spürte nur, dass sich eine Eiseskälte im Foyer breitgemacht hatte und sich ihr sofort auf die Haut legte.

»Laufen Sie mal nach draußen und sehen nach, ob Monsieur Pfister schwimmt«, befahl Hartmann ihr. »Wenn ja, bitten Sie ihn sofort herein, die zwei Herren wollen ihn dringend sprechen.«

Agnes nickte und eilte davon, passte aber auf, dass sie nicht zu schnell rannte. Die zwei Männer waren Polizisten, auch wenn sie keine Uniformen trugen. Die Mäntel, es waren die Mäntel. Obwohl hell und aus Popeline, erinnerten sie Agnes an die Ledermäntel der Gestapomänner, die bei ihnen auf dem Hof gewesen waren. Im Sommer, mit Mienen, eisig wie später Frost, und in diesen schweren Mänteln. Einen Zwangsarbeiter, der abgehauen war, hatten sie gesucht. Pflügten durch Wohnstube und Kammer, als würde ihnen das ganze Haus gehören. Alle Hühner mussten sie hinterher einfangen, weil die Männer die Stalltür einfach offen gelassen hatten.

Während sie hinter das Haus lief, betete sie darum, dass Monsieur Pfister im Wasser sein möge. Schwimmend konnte er sie nicht in seinen Bann ziehen. Vom sicheren Beckenrand her würde sie ihm zuraunen, dass er erwartet wurde, und dann sofort wieder zurücklaufen.

Die Sonne stand bereits tief, und die Tannen am Rande des Beckens warfen lange Schatten aufs Wasser. Darin die unentwegte Madame Noeckerli, die wie immer ihre Bahnen zog. Kein Monsieur Pfister. Weder im Wasser noch auf einem der Liegestühle. Sie lief zurück und berichtete.

»Ich könnt bei der Bergwacht fragen, ob ihn einer gesehen hat«, schlug sie zurück im Hotel vor, bevor Hartmann oder die Polizisten auf die Idee kamen, sie ins Gebet zu nehmen.

Die Herren nickten. Schneller als ein geölter Blitz war sie wieder weg und stob den Waldweg entlang, der zur Hütte der Bergwacht führte. Als sie die Lambretta entdeckte, raste ihr Herz noch ein bisschen schneller, weil doch der Fridolin Dienst hatte.

»Agnes!« Schon trat er aus der Hütte und strahlte sie an. »Bringst mal wieder die Post?«

Sie schüttelte den Kopf. »Ich such einen von unseren Gäst. Den Schweizer, Monsieur Pfister. Weißt, wen ich mein?«

Fridolin nickte. »Der ist hier gewesen. Wegen dem Araber. Weil wir doch nach dem gesucht haben. Hat wissen wollen, ob wir gar nichts g'funden haben. Sacktüchel, Zigaretten, Gewehr, irgendwas.«

»Und?«

»Wir finden immer ebbes. An dem Abend eine leere Flasche Frauengold, ein stehengelassenes Körbel Heidelbeeren, zwei Zuban-Stummel. Nicht von dem Araber, der hat eine andere Marke geraucht. Von ihm nicht die winzigste Spur. Aber gestern Abend haben sie einen Toten aus dem Mummelsee gefischt. Erschossen ist er vorher worden, hat in der Zeitung gestanden, und dass er aus Nordafrika kommen soll. Ich schätz, das ist er.«

»Wie kommt der vom Bretterwald in den Mummelsee?«, fragte Agnes verwirrt.

»Entweder die haben ihn direkt am Mummelsee erschossen, oder die haben ihn als Leiche mit dem Auto an den See gefahren, so wie in den amerikanischen Gangsterfilmen. Zehn Kilometer schleppt keiner einen Toten zu Fuß.«

»Du glaubst, es waren mehr als einer?«

»So ein Toter ist kein Sack Mehl, der ist ordentlich schwer. Und solang er steif ist, Jesses, da musst du viel Spinat essen, dass du ihn ins Auto geschafft kriegst.«

Agnes atmete schwer. Da war ihr das Herz wegen der Walburg so leicht gewesen, und jetzt das! Sie hatten den Araber im Mummelsee gefunden. Aber, dachte sie, der

Mummelseekönig behält doch die Toten jahrelang in seinem eisigen Wasser. Viele sollen's sein, die er in seinem Unterwasserreich festhält und überhaupt nimmer auftauchen lässt. Junge Männer vor allem, mit denen die Nixen bei Neumond übers Wasser tanzen. Doch dem Araber haben der König und seine Nixentöchter den Zutritt in ihr Reich verwehrt und ihn schnell wieder an die Wasseroberfläche zurückgeschickt.

Ob das jetzt gut oder schlecht war, dass man ihn endlich gefunden hatte, konnt sie nicht sagen. Sorgen müsst sie sich keine mehr machen, sie hatte ja nun wirklich nichts mehr mit seinem Tod zu tun. Wenn sie's also gescheit anstellte, dann ging der Kelch diesmal an ihr vorüber. Mit den Kerzen für die Namenspatronin und der Danksagung an die Engel würde sie sich allerdings noch ein bissel Zeit lassen.

»Hast du den Schweizer heut gesehen?«, kam sie auf ihren Auftrag zurück.

Fridolin schüttelte den Kopf und fragte stattdessen: »Welcher von euren Gästen fährt einen silbernen Opel Olympia?«

Agnes zuckte mit den Schultern. Von Automarken verstand sie nichts.

»Der hat uns an dem Abend überholt, als ich dich bis zur Hertahütte mitgenommen hab«, half Fridolin ihr auf die Sprünge.

Das war Frey von Fritsch & Frey gewesen, der fuhr als einziger Gast einen silbernen Wagen. »Was ist mit dem?«, wollte sie wissen.

»Der ist vorhin den Waldweg Richtung Hoher Ochsenkopf entlanggeschlichen. 's wundert mich, was der dort will. Der kommt doch mit dem Auto nicht weiter als bis zu der Stelle, wo der Weg den Berg hochgeht.«

Das war nicht weit. Höchstens zehn Minuten, wenn sie schnell lief. Da könnt sie doch nachgucken gehen. Wenn sie schon Monsieur Pfister nicht fand, könnte sie den Herren immerhin sagen, wo der Frey steckte. Der musst sie auch interessieren, weil er doch mit dem Araber auf der Jagd gewesen war. Und jeder andere, den sie ins Visier nehmen konnten, lenkte weiter von ihr ab.

»Wenn du den Schweizer noch siehst, sagst ihm, dass er sich beim Hartmann melden soll?«, bat sie Fridolin, und als er lächelnd nickte, machte sie schnell kehrt und lief davon, damit er nicht sah, wie sie rot wurde.

Sie kannte den Weg Richtung Ochsenkopf, und es dauerte nicht lange, bis sie den silbernen Wagen sah. Um nicht entdeckt zu werden, wechselte sie vom Weg in den Wald. Wenn man mit der Walburg groß geworden war, dann kannte man den Wald besser als das kleine Einmaleins. Leise wie ein Indianer schlich sie auf den Wagen zu, und als sie nah genug dran war, bezog sie hinter einer dichten Hainbuche Stellung.

Frey lehnte mit dem Rücken und verschränkten Armen an der Fahrertür. Er war nicht allein. Monsieur Pfister war bei ihm. Der kickte auf der anderen Seite des Wagens mit Tannenzapfen gegen die Reifen und machte ein Gesicht wie zehn Tage Regenwetter.

Jesses, dachte Agnes, als sie in die Hocke ging, jetzt schlag ich glatt zwei Fliegen mit einer Klappe.

»Sag, dass ich mich verhört hab!«, knurrte Monsieur Pfister. Es war ein gefährliches Knurren, erkannte Agnes, wie das von einem Hund, kurz bevor er zubeißen tät. »Wegen einer Nutte? Du erschießt Nourridine, weil er dir im Puff eine Rothaarige weggeschnappt hat? Du hättest doch nach ihm mit ihr vögeln können. Aber nein, du vögelst keine, in der vorher ein Araber gesteckt hat. Wann will's endlich in deinen Schädel, dass die Ära der deutschen Herrenmenschen vorbei ist? Wann kapierst du, dass du nicht mehr so mir nichts, dir nichts einen abknallen kannst, nur weil er dir nicht passt?«

Agnes sackte mit dem Hintern auf den Waldboden. Bei allen Engeln und Heiligen! Der Frey hatte den Araber umgebracht.

»Außerdem hat er noch die Wildsau, die ich im Visier

297

hatte, abgeknallt. Das hat das Fass zum Überlaufen gebracht«, fügte Frey unbeeindruckt hinzu. Dann holte er ein Sackmesser aus der Hosentasche und ließ es aufschnappen.

Und mit dem bringt er jetzt Monsieur Pfister um! Agnes schloss die Augen. Welcher Teufel hatte ihr bloß ins Ohr geflüstert, dass sie nach dem silbernen Wagen sehen sollte?

»Als ob das nicht schon genug der Dummheit wäre, schaffst du es nicht einmal, die Leiche auf Nimmerwiedersehen verschwinden zu lassen.«

Monsieur Pfisters Stimme flehte keineswegs um Gnade, im Gegenteil, sie war scharf wie ein Peitschenknall. Agnes öffnete die Augen wieder.

»In diesem See verschwindet eigentlich alles auf Nimmerwiedersehen«, erklärte Frey und reinigte sich mit der Messerspitze seelenruhig die Fingernägel. »Ich kann nichts dafür, wenn deutsches Wasser keine minderwertige Ware annimmt.«

Monsieur Pfister sprang nun um den Wagen herum, griff wieselschnell nach dem Messer und klappte es zu. Agnes registrierte, dass die beiden Männer in etwa gleich groß waren. Der käsige Frey wirkte wie ein schlaffer Sack, Monsieur Pfister dagegen wie eine angespannte Weidenrute. Bei einem Kampf, Mann gegen Mann, würde der Schweizer gewinnen, da gab's keinen Zweifel. Aber Monsieur Pfister ging nicht auf Frey los, er lief wieder auf seine Seite des Wagens, hieb mit der flachen Hand dreimal auf die Motorhaube und holte tief Luft, bevor er fragte: »Du weißt, dass in der Zwischenzeit die Polizei in der Sache ermittelt?«

»Ist das ein Problem?« Frey polierte mit der Daumenkuppe die Ränder der frisch geputzten Fingernägel und betrachtete sie, als hätte er ein Meisterwerk vollbracht.

»Ob das ein Problem ist?« Pfister schüttelte den Kopf, grub die Hände in die Hosentaschen und lief mit großen Schritten neben dem Wagen auf und ab. »Die Polizei ist nicht mehr nur mit alten Kameraden bestückt. Wenn du Pech hast, stößt du auf einen frischgebackenen Demokraten, der die Wahrheit rausfinden will. Was hast du mit deiner Jagdflinte gemacht? Und mit der von Nourridine?«

»Liegen beide auf dem Grund des Sees. Deutsche Wertarbeit, die wird der See behalten.«

Monsieur Pfister schnappte nach Luft. »Wie blöd bist du denn? Wenn die Polizei – was, wie gesagt, durchaus möglich ist – gründlich arbeitet, dann sucht sie in der Nähe des Leichenfundortes nach Spuren. Die kann dafür sogar Taucher einsetzen. Mord ist ein Kapitalverbrechen, da geht man nicht einfach zur Tagesordnung über. Und noch mal speziell für dich zum Mitschreiben: Nach dem neuen Grundgesetz ist jeder Mensch vor dem Gesetz gleich, also auch ein Araber. Wenn sie also dein Gewehr finden, dann bist du dran.«

Frey schüttelte bedächtig den Kopf und grinste so gemein, dass Agnes ein Schauer über den Rücken lief.

»Nicht wenn du mir aus der Scheiße hilfst, Pfister. Falsche Verdächtige auftreiben, Nebelspuren legen und so weiter. Nisten sich nicht schon wieder Juden in den Höhenhotels ein? Die schlachten doch in ihrem neuen Land die Araber ab. Warum nicht auch bei uns?«

»Ich dir helfen?« Pfister kickte wütend einen Tannenzapfen ins Nirgendwo. »Du hast meinen Statthalter umgebracht. Mit dem war ich noch lange nicht fertig. Kannst du mir sagen, wie ich ohne ihn rausfinden soll, was mit den Sturmgewehren passiert ist?«

»Schreib sie ab. Geschäfte im Morgenland sind immer ein Risiko, und …«, Frey machte eine kleine Pause, »… deine Schweizer Verlobte und dein Schwiegervater in spe wären nicht erfreut, wenn sie davon Wind bekämen.«

»Willst du mich …?«

Wenn Blicke töten könnten, würd der Frey jetzt tot umfallen, dachte Agnes zittrig wie Espenlaub.

»Gar nichts will ich, weil ich weiß, dass du mir hilfst«, tönte Frey. »Weil du für Geld alles machst, Pfister. Und weil du weißt, was für eine Goldgrube das G 45 sein wird. Und ohne mich wird es das neue Sturmgewehr nicht geben.«

»Ihr seid nicht die Einzigen, die neue Waffen bauen.«

»Ach, komm schon, Pfister, beim Sturmgewehr sind wir die Nummer eins. Ich versteh gar nicht, warum du dich so aufregst. Du hast doch bisher jedes Problem gelöst. Deshalb ist es so angenehm, mit dir Geschäfte zu machen. Also, was schlägst du vor?«

Gar nix schlägst du dem vor, gar nix, wollte Agnes Monsieur Pfister zurufen, weil es nicht in ihren Kopf wollte, warum er sich von dem Frey so herumkommandieren ließ. Und tatsächlich, Monsieur Pfister lief weg, zurück in Richtung Bergwachthütte. Aber nach nicht mal hundert Metern kehrte er um, kickte wieder Tannenzapfen wild durch die Gegend, ein paar mit Absicht direkt auf Frey, der sie ungerührt von sich abprallen ließ.

»Hast du noch eine weitere Jagdflinte dabei?«, fragte Pfister nach einer Weile und hörte auf zu kicken. Als Frey nickte, fuhr er fort: »Schieß damit ein paarmal, die Polizei kann nämlich feststellen, ob eine Waffe benutzt wurde. Wenn sie dich befragen, verhalte dich korrekt und bleibe bei deiner Aussage. Gib ihnen, wenn sie darauf bestehen, dein Gewehr. Für wann habt ihr eure Abreise geplant?«

»Morgen früh.«

»Sehr gut. Und ab dann bist du für weitere polizeiliche Nachfragen nicht mehr erreichbar. Schwere Grippe, dringende Auslandsreise, lass dir was einfallen.«

»Klingt gut!« Frey ging um den Wagen herum, öffnete den Kofferraum und holte ein Gewehr heraus.

»Was soll das?«, fragte Pfister verärgert.

»Hast doch gesagt, dass ich ein paarmal damit schießen soll.«

Und dann zielte er genau auf die Buchenhecke, hinter der Agnes sich versteckt hielt.

Auf einer Lichtung machten sie halt. Rosa setzte sich ins Gras. Sie war seit dem Morgen auf den Beinen und von neuen und alten Fragen verwirrt. Sie fühlte sich erschöpft wie nach einem langen Arbeitstag in den Weinbergen von Omarim. Ari ging neben ihr in die Hocke und sah sich um. Kein Mensch weit und breit, nur eine Schar Spatzen lärmte auf den Tannen am Waldrand.

»Hast du von dem Busunglück gehört?«, fragte er. »Sind die Straßen hier wirklich so gefährlich?«

»Wenn du die Straßen in Israel gewohnt bist, sicher nicht«, beschied Rosa knapp und fragte dann: »Was ist in Paris geschehen?« Darüber sollte er reden, nicht über den Unfall.

»Verdammt unangenehme Sache. Da ist was granatenmäßig schiefgelaufen.«

»Das kannst du laut sagen«, bestätigte Rosa. »Was ist mit dem sechsten Mann? Was weißt du über ihn? Ist er hier?« Sie funkelte ihn herausfordernd an, aber er wich ihrem Blick aus.

»Hab über Levi Mosmann Kontakt zur GCPS bekommen, wir haben gemeinsam in der Royal Air Force gedient, so was verbindet. Weil Levi mir traute, haben mir auch die anderen schnell getraut. Ich bin kurz nach dem Briefbombenattentat in München zur Gruppe gestoßen, da war die GCPS ein zerstrittener Haufen, weil man sich nicht einigen konnte, wie man den Kanzler am besten ...«

»Ari«, unterbrach ihn Rosa. »Ich brauch nicht alles zu wissen. Kurzfassung genügt.«

»Es war eine verdammt dreckige Arbeit.« Er sah sie böse an, als wäre es ihre Schuld, dass er diese Arbeit hatte erledigen müssen. Dann schnellte er aus der Hocke hoch und spie aus: »Ein Jude spioniert Juden aus!«

Alarmiert zog Rosa die Knie an. Sicher, sie verstand, dass es nicht schön war, sich unter falschen Vorzeichen in eine

Gruppe einzuschleichen. Aber es wunderte sie, dass einem Profi solch ein Auftrag zusetzte, und noch mehr verwunderte sie, dass er mit ihr darüber sprach. Für einen Agenten zeigte er verdammt viel Gefühl. Sie fokussierte sein Gesicht und fand darin nichts mehr von dem charmanten Leichtfuß oder dem Eisblock auf zwei Beinen, sondern nur noch ein Schlachtfeld: zu viel frühe Falten, zu viele versteckte Narben, zu viele Risse in der Haut. Er hatte zu oft vermintes Gelände betreten, zu viel Pulverdampf eingeatmet, zu oft im Kugelhagel gestanden, zu viele Kämpfe verloren. Er war ein Ritter in rostiger Rüstung, der das Gleiche ersehnte wie sie: Vergessen, Ruhe, Erlösung.

»Keine fünf Jahre nach der Staatsgründung sind wir schon so weit gekommen«, rief er mit großer Geste über die Tannenwipfel hinweg und blieb stehen. »Alles wegen dem verdammten Geld. Nicht nur bei Brecht, auch bei uns Juden kommt erst das Fressen und dann die Moral.«

Komm, setz dich her zu mir, hätte sie am liebsten gesagt. Hör auf, dich zu quälen. Aber dann sah sie sich wieder bei Oz und seinen Leuten und mit Tilly auf dem Schiff sitzen und wusste, dass alles, was sie ihr erzählt hatten, der Wahrheit entsprach. Der Wahrheit, die Ari und sie brauchten, um diesen Auftrag zu erfüllen.

»Wann warst du zum letzten Mal in Israel?«, fragte sie. »Weißt du, wie groß die Not bei uns ist? Hast du die gesehen, die, aus den Lagern kommend, wieder in Lager für Displaced Persons gesteckt oder von den Engländern interniert wurden, bevor sie endlich in Haifa oder Tel Aviv von Bord gehen konnten? Haut und Knochen die meisten, schattenhafte Reste ihrer selbst. Sie brauchen Häuser und keine Lager, Ärzte und keine Wächter …«

»Das weiß ich, ich habe eines der Schiffe von Zypern nach Haifa begleitet«, unterbrach Ari sie.

»Dann weißt du doch genau, wofür wir das Geld der Deutschen brauchen.«

»Natürlich weiß ich das!«, bellte er, immer noch bereit, alle Tannen des Schwarzwaldes kleinzuhacken.

Irgendwann streckte er die Waffen und trat zu ihr. Ihre Blicke kreuzten sich. Rosa war sich nicht sicher, ob er ihr tatsächlich eine Tür zu seinem Innersten geöffnet hatte oder ob er ihr etwas vorspielte. Wie sollte sie ihm trauen? In den letzten Wochen hatte sie sich zu sehr auf schwankendem Boden bewegt. In solchen Zeiten wurde Vertrauen zur fragilen Ware, war keine sichere Bank mehr, auf die man setzen konnte.

»Wie heißt der sechste Mann?«, kam sie beharrlich auf ihr Anliegen zurück.

»N.«

»N?«

»N. Immer nur N. Seinen vollen Namen haben sie nie gesagt, vielleicht kannten sie ihn nicht«, erklärte Ari. »N kam nie zu den Treffen. Habe ihn nie kennengelernt. Levi war sein Sprachrohr. Manchmal hatte ich den Eindruck, N sei die graue Eminenz, die die Gruppe aus der Ferne steuert, dann wieder, dass er nur als Joker dient, den man, wenn alles schiefläuft, ziehen kann.«

Eine Chimäre, dachte Rosa. Wie Ari, bevor er hier auftauchte. »Graue Eminenz, Joker. Existiert der Kerl wirklich? Hast du nichts Handfestes?«

»Sicher weiß ich, dass er ein Mann ist, der die Möglichkeit hat, in die Nähe des Kanzlers zu gelangen. Vermutlich durch seinen Beruf. Ein Politiker vielleicht. Kann auch ein Priester, Künstler oder Arzt sein.«

Rosa hatte mit vielem gerechnet, aber nicht damit, dass Ari so wenig über den sechsten Mann wusste. Sie suchte nach einem Strohhalm. »Hast du dich deshalb für Doktor Keller interessiert? Ich meine …«

»Vergiss ihn«, unterbrach er sie. »Er ist raus. So nah, wie er dem Kanzler gestern war. Er hätte die Möglichkeit gehabt, ihn zu töten, und hat es nicht getan.«

»Aber er hätte nicht fliehen können. Von Droste hätte ihn gestellt.«

Ari zuckte mit den Schultern. »Damit muss jeder Attentäter rechnen.«

»Aber gestern hat dich Keller interessiert?«, bohrte Rosa weiter.

»Jeder, der sich nicht einordnen lässt, ist für uns interessant.«

Er weicht aus, dachte Rosa. »Warum bist du so spät gekommen? Eckstein sagt, Oz' Leute haben die GCPS schon vor fünf Tagen auffliegen lassen.«

»Weil ich Levi gefolgt bin, in der Hoffnung, er führt mich zu N.« Ari schnaubte verächtlich.

»Geht das ein bisschen genauer?«

»Wer redet schon gern über Niederlagen?« Ari seufzte und ließ sich Zeit, bevor er weiterredete. »Du kommst wirklich nicht aus unserer Branche? Das ist tatsächlich dein erster Einsatz als Agentin? Chapeau, meine Liebe.«

Rosa ignorierte diesen Versuch, ihr zu schmeicheln. »Also?«

»Als Oz' Leute die Gruppe hochnahmen, fädelte ich es ein, dass Levi entkommen konnte. Er musste N jetzt warnen, er würde mich zu ihm führen. Ich heftete mich also an seine Fersen. Es ging quer durch Paris und dann weiter nach Norden. Um es kurz zu machen: Die Sache ist schiefgegangen. Levi hat gemerkt, dass ich ihm gefolgt bin, ich wurde vom Verfolger zum Verfolgten. Tage in verlassenen Scheunen in der Picardie und der Île de France, nachts der Versuch, irgendwie nach Paris zurückzukehren. Als ich davongekommen war und wieder Kontakt zu Oz aufnehmen konnte, hörte ich, dass seine Leute Levi gefasst hatten. Doch niemand konnte mir sagen, ob es Levi gelungen war, N zu kontaktieren. So. Jetzt weißt du, warum ich so spät kam und was schiefgelaufen ist.«

»Eine ganze Menge«, stellte Rosa fest. »Aber wenn du sicher bist, dass N ein Mann ist, dann kann ich wenigstens die

Liste meiner Verdächtigen zusammenstreichen. Die jüngere der Damen Grünhagen, die so gut schießt, scheidet dann qua Geschlecht aus. Wenn du Keller ebenfalls ausschließt …« Sie zuckte resigniert mit den Schultern. »Hast du schon mal von einem Waffenhändler namens Xavier Pfister gehört?«, fragte sie dann.

»Ich kenn ihn«, sagte er zu Rosas Überraschung, »weil jeder, der im Vorderen Orient Waffen auf nicht ganz legale Art beschaffen muss, Xavier Pfister kennt. Vor der Staatsgründung habe ich mal Sprengstoff bei ihm in Beirut gekauft. Er ist ein windiger Hund, der seine Ware an den verhökert, der am meisten dafür bezahlt. Keine Moral, keine Ideologie, keine Überzeugung. Einer, der sein Fähnlein immer nach dem Wind dreht, dem der persönliche Vorteil über alles geht.«

»Traust du ihm einen Auftragsmord zu? Könnte er N sein?«

Ari schüttelte entschieden den Kopf. »Wenn es brenzlig wird, schickt er einen seiner Vasallen vor. Niemals würde die GCPS so einen unsicheren, rückgratlosen Kantonisten einsetzen. Und nach allem, was ich über N weiß, hat Xavier Pfister keineswegs sein Format. Dieses Attentat, Rosa, begeht einer aus Überzeugung. Xavier Pfister tut nichts aus Überzeugung. Also, vergiss ihn.«

Rosa holte tief Luft und überlegte. Sie konnte nicht sagen, warum sie Pfister trotz aller Informationen noch nicht von der Liste ihrer Verdächtigen streichen wollte. »Es ist ein paar Jahre her, seit du diesen Pfister zuletzt gesehen hast, vielleicht irrst du dich? Wir werden ja hören, was Simon Eckstein herausgefunden hat.« In seinem letzten Telefonat hatte Eckstein davon gesprochen, dass Informationen per Post auf dem Weg zu ihr waren.

»Der Mord an Nourridine und das Waffengeschäft haben nichts mit unserem Auftrag zu tun«, wiederholte Ari so, als hätte er die Wahrheit für sich gepachtet. »Pfister ist nicht im Schwarzwald, um durch einen Anschlag auf Adenauer das Wiedergutmachungsgesetz zu verhindern. Pfister ist hier, weil in Deutschland die Wiederbewaffnung ansteht. Das Amt Blank bereitet sie vor. Adenauer will die Wiederbewaffnung. Und er hat gute Karten. Die westlichen Verbündeten unterstützen ihn, um gegen die rote Gefahr gewappnet zu sein. Gegen den Weltkommunismus. Da scharren alle, die mit der Herstellung und dem Vertrieb von Waffen zu tun haben, mit den Hufen. Pfister ist sehr wohl wegen des Kanzlers hier, aber in anderer Angelegenheit.«

Mit einem Mal fühlte sich Rosa so müde, dass sie glaubte, nie mehr aufstehen zu können.

»Deine bisherige Arbeit war gut. Wenn ich Pfister nicht kennen würde, hätten mich die Vorkommnisse auf dieselbe Fährte gelockt wie dich«, sagte Ari und stand auf. »Aber jetzt sind wir beide klüger, also machen wir das, was wir Juden immer tun: aufstehen und weitermachen. Vier Augen sehen mehr als zwei, vier Ohren hören doppelt so viel. Los, komm!«

Er reichte ihr die Hand und zog sie in die Höhe. Zum ersten Mal spürte sie die Kraft, die in ihm steckte.

»Wir müssen dir noch ein Kostüm für den Maskenball aussuchen.« Mühelos wechselte er in die Rolle des Kavaliers und bot ihr mit einem charmanten Lächeln seinen Arm an. »Ein Funkenmariechen gab es nicht in der Verkleidungskiste.«

»Maskenball! Ich kann überhaupt nicht tanzen«, jammerte sie.

»Wenn du dich meiner Führung anvertraust, ist es ganz leicht.«

Bühlerhöhe

Man muss mehr wollen, als man kriegen kann, dann kriegt man eine ganze Menge, dachte Sophie und drehte den neuen Ring an ihrer linken Hand hin und her. Bisher war sie noch nie nach ihrem Lebensmotto gefragt worden, aber wenn, wäre das ihre Antwort. Bescheidenheit hatte sie nie als Zier empfunden, schon als junges Mädchen trug sie die Nase gern weit oben. Auf keinen Fall wollte sie so werden wie ihre Mutter oder die Straßburger Klassenkameradinnen. Auf keinen Fall wollte sie hinter der Verkaufstheke einer Bäckerei oder als Heimchen am Herd enden. Das war ihr gelungen. Dank ihrer Position auf der Bühlerhöhe verkehrte sie mit den Reichen und Mächtigen des Landes, wenn auch auf der falschen Seite des Rezeptionstresens. Was ihr nämlich bis heute gänzlich fehlte, war gesellschaftliche Anerkennung. An einer alleinstehenden Frau haftete – egal wo sie gesellschaftlich stand – ein Pestgeruch. Alleinstehende, junge Frauen waren in den Augen vieler Verheirateter eine Bedrohung, später, als alte Jungfer, galten diese Frauen als wunderlich. Weder mit den einen noch mit den anderen wollte man etwas zu schaffen haben. Nicht umsonst reisten die Damen Grünhagen zusammen. Aber diese weiblichen Notgemeinschaften hatten etwas Erbärmliches. Bei einem Kinobesuch wurde man schräg angesehen, bei einem Konzert in die letzte Reihe gesetzt, in einem Restaurant ans Katzentischchen verwiesen. Und wehe den Armen, die es liebten zu tanzen! Ihnen blieb nichts als der Ball der einsamen Herzen. In der jungen Bundesrepublik galten die alten Werte, die Familie war heilig. Da war kein Platz für alleinstehende Frauen.

Vor ein paar Stunden noch hatte sie Luftschlangen über die Wandleuchter der Rundhalle gepustet. Vielleicht war sie so nachdenklich geworden, weil Maskenbälle die Ausnahme von der Regel waren. Plötzlich stürzten sich alle in das prickelnde Spiel mit dem Verbotenen. Das Ehepaar Z über Kreuz mit dem Ehepaar Y. Die alte Frau M mit dem jungen Herrn R. Das Zimmermädchen mit dem Richter a.D., der Chauffeur mit Madame X. Wer sich am Morgen danach aus welchen Zimmern schlich, überraschte sie jedes Mal.

In ihrem ersten Jahr hatte auch sie sich als lustige Witwe verkleidet unter die Gäste gemischt. Sie war im Bett eines leitenden Ingenieurs der BASF gelandet. Liebesschwüre und richtig guter Sex zur späten Stunde, aber am nächsten Morgen fertigte er sie mit zwanzig Mark ab und scheuchte sie zu den Domestiken zurück. Wie ausgespien war sie sich vorgekommen. Ein Fehler, den sie niemals wiederholt hatte. Seither beobachtete sie die Feste aus der Ferne, sammelte dabei Exzesse und Peinlichkeiten ihrer Gäste wie auf dem Weg zum Bett fallen gelassene Wäsche ein. Das eine oder andere davon konnte ihr vielleicht einmal nützlich sein.

Natürlich, sie war nervös gewesen, als sie sich, sobald alle Girlanden hingen und die Tanzcombo platziert war, auf den Weg zur Hütte machte. Xavier hatte nicht auf ihren Brief reagiert, sie musste mit der Möglichkeit rechnen, dass er nicht auf sie wartete. Aber es war ganz anders gekommen. Wieder entzückte sie der Ring. Sie streichelte ihn mit Daumen und Zeigefinger der rechten Hand, ließ ihn sanft den Finger hinauf- und hinabgleiten. Er war zu groß. Aber die Größe ließ sich ändern. Eine Fingerübung für jeden Juwelier.

Jeder Schritt, der sie näher zur Hütte brachte, hatte ihr Herz schneller schlagen lassen. Die Kühle des moorigen Bodens, die ihr unters Kleid kroch, ließ sie zudem zittern. Doch dann sah sie das flackernde Gaslicht in der Hütte. Xavier war schon da.

Als er sie hörte, trat er vor die Tür, rannte sofort auf sie zu, suchte ihren Mund, bohrte seine Zunge hinein, seine Hand glitt zwischen ihre Beine, genau an die richtige Stelle. Sie schafften es nicht mehr bis in die Hütte, an Ort und Stelle rissen sie sich die Kleider vom Leib. Am Ende reckte sie ihm wie immer auf allen vieren kniend den Hintern entgegen.

Danach hatte es Xavier eiliger als sonst, wieder in die Kleider zu schlüpfen. Sie folgte ihm in die Hütte, er bot ihr eine Zigarette an, entflammte eine für sich und kam sofort auf die Ermordung Nourridines zu sprechen. Ein Schlag, gewiss, aber die Unwissenheit davor habe ihn noch verrückter

gemacht. Doch unverzeihlich, dass er ihr gegenüber so aus-
fallend geworden sei. Ob Sophie ihm noch einmal …?

Natürlich würde sie, aber nicht gleich. Sie gab sich kühl,
verletzt, reserviert. Ein bisschen mehr musste er sich schon
anstrengen, und das tat er! Sie sei doch seine treue Gefährtin, die zukünftige Frau an seiner Seite, beteuerte er, und
plötzlich, wie durch Hokuspokus herbeigezaubert, lag ein
Ring auf dem Tisch. Dieser rosettenförmig geschliffene kleine Smaragd, der jetzt an ihrem Finger glitzerte! Im Grünton
junger Tannen oder frischen Grases, je nachdem, wie das
Licht auf den Stein fiel. Noch völlig überwältigt von diesem
edlen Versöhnungsgeschenk, traute sie ihren Ohren nicht,
als er sie fragte, ob er sie mit diesem Verlobungsring gnädig
stimmen könne. »Wie bitte?«, hatte sie verwirrt gefragt. Noch
jetzt, Stunden später, musste sie darüber den Kopf schütteln.
Da machte er ihr endlich einen Antrag, und sie sagte: Wie
bitte? Er wolle seinen Worten endlich Taten folgen lassen,
hatte Xavier, nun selbst durch ihre Reaktion etwas verwirrt,
hinzugefügt. Dann hatte er ihr den Ring übergestreift. Sie
hatte nur, in stummem Verzücken darüber, dass Wünsche
wahr werden, genickt. Mit vielem hatte sie gerechnet, damit
nicht. Jedenfalls nicht an diesem Tag.

Während in ihren Ohren die Hochzeitsglocken läuteten
und ihr so ganz praktische Fragen wie die, bei welchem Standesamt sie das Aufgebot bestellen sollten, durch den Kopf
gingen, dämpfte Xavier ihre Begeisterung und kam noch einmal auf Nourridine zu sprechen.

Dessen Tod müsse geklärt werden, sonst könne er zukünftige Geschäfte in Marokko und den anderen Ländern des
Nahen Ostens vergessen. Und so lange müsse alles andere
warten. Denn wenn er nicht glaubhaft machen könne, was
genau passiert war, würde man ihm die Schuld am Tod von
Nourridine geben.

Bilder von Casablanca und Kairo tauchten vor ihrem geistigen Auge auf, Orte, zu denen sie Xavier zukünftig als seine

Frau begleiten würde. Sie würde die Welt sehen, sie würde reisen, auf einem Dampfer über das Mittelmeer gleiten, vielleicht sogar auf Capri Station machen. Endlich das Land sehen, wo die Zitronen blühen! Auf die Marina Piccola und die Felsen des Zyklopen hinunterblicken, von denen Madame Noeckerli neulich bei Kaffee und Kuchen geschwärmt hatte. Und Xavier würde an ihrer Seite sein.

Mit einem »Sophie, *ma belle*« riss er sie aus ihren Träumen und bat sie um ihre Hilfe. Das war besser als jeder Traum. Sie war ganz Ohr. Ob die Polizei schon auf der Bühlerhöhe vorgesprochen habe. Ob die Goldberg Kontakt zu von Droste pflege. Und ob! Drei-Gang-Menü mit Rehrücken und Kalbszunge, im Anschluss trautes Tête-à-Tête im Rauchsalon. Sophie erzählte Xavier alles, was sie wusste. Es irritierte sie aber, dass Xavier nun offenbar die Goldberg verdächtigte, etwas, das er kurz zuvor noch rundheraus abgelehnt hatte. In diesem schrecklichen Telefonat. Sie konnte nicht anders, sie fragte nach.

Plötzlich kniete er vor ihr und legte sich die Hand aufs Herz: dass er blind und taub gewesen sein müsse, nicht auf seine gescheite Gefährtin zu hören. »Ich schwöre, Sophie, das kommt nie wieder vor.« Dass ihr Instinkt sie nicht betrogen habe, was diese Goldberg betraf. Wenn er doch nur schon früher auf sie gehört hätte. Vielleicht würde Nourridine dann noch leben. »Vor allem ihre Reaktion auf den von dir vorgetäuschten Anruf verrät sie doch«, erklärte Xavier. »Die Goldberg ist eine Mossad-Agentin. Man hat sie beauftragt, Nourridine zu beseitigen, weil man ihn für ein gescheitertes Waffengeschäft mit den Israelis verantwortlich macht. Seit die Juden ihren eigenen Staat haben, gilt für sie nur noch Zahn um Zahn. Sie müssen den Opfergestank aus den Lagern loswerden, deshalb reagieren sie mit brutaler Härte, wenn etwas schiefgeht.«

Sophie hatte nicht schlecht gestaunt. Vom ersten Augenblick an hatte sie gewusst, dass diese Goldberg nicht koscher war. – Koscher, dass ihr ausgerechnet dieses Wort jetzt einfiel. Doch es passte zu ihr! – Aber eine Mörderin? Die warf doch schon eine falsche Anschuldigung aus der Bahn, die wusste wahrscheinlich nicht einmal, wie man ein Gewehr hielt. Und so eine sollte einen kaltblütigen Mord begehen? Nie im Leben.

Und wieder staunte sie. Denn Xavier erzählte, dass die Israelis auch Frauen an Waffen ausbildeten, ja dass Frauen von Kindesbeinen an zu Gewehrweibern erzogen wurden. Früher in Palästina, weil sie diese Kibbuzim überall in Fellachenland gebaut hatten und sich gegen Übergriffe wehren mussten. Heute, weil sie wirklich jeden zur Verteidigung ihres nur von Feinden umzingelten Landes brauchten. Xavier war sich sicher, sie würden sogar Säuglingen schon Waffen in die Hand drücken, wenn diese damit umgehen könnten.

»Weiß das denn die Polizei?«, hatte sie, immer noch nicht wirklich überzeugt, gefragt.

»Das übernehme ich. Aber es kann sein, dass die Goldberg versuchen wird, sich geschickt aus der Affäre zu ziehen. Sie sieht ja auch aus, als könnte sie kein Wässerchen trüben. Deshalb ist es wichtig, dass du der Polizei von dem Anruf erzählst.«

»Aber den gab es doch nie!«

»Das zu erklären wäre zu kompliziert für die Polizei. Die lieben alles, was einfach ist. Keiner kann nachweisen, dass Nourridine nicht angerufen hat. Du bist ganz auf der sicheren Seite. Also erzähl von dem Anruf und der merkwürdigen Reaktion der Goldberg, dann werden die schon eins und eins zusammenzählen.«

Natürlich würde sie das tun, schließlich half sie Xavier gerne. Und natürlich wäre es ihr ein großes Vergnügen, die Goldberg ans Messer zu liefern. Doch sie glaubte keine Sekunde, dass sie Nourridine umgebracht hatte. Bei aller Raffinesse. Dieser Frey, mit dem Nourridine auf die Jagd gegangen war, lag als Verdächtiger viel näher.

Sie überlegte lange, bevor sie antwortete: »Du hast natürlich gute Karten bei deinen arabischen Geschäftspartnern, wenn du erzählen kannst, Nourridine sei von einer Jüdin erschossen worden. Das verstehe ich.«

Xavier nickte, und sie machte eine kleine, wirkungsvolle Pause, bevor sie fortfuhr: »Aber es wäre für dich und deine Geschäfte sehr unangenehm, wenn ein deutscher Nähmaschinenfabrikant der Mörder wäre.«

In dem knappen Lächeln, das Xavier ihr nach diesem Satz schickte, las sie nichts als Achtung und Respekt. Eine satte Befriedigung erfüllte sie. Endlich, endlich würdigte er ihre Qualitäten als gescheite Gefährtin.

Zu zweit würden sie in Zukunft unschlagbar sein.

Bühlerhöhe

Die Last des Auftrages fiel von Rosas Schultern, als sie an Aris Seite als gute Fee verkleidet die Rundhalle betrat. Ein schillerndes Netz aus Girlanden und bunten Luftschlangen befreite die Halle von ihrer Erhabenheit. In einer leer geräumten Nische spielte eine Combo auf, auf einem Tisch neben der Terrassentür prickelte Bowle in großen Kristallschüsseln. Mit der Verkleidung hatte man sich allseits große Mühe gegeben: der einbeinige Brassel als kecker Jägersmann, die Amerikanerinnen in Dirndln, die Damen Grünhagen als Matrosenpärchen. Der Kanzler war nicht anwesend, aber von Droste mit Cowboyhut begleitete seine Tochter, die als Marienkäfer entzückend aussah. Außerdem unbekannte Harlekine und Ritterfräulein, Teufel und Engelein. Ari machte Rosa auf einen Napoleon aufmerksam, der über Jahrhunderte hinweg mit einer Kleopatra parlierte, und sie zeigte ihm eine Madame Dubarry, die, nicht ganz standesgemäß, mit einem Wurzelsepp flirtete. Das Spiel mit dem Schein und mit fremden Rollen elektrisierte den Raum. Erregung lag in der Luft, in Blicken blitzte Begehrlichkeit auf. Keine zehn Herzschläge lagen hier zwischen Vorsicht und Leichtsinn.

Ari hatte seine rostige Rüstung gegen eine glänzende getauscht. Er gab einen überzeugenden d'Artagnan mit wippendem Federbusch und blitzendem Degen. Rosa gefiel, was sie sah. Und sie mochte den Hauch von Gefahr, der ihn plötzlich umgab. All die Teufel und Engelein bildeten mit ihrer Ausgelassenheit nur die Kulisse für das uralte Spiel, das ungeplant zwischen ihnen begann. Leicht schwebte Rosa in den Armen ihres strahlenden Ritters über den Marmorboden. Mit sanftem, aber sicherem Druck dirigierte sein Arm sie mal in die eine, mal in die andere Richtung. Sie genoss den Gleichklang ihrer Schritte. Vier Füße im Takt, vier Hände an genau den richtigen Stellen, der doppelte Herzschlag. Blicke, die wortlos ein Gespräch führten: Der Kanzler? Muss bis morgen warten. Wie weit gehen wir? Bis ans Ende der Welt. Was zählt? Nur der Augenblick. Willst du mich? Ja, ich will.

Bühlerhöhe

Mit der kalten Brause malträtierte Rosa ihre Haut so unbarmherzig, bis sie sich rot färbte und ihre Zähne klapperten. Vor Kälte zitternd, wickelte sie sich in ein Handtuch, aber immer noch spürte sie die Hitze, die Ari in ihr entfacht hatte. Sie war ihm dankbar, dass er sich früh aus dem Bett geschlichen hatte, denn sie hätte nicht gewusst, wie sie ihm begegnen sollte.

Reumütig floh sie in Gedanken nach Omarim. Sie zwang sich den Geruch aus Säure und frischem Heu, der in der Molkerei herrschte, in die Nase. Sie sah sich mit dem Rechen die mit Molke zersetzte Ziegenmilch teilen. Eine Arbeit, die Kraft kostete und der sie diese muskulösen Oberarme verdankte, über die sie nun mit beiden Händen fuhr und die sie im Spiegel des Badezimmers besah. Eine Arbeit, die sie gerne tat. Sie hörte Bens helle Stimme, der sie manchmal in der Molkerei besuchte, um sich an ihre Hüfte zu schmiegen und von seinen Spielkameraden zu erzählen. Sie sah sich abends mit den anderen Frauen unter dem Olivenbaum sitzen, über Gott und die Welt, die nächsten Anschaffungen des Kibbuz oder über Männer reden. »Nu, Rosa, schau dir den Isaak an! Das ist kein Potz und kein Schmock, ein ehrlicher Mann ist er, und stattlich ist er auch. Kannst doch nicht ewig dem Nathan nachweinen.« Nein, nein! Einen neuen Bräutigam suchte sie nicht. Weder in Omarim noch hier.

Zum Abtrocknen brauchte sie länger als gewöhnlich. Langsam, fast zärtlich rieb sie Arme und Beine, Brust und Bauch, Becken und Po trocken und betrachtete sich wieder im Spiegel. Schön war sie, schön und begehrenswert.

Ein Maskenball war wie Karneval, Frohsinn und Anarchie, außer Kraft gesetzte Regeln. Da galt, ein Mal ist kein Mal, solche Ausrutscher waren am nächsten Tag vergessen. Schön war's, sie hatte es gewollt, aber Tilly hatte sie gewarnt. Ari blieb der schöne Artur, der nichts auf Liebe und Treue gab, sie würde ihr Herz nicht an so einen verlieren. Dennoch strich sie sich diese wohlduftende Creme auf die Haut, die Rachel ihr gegeben und die sie noch gar nicht benutzt hatte. Die Creme roch so gut, sie roch so gut – Rosa seufzte; und Ari hatte so gut gerochen.

Schluss jetzt! Sie mussten diesen Auftrag erledigen. Ari war gleich nach dem Aufwachen wieder bei der Sache gewesen, aber nicht ganz. Ins Ohr geflüstert hatte er ihr, dass sie unbedingt einen Wagen bräuchten, er nach Bühl fahren müsse. Dabei kam er ihr mit seinem Mund so nah, dass er damit ihr Ohr liebkoste. Beweglich sein in dieser unwirtlichen Gegend, darum gehe es, flüsterte er weiter und ließ seine Hand von ihrem Bauch aus nach unten wandern. Dann war er verschwunden.

Nein, kein Aschekreuz auf dem Scheitel, wie es ihre katholische Kölner Freundin Elfriede nach dem Kirchgang in der Schule an Aschermittwoch getragen hatte. Rosa bereute nichts, doch sie wusste, dass die Regeln wieder galten und die Pflicht rief.

Sie schraubte die Cremedose zu und zog sich an. An diesem Morgen hatte nicht nur der Kanzler, sondern auch sie einen Termin zur Frischzellenkur. Tür an Tür mit Adenauer würde sie noch einmal der Stachel in von Drostes Fleisch sein.

Ein Morgen, hell und verlockend; eine Luft, frisch und klar.
Der harzige Duft der Tannen machte Sophie die Brust frei
und weit. Sie stand auf der Hirschterrasse, wo der Tau noch
auf den breiten Rücken der Bronzehirsche glänzte, und sah
hinunter ins Tal, in eine vom Morgennebel wattierte Stille. Sie
suchte darin nicht nach dem Turm des Straßburger Münsters. Heute brauchte sie den tröstlichen Anblick nicht, denn
bald konnte sie die lang vermisste Kathedrale wieder aus der
Nähe betrachten. Vielleicht reiste sie aber als Madame Pfister
gar nicht so schnell nach Straßburg, vielleicht reichte ihr die
Möglichkeit, es tun zu können? Es war schon verrückt mit
der Sehnsucht. Solange Straßburg unerreichbar schien, hatte
sie sich heftig und schmerzhaft danach gesehnt, kaum schien
es erreichbar, nahm die Anziehung ab. Hier in Deutschland vermisste sie ihre französischen Wurzeln, zurück im
Elsass, wo alles Deutsche verpönter war denn je, würde
sie die deutschen vermissen. Bereits mit der Muttermilch
hatte sie die Zerrissenheit in sich aufgesogen. Ihre Großmutter Odile, Jahrgang 1869, hatte in ihrem Leben viermal
die Nationalität gewechselt, ohne Straßburg je zu verlassen.
1870 deutsch, 1918 französisch, 1940 wieder deutsch, 1945
wieder französisch. Ihre Eltern lernten in der Schule nur
Deutsch, nach dem *Grande Guerre* sprachen sie kaum mehr
ein Wort Französisch, aber sie, Sophie, die nur mit Deutsch
aufgewachsen war, lernte in der Schule gezwungenermaßen
Französisch, und dann, 1940, war wieder alles anders. Weg
mit dem welschen Plunder. Die Nachnamen, die Straßen,
die Plätze, die Ämter, alles wurde eingedeutscht. Zuerst hatte sie es genossen, denn ihr Deutsch war viel besser als ihr
Französisch. Doch dass man nicht mal mehr Trottoir sagen
durfte, widerstrebte ihr. Auch ihre Ehe mit Rüdiger war den
Zeiten zum Opfer gefallen. Erst begegneten ihr die Nachbarn und die Schulkameradinnen mit Wohlwollen, manche

neideten ihr den deutschen Mann sogar, doch der Wind drehte sich schnell. Denn die Nazis übertrieben alles. Der Reichsgau Oberrhein sollte ein deutscher Mustergau werden. Endgültig kippte die Stimmung ins Deutschfeindliche, als die Nazis die Elsässer Männer an die Front zwangen und sie als Kanonenfutter im Russlandfeldzug verheizten. Niemand hatte den Elsässern ihre Liebe zum Deutschen so gründlich ausgetrieben wie die Nazis.

Sophie betrachtete ihre rechte Hand. Sollte sie den Ehering rechts oder links tragen, auf die deutsche oder französische Art? Vielleicht überließ sie Xavier als neutralem Schweizer diese Entscheidung. Dafür würde sie die Eheringe aussuchen. Sie musste wegen des Smaragdrings sowieso zu einem Juwelier. Ketterer in Bühl auf der Hauptstraße war der nächste. Und dann würde sie direkt im Rathaus vorbeigehen und sich erkundigen, welche Dokumente sie brauchte, um das Aufgebot zu bestellen.

Nach einem letzten Blick ins nebelverhangene Tal kehrte sie an die Rezeption zurück. Sie erwartete die Morgenpost, die es zu sortieren galt. Bald konnte sie an den Fingern abzählen, wie oft sie dies noch tun musste. Sie würde die Post und die Geheimnisse fremder Leute nicht vermissen, weil bald endlich ihr eigenes Leben begann.

In der Rundhalle eilte ihr dienstbeflissen der junge Morgenthaler mit den Zeitungen entgegen, damit sie diese in der Bibliothek auslegen konnte. Auf dem Weg dorthin zog sie sich in die Künstlergarderobe zurück und schlug nach, was die lokale Presse über den Mord an Nourridine berichtete. Identität und Grund des Aufenthaltes schienen geklärt. Für sie nichts Neues. Die Goldberg war offenbar noch nicht im Spiel.

Wieder an der Rezeption, stach ihr im Poststapel, den Morgenthaler ihr hingelegt hatte, ein Umschlag ins Auge. Er war an Herrn und Frau Goldberg adressiert. Als Absender ein Stempel der Universität Freiburg. Der Brief interessierte sie brennend, doch verschwinden lassen konnte sie ihn nicht, Morgenthaler hatte ihn gesehen. Sie legte ihn zur Seite und sortierte wie üblich die andere Post ein, platzierte einen falschen Umschlag im Schlüsselfach der Goldbergs, legte das Schreiben aus Freiburg in die Dokumentenmappe und zog sich mit dieser in ihr Büro zurück.

Anfangs hatte sie fremde Briefe über Dampf geöffnet, aber heute genügte ihr der entsprechende Brieföffner. Im Öffnen und Wiederverschließen von Umschlägen hatte sie es zu einer kleinen Meisterschaft gebracht. Sie zog drei Blatt Papier heraus und überflog den Text, bis sie auf Xaviers Namen stieß.

Xavier Pfister, las sie, geboren am 12.8.1914, Sohn des Weinhändlers Uri Pfister aus Winterthur, macht dort die Matura, um danach in die Fußstapfen seines Vaters zu treten. Hatte er ihr nicht etwas ganz anderes erzählt? Sie flog jetzt über die Zeilen, war aber noch lange nicht am Ende des Textes angelangt, als es klopfte und der junge Morgenthaler auf ihr wirsches »Herein« den Kopf durch die Tür steckte. Mit einem Brief in der Hand trat er schnell näher.

»Eine Verwechslung, Madame Reisacher«, flüsterte er. »Als ich Frau Goldberg die Post aushändigen wollte, habe ich es bemerkt. Das hier ist ein Brief der Sektkellerei Rüdesheim. Können Sie nachsehen, ob in der Dokumentenmappe versehentlich der Brief an Frau Goldberg gelandet ist? Sie wartet an der Rezeption.«

Hätte die Frau nicht eine halbe Stunde später nach der Post fragen können? Sophie sah keine andere Möglichkeit, als ihr den Brief auszuhändigen. Sie durfte sich keinen offensichtlichen Fehler leisten, sie musste das Schreiben später noch einmal in die Hände bekommen. »Ich sehe sofort nach. Bitten Sie die Dame um einen Moment Geduld.«

Kaum hatte der Junge die Tür geschlossen, faltete sie das Papier, tütete es ein, gummierte den Umschlag und klebte ihn wieder zu.

»Tatsächlich«, sagte sie, als sie hinter die Rezeption trat, und hielt den Brief hoch. »Zwischen den Rechnungen für Patisserie und Bohnerwachs. Aber das Haus verliert nichts.« Sie reichte ihn der Goldberg. »Bitte vielmals um Entschuldigung für das Missgeschick, gnädige Frau.«

Bühlerhöhe

Der Brief, den die Hausdame Rosa reichte, musste das von Simon Eckstein angekündigte Dossier sein. Sie nahm ihn höflich entgegen, widerstand nur mühsam der Versuchung, sofort die Klebenaht zu kontrollieren, denn sie war in Eile. Sie steckte den Brief in die Handtasche, lesen würde sie ihn später. Sie war gespannt, was Oz und seine Leute herausgefunden hatten. So überzeugend Aris Argumente gegen Pfister waren, eine zweite Meinung würde ihr helfen, letzte Zweifel auszuschalten – oder eben nicht. Mit forschem Schritt umrundete sie den Brunnen und nahm nach dem Haupttor den Weg links in den Park. Ein Blick auf die Uhr, noch zehn Minuten bis zu ihrem Termin bei Doktor Neuhaus. Bald eilte sie durch das schattige Tannenwäldchen, dann an von Gärtnerhand gestalteten Rasenflächen und Rabatten vorbei. Nicht weit vom Klinikeingang entfernt mähte der alte Lepold mit einer Sense das Gras zwischen zwei Lupinenbeeten. Der ehemalige Oberkellner, den Rachel ihr als Vertrauensperson ans Herz gelegt hatte. Eine bessere Gelegenheit, ihn anzusprechen, würde es nicht geben. Doch sie zögerte. Doktor Neuhaus wartete, zudem, wieso sollte Lepold sein Wissen über die Hausdame vor ihr ausbreiten?

Als sie das Lupinenbeet passierte, nickte sie dem alten Mann freundlich zu. Dieser aber nickte nicht nur freundlich zurück, sondern hörte auf zu mähen und verschränkte seine Arme erwartungsvoll auf dem Sensenstiel.

»Vor dem Krieg waren Sie Oberkellner auf der Bühlerhöhe, nicht wahr?«, begann sie nun doch ein Gespräch. »Bestimmt erinnern Sie sich nicht mehr an mich. Ich bin mit meinem Großvater hier gewesen.«

»Dem Herrn Silbermann aus Köln.« Er lächelte wehmütig. »Sie müssen die kleinere der beiden Enkelinnen sein. Die stille Rosa, so habe ich Sie damals genannt. Stimmt's?«

»Ja«, gab Rosa erstaunt zu.

Er nickte. »Jetzt denken Sie sicher, dass ich ein Elefantengedächtnis hab, oder?«, meinte er verschmitzt. »Als Kellner konnt ich mir natürlich immer Gesichter und Namen merken. Doch ich muss ehrlich sein: Sie hätte ich nicht mehr erkannt, damals sind Sie ja noch ein Kind gewesen. Aber als die Frau Reisacher sich nach dem alten Herrn Silbermann erkundigt hat, da habe ich natürlich eins und eins zusammengezählt.«

Rosa hatte nicht gedacht, dass die Hausdame sie noch überraschen konnte, aber sie tat es mal wieder. »Warum interessiert sich Frau Reisacher für meinen Großvater?«

»Wenn ich das wüsst, würde ich es Ihnen sofort sagen. Sogar seine Adresse hab ich ihr aus den alten Gästebüchern raussuchen müssen. Unter den Ulmen, Köln-Marienburg.«

Von einer Sekunde auf die andere sausten Rosa tausend Bilder von dem Haus durch den Kopf, in dem sie groß geworden war. Sie war machtlos dagegen. Das kleine Türmchen links des Eingangs, in dem Rachel und sie Märchen nachspielten. Der große Garten mit der Schaukel zwischen den Eichen. Das Kasperletheater im Gartenhäuschen. Ihre Zimmer im Dachgeschoss, Rachels in kräftigen Grüntönen, ihres in zartem Lila eingerichtet. Der Geruch der Fischbrühe, der durchs Haus zog, wenn die alte Erna Gefilte Fisch kochte. Mutters Zitronenlimonade an heißen Sommertagen … Schluss jetzt! Niemals an das Haus Unter den Ulmen denken.

»Ich glaub nicht, dass sie was Böses im Schilde führt«, hörte sie den alten Mann sagen.

»Macht sie das bei allen Gästen?«, fragte Rosa empört. »Wieso steckt sie ihre Nase in Dinge, die sie nichts angehen?«

»Wissen Sie, zwei Wochen, auch einen Monat lang sind Einsamkeit und Ruhe ein Genuss. Aber wenn man immer hier auf der Bühlerhöhe lebt, fühlt man sich manchmal wie eingesperrt. Da kann man schon einen Koller kriegen. Die Reisacher ist nicht die Erste, die wunderlich wird … Jeden Tag steht sie auf der Terrasse und schaut nach Straßburg. Sie würde so gern zurück in die Heimat, aber sie kann nicht. Warum, weiß ich nicht. Aber mit ein bisschen Menschenkenntnis sieht man, dass sie unglücklich ist. Vielleicht sucht sie im Leben unserer Gäste nach noch größerem Unglück als dem eigenen.«

»Unglück, von wegen. Für mich ist das mehr ein bösartiges Herumspionieren«, widersprach Rosa.

Der alte Lepold zuckte nachdenklich mit den Schultern. »Wenn sie wenigstens mal Glück mit einem Mann hätt«, seufzte er. »Dieser Monsieur Pfister ist nicht gut für sie. Der ist ein Hans im Schnokeloch, wie die Elsässer sagen. Was er hat, das will er nicht, und was er will, das hat er nicht. Aber die Frau Reisacher sieht es nicht, und ein bisschen ist sie selbst auch so. Will immer die Taube auf dem Dach. Begnügt sich nie mit dem Spatz in der Hand.«

Rosa rührte der alte Mann. Aber hinter dem Verhalten der Hausdame steckte mehr. Nur was?

»Dass Ihr Großvater gestorben ist, haben wir von einem anderen Kölner Gast erfahren«, wechselte der alte Mann das Thema. »Und?« – Seine Stimme bekam einen besorgten, mitfühlenden Ton. »Ihre Eltern, leben die …?«

»Beide tot«, unterbrach ihn Rosa schnell.

»Und der kleine Bruder?«

»Auch.«

Fast, merkte sie, traute er sich nicht mehr zu fragen: »Und die große Schwester?«

»Lebt.«

Er atmete erleichtert auf. »Sie können sich nicht vorstellen, wie mich das freut, dass Sie beide am Leben sind! Vor 1935 haben wir viele jüdische Gäste gehabt. Auch die Generalin war ja Jüdin. Ich habe sie noch persönlich gekannt. Mit Ihrem Großvater habe ich manchmal über sie gesprochen. Übrigens auch über den alten Professor, den Vorgänger vom Neuhaus. Wissen Sie, was der immer gesagt hat?« Er reckte den Hals, hob die Nase und imitierte diesen Professor: »›Der deutsche Patient geht in die Sonne, ins Gebirge, in einen Badeort, an eine Quelle oder in den Schnee. Der jüdische Patient geht zum besten Arzt.‹ Das hat die Generalin natürlich gewusst«, fuhr er mit normaler Stimme fort. »Daher war es ein kluger Schachzug von ihr, ihr Erholungsheim hier zu bauen. Das Gebirge lockte die deutschen Gäste, die angeschlossene Fachklinik die jüdischen.« Er machte eine Pause. »Die Generalin war überhaupt eine vorausschauende Frau, auch was ihr Ende angeht. Fast muss man sagen, dass sie Hitlers Vernichtungswahn vorausahnte, als sie den Freitod wählte. Schlimme Zeiten sind das gewesen, schlimme Zeiten.«

Über die wollte Rosa keinesfalls reden. Genug, dass der alte Mann das Haus Unter den Ulmen zum Leben erweckt hatte. Mit dem Hinweis auf ihren Kliniktermin verabschiedete sie sich schnell.

Sie kam zu spät, und man ließ es sie spüren. Die weißgestärkte Empfangsdame mit einem demonstrativen Blick auf die Armbanduhr, Neuhaus, indem er mit großem Vergnügen über den Zeitbegriff der Orientalen philosophierte. Sie streifte gerade in der Kabine des Behandlungszimmers ihre Bluse ab. »Nehmen S' dagegen den Kanzler, Frau Professor.« Er zog eine Spritze auf, und sie legte sich auf die Liege. »Ein Rheinländer. Und die Rheinländer sind selten pressant, die mögen's gern lustig, die nehmen's mit nichts ganz genau, die sind, wenn man so will, die Orientalen unter den Deutschen. Und der Doktor Adenauer ist, das wissen S' ja selbst, ein waschechter Rheinländer. In puncto Pünktlichkeit aber ist er ein echter Preuß. Nach ihm können S' die Uhr stellen.«

Er beugte sich über sie. Wieder sah sie in seinen Augen diesen Funken Bösartigkeit. Die an Oz' grünem Tisch geplante Aktion, mittels der Frischzellenkur in die Nähe des Kanzlers zu kommen, kam ihr plötzlich abwegig vor. Sie zuckte zusammen, als Neuhaus mit seinen Fingern auf die Haut ihres Dekolletés trommelte, um sie für die Spritze zu lockern.

»Bleiben S' ganz ruhig, Frau Professor. Ich sekkier Sie nicht. Drei kleine Stiche, die merken S' gar nicht.« Blitzschnell stach er zu, und bevor sie den Schmerz spüren konnte, zum zweiten und dritten Mal. »Und? War's schlimm?« Er richtete sich auf und reichte ihr die Hand zum Aufstehen. »Fräulein Irmtraut begleitet Sie jetzt ins gelbe Zimmer, und dann werden S' schlafen. Denken S' dabei an was Schönes. Und wenn S' aufwachen, werden S' sich fühlen wie neugeboren. Meine Verehrung, Frau Professor.«

Sie fühlte sich etwas schwerfällig, und ihre Bewegungen erschienen ihr verlangsamt, als sie die Bluse wieder anzog und ihre Handtasche unter den Arm klemmte. Diese nahm ihr Fräulein Irmtraut sofort ab und stützte sie mit festem Griff. Das fand Rosa übertrieben, aber Fräulein Irmtraut bestand darauf. Schließlich wäre sie nicht die Erste, die umkippte. Auch das Tempo gab sie vor. Sie schlichen wie Hundertjährige.

Das gelbe Zimmer lag direkt neben dem blauen, und vor dem saß von Droste und las Zeitung. »Frischzellenkur?«, fragte er und ließ seine Zeitung sinken. Wieder schickte er ihr diesen ironisch-anzüglichen Blick, den sie nun schon bestens kannte. »Sie haben doch nicht wirklich …?«

Sie wollte im Boden versinken. Stattdessen machte sie an der Seite der Empfangsdame eine lächerliche Figur und brachte keinen Ton heraus. Fräulein Irmtraut antwortete an ihrer Stelle, öffnete die Tür und schob sie nach drinnen.

»Das nenne ich vollen Einsatz. Sie lassen wirklich nichts aus, Gnädigste«, rief von Droste ihr noch nach, bevor das weißgestärkte Fräulein die Tür wieder schloss und ihre Handtasche auf den Nachttisch stellte. Sie wartete, bis Rosa die Schuhe ausgezogen und sich hingelegt hatte, dann breitete sie eine Decke über sie, schloss die Vorhänge und empfahl sich.

Und da lag sie nun. Über ihrem Bett, in kräftigen Ölfarben gemalt, ein Bauernkind, das in einen Apfel biss. Bestimmt auch von einem der Maler aus dem Leibl-Kreis. Draußen rauschte die alte Eiche, Vögel zwitscherten. Im Nebenzimmer hörte sie den Kanzler schnarchen, aber keinen Ton mehr von von Droste. Der lachte sich bestimmt still ins Fäustchen. Einmal, nur einmal wollte sie ihm Paroli bieten.

Klotzberg

Die Mutter legte den Rosenkranz zur Seite, als Agnes die Augen aufschlug. »Der Schlag hätt mich fast getroffen, als ich dich heut Morgen im Hof gefunden hab. Vor dem Hühnerstall hast gelegen, wie vom Fuchs zerrupft. Hab gedacht, du bist tot.«

Ob das ein Traum war? Wie hätt sie sonst auf den Klotzberg kommen sollen? Agnes öffnete die Augen weiter. Sie lag auf der Chaiselongue in der guten Stube. Ein Kissen unter dem Kopf, zugedeckt mit dem schweren Oberbett. An der Wand der Abreißkalender und das Hochzeitsbild der Eltern, darunter die Nähmaschine, neben dem Füßchen gleich das Stecknadelkissen, das sie der Mutter mal im Handarbeitsunterricht genäht hatte. Eins zu eins, ihre gute Stube. Als sie die Nase ins Oberbett steckte, roch sie Seife und Lavendel und wunderte sich. Weil, dass man im Traum etwas roch, das war ihr neu. Doch als sie das Oberbett zur Seite schlug und aufstehen wollte, wusste sie, dass dies kein Traum war. Denn nur im irdischen Leben taten die Knochen weh und brannte die Haut, als hätt man die Nacht in einem Brennnesselbett verbracht.

»Du musst ebbes essen«, entschied die Mutter und erhob sich.

Kaum war sie aus der Tür, schossen Agnes vor Schmerz die Tränen in die Augen und mit den Tränen die Bilder der Nacht. Frey, der Saubub, der Rotzbolle. Wie ein aufgescheuchtes Rebhuhn war sie in die Höh gesprungen, als er sein Gewehr auf sie richtete. Die Füße in die Hand und ab durch den Wald. Der erste Schuss wirbelte das Laub vor ihren Füßen auf, der zweite streifte ihren Arm, der dritte pfiff millimeterbreit über den Kopf hinweg. Der rasende Herzschlag zerriss ihr fast die Brust. Die beiden Männer folgten ihr. Als wär sie Freiwild, rasten sie hinter ihr her. Sie flog über Bäche und Wurzeln hinweg, scherte sich um keinen Dornbusch, tauchte in einen Farnwald ein, immer den nächsten Schuss fürchtend. Unter den schützenden Farnzweigen auf allen vieren kriechend, rieb sie sich nasse Erde auf die Bluse. Weil Weiß doch im Wald viel zu hell leuchtete. Während die Männer ganz nah und voller Wut auf den Farn eindroschen, flehte sie mucksmäuschenstill bei allen Engeln und Heiligen um ihr Leben und um eine früh hereinbrechende Dämmerung.

Die Männer entfernten sich, aber sie hörten sie, als sie wieder hochschnellte, und jagten ihr weiter nach. Agnes stürmte bergab, fiel, rollte und kullerte mehr, als dass sie lief. Es juckte sie nicht, wohin der wilde Ritt sie trieb, nur fort von den Männern wollte sie. Doch die schnauften und fluchten weiter hinter ihr, mal zum Sterben nah, mal weiter weg. Sie floh ins dunkler werdende Nirgendwo, stolperte mit Siebenmeilenschritten weiter den Berg hinunter, bis sie kräftiges Wasserrauschen hörte. Der Gertelsbach. Sie folgte dem Wasser, das lauter und lauter toste, und rutschte auf dem Hintern von einem großen Stein auf den schmalen Weg, der an dem Bach entlangführte. Im Wasser tobten wütende Gischtschlangen, ihr Lärm füllte das schmale Tal aus. Hören tat sie nichts mehr außer dem Wasser, aber wie ein gehetztes Wild spürte Agnes, dass die Männer noch in der Nähe waren. Sie preschte den Weg entlang bis zu einer Stelle, wo das Wasser nicht über breite Felsen schoss, sondern, wie um sich auf dem rasanten Weg ins Tal zu erholen, in einem Becken sammelte, um Rast zu machen. Agnes riss sich die Schuhe von den Füßen, stieg in das hüfthohe, eisige Wasser, watete bis zu einem Wasservorhang, durch den sie in eine Grotte trat. Ein altes Versteck von Walburg. Durch den Wasservorhang hindurch sah sie wenig später die beiden Männer nach ihr Ausschau halten. Sie waren ganz nah, Agnes verstand jedes Wort. Frey: »Sie kann sich doch nicht in Luft auflösen.« Pfister: »Es wird dunkel. Lass uns zurückgehen.« Frey: »Hast du sie erkannt?« Pfister: »Glaub schon.« Frey: »Ich mach mich morgen früh aus dem Staub. Erledigst du das?« Pfister: »Kostet aber extra.«

Agnes puckerte das Herz lauter als der Wasserfall und so heftig, dass sie nicht mal mehr die Engel und Heiligen anrufen konnte. Nachdem die Männer verschwunden waren, wartete sie eine Ewigkeit, bis sie sich zurück auf den Weg traute. Und dann? Wie um alles in der Welt war sie vom Gertelsbach zum Klotzberg gelaufen? Es wollt ihr nicht einfallen. Vielleicht waren ihre Füß wie die Hufe eines alten Ackergauls und hatten den Weg heim von ganz allein gefunden.

Die Mutter hatte sie in ein Nachthemd gesteckt und am Arm verbunden. Ihre Füß zerkratzt, zerstochen und schlimmer aufgequollen als der in Russland erfrorene Fuß vom Jäger Sepp. Und dann die Knochen! Die täten um Gnade flehen, wenn sie's könnten.

Die Mutter kam zurück und stellte eine dampfende Rindsbouillon auf den Tisch. Egal was für ein Leiden, eine Bouillon half immer. Sie legte ihr die Füße zurück unter die

Bettdecke, stopfte ein weiteres Kissen in ihren Rücken und fütterte sie dann Löffel für Löffel wie ein kleines Kind. Sie wartete, bis der Teller leer war, bevor sie sagte: »Jetzt red schon, Agnes, was ist passiert?«

»Du musst nach der Walburg schicken.« Mit der Mutter konnte sie über die Sach nicht reden.

»Bist du mit der Walburg durch den Wald ...?« Die Stimme der Mutter schwoll an. »Hat die Walburg ebbes mit dem zu tun?« Sie deutete auf den bandagierten Oberarm, wo sie Freys Schuss gestreift hatte.

Wie eine fette Hummel schwirrte ihre Angst durch die Stube. Nie hatten sie mit ihr über das, was in der eisigen Aprilnacht 45 passiert war, gesprochen. Aber die Mutter wusste es trotzdem. Und seither plagte sie die Angst, dass Agnes so werden könnt wie Walburg.

»Nein, nein.« Agnes schüttelte den Kopf, so heftig, wie es ihre Knochen zuließen.

»Was dann?«

»Schick nach der Walburg«, wiederholte sie, lehnte sich ins Kissen zurück und schloss die Augen, bis die Mutter aus der Stube gelaufen war. Bald hörte sie erst ihre Schritte und dann das Gackern der Hühner auf dem Hof. Sie würde hinüber zum Gesindehaus vom Weckele-Bauern laufen, wo der Stanislaw wohnte. Den hatten damals die Gestapomänner gesucht, der Weckele-Bauer hatte ihn versteckt und nicht verraten. Nach dem Krieg war der Stanislaw geblieben. Er kannte den Wald und die Walburg. Wenn einer sie schnell fand, dann der Stanislaw.

Als Agnes die Augen wieder öffnete, sah sie auf dem Stuhl vor der Nähmaschine ihre Kleider liegen. Da konnt die Mutter, die eigentlich aus jedem Lumpen noch was Neues machte, nix mehr retten. Die weiße Bluse hinüber, der Rock zerrissen, die Seidenstrümpfe nix als Laufmaschen. Recht war's. Sie würd die Sachen nimmer brauchen. Aufs Hundseck brachten sie keine zehn Pferde mehr zurück. Abknallen würde der Pfister sie, so wie Frey den Araber abgeknallt hatte. Monsieur Pfister, ihr freundlicher Monsieur Pfister, der falsche Zauberer.

Sie dämmerte weg, und als sie die Augen wieder öffnete, saß die Mutter bei ihr. »Der Stanislaw sucht nach der Walburg«, sagte sie und griff nach einem Paket, das sie mit in die Stube gebracht hatte. »Von den Potthoffs aus Düsseldorf. Vor zwei Tagen ist es angekommen. Für ein Vergelt's Gott ist es nie zu spät.«

Agnes erinnerte sich. Mutter und Tochter, zwei feine Städterinnen, waren während des letzten Kriegsjahres bei ihnen einquartiert. Evakuierungsmaßnahme wegen der Bombenangriffe. Hatten Häkelhandschuhe und zehn verschiedene Hüte im Gepäck. Für die war der Klotzberg das Ende der Welt gewesen. Aber futtern konnten sie wie die Scheunendrescher.

»Hab schon denkt, dass es was für dich sein kann, aber nicht, dass du's so schnell brauchen wirst.« Vorsichtig öffnete die Mutter den Karton und hob eine weiße Bluse hoch. Dann einen grauen Rock, dann das passende Jäckchen, dann ein paar Schnallenschuhe mit Absatz. »Jetzt müssen wir nichts Neues für dich kaufen. Wenn's nicht passt, mach ich's passend. Zum Glück sind deine Knochen heil geblieben, morgen oder übermorgen kannst bestimmt zum Hundseck zurück. Weißt was? Ich lauf noch mal schnell zum Weckerle und bitt ihn, beim Hartmann anzuläuten. Damit er dich nicht rausschmeißt, jetzt, wo du krank bist.«

Bühlerhöhe

Als Rosa aufwachte, dachte sie, Ari läge neben ihr. Mit Gedanken an ihn war sie eingeschlafen, dann geisterte er durch ihre Träume. Wie in der vergangenen Nacht hatte sie auch im Traum seinen Körper wie einen fremden Kontinent erkundet. Der erste Kuss ein Flug in den Himmel, jede Berührung ein elektrischer Schlag. Das lustvolle Wirrwarr von Körpern und Laken, das Schlafzimmer ein Palast. Sie die Königin von Saba, er König Salomon, sie Scheherazade, er ihr Prinz.

Doch sie lag allein im Bett. Auf dem Bild über ihr biss immer noch das Bauernkind in den Apfel, draußen rauschte wie vor dem Einschlafen die Eiche, und die Vögel zwitscherten. Wie neugeboren, hatte Neuhaus versprochen. Gab es ein falscheres Versprechen? Keiner konnte loswerden, was ihm widerfahren war, was er hatte erdulden müssen, was ihm auf den Schultern lastete. Keiner konnte sich von seiner Vergangenheit mit einer Liebesnacht oder gar mit Frischzellen erlösen. Die ziepten übrigens ein wenig in ihrer Haut, so wie ein erster Sonnenbrand.

Sie sah auf die Armbanduhr. Vier Stunden hatte sie geschlafen, die Rede war doch von einer, anderthalb gewesen. Wieso hatte sie nur so lange …? Und wieso war sie immer noch müde? Sie schlüpfte in ihre Schuhe, griff ihre Handtasche. Natürlich, wie befürchtet. Die Tür zum blauen Stüberl offen, das Zimmer so leer wie der Stuhl, auf dem von Droste gesessen hatte. Wohin wollte der Kanzler an diesem Tag noch mal? Nach Allerheiligen? Sie hoffte, Ari war an seiner Seite. Noch schlaf- und liebestrunken hatten sie am Morgen darüber gesprochen.

Sie stieg die Treppe nach unten, traute ihren Augen kaum, als sie Doktor Keller im Arztkittel in einen der Behandlungsräume huschen sah. Was tat er noch hier? Doch dem konnte sie jetzt nicht nachgehen, vom Empfang her beobachtete Fräulein Irmtraut sie schon mit Argusaugen. Damit der Schein gewahrt blieb, bat Rosa sie um einen Kontrolltermin. Fräulein Irmtraut konnte Rosa auch nicht erklären, wieso sie so lange geschlafen hatte.

»Da müssen Sie den Doktor fragen, gnädige Frau«, antwortete sie mit geübtem Bedauern und notierte den neuen Termin auf einem Kärtchen, das sie Rosa reichte.

»Vier Stunden«, insistierte Rosa und steckte das Kärtchen ein. Irritiert stellte sie fest, dass der Verschluss ihrer Handtasche offen war. »Die Rede war doch von höchstens anderthalb.«

»Vier Stunden, das ist wirklich ungewöhnlich«, räumte Fräulein Irmtraut ein. »Ihr Mann war schon hier und hat nach Ihnen gesehen. Ich habe ihn beruhigt. Es ist ungewöhnlich, aber es kann vorkommen, wenn man vor der Behandlung erschöpft war. Und wie gesagt. Reden Sie mit dem Doktor.«

»Ist er da?«

»Bedauere. Leider nein.«

Verwirrt trat Rosa den Rückzug an. Sie lief bis zur Eingangstür, dann machte sie kehrt. »Hat mein Mann eine Nachricht hinterlassen?«

Fräulein Irmtraut hob den Kopf. »Bedaure, nein. Aber er schien in Eile zu sein.«

Die Pläne des Kanzlers hatten sich geändert, Ari wollte ihr das mitteilen. Nichts Ernstes, sonst hätte er sie geweckt, redete sie sich ein. Sie hatte nicht mitbekommen, dass er ihr Zimmer betreten hatte, dabei schreckte sie normalerweise das kleinste Geräusch auf. Die vier Stunden Schlaf und die anhaltende Müdigkeit beunruhigten sie.

Sie machte sich auf den Weg zum Hotel, der Park döste in der Nachmittagssonne, sie war allein unterwegs. Sie schleppte sich mehr, als sie ging, die Müdigkeit ließ sie schwindeln, erschöpft setzte sie sich auf die nächste Bank. Sie öffnete ihre Handtasche, griff nach dem Kölnisch-Wasser-Fläschchen, träufelte ein wenig auf ein Taschentuch, hielt es sich erst unter die Nase und betupfte dann die Stirn damit. Der Schwindel ließ nach, aber die Müdigkeit blieb. Vielleicht brütete sie eine Influenza aus. Sie musste sich im Hotel noch einmal ins Bett legen. Sie steckte das Taschentuch zurück in die Handtasche, und erst da bemerkte sie, dass der Brief von Simon Eckstein weg war. Sie hatte ihn eingesteckt, ganz sicher. Während sie schlief, war jemand in ihrem Zimmer gewesen und hatte den Umschlag entwendet.

Natürlich dachte sie sofort an die Hausdame, aber Neuhaus' Klinik war nicht ihr Revier. Wer dann? Dieser Doktor Keller? Neuhaus persönlich? Von Droste? Zutrauen würde sie es jedem der Herren. Sie tippte auf von Droste. Er war nicht umsonst Adenauers Sicherheitschef. Ein erfahrener Abwehrmann, er kontrollierte alles und jeden in der Reichweite des Kanzlers, also auch sie. Aber er hätte den Brief herausnehmen, lesen und wieder zurücklegen können, ohne dass sie etwas davon bemerkt hätte. Wieder einmal nur Fragen, auf die sie keine Antwort wusste.

Sie klappte ihre Handtasche zu und stand auf. Erneut drehte sich alles. Sie zwang sich, einen Schritt nach dem nächsten zu tun. Von weitem sah sie verschwommen zwei Männer, die den Eingang des Hotels bewachten. Beim Näherkommen erkannte sie, dass es von Drostes Leute waren. Die hatten sonst nie vor der Tür gestanden. Sie musste ihren Namen und ihre Zimmernummer nennen, erst dann ließen die Männer sie passieren. Die Rundhalle, in der immer jemand saß oder umherging, war menschenleer, als hätte man sie wegen eines drohenden Bombenangriffs geräumt. Die gespenstische Stille verstärkte ihre Benommenheit. Die Hausdame und Otto Morgenthaler blickten ungewöhnlich ernst. Ihr Zimmerschlüssel lag schon für sie bereit, als sie an die Rezeption trat. Zudem der Brief, den sie gestohlen glaubte.

»Das verstehe ich nicht.« Es fiel ihr schwer zu sprechen, ihr war, als läge ein Pelz auf ihrer Zunge. Sie griff nach dem Umschlag. Man hatte sich keine Mühe gemacht zu verstecken, dass er geöffnet worden war.

»Ein Taxifahrer hat den Umschlag auf dem Parkplatz gefunden und hierhergebracht«, erklärte die Hausdame. »Er muss Ihnen dort aus der Handtasche gefallen sein.«

Rosa nickte und versuchte, einen klaren Gedanken zu fassen. Es gelang ihr nicht. Sie fragte nach Ari.

»Vor zwei Stunden habe ich Ihren Mann bei einer Besprechung mit von Droste gesehen. Was er im Moment tut, entzieht sich meiner Kenntnis.«

Rosa nickte wieder und musste sich am Tresen festhalten. Doch der bot nicht mehr Halt als eine glitschige Reling bei stürmischer See.

»Ist Ihnen nicht gut?«, fragte die Hausdame.

»Ich bin nur etwas wackelig auf den Beinen«, presste sie mühsam heraus. »Ob mich der junge Morgenthaler ...?«

»Aber natürlich«, beschied die Hausdame gnädig.

Morgenthaler trat vor die Rezeption, reichte Rosa den Arm und geleitete sie mit langsamen Schritten durch die Rundhalle ins Treppenhaus.

»Sie glauben nicht, was passiert ist«, platzte er heraus, als sie außer Hörweite der Hausdame waren. »Ein furchtbarer Unfall. Der Wagen des Kanzlers ist nach einer scharfen Kurve von der Straße abgekommen und in die Tiefe gestürzt.« Kein Unfall, ein Attentat. Endlich auf ihrem Zimmer angekommen, sackte sie in einen Sessel, weil sie sich vor Müdigkeit nicht mehr auf den Beinen halten konnte. »N. Er ist hier«, dachte sie noch, bevor ihr die Augen zufielen.

Bühlerhöhe

Von Droste hatte Sophie überraschend zu einem Treffen in den Rauchsalon gebeten, gerade als sie dem Architekten Brunner und seiner langweiligen Gattin Nachhilfeunterricht in Sachen Bühlerhöhe gegeben hatte. Ja, für die Bühlerhöhe habe tatsächlich das Jagdschloss Stupinigi bei Turin Pate gestanden. Ja, die neubarocke Schlossarchitektur bestimme nur die Talseite des Hauses. Die Bergseite und der Innenhofbereich seien nach Motiven des Festungs- und Burgenbaus gestaltet. Ja, der Düsseldorfer Architekt Kreis habe die Pläne der Generalin umgesetzt. Ja, Kreis sei damals berühmt für seine Aussichtstürme gewesen. Selbstverständlich habe er auch den Wilhelmturm entworfen. Ja, es sei richtig, dass die Generalin damit ihrem Gatten und ihrer großen Liebe ein Denkmal setzen wollte. – Wenn die Herrschaften sie jetzt entschuldigen würden?

Den ernsten Mienen nach zu urteilen, mit denen der Kanzler und seine Entourage vom Ausflug zum Kloster Allerheiligen zurückgekehrt waren, musste etwas vorgefallen sein. Doch dieses Sondertreffen passte ihr ganz und gar nicht, denn die verwirrenden Neuigkeiten über Xavier reichten ihr für den Tag. Wenn sie ehrlich war, überraschte sie nichts davon wirklich. Aber als sie von seinen Frauengeschichten las, zündelte wieder dieses wilde, bedrohliche Feuer in ihr, das sie unbedingt unter Kontrolle halten musste.

Sie rief den vorbeieilenden Oberkellner zu sich und trug ihm auf, Kaffee und Cognac in den Rauchsalon zu bringen. Wenig später klopfte sie und trat nach dem kräftigen »Herein« von von Droste ein. Die Runde war größer als vermutet: fast der komplette Sicherheitsstab, Direktor Klarbach natürlich und erstaunlicherweise Herr Goldberg. Den gutgefüllten Aschenbechern nach zu urteilen, saß man schon länger zusammen. Man hatte sie also nicht von Anfang an dabeihaben wollen.

»Meine Herren, Madame Reisacher brauche ich Ihnen nicht vorzustellen.« Von Droste forderte sie auf, auf dem leeren Sessel neben dem Kamin Platz zu nehmen. »Frau Reisacher, ich will sie kurz auf Stand bringen: Während der Kanzler zu Fuß den Weg entlang der Allerheiligen-Wasserfälle ins Tal stieg, ist sein Wagen von der Straße abgekommen und in die Tiefe gestürzt. Die Bergwacht ist vor Ort und sichert unter der Aufsicht von Leutnant Reckmüller den Wagen und birgt dann – so ist zu befürchten – den toten Franz Schmitz. Wir wissen, was für ein zuverlässiger und erfahrener Chauffeur Schmitz war. Dennoch können wir auf der kurvenreichen Strecke unterhalb des Klosters Allerheiligen einen Unfall nicht ausschließen. Die Straße ist so schmal, da genügt ein Moment der Unachtsamkeit, um vom Weg abzukommen und in die Tiefe zu stürzen. Ein Unfall – bitte bis auf weiteres nur dieses Wort benutzen, Herr Direktor Klarbach, Madame Reisacher – wäre, wenn auch tragisch für Schmitz, für uns unter diesen Umständen eine gute Nachricht. Sicher können wir uns aber erst sein, wenn das Fahrzeug geborgen und von unseren Experten untersucht worden ist.« Von Droste machte eine kurze Pause. »Jedenfalls müssen wir uns mit der Möglichkeit beschäftigen, dass der Wagen des Kanzlers manipuliert worden ist, es also kein Unfall, sondern ein Attentat war – das zum Glück misslungen ist.«

Sophie schaute in die Runde aus ernsten Gesichtern. Was immer sie vielleicht rückblickend über diesen Sommer sagen würde, langweilig war er nicht. Es geschah eher zu viel als zu wenig: der Mord an Nourridine, die geplante Hochzeit mit Xavier, das Wiedersehen mit Briancourt und jetzt auch noch ein Anschlag auf den Kanzler. Von Droste räusperte sich.

»Nur damit Sie grob den Hergang kennen. Wir wissen, dass Schmitz wie jeden Morgen gegen sechs Uhr zum Kurhaus Sand gefahren ist und dort an der Tankstelle den Wagen vollgetankt und gewaschen hat. Wir wissen, dass es keine Probleme auf dem Weg zum Kloster gab. Der Parkplatz davor ist der Ort, auf den wir uns konzentrieren müssen.«

Zwei Kellner klopften und servierten Kaffee und Cognac. Von Droste wollte gerade weitersprechen, als sich Goldberg zu Wort meldete.

»Wenn ich mich einmischen darf«, sagte er höflich. »Beim Bremskabel gibt es auch die Möglichkeit, es nicht vollständig zu kappen, sondern stattdessen auf schnellen Verschleiß zu setzen. Auf kurvenreichen Strecken wird das Kabel dann mit Sicherheit bald reißen. Und diese Manipulation könnte durchaus in den frühen Morgenstunden, möglicherweise schon gestern passiert sein.«

»Berechtigter Einwand«, stimmte einer von von Drostes Leuten zu.

Von Droste war der Sicherheitschef des Kanzlers, der Sicherheitsdienst wiederum, so vermutete Sophie, war Teil des Geheimdienstes. Wie Schuppen fiel es ihr von den Augen, dass die Goldbergs in der gleichen Branche tätig sein mussten. Das würde vieles erklären. Die Goldberg war aber bestenfalls eine Hilfsagentin, so merkwürdig, wie die sich verhielt. Gab es das, Hilfsagenten? Egal. Xavier hatte in ihrem letzten Gespräch ja auch behauptet, dass die Goldberg eine Mossad-Agentin sei. Vielleicht hatte er ja recht.

»Sie halten den Attentäter für einen Scherzkeks, der mit dem Leben des Kanzlers russisches Roulette spielt?«, fragte von Droste mit Spott in der Stimme.

Sophie hatte ihren Augen nicht getraut, als der Taxifahrer ihr den an die Goldbergs adressierten Brief auf den Tresen legte. Er war geöffnet und nur stümperhaft wieder zugeklebt worden. Sie las ihn in der Mittagspause zu Ende. Die Seite, auf der ihr Name stand, behielt sie zurück, als sie das Schreiben wieder eintütete.

»Eine Chance von eins zu sechs finde ich nicht schlecht.«

Herr Goldberg parierte von Drostes Spott mit leiser Stimme und feiner Ironie. Der Mann gefiel ihr, auch auf den zweiten Blick. Für das Weltgewandte hatte sie einfach eine Schwäche, internationales Parkett roch so gut. Bald würde sie mit Xavier darauf tanzen. Aber erst musste er sich aus dieser Tanger-Bredouille befreien.

»Frau Reisacher, warum wir Sie dazugebeten haben. Bis auf weiteres herrscht hier im Haus Sicherheitsstufe A«, fuhr von Droste fort. »Direktor Klarbach, wir müssen darauf bestehen, dass Sie heute die Hirschterrasse schließen. Keine Tagesgäste, keine Unbekannten. Madame Reisacher, bitten Sie die Hausgäste, den Rest des Tages entweder auf ihren Zimmern oder außer Haus zu verbringen, bis wir alle Räume erneut nach Bomben durchsucht haben. Müller«, wandte er sich an einen seiner Männer, »geben Sie den Hundeführern Bescheid. Direktor Klarbach, Madame Reisacher: Auch diese Information ist vertraulich. Also dann: Lassen Sie uns hoffen, dass Leutnant Reckmüller bald Entwarnung gibt.«

Von Droste entließ die Runde und nickte allen beim Hinausgehen ernst zu. Klarbach seufzte schwer, seinem Blick nach erwog er, was dies alles für die Bühlerhöhe bedeutete. Auch er nickte Sophie zu. Nicht einmal hatte sie erlebt, dass er auf Unvorhergesehenes schnell reagierte. In nichts, aber auch gar nichts war er ein Mann der Tat. Also besprach sie die Räumung der Hirschterrasse und des Tearooms direkt mit dem Oberkellner, klärte mit dem Chefkoch, dass das Diner ausfiel, wies Pagen und Dienstboten an, von Drostes Männern unauffällig zur Hand zu gehen, und informierte die Hausgäste über den »Unfall«.

Sosehr sie mit dieser ungewohnten Situation beschäftigt war, ihre Gedanken kehrten doch immer zu dem Teil des Berichtes zurück, in dem von Xaviers Frauen die Rede war. In jedem Hafen habe er eine. Namentlich genannt waren neben ihr Frauen in Tanger, Beirut, Paris, Kairo und Zürich. Seine Geliebten suche er sich nicht nur nach Attraktivität, sondern auch nach Nützlichkeit aus. Man wisse nicht, so der letzte Satz des Schreibens, ob ihm eine der Frauen mehr bedeute.

Man nicht, sie schon. Der Smaragdring, der Heiratsantrag, sie war die Auserwählte. Nach der Hochzeit war Schluss mit diesem Harem. Dann hatte er sich lang genug die Hörner abgestoßen, und wenn er doch mal hie und da eine vernaschte, würde das ihre Ehe nicht ruinieren.

Bühlerhöhe

Als Rosa aufwachte, sah sie in Aris Kohleaugen. In seinem Blick entdeckte sie eine so tiefe Traurigkeit wie die, die sie manchmal in sich selbst spürte. Er kniete vor ihr, seine Hände ruhten sanft auf ihren Knien. »Er ist tot, nicht wahr?«, fragte Rosa.

»Als guter Katholik hat der Kanzler einen Schutzengel erster Klasse. Hätte er wie geplant im Wagen gesessen, wäre er tot.«

»Ist er verletzt?« Rosa rieb sich die Stirn. Sie plagten heftige Kopfschmerzen, aber die Müdigkeit war verschwunden. Ein Blick auf die Uhr. Sie hatte noch einmal zwei Stunden geschlafen.

»Er ist wohlauf«, versicherte Ari.

»Erzähl, was passiert ist«, forderte sie ihn auf und klingelte nach dem Etagenkellner.

»Wie besprochen habe ich in Bühl einen Leihwagen gemietet, damit bin ich zu dem Kloster gefahren und habe mich dort dem Tross des Kanzlers angeschlossen. Als der Kanzler entschied, zu Fuß die Wasserfälle hinunterzusteigen, hab ich den Wagen am Kloster stehenlassen, schließlich musste ich in seiner Nähe bleiben. Die zwei Staatskarossen, die des Kanzlers und die, die den Wagen sichert, hat von Droste vorgeschickt. Sie sollten am Ende des Wanderwegs, wo es einen Zugang zur Straße gibt, warten. Von Droste war nicht glücklich über die spontane Entscheidung des Kanzlers. Wie alle Sicherheitsleute hasst er es, improvisieren zu müssen. Die kleine Wanderung verlief dann aber ohne Vorkommnisse, und ich muss sagen, der alte Mann ist noch ganz gut in Form. Doktor Neuhaus hat er übrigens in den höchsten Tönen gelobt.«

Es klopfte, Rosa rief »Herein« und bestellte beim Kellner einen Kaffee und eine Kopfschmerztablette. Nachdem er die Tür geschlossen hatte, sagte sie: »Mich hat diese Frischzellenkur nur müde gemacht. Insgesamt sechs Stunden habe ich danach geschlafen. Als hätte man mir ein Schlafmittel gegeben. Die Empfangsdame hat erzählt, du hast nach mir gesehen. Warum bist du überhaupt gekommen?«

»Nachdem ich den Mietwagen abgeholt hatte, schien

es mir eine gute Idee, dass du mich zu den Allerheiligen-Wasserfällen begleitest. Als Ehemann hat man doch gerne seine schöne Frau an der Seite. Aber du hast so selig geschlafen, dass ich dich nicht wecken wollte.« Ari zeichnete mit seinen Fingern kleine Ringe auf ihre Knie und sah sie an, als wäre sie das Land, in dem Milch und Honig fließen. Tillys schnarrende Stimme in ihrem Kopf warnte vor dem schönen Artur, dem Charmeur, dem Herzensbrecher. Sie fragte: »Ist dir irgendetwas in Neuhaus' Klinik merkwürdig vorgekommen?«

Ari schüttelte den Kopf. »Es passiert schnell, dass man in unserem Metier überall Gespenster sieht.«

Vielleicht, vielleicht auch nicht, dachte Rosa und bat ihn, weiter über das Attentat zu berichten.

»Wir waren noch lange nicht unten im Tal, als uns einer von den Sicherheitsleuten aus dem Begleitwagen entgegenkam und von dem Unfall berichtete. Von Droste entschied, den Kanzler in den Begleitwagen zu setzen und sofort mit ihm zurück auf die Bühlerhöhe zu fahren. Ich bot an, vom Kloster aus die Bergwacht anzurufen – zum Glück haben sie dort schon ein Telefon! – und Leutnant Reckmüller zur Unfallstelle zu chauffieren, damit er die Bergungsarbeiten überwachen kann.«

»Auf die Art hast du dich also in von Drostes kleinen Zirkel eingeschlichen«, stellte Rosa fest. »Was habt ihr miteinander besprochen?«

»Im Wesentlichen die Frage, ob Unfall oder missglückter Anschlag. Ich habe die Unfallstelle gesehen, als ich Reckmüller dort absetzte. Eine verteufelt enge Kurve über einer steilen Schlucht. Ein bisschen zu schnell gefahren oder eine unbedachte Bewegung, und du bist weg vom Fenster. Es kann also sehr wohl ein Unfall gewesen sein. Bis wir Gewissheit erhalten, wird es dauern. Reckmüller sagt, dass sie schweres Gerät einsetzen müssen, um den Wagen zu bergen, und es ist noch völlig unklar, wie man es die schmale Straße hochschaffen wird. Bis dahin wird von Droste in höchstem Maße alarmiert bleiben. Wenn der Wagen manipuliert war, dann ist es pures Glück, dass der Kanzler noch am Leben ist. Um Glück kann es aber in Fragen der Sicherheit nicht gehen. Von Drostes Reputation steht auf dem Spiel, er darf jetzt keine Fehler mehr machen. Er muss auch das Undenkbare denken. Also ist er von seinem hohen Ross heruntergestiegen und hat mich als Mossad-Mann um ein Vieraugengespräch gebeten. Wir haben unsere Informationen zu den Briefbombenattentaten ausgetauscht. Außerdem habe ich ihm von unserem Erfolg bei der Zerschlagung der GCPS in Paris berichtet, auch davon, dass wir den sechsten Mann noch nicht ergreifen konnten. Nach unserem Gespräch findet es von Droste zumindest nicht mehr undenkbar, dass dieser Mann hier ist und einen weiteren Anschlag auf den Kanzler plant.«

Erfahrene Agenten begegnen sich also auf Augenhöhe, wenn sie unter sich sind, dachte Rosa. In ihrem Zwiegespräch mit von Droste hatte er nur spöttisch angemerkt, dass sie mögliche Attentäter mit ihrer Schönheit vertreiben könnte. »Heißt das, von Droste arbeitet jetzt mit uns zusammen?«, fragte sie.

»Eher dürfen wir mit ihm zusammenarbeiten«, stellte Ari klar. »Ich hoffe, wir merken rechtzeitig, wenn er mit gezinkten Karten spielt. In zwei Tagen reist der Kanzler zurück nach Bonn. Nicht mehr viel Zeit, wenn unser Mann noch mal zuschlagen will.«

»Du glaubst auch, dass er hier ist«, stellte Rosa fest.

»Alles andere hieße den Kopf in den Sand stecken.«

Wieder klopfte es. Sie verstummten und warteten, bis der Kellner das Tablett abgestellt hatte und wieder gegangen war, bevor sie das Gespräch fortsetzten.

»Seit ich hier bin, suche ich ihn in jedem fremden Mann. Ich misstraue jedem, der sich auch nur ein bisschen merkwürdig verhält«, murmelte Rosa und goss sich eine Tasse Kaffee ein. »Nicht nur Pfister, auch diesem Doktor Keller.

Ich habe ihn heute in Neuhaus' Klinik gesehen. Warum ist er noch hier? Du weißt etwas über ihn. Sag mir, was!«

Immer noch kniete er vor ihr und sah sie mit seinen schwarzen Augen an. Sein Blick jetzt undurchdringlich.

»Rede mit mir«, forderte sie ihn auf.

»Du bist erst ein paar Wochen im ›Geschäft‹, ich schon seit Jahren. Misstrauen wird zu einer zweiten Haut, die man nicht mehr abstreifen kann.«

»Und deshalb willst du mir nicht sagen, was du über Keller weißt?« Sie trank einen Schluck Kaffee.

Ari schloss die Augen und nickte. »Es gibt einen Schweizer Gesichtschirurgen Keller, der Nazigrößen ein neues Gesicht operiert, damit sie keiner mehr erkennt und sie unbehelligt weiterleben können«, sagte er. Als er die Augen wieder öffnete, bot Rosa ihm eine Tasse Kaffee an. Doch Ari wollte nicht. »Ich dachte, Neuhaus' Keller sei dieser Mann. Aber nach einem Telefonat mit einem unserer Leute in Genf weiß ich, dass er es nicht ist.«

»Bist du sicher?«, hakte Rosa nach. »Weil Neuhaus, als ich ihn nach dem Fachgebiet von Keller fragte, geantwortet hat, dass ich ihn als Spezialisten nur brauchen würde, wenn ich ein neuer Mensch sein wollte. Das würde doch sehr für deinen Verdacht sprechen, oder?«

»Der Keller, den ich meine, sitzt in Montreux fest. Ich habe keinen Anlass, an der Auskunft aus Genf zu zweifeln.«

»Gut, wenn wir diesen Verdacht ausschließen können. Auch wenn er nicht dieser Gesichtschirurg ist, er ist Arzt. Hast du nicht selbst gesagt, unser Mann könnte Arzt sein? Keller arbeitet in Neuhaus' Klinik. Selbst wenn von Droste ihn nicht in die Nähe des Kanzlers lässt, kann er gefährlich sein. Bestimmt hat er die Möglichkeit, an Neuhaus' Medikamentenschrank zu kommen. Er könnte eine Frischzellenampulle gegen ein tödliches Gift vertauschen.«

»Wie schade, dass du in unserem Metier nur einen Gastauftritt hast.« Ari lächelte. »Du würdest eine vorzügliche

Agentin abgeben. Um Keller kümmern wir uns morgen. Bis dahin hat unser Mann in Genf hoffentlich Informationen über ihn.«

»Ich bin jedenfalls heilfroh, dass mir kein tödliches Gift gespritzt wurde. Kaffee war genau das Richtige. Meine Lebensgeister kehren zurück.«

»Wunderbar«, antwortete Ari und sprang auf. »Da die Küche auf der Bühlerhöhe heute kalt bleibt, müssen wir uns auswärts verkÖstigen. Ich führe dich aus.«

»Aber der Kanzler ...«, stotterte Rosa überrumpelt.

»Wird heute die Bühlerhöhe nicht mehr verlassen. Nachdem die Sprengstoffexperten das Haus auf den Kopf gestellt und nichts gefunden haben, ist Adenauer hier sicher. Er wird in seiner Suite zu Abend essen, seine Post erledigen und dann schlafen gehen. Die Wachen vor seiner Tür hat von Droste verstärkt, es wäre lächerlich, wenn wir uns noch dazustellen würden. Auf, auf!« Er zog Rosa von ihrem Sessel hoch. »Wir werden keinen zweiten freien Abend geschenkt bekommen. Mach dich fein, Frau Goldberg. Zieh doch noch einmal dieses grün-weiß-gestreifte Kleid an, darin siehst du besonders zauberhaft aus.«

Ari hatte einen Lloyd mit Schiebedach gemietet, das er, genau wie alle Fenster, vor dem Losfahren öffnete. Der Luftzug vertrieb die bullige Hitze, die sich tagsüber in dem Wagen gestaut hatte. Mit dem Fahrtwind zog der würzige Duft der Tannen ins Auto. Rosa gestand Ari, wie gerne sie diesen Duft mit nach Israel nehmen würde, und musste lachen, als Ari versprach, ihr eine Portion davon zu besorgen.

Es war ein lauer Sommerabend, die Rheinebene glühte im Abendrot. Mit jedem Kilometer, den sie sich von der Bühlerhöhe entfernte, wurde Rosas Kopf klarer und das Herz leichter. Für sie hätte die Fahrt ewig dauern können, viel zu früh steuerte Ari in einem der Weindörfer den Gasthof Zur Traube an. Als wären sie Feriengäste, setzten sie sich in einen von Kastanien überdachten Biergarten mit rotkarierten Decken auf den Tischen und bestellten geräucherte Forellen und einen Wein vom Fass. An den Tischen um sie herum sprach man das weiche, schwerverständliche Alemannisch. Es waren also Einheimische, die in diesem Biergarten einkehrten: vier alte Männer beim Kartenspiel, mehrere Familien, eine mit einem Sohn in Bens Alter, ein paar junge Frauen, die Bowle tranken und viel lachten. Wie hieß diese Stimmung noch mal auf Deutsch? Den lieben Gott einen guten Mann sein lassen. Genau. Wie schön wäre das!

»Auch Agenten haben Anspruch auf einen freien Abend.« Aris Augen leuchteten, als die Forellen auf den Tisch gestellt wurden. »Erzähl mir was von dir, Rosa Silbermann«, forderte er sie auf und fragte: »Was hast du beispielsweise in dem Sommer gemacht, als du acht Jahre alt warst?«

Warum nicht, dachte sie. Vielleicht half es ihnen, von all den fruchtlosen Überlegungen zu pausieren. Vielleicht sahen sie dann morgen vieles klarer. Also ging sie auf seinen Vorschlag ein. »Mit acht? Da waren wir wie immer hier im Schwarzwald in den Ferien. Kann sein, es war das Jahr, in dem ich schwimmen lernte. Und du?«

»Wir sind immer an die Ostsee nach Hiddensee gefahren. Mit acht habe ich bestimmt die größte Sandburg gebaut, die der Strand dort jemals gesehen hat.«

»Du warst also der Größte, der Beste, der Schnellste«, neckte Rosa ihn. »Woran bist du mit acht gescheitert?«

»Am Schwimmen. Was meinst du wohl, weshalb meine Sandburgen so groß wurden? Weil ich mich nie weiter als bis zum Bauch ins Wasser traute.«

Sie lachten, bestellten neuen Wein, gestanden sich Kinderstreiche und Jugendsünden. Rosa ihre eigenen, und wenn Ari seine erfand, so waren sie zumindest amüsant.

»Kennst du Paris?«, wollte Ari wissen.

»Ich war als Kind einmal da, ich kann mich an den Eiffelturm und an die großen Boulevards erinnern«, erzählte

Rosa. »Wenn es einen weiteren Paris-Besuch für mich gäbe, würde ich als Allererstes das Musée de Cluny besuchen.« Der Mediävistikprofessor hatte ihr von den wundervollen Tapisserien aus dem Mittelalter erzählt, die dort hingen.

»Aha, meine Frau interessiert sich für – *Die Dame mit dem Einhorn*«, stellte Ari fest. »Ist notiert.«

Sie lachten, und Rosa wusste diesen Schlenker nach Paris, wo Ari lebte, nicht einzuschätzen.

»Wann warst du zum ersten Mal verliebt?«, wollte sie wissen.

»Mit fünfzehn. Sie hieß Esther und war das schönste Mädchen der Mädchenschule, die gegenüber unserem Gymnasium lag …«

»Was anderes wäre für dich auch nicht in Frage gekommen.«

»Natürlich nicht. Ich war wahnsinnig verliebt in sie, wir wollten heiraten. Vor meiner Flucht aus Deutschland hatten wir uns heimlich verlobt, und dann …« Er verstummte, nahm hastig einen Schluck Wein.

So war das immer. Eine falsche Frage, ein falscher Satz, und alles Leichte und Fröhliche verschwand.

»Welches Lager?«, fragte Rosa leise.

»Majdanek.«

Sie schwiegen, und als Rosa das Schweigen, Aris traurigen Blick und das Lachen an den Biertischen nicht mehr aushielt, wollte sie aufspringen und gehen, aber Ari griff nach ihrer Hand und forderte sie auf: »Erzähl von Israel!«

Also erzählte sie von Omarim, wo es bei ihrer Ankunft nichts als ein paar Hütten, steinigen Boden und einen Donnerbalken gab. Von den vielen Abenden, an denen sie bis zum Gehtnichtmehr erschöpft war und sich über Bildern ihres Elternhauses in den Schlaf heulte. Von der Malaria, an der sie fast gestorben war, weil sie nicht genügend Chinin hatten. Von diesen verdammt schweren Anfangsjahren, in denen sie sich so nach Deutschland sehnte. Vom Bau der Duschen und des Gemeinschaftshauses. Von der ersten Orangenernte. Von der ersten Nacht, in der sie nicht mehr deutsch, sondern hebräisch träumte. Von den Ziegen und ihrem vorzüglichen Käse, den Ari, so versprach er, bei seinem nächsten Besuch in Israel probieren würde. Von tausend Dingen und Ereignissen erzählte sie, nur nicht von Ben. Sie wusste selbst nicht so recht, wieso. Vielleicht weil sie dann von Nathan hätte sprechen müssen.

Erst als der Wirt an ihren Tisch trat, merkte Rosa, dass sie abgesehen von den kartenspielenden Männern die einzigen Gäste im Biergarten waren.

»Wenn ich kassieren dürft«, bat er. »Wir schließen gleich.«

Ari beglich die Rechnung, dann standen sie auf, passierten die Kartenspieler, von denen sich einer furchtbar aufregte. Rosa warf einen Blick auf die fremd aussehenden Spielkarten mit Blumen, Eicheln und Glocken und fragte Ari: »Jassen die Männer?«

»Interessiert mich nicht«, antwortete er, ohne einen Blick auf die Karten zu werfen. »Komm, lass uns gehen.«

Die Sonne war längst untergegangen, ein Sichelmond hatte ihren Platz eingenommen. In den Kastanien des Biergartens raschelte der Nachtwind. Sie liefen nebeneinander zum Wagen, ihre Schritte im Gleichklang. Ein Paar, auf dem Weg nach Hause. Noch zwei Tage. Dann würde der Kanzler zurück nach Bonn, sie zurück nach Omarim und Ari nach Paris fahren oder wohin sonst ihn sein nächster Auftrag führte. So eine Situation wie letzte Nacht durfte es nicht mehr geben. Sie musste das klarstellen, jetzt, nicht erst, wenn sie im Hotel angelangt waren.

»Ari, letzte Nacht, das war …«

»Schsch«, summte er, hielt ihr mit dem Finger den Mund zu und flüsterte ihr ins Ohr: »Rosa, Rosa, Rosa. Es gibt nicht nur die Pflicht. Tagsüber dienen wir unserem Volk, aber die Nächte gehören uns.«

Walburg traf ein, als die Nacht das Tal schon pechschwarz einhüllte und Agnes nicht mehr mit ihr rechnete. Am frühen Abend war die alte Benedikta aus dem Sickenwald gekommen. Die hatte fast alle Kinder aus dem Tal zur Welt gebracht und verstand sich auf Kräuterheilkunde. Sie rieb ihr die Füße mit Arnikasalbe ein, säuberte den Streifschuss am Arm mit hochprozentigem Borbler, zwang Agnes, ein Glas davon zu trinken, und nähte ihr dann die Wunde mit ein paar Stichen zu. Der Schmerz und der Alkohol vernebelten ihr den Grind, im Wegdämmern hörte sie, wie die alte Hebamme der Mutter zuflüsterte: »Der Krieg ist doch vorbei. Wer um Himmels willen hat auf das Kind g'schossen?«

Als Agnes wieder aufwachte, war sie allein, und die gute Stube lag im Zwielicht. Diese Zeit fürchtete sie so sehr wie die finstere Nacht. Es war die Stunde der Kobolde und der falschen Pfaffen, die ihr die Seele rauben und sie schwarz färben wollten, damit sie eine der Ihren wurde. Um dann nach einem sündigen Leben auf ewig ins Fegefeuer verbannt zu werden oder gar in der Hölle zu schmoren. Wenn einer von denen sie erwischte, durfte sie nicht mehr auf einen Platz im Himmel unter dem schützenden Sternenmantel der Muttergottes hoffen. Aber Himmelherrgott! Sie war den beiden Männern entwischt, jetzt wollte sie sich nicht von dunklen Geistern einfangen lassen. Sie schlug die schwere Bettdecke zur Seite und humpelte in die Küche, wo der große Kartoffeltopf auf dem Herd blubberte. Mit bloßen Fingern griff sie sich zwei der heißen Knollen und warf sie zum Abkühlen in das steinerne Waschbecken. Dann ging sie hinaus zum Brunnen, wo in einem vergitterten Kasten die Dickmilch kühlte, und schöpfte sich davon einen Teller voll. Zurück in der Küche, tunkte sie die Kartoffeln in die Dickmilch und aß sie samt der Schale auf. Sie musste zu Kräften kommen.

Bevor die Mutter vom Melken zurückkam, legte sie sich

wieder auf die Chaiselongue. Als die Mutter sich später seufzend zu ihr setzte, tat Agnes, als ob sie schliefe. Sie konnte ihr nichts erzählen, sie musste auf die Walburg warten.

Deren Ankunft kündigten ein paar Stunden später die Hunde vom Weckerle-Bauern an. Da hatte Agnes die Mutter längst zum Schlafen nach oben in die Kammer geschickt.

Walburg brachte den vertrauten Geruch von Wald und Wild in die Stube und knipste das Licht an. Es erleichterte Agnes, dass ihr Blick nicht der der heiligen Perpetua, sondern der der Jägerin war, die die Verletzung eines waidwunden Wildes abschätzte.

»Wer?«, fragte sie, nachdem Agnes ihr alle Verletzungen gezeigt hatte.

Agnes erzählte. Von den zwei Polizisten, von dem belauschten Gespräch, von der Flucht vor Pfister und Frey.

»Drecksseckel.« Walburg spuckte das Wort förmlich in die Stube.

Jetzt, wo sie die ganze Geschichte vor der Walburg ausgebreitet hatte, sah Agnes weit und breit keinen Ausweg. Nicht mal mehr von A nach B denken konnte sie.

Walburg trat ans Fenster und schaute hinaus in die finstere Nacht. Es dauerte, bevor sie sich wieder umdrehte. »Steh auf! Lauf mal in der Stube herum!«, befahl sie Agnes.

Die tat wie geheißen, und Walburg nickte. »Du kannst gehen, das ist die Hauptsach.« Wieder überlegte sie. »Hier darfst du nicht bleiben«, sagte sie dann. »Der Hartmann weiß, wo du wohnst, und er wird's diesen Dreckskerlen weitersagen. Du kommst mit mir in den Wald. Da findet dich keiner.«

»Wenn du glaubst, es geht nicht mehr, leuchtet von irgendwo ein Lichtlein her.« Dieses Sprüchlein hatte ihr die Götti zur ersten heiligen Kommunion geschenkt. Oft hatte ihr das Sprüchlein schon geholfen, aber Agnes wusst genau, im Wald würd ihr kein Lichtlein leuchten. »Ich bin nicht wie du«, wisperte sie. »Ich kann nicht im Wald leben.«

»Meinst, die Geschicht glaubt dir einer? Der Hartmann

oder die zwei Polizisten? Meinst, sie sperren die feinen Herren hinter Gitter, nur weil du gehört hast, wie der eine zum anderen sagt, dass er den Araber erschossen hat?«

Agnes schüttelte den Kopf. »Nein, die alle nicht. Aber eine gibt's, die mir glauben wird. Du weißt, wer.«

»Rosa Silbermann.«

Agnes sah Walburg erwartungsvoll an.

»Ich red nur mit ihr, wenn du mit in den Wald kommst«, erklärte Walburg. »Ein paar Tage wirst es schon aushalten. Oder willst hier wie ein verschreckter Has warten, bis dieser Monsieur Pfister kommt und dich abknallt?« Walburg riss ein Blatt vom Kalender, holte einen Bleistift aus der Tischschublade und schrieb ein paar Zeilen auf die leere Rückseite. »Das ist für die Mutter, damit sie sich keine Sorgen macht. Und jetzt zieh dich an und pack deine Sachen. Wir müssen los.«

Bühlerhöhe

Xaviers Anruf kam, als Sophie dem einbeinigen Brassel vorschlug, doch im Kurhotel Plättig oder im Kurhaus Sand zu Abend zu essen. Der alte Meckerfritze hatte ein Riesentrara gemacht, als sie ihm sagte, dass die Küche heute ausnahmsweise kalt blieb. Natürlich würde man ihm die entsprechende Summe gutschreiben, da er Halbpension gebucht und bereits bezahlt hatte.

»Monsieur Pfister für Sie am Telefon«, flüsterte ihr der junge Morgenthaler zu. »Soll ich das Gespräch in Ihr Büro legen?«

»Nein«, beschied sie. Sie hatte nicht vor, länger mit Xavier zu sprechen, aus Angst, dabei ihre Contenance zu verlieren. Das Wissen um seinen Harem schmerzte und schürte die beängstigende Glut in ihr. »Ja, bitte?«, meldete sie sich kühl.

»Sophie, wir müssen uns unbedingt sehen«, flehte er. Nicht wie sonst als sehnsüchtiger Liebhaber, sondern mit nackter

Panik in der Stimme. »So schnell wie möglich. Wann kannst du bei unserer Hütte sein?«

»In einer halben Stunde«, entschied sie nach einem Blick auf die Uhr. Der Nachtportier kam in fünf Minuten, dann konnte sie gehen. Wenn sie schnell lief, brauchte sie fünfzehn Minuten bis zur Hütte, aber sie würde nicht schnell laufen. Sie brauchte Zeit, um sich zu wappnen. Xaviers Harem, merkte sie, schmerzte hartnäckig. Sie steckte ihn nicht so leicht weg, wie ihr Verstand dies gerne wollte.

Bühlerhöhe

Auf Männer wie Ari hatte das Leben Rosa nicht vorbereitet, seine Sorte Mann gab es in Omarim nicht. Gut, Tilly hatte sie gewarnt, aber es half nichts, zu wissen, dass einer gefährlich war, wenn die Gefahr auf Samtpfoten daherkam. Hätte sie ein eigenes Zimmer gehabt und sich zurückziehen können, ja dann wäre das kein Problem gewesen. Aber man konnte nicht neben Ari liegen und steif wie ein Brett bleiben, wenn seine Finger jeden Millimeter Haut in Erregung versetzten.

Sie waren auf dem Weg zum Frühstückssalon. Ihr grün-weiß-gestreiftes Kleid wippte auf der Wendeltreppe bei jedem Schritt hin und her und streifte ganz selbstverständlich Aris Hosenbein. Für einen Moment spürte sie kindlichen Übermut aufsteigen, Ameisenalarm wie damals, als sie den Großvater zum ersten Mal hier besuchten. Da waren Rachel und sie in einem unbeaufsichtigten Moment die Treppe hochgelaufen und das breite Holzgeländer hinuntergesaust. Eine herrliche Rutschpartie, die leider durch eine Vorgängerin der Hausdame vorzeitig unterbrochen wurde. Die jetzige Hausdame unterbrach Rosas Erinnerungen, als sie und Ari an der Rezeption vorbeikamen.

»Frau Goldberg, da sind zwei Herren, die Sie sprechen wollen«, flüsterte sie und deutete auf eine der Nischen in der Rundhalle, wo sich zwei Männer in Sommermänteln erhoben und mit undurchdringlicher Miene Haltung annahmen.

Rosa spürte, wie eine Gänsehaut ihren Körper überzog und Ari sie gleichzeitig mit festem Griff am Unterarm hielt. Es war ein Fehler gewesen, am Abend über Kindheit und Jugend zu plaudern, anstatt Situationen wie diese durchzuspielen. Sie wusste, wer die Männer waren. An ihrem Auftreten hatte sich seit ihrer Flucht nichts verändert, Polizisten erkannte man in Deutschland, bevor sie den Mund aufmachten. Sie ging mit Ari zu ihnen. Die Herren wollten wissen, ob sie Abdul Nourridine kannte.

»Kennen, also kennen …«, stotterte sie.

»Meine Herren, warum wollen Sie das wissen?«, fragte Ari in barschem Aristokratenton und drückte ihren Arm.

»Abdul Nourridine wurde tot aus dem Mummelsee gefischt. Er ist ermordet worden. Er hat versucht, Ihre Frau am Tag seines Verschwindens telefonisch zu erreichen.«

»Mummelsee?«, fragte Rosa verwirrt. Hatte davon etwas in der Zeitung gestanden? Gestern hatte sie keine gelesen. Aber wieso Mummelsee? Der war doch ein ganzes Stück vom Bretterwald entfernt. Bisher war sie davon ausgegangen, dass man Nourridine im Wald verscharrt hatte.

»Weshalb wollte der Mann Sie sprechen, Frau Goldberg?«, wandte sich einer der beiden wieder direkt an Rosa.

»Meine Frau kennt diesen Nourridine nicht, deshalb verstehen wir auch nicht, weshalb er sie sprechen wollte. Es muss sich um ein Missverständnis handeln«, erklärte Ari an ihrer Stelle. »Als meine Frau die Nachricht von diesem Anruf erhielt, war sie etwas durcheinander, weil sie sich im Wald verirrt hatte, und sie war besorgt, weil ich mich noch nicht gemeldet hatte. Ich wurde noch in Paris festgehalten, müssen Sie wissen. Deshalb hat sie verständlicherweise etwas verwirrt auf die Nachricht reagiert. Aber wie gesagt: Weder meine Frau noch ich kennen diesen Mann. Die einzige Erklärung, weshalb er meine Frau hätte sprechen wollen, ist folgende: Ich bin Professor der Archäologie, forsche viel im Maghreb und bin auch den dortigen Archäologen bekannt.

Vielleicht ein Kollege, der über meine Frau Kontakt zu mir aufnehmen wollte? Wissen Sie, ob der Mann als Archäologe tätig war? Nein? Dann können wir Ihnen leider nicht weiterhelfen. Wenn Sie uns jetzt entschuldigen würden.«

Ari schüttelte diese Lügengeschichte aus dem Ärmel, als wäre es die einfachste Sache der Welt, und er behandelte die Polizisten, als wären sie Domestiken. Er dirigierte Rosa mit seinem Arm schon aus der Nische heraus, als einer der Polizisten sie noch einmal aufhielt und fragte: »Wie lange bleiben Sie noch auf der Bühlerhöhe?«

»Noch zwei Tage«, antwortete Ari und führte Rosa weiter in Richtung Frühstückssalon. »Versuch, dir nichts anmerken zu lassen«, flüsterte er ihr auf Hebräisch zu. »Plaudere über das Wetter. Über Nourridine reden wir nach dem Frühstück.«

Bühlerhöhe

Sophie beobachtete die Begegnung zwischen den Goldbergs und den Polizisten mit Interesse. Sie hatte ihnen brav von dem Anruf erzählt, so wie sie es gestern Nacht noch einmal mit Xavier besprochen hatte. Die Reaktion der Goldberg wie bestens bekannt: verschreckt, verstört, und alles garniert mit diesem hilflosen Rehblick. Er dagegen ganz Mann von Welt. Schmierte die Gendarmen ab, als wären es Schulbuben, und ließ sie einfach stehen. Bravissimo. Diesen Mann wollte sie nicht zum Feind haben. Sie hatte Xavier nach ihm gefragt, davon erzählt, dass sie ihn aus seinem Auto hatte steigen sehen. Xavier schien wirklich überrascht. Einen Goldberg kenne er nicht, versicherte er. »Ist er etwa der Mann von …?«, fragte er, und als sie nickte, murmelte er: »Interessant.« Sie hatte nicht insistiert. Es gab Wichtigeres, sie durfte sich nicht verzetteln.

Die Polizisten griffen nun nach ihren Hüten, die sie auf dem kleinen Tisch abgelegt hatten. Natürlich hatte sie die

Herren vorhin gebeten, sich absolut unauffällig zu benehmen. Der Ruf des Hauses, der Kanzler zu Gast und so weiter. Möglicherweise hatte also sie durch ihre einschüchternde Vorarbeit die Grundlage für den eleganten Abgang der Goldbergs gelegt.

Einen intelligenten Eindruck machten die zwei nicht gerade, sie erinnerten Sophie an Pat und Patachon, die in ihren Filmen ja oft Gendarmen gespielt hatten. Sie musste von Droste vom Besuch der beiden unterrichten. Seit dem Vorfall wollte er über jede im Hause fallende Stecknadel informiert werden. Kurz kehrten ihre Gedanken zum vorigen Tag zurück. Dies war bereits der dritte Besuch des Kanzlers, den sie als Hausdame begleitete, aber ein Bombensuchkommando hatten sie noch nie im Haus gehabt. Zum Glück waren die Männer schnell, effizient und leise gewesen. Selbst die Spürhunde hatten keinen Mucks von sich gegeben. Gefunden hatten sie nichts, aber Sophie hatte nicht den Eindruck, dass von Droste dies entlastete. Mit diesem »Unfall« hatte er wohl nicht gerechnet. Seit gestern wich er dem Kanzler nicht von der Seite. Im Moment begleiteten er und seine Leute Adenauer zur Antoniuskapelle, wo der Kanzler des toten Chauffeurs gedenken wollte. Die hiesige Presse hatte von Droste wohl zum Stillschweigen verdonnert. Kein Wort war in den aktuellen Zeitungen über den Unfall zu lesen. Die offizielle Version für die Hausgäste lautete seit dem Morgen: »Ein tragischer Unfall im Umfeld des Kanzlers«.

Über den Mordfall Nourridine war übrigens auch nichts berichtet worden. Wahrscheinlich traten Pat und Patachon auf der Stelle. Kein Wunder bei der falschen Fährte, die Xavier gelegt hatte. Nicht einen Moment hatte sie ihm geglaubt, dass die Goldberg Nourridine ermordet hatte. Seit ihrem letzten Gespräch war sich Sophie sicher, dass Xavier diesen Frey deckte, den er – wahrscheinlich aus geschäftlichen Gründen – nicht ans Messer liefern wollte.

Sie schaute wieder nach den Gendarmen. Wie bestellt

und nicht abgeholt standen die zwei in der Rundhalle. Nein, die Bühlerhöhe war wahrlich kein Umfeld, in dem sie sich bewegen konnten. Die Herren sollten sich schleunigst verabschieden. Aber stattdessen kamen sie auf die Rezeption zu.

»Sie sind sicher, dass Frau Goldberg auf die Nachricht von Nourridines Anruf mit ›Wann‹ geantwortet hat?«, wollte Pat wissen.

»Absolut.«

»Und was genau hat Nourridine bei dem Anruf gesagt?«

»Ob er Frau Goldberg sprechen könne. Ich habe ihm geantwortet, dass sie nicht im Hause sei, und gefragt, ob ich etwas ausrichten solle. Er bat um Rückruf im Hundseck«, wiederholte sie.

»Wie lange weilt das Ehepaar Goldberg noch in Ihrem Haus?«, fragte Patachon.

Obwohl sie dies auswendig wusste, holte sie das Reservierungsbuch. »Sie reisen in zwei Tagen ab.«

»Wie lautet ihre Heimatadresse?«, wollte Pat wissen.

»Safed, Nof ha Golanstreet.«

»Safed?«, wiederholte Patachon.

»Safed in Israel«, erklärte sie.

»Juden?«

Die zwei tauschten vielsagende Blicke.

»Wie vermutet«, murmelte Patachon, und Pat nickte.

Sophie musterte die zwei. Vom Alter her waren sie bereits unter Hitler bei der Polizei gewesen. Das Misstrauen gegenüber Juden steckte ihnen noch in den Knochen. Beim nächsten Mal würden sie sich nicht so leicht von Herrn Goldberg abfertigen lassen. Und wenn sie über ein bisschen Grips verfügten, würden sie Frau Goldberg alleine verhören. Die würde ihnen schnell sagen, was sie über Nourridine wusste. Denn dass es etwas gab, was sie mit Nourridine verband, daran zweifelte Sophie nicht.

Rosa und Ari waren nach dem Frühstück auf ihr Zimmer zurückgekehrt und debattierten über den morgendlichen Vorfall. Zur Sicherheit bei geschlossenen Fenstern und auf Hebräisch.

»Nur die Hausdame kann mir dieses Verhör eingebrockt haben, wahrscheinlich auf Geheiß von Pfister«, erklärte Rosa. »Warum wohl? Er will uns bei seinem eigentlichen Auftrag aus der Schusslinie haben. Er ist N, er hat schon lange Verbindungen zur Irgun, er ist der Joker der GCPS. Sie hielten den Profi, der für Geld alles erledigt, sozusagen in der Hinterhand. Und jetzt, nachdem der Mossad alle anderen aus dem Verkehr gezogen hat, spielen sie mit Pfister ihre letzte Trumpfkarte aus.«

Ari schüttelte den Kopf und fragte: »Du erinnerst dich, was die Schweizer Damen bei der Neuhaus'schen Soiree erzählt haben?« Er öffnete seinen Koffer, holte eine zwei Tage alte Ausgabe der *Neuen Zürcher Zeitung* heraus, blätterte sie auf dem Tischchen auf, zeigte mit dem Finger auf eine Anzeige, und Rosa las: »Ihre Verlobung geben bekannt: Xavier Pfister, gebürtig in Winterthur, internationaler Geschäftsmann, und Regula Kroepfli, gebürtig in Luzern, einziges Kind von Mathias Kroepfli, Patron der Kroepfli-Werke in Luzern«.

»Die Kroepfli-Werke sind ein alteingesessenes Schweizer Unternehmen«, erklärte er. »Pfister heiratet also in die Schweizer Gesellschaft ein. Ein gewaltiger Sprung für den Sohn eines kleinen Weinhändlers, der bisher in eher windigen Geschäften unterwegs war. Er wird sich diese Heirat nicht durch einen Auftragsmord gefährden.« Über den Tisch hinweg sah er sie eindringlich an. »Ich weiß, wie schwer es ist, eine erfolgversprechende Spur aufzugeben, aber wir dürfen unsere Zeit nicht mit falschen Fährten vertun, denn N hat nur noch heute und morgen, um zuzuschlagen. Also, vergiss Pfister und sag mir lieber, ob du irgendetwas hast, das wir verbergen müssen. Den zwei Polizeitrotteln ist zuzutrauen, dass sie unser Zimmer durchsuchen. Und Ärger mit denen können wir nun wirklich nicht auch noch gebrauchen.«

Rosa nickte und zog die Parabellum aus der Handtasche.

»Seit wann hast du die?«, fragte Ari überrascht.

Rosa erzählte es ihm.

»Gib sie mir«, bat er sie. »Ich werde ein Versteck für sie finden. So ehrenwert es für dich ist, dass du schlecht lügen kannst, in diesem Fall könnte es für uns gefährlich werden.«

Sie gab die Waffe ungern an Ari weiter. Es war nicht gut, dass sie im Notfall nicht reagieren konnte, aber natürlich besser, die Parabellum in Aris Besitz zu wissen als in den Händen der Polizei.

»Ersatzpatronen?«, fragte er.

Rosa schüttelte den Kopf. »Du glaubst, dass die zwei wiederkommen?«

»Du kennst die Hartnäckigkeit der Deutschen.« Ari kontrollierte das Magazin und steckte die Waffe in seine Hosentasche. »Falls sie dich je ohne mich erwischen sollten, bestehe darauf, dass ich bei dem Gespräch dabei bin.«

»Wenn du recht hast, warum zieht mich Pfister dann in diese Mordgeschichte hinein?«, bohrte Rosa weiter.

»Im Gegensatz zu der deutschen liebe ich deine Hartnäckigkeit!« Kurz blitzte zärtliche Nähe in seinen Augen auf, dann wurde er wieder sachlich. »Möglichkeit eins: Er denkt wirklich, du hast Nourridine umgebracht. Ihr könntet euch gekannt haben. Schließlich bist du wie Nourridine aus Tanger gekommen. Möglichkeit zwei: Er deckt den Täter. Möglichkeit drei: Er war es selbst.«

Rosa nickte. Wie immer waren Aris Argumente überzeugend. Ihr Gefühl, dass sie Pfister als sechsten Mann nicht ausschließen durfte, zählte bei ihm nicht. »War Nourridine als Archäologe tätig? Wie lernt man das?«, wechselte sie das Thema. »So schnell zu reagieren und eine Lügengeschichte zu erfinden?«

Ari zuckte mit den Schultern. »Erfahrung, *déformation professionnelle*, Überlebenstraining. Nenn es, wie du willst.«

»Wäre ich allein gewesen, sie hätten mich wahrscheinlich in Handschellen abgeführt.«

Ari deutete eine elegante Verbeugung an. »Es war mir ein Vergnügen, Ihnen aus der Bredouille zu helfen, werte Frau Goldberg. So etwas tut ein Mann doch gern für seine Frau.«

Sein Verhalten brachte sie zum Lachen. Sie mochte es, wenn er seine Rolle als Ehemann mit dieser lausbubenhaften Leichtigkeit spielte, die ihr fremd war. Aber fast noch mehr mochte sie seine Traurigkeit, die er so selten zeigte und in der sie sich ihm nah fühlte. Kurz schwebten Rosas Gedanken davon, spielten mit der Möglichkeit, sie hätten sich unter günstigeren Bedingungen kennengelernt. Ohne Oz und diesen Auftrag. Nicht in Deutschland, sondern in Israel. »Was, wenn du mit dieser Arbeit aufhörst, sobald unser Auftrag erledigt ist?«, fragte sie.

Seine Antwort ein trockenes Lachen.

»Du kannst unserem Land doch auch anders dienen«, fuhr sie fort. »Hast du nicht Medizin studiert? Israel braucht dringend Ärzte.«

»In Omarim?«

Der Spott in seiner Stimme schmerzte. Sie hatte sich auf ein Feld gewagt, das er nicht betreten wollte. Wieso sollte er? Für ihn war dies ein Auftrag wie viele andere Aufträge, sie, Rosa, eine von vielen Frauen. Der Mann war der schöne Artur. Frauenheld und Spitzenagent. Für so einen war Israel nicht das Land, wo Milch und Honig fließen. Seine Stadt war Paris, seine Milch Champagner, sein Honig die Frauen in seinem Bett. Der würde sie schon vergessen haben, wenn er übermorgen im Zug nach Frankreich saß. Adieu, Musée de Cluny.

»Wir müssen die Musiker überprüfen, die morgen Abend hier auftreten.«

Kein weiteres Wort zu ihrem Vorschlag, verflogen der

lausbubenhafte Charme, seine Stimme nüchtern, sein Kopf mit nichts als dem Auftrag beschäftigt.

»Laut Ankündigungsplakat spielen sie heute Nachmittag in der Konzertmuschel Baden-Baden. Zumindest einer von ihnen ist ein Jude, Nathan Nagelstein«, fuhr Ari fort. »Die GCPS hat immer von N gesprochen. Du erinnerst dich? Er ist ein Überzeugungstäter, einer, der auf Teufel komm raus verhindern will, dass Israel deutsches Blutgeld annimmt. Gibt es einen besseren Joker als einen verzweifelten zionistischen Musiker, der Auge in Auge mit dem Kanzler sein Konzert spielt und die Chance nutzt, ihn zu liquidieren?«

»Nathan, niemals«, hätte sie am liebsten gerufen, aber dann dachte sie an Nathans Weggang, daran, wie sehr sie seine Entscheidung verstört hatte, wie fremd ihr Nathan dadurch geworden war. Dass sie nichts, aber auch gar nichts darüber wusste, was er seit seiner Rückkehr nach Deutschland erlebt oder getan hatte. Sie dachte auch daran, dass sie ihn, genau wie Ben, Ari gegenüber nie erwähnt hatte. Musste sie nicht spätestens jetzt von ihm erzählen, wo Ari ihn verdächtigte? Sie wusste es nicht. Völlig verunsichert fragte sie: »Du glaubst, Nathan Nagelstein ist der sechste Mann?«

Ari nickte. »Deckname N, Jude, Künstler, gelangt ohne Probleme in die Nähe des Kanzlers. Was brauchst du mehr?«

»Ich fahre nach Baden-Baden«, entschied sie von einer Sekunde auf die andere. Noch würde sie nichts von Nathan erzählen. Erst musste sie mit ihm sprechen.

»Sehr gut«, stimmte Ari sofort zu. »Nach dem Auftritt der beiden Schmocks empfiehlt es sich sowieso, dass du von der Bildfläche verschwindest. Es ist leichter für mich, sie wieder abzuwimmeln, wenn du nicht dabei bist. Fahr nach Baden-Baden, kümmere dich um diesen Nagelstein. Beobachte ihn. Komm mit ihm ins Gespräch. Finde heraus, wo er politisch steht.«

»Wenn er Adenauer umbringen will, wird er mir bestimmt nicht verraten, dass er ein radikaler Zionist ist«, spottete Rosa.

»Vielleicht ist er so leicht zu durchschauen wie du?« Er quetschte ein sparsames, rostiges Lächeln heraus.

Rosa hätte es ihm am liebsten mit einer Ohrfeige aus dem Gesicht gehauen. Sie hasste ihn dafür, dass er sie zwang, Nathan mit Misstrauen zu begegnen.

»Du entschuldigst mich?«, bat er nach einem Blick auf die Uhr. »Ich muss wegen Keller mit unserem Mann in Genf telefonieren. Außerdem kommt der Kanzler bald vom Kirchgang zurück. Du findest mich bei deiner Rückkehr in seiner Nähe.«

Wie schon so oft verfluchte sie diesen Auftrag und diese Reise. Kein Gespenst aus der Vergangenheit, das sie dabei nicht heimsuchte. Jetzt noch einmal Nathan, ihr Nathan, der ihr vor langer Zeit der Himmel auf Erden war.

Bühlerhöhe

Es überraschte Sophie, dass ihr wegen der Goldberg ein schaler Nachgeschmack im Mund hing. Nicht so sehr, weil ihr die falschen Beschuldigungen leidtaten, viel eher, weil Xavier sie so schamlos für seine Zwecke missbrauchte. Hätte er mit offenen Karten gespielt, würde ihr die Lügerei nichts ausmachen. Aber es schmerzte, dass er ihr immer noch nicht auf Augenhöhe begegnete. Es verletzte, dass er nicht würdigte, was sie für ihn riskierte. Gelegentlich ein anerkennender Blick, mehr nicht. Aber nicht mal den, als sie ihm von dem Freiburger Bericht erzählte. Inklusive Harem. Seine Reaktion war ernüchternd gewesen. Geheimdienstgewäsch, größtenteils erstunken und erlogen, so tat er das Ganze ab. Auch auf die Frauengeschichten dürfe sie nichts geben, die eine oder andere, nun ja, aber sie wisse doch, dass sie die Ausnahme von der Regel sei.

Sie durfte sich nichts vormachen. Er heiratete sie, weil sie ihm nützlich war. Nützlichkeit aber war eine amorphe Ware, die mal mehr, mal weniger wog. Gerade jetzt stand sie bei ihm hoch im Kurs, und weil Sophie wusste, dass morgen alles schon wieder ganz anders sein konnte, hatte sie darauf bestanden, noch am selben Tag nach Bühl zu fahren und das Aufgebot zu bestellen.

Ehen waren Nutzgemeinschaften, immer gewesen, Liebe stets eine Zugabe. Auf ihren Nutzen reduziert, verlor die Ehe lediglich das allseits beliebte romantische Strahlen. Ehe war ein Geschäft. Deshalb durfte sie sich nichts vormachen, das konnte mit einem bösen Erwachen enden. Xavier wollte sie, weil er ihr Talent schätzte, Schwierigkeiten zu lösen, und weil er wusste, dass er sich auf sie verlassen konnte. Sie wollte ihn, weil er sie vom Pestgeruch der Alleinstehenden befreite und ihr den Weg von der Bühlerhöhe in die große weite Welt ebnete. Trauzeugen brauchten sie noch. Sie könnte ihre Tante in Baden-Baden fragen. Und Xavier? Irgendeinen alten Kameraden würde es geben, der ihm den Gefallen tat.

Erst als eine Träne auf die Rechnung an Eisenwarenhändler Kettenkaul tropfte, merkte sie, dass sie weinte. Ein bisschen unbeschwertes Glück, war das wirklich zu viel verlangt? Bekam man im Leben denn gar nichts geschenkt? Strafte sie das Leben, weil sie sich nicht mit dem begnügen wollte, was die Eltern für sie vorgesehen hatten? Hatte sie eine falsche Abzweigung genommen? Rannte sie unerfüllbaren Träumen nach? Ihre Großmutter Odile hatte immer gesagt, dass man bis zum Anschlag rechnen könne und die Rechnung trotzdem nie aufgehe. Aber was sollte man sonst tun als rechnen, planen und das Beste aus diesem Leben herausholen? Warten, dass etwas passierte? Darauf vertrauen, dass man in der großen Lebenslotterie ein Glückslos zog? Was zählte am Ende aller Tage?

Sie wischte sich die Tränen weg. Sie war erschöpft, nur das erklärte ihre Wehleidigkeit. Erschöpft, aber nicht erledigt. Ihre Kraft würde noch für das letzte Stück Weg reichen, sie lief doch bereits auf der Zielgeraden. Und dann konnte sie sich von einer sehr viel komfortableren Position aus Gedanken über den Sinn des Lebens machen.

Sie puderte sich die Nase und zog den Lidstrich nach. Dann knüllte sie die nassgetropfte Rechnung zusammen, öffnete die Tür zur Rezeption und rief Morgenthaler zu, dass er sie wegen der vielen Rechtschreibfehler noch einmal tippen solle, kehrte zum Schreibtisch zurück und kontrollierte die anderen Rechnungen. Hoffentlich bald zum letzten Mal. In Zukunft würde sie nur noch die Rechnungen von und an Madame und Monsieur Pfister kontrollieren. Als sie fertig war, ging sie mit der Dokumentenmappe zu Klarbach und legte sie ihm auf den Schreibtisch.

»Zu Ihrer Information, Madame Reisacher: Im September werden wir mit einer neuen Veranstaltungsreihe beginnen«, dozierte er, während er die Rechnungen überflog und abzeichnete. »Einmal im Monat werden wir Wissenschaftler, Politiker oder Künstler einladen, um über ein aktuelles Thema zu sprechen. In der heutigen Zeit gieren die Menschen nach Information und Diskussion, und unsere Gastredner werden die Besten der Besten sein. Hans Zbinden hat einen Vortrag über Krise und Verantwortung der geistigen Elite in unserer Zeit zugesagt, Doktor von Dirksen einen über das sowjetisch-chinesische Kräftespiel, und Gustaf Gründgens – der große Gründgens, Sie wissen, wie gerne er vor dem Krieg bei uns logierte! – einen über Theater und moderne Kunst. Das wird nicht nur unsere Gäste, sondern die Crème de la Crème der Region, was sage ich, des ganzen Landes interessieren und die Bühlerhöhe als einen Ort des geistigen Austausches zum Strahlen bringen. Bitte prüfen Sie doch, ob wir genügend passende Stühle haben, um die Rundhalle zu bestücken.«

»Selbstverständlich, Herr Direktor«, antwortete Sophie. »Hat das bis nach der Abreise des Kanzlers Zeit?«

Es hatte. Und sie würde sich darum nicht mehr kümmern.

Das musste ihre Nachfolgerin tun, und falls er eine solche nicht schnell genug fand, Klarbach selbst. Die Vorstellung, ihn schwitzend Stühle zählen zu sehen, amüsierte sie. Dann fiel ihr der Termin beim Standesamt ein.

»Herr Direktor, ich muss meinen Ausweis verlängern lassen und deshalb in der Mittagspause nach Bühl fahren«, erklärte sie und ärgerte sich, kaum dass sie die Ausrede benutzt hatte. Wieso erzählte sie nichts von dem Aufgebot? Sie war sich doch ihrer Sache sicher. »Morgenthaler vertritt mich, falls ich nicht pünktlich zurück bin.«

»Ausnahmsweise.«

Er reichte ihr die Rechnungen, kurz trafen sich ihre Blicke, dann verabschiedete sie sich. Würde sie ihm an ihrem letzten Arbeitstag ins Gesicht sagen, wie stümperhaft er mit seinem Personal umging oder wie schlecht er dieses Haus führte? Geistige Gespräche: nun ja. Telefone auf den Zimmern: amerikanisch. Aber ein Aufzug und die Renovierung der Bäder in der zweiten Etage: bitter nötig.

»Madame Reisacher.« Von Droste traf zur gleichen Zeit an der Rezeption ein wie sie. Er wirkte gehetzt und erschöpft.

»Herr Hauptmann. Darf ich Sie in mein Büro bitten? Einen Kaffee?«

»Nicht nötig. Ich wollte Sie an unsere französischen Gäste erinnern. Sie kommen morgen zum Konzert auf der Hirschterrasse. Danach wünscht der Kanzler ein kleines Diner mit den Herren in seiner Suite. Insgesamt sechs Personen. Arrangieren Sie das mit der Küche?«

Briancourt! Sie schloss für einen Augenblick die Augen und sah wieder das lodernde, wild knisternde Feuer.

»Madame Reisacher?«

Sie zwang sich, die Augen zu öffnen. »Selbstverständlich, Herr von Droste.«

Baden-Baden

Mit dem Großvater waren sie mehrfach in Baden-Baden gewesen. Rosa erinnerte sich daran, dass die Blumen in den Parks wie Soldaten in Reih und Glied standen und Kinder niemals vom Weg abkommen durften. Das Betreten des Rasens war überall strengstens verboten. Der Großvater liebte die alte Bäderstadt, aber ihr Vater konnte sie genauso wenig leiden wie Rachel und Rosa. Er ärgerte den alten Mann gelegentlich mit einem Bonmot von Mark Twain: »Es ist eine geistlose Stadt, voll von Schein und Schwindel und mickerigem Betrug und Aufgeblasenheit, aber die Bäder sind gut.«

Nathan, der in Baden-Baden aufgewachsen war, wusste um die soldatischen Blumen und den verbotenen Rasen, aber sie hatten ihn nie gestört. Er hatte selten draußen gespielt. Er liebte sein Zimmer über dem Erker mit dem Steinengel in der Luisenstraße, in dem Karl May und die Biographien berühmter Musiker nebeneinander in den Regalen standen, eine elektrische Eisenbahn über schwere Holzdielen surrte und unter Bett und Schrank hindurchfuhr. Hier spielte er täglich bei offenem Fenster Geige und hörte immer erst auf, ein Stück zu üben, wenn die Leute auf der Straße stehen blieben und lauschten.

Rosa konnte es nicht fassen, dass sich seine Kindheit und Jugend innerhalb der Grenzen dieses Zimmers, der Wohnung seines Geigenlehrers Adalbert Schweizer und der Schule abgespielt hatten und ihn nichts so interessiert hatte wie sein Instrument, seine Bücher und gelegentlich seine elektrische Eisenbahn. Für sie war es unvorstellbar, dass er niemals Blindekuh, Himmel und Hölle oder Eins, zwei, drei, vier Eckstein gespielt hatte, und sie verstand nicht, dass er das Alleinsein der Gemeinschaft vorzog.

Im Gegensatz zu ihr war Nathan nicht freiwillig nach Omarim gekommen. Er hasste das archaische Landleben, den Gestank von Ziegenmist, Disteln und verkohlter Glut und die wöchentlichen Kibbuz-Versammlungen. Während Rachel und sie sich selbstverständlich an allen Debatten über Neuanschaffungen, Arbeitspläne und Aufgaben beteiligten, saß Nathan stumm in einer Ecke oder las demonstrativ in den Schriften des Sozialisten Jakob Moneta, dem der zionistische Nationalismus ein Graus war und der auf eine sozialistisch-internationale jüdische Politik setzte. Dessen Thesen brachte er dann gerne in die hitzigen Diskussionen ein, die sie in der Runde über das baldige Ende des britischen Mandats und den zukünftigen Staat Israel führten.

Als sie im Mai 1948 die Unabhängigkeit feierten, war Nathan bereits auf dem Weg zurück nach Deutschland. Heute wusste Rosa, dass er auf seiner Flucht vor den Nazis nur zufällig in Palästina gestrandet war. Ihre Liebe hatte ihn seine Sehnsucht nach Deutschland und Europa eine Zeitlang vergessen lassen, aber eigentlich war er immer auf dem Sprung gewesen.

Rosa straffte die Schultern und vertrieb die verdammten Erinnerungen. Sie musste die restliche Fahrzeit nutzen, um endlich Ecksteins Post zu lesen. Sie hatte noch keine Gelegenheit dazu gehabt. Nie war sie allein gewesen.

Tanger, erfuhr sie, war seit den 1920er Jahren internationale Freihandelszone. Formell herrschte der Sultan von Marokko, aber verwaltet und regiert wurde die Stadt von Franzosen, Spaniern, Engländern, Portugiesen und Italienern. Mehr als hundert Banken und mehr als fünftausend Briefkastenfirmen residierten in der Stadt, ein Eldorado für illegale Geschäfte aller Art. Schmuggeln, das hatte ihr Rachel erzählt, gehörte in dieser Stadt immer schon zum guten Ton. Xavier Pfister, las sie in den Unterlagen, war in den letzten Kriegsjahren zum ersten Mal nach Tanger gekommen. In dieser Zeit arbeitete er als Kurier für Göring und seinen Dunstkreis. Er schmuggelte Schmuck, Kunst, Gold und Geld, um es in Tanger anzulegen. In der Zeit lagerte in den Geldinstituten in Tanger mehr Gold als auf allen Schweizer Banken zusammen. Als nach Kriegsende die Sowjetunion begann, einen großen Teil ihrer Waffenexporte – zur Unterstützung der afrikanischen Freiheitsbewegungen – über Tanger abzuwickeln, sattelte Pfister, der fließend Arabisch sprechen lernte, auf dieses Geschäft um. Im Gegensatz zu den Russen kaufte und verkaufte Pfister Waffen immer nur meistbietend. So verschaffte er auch seit Jahren der Irgun Waffen. Diese Geschäfte hatte ein gewisser Nimrod Wolberg mit Pfister abgewickelt, der diesen aus seiner Pariser Zeit kannte. Dies – ab hier war der Text unterstrichen – war die einzige erkennbare Verbindung zur Irgun. Über Wolbergs Rolle innerhalb der Irgun war nichts weiter bekannt. Als sicher galt aber, dass Abdul Nourridine, weil er sich in einem Geschäft mit Pfister betrogen fühlte, hinter dessen Rücken eine Ladung Sturmgewehre an den Mossad verkauft hatte. Rosa blätterte vor und zurück, bemerkte erst bei genauem Lesen, dass mindestens eine Seite des Textes fehlte. Was sollte sie nicht über Pfister wissen?

Rosa sah vor dem Autofenster die Tannen vorbeiziehen und dachte nach. Ein neuer Name: Nimrod Wolberg. Ein Vorname mit N. Es gab eine Verbindung zwischen Pfister und der Irgun. Das hatte sie immer vermutet, und jetzt wurde es bestätigt. Der Kerl mischte schon so lange bei Drecksgeschäften mit. Kurz fragte sich Rosa, ob das Geld aus dem Vermögen ihrer Familie möglicherweise durch Pfisters Hände geflossen war. Angewidert legte sie das Schreiben zur Seite. Sie hätte niemals nach Deutschland kommen dürfen. Zu viele alte Wunden, zu viele schmerzhafte Fragen.

»Wo genau möchten Sie aussteigen?«, fragte der Taxifahrer, der sie über die kurvenreichen Straßen des Schwarzwaldes nach Baden-Baden chauffierte.

»Am Kurhaus.«

Der Wagen schlängelte sich nun einen steilen Hang hinunter, fuhr an einem Kloster vorbei auf eine schnurgerade, mit Linden bepflanzte Allee und hielt bald danach vor dem Kurhaus an.

Sie hörte Nathans Violine schon, als ihre Schuhe beim Aussteigen im Kies knirschten. Sie erkannte das Stück. Beethovens »Geistertrio«, Nathan hatte es beim Pessachfest 1945, als der Krieg in Europa zu Ende war, mit zwei anderen Musikern gespielt. Im Largo gab es eine Stelle, die einem fast das Herz zerriss. Rosa erinnerte sich an die andächtige Stille unter den Olivenbäumen. Vielen der Kibbuznikim waren bei dieser Stelle die Tränen gekommen.

Tränen sah sie in den Augen der Baden-Badener Konzertbesucher keine, aber andächtige Stille herrschte auch hier. Die Stuhlreihen vor der Konzertmuschel waren gut besetzt, doch es gab durchaus noch freie Plätze. Rosa setzte sich nicht. Mit Nathans Violine im Ohr umrundete sie die Konzertmuschel in weitem Bogen. Vor dem Künstlereingang auf ihrer Rückseite blieb sie stehen. Eine Holztür, deren weiße Farbe an wenigen Stellen abblätterte. Dort hörte sie das Stück zu Ende, lauschte dem Applaus und wartete geduldig.

Als Erstes schob sich das breite Cello, dann der Cellist aus der Tür.

»Guten Tag«, schnaufte er überrascht.

»Mein Name ist Rosa Silbermann. Ich möchte zu Nathan Nagelstein.« Es wunderte sie, dass sie nicht aufgeregt war. Wahrscheinlich hatte sie ein mögliches Wiedersehen zu oft durchgespielt. Von einem erlösenden Sich-in-die-Arme-Fallen bis zu völliger Sprachlosigkeit war alles dabei gewesen. Die Variante, dass sie ihn an einem Hintereingang abfing, allerdings nicht.

»Rosa!« Nathan mit seiner Geige war der Nächste.

»Die Rosa?« Der Pianist mit der Notenmappe unter dem Arm.

»Die Rosa?«, echote der Cellist.

Zwei Augenpaare starrten sie neugierig an, auch Nathan starrte, aber seine Gefühle konnte sie nicht einschätzen.

»Du warst es wirklich«, stammelte er. »Ich habe es für Einbildung gehalten, aber du hast bei der Demonstration gegen den Veit-Harlan-Film nach mir gerufen.«

»Hast du das davon?« Sie deutete auf eine violett gefärbte Beule an seinem Kopf. »Haben sie dich eingesperrt?«

Er nickte. »Ein paar Stunden. Am Abend mussten sie uns wieder freilassen.«

Er steckte wie auch die beiden anderen in einem eleganten grauen Anzug, darunter ein weißes Hemd mit einer schmalen Krawatte. Nie hatte sie ihn in so vornehmer Kleidung gesehen. Seine Haare waren seitlich gescheitelt und streng nach hinten gekämmt, die widerspenstige Locke war verschwunden, wahrscheinlich mit Haarwasser gebändigt. Es erleichterte Rosa, dass er ihr so fremd schien. Kurz blickte sie in seine blauen Augen hinter den Brillengläsern. Sie waren von einer Eisschicht überzogen und auf Argwohn gepolt.

»Wir haben uns noch gar nicht bekannt gemacht.« Der Pianist reichte ihr die Hand. »Friedel Zitterbart.«

»Karl Trautwein.« Der Cellist. »Entschuldigen Sie unsere Neugier, aber wir haben Sie uns ganz anders vorgestellt.«

»Kurze Hosen, Khakihemd, Kibbuzhut?«, fragte Rosa und sah die beiden erröten.

»Was tust du hier in Deutschland?« Nathan hielt seinen Geigenkoffer wie einen Schutzschild vor seinem Körper und starrte sie immer noch mit diesem eisigen Blick an. Keineswegs erfreut, sie wiederzusehen, eher als wäre sie die böse Schneekönigin aus dem Märchenbuch.

»Ich muss mit dir reden.«

»Aber natürlich«, antwortete Friedel Zitterbart an Nathans Stelle, und Trautwein nickte bestätigend. »Sollen wir deine Violine mit ins Hotelzimmer nehmen?«, fragte er Nathan. »Um acht Uhr haben wir unseren nächsten Auftritt. Es reicht, wenn du um sieben im Konzertsaal bist.« Mit sanfter Gewalt entwendete er Nathan sein Instrument, und Trautwein griff nach seinem Cello, das er an die Wand gelehnt hatte.

»Du wohnst hier in deiner Heimatstadt im Hotel?«, fragte Rosa.

»Ja«, beschied Nathan knapp.

»Hat uns sehr gefreut, Rosa Silbermann.« Die Musiker reichten ihr beide die Hand und liefen schnell davon.

»Gojim?«, fragte Rosa, nachdem sie verschwunden waren.

»Musiker«, erwiderte er trotzig. Er hatte es immer gehasst, die Welt in Juden und Nichtjuden aufzuteilen. »Friedel ist ein Protestant aus Wien, Karl ein Katholik aus Hamburg. Was dagegen?«

Rosa schüttelte den Kopf. »Ich wollte es nur wissen.«

»Und jetzt? Wo willst du hin?«

»Es ist deine Stadt. Du entscheidest.«

»Meine Stadt!« Sein Lachen klang bitter. Dann musterte er sie von Kopf bis Fuß.

Hatte Nathan sie je in einem Kleid gesehen? In einem so eleganten auf keinen Fall. In Omarim trug sie fast nur Pionierkleidung. Sie musste ihm so fremd vorkommen wie er ihr. Das half vielleicht.

»Ganz große Dame. Du wirst auffallen«, meinte er, und sie konnte nicht heraushören, ob er dies spöttisch oder bewundernd meinte. Dann setzte er sich in Bewegung.

Er führte sie in die Altstadt, aber nicht in die Luisenstraße. Durch kleine Gässchen lotste er sie bergan in ein Viertel mit bescheidenen Häuschen und kleinen Nutzgärten, wo zwischen Kopfsalat und Kohlrabi Kapuzinerkresse blühte. Nathan lief stumm neben ihr her, und auch sie schwieg, trotz der tausend Fragen im Kopf, trotz der tausend Dinge, die sie ihm erzählen könnte. Umso lauter klackten ihre Schuhe auf dem Kopfsteinpflaster. Die Sonne stach unbarmherzig auf sie nieder, so wie damals bei ihrer Ankunft in Haifa. Zwischen den Häusern hing eine klebrige Hitze, kein Lüftchen regte sich. Nathan entledigte sich der Krawatte und des Jacketts und öffnete den obersten Hemdknopf. Ihr Kleid pappte bei jedem Schritt an der verschwitzten Haut fest, die Schuhe drückten.

»Ich nehme an, du bist nicht meinetwegen in Deutschland.« Keine Frage, eine Feststellung. Die Jacke mittels Zeigefinger jetzt über den Rücken geworfen.

»Das stimmt.« Dass sie ihm nachreiste, sowie eine Arbeit und eine Wohnung gefunden waren, so hatte Nathan sich ihre gemeinsame Zukunft vorgestellt. Für ihn war Deutschland ein besserer Ort zum Leben als ein auf Wüstensand gebauter Judenstaat. Er glaubte an die sozialistische Idee, an die Völkerverständigung und an ein bald in Frieden und Freiheit vereintes Europa. Seine Enttäuschung darüber, dass sie nicht mit ihm kam, war so groß wie ihre, dass er nicht bleiben wollte. All die nächtelangen Diskussionen, die vergeblichen Versuche, sich gegenseitig zu überzeugen. All die frühen Morgen, an denen sie dann doch im Bett landeten und sich mit der Verzweiflung von Ertrinkenden liebten. Auf keinen Fall wollte sie diese Gespräche noch einmal führen. Sie hatten ihre Entscheidungen getroffen. Nathan war zurückgekehrt, weil er sein Geld als Musiker verdienen wollte und nicht als Kibbuz-Bauer. Und – sein wichtigstes Argument für die Rückkehr – weil ein judenfreies Deutschland einem nachträglichen Sieg Hitlers gleichgekommen wäre. Vier Wochen nach seiner Abreise hatte er geschrieben. Er hatte in München bei einem kleinen Orchester Arbeit gefunden, wohnte noch in einem winzigen Zimmer, wollte sich aber nach einer größeren Wohnung umsehen. Sie hatte zurückgeschrieben, dass dies nicht nötig sei. Danach Funkstille. Sie wussten beide, dass sie ihre Liebe auf dem Altar ihrer Überzeugung geopfert hatten. Deshalb war Ben nie ins Spiel gekommen. Und so sollte es auch bleiben.

»Also, Rosa. Weshalb willst du mit mir reden?« Er stellte die Frage beiläufig, steuerte im nächsten Moment auf eine Gaststätte zu und führte sie in einen düsteren Schankraum, in dem Männer und einige wenige Frauen vor einem Bier oder einem Schoppen Wein saßen.

»Ein kaltes Bier«, rief er dem Wirt hinter dem Ausschank zu. »Rosa?«

»Auch ein Bier.«

Er dirigierte sie zu einem Tisch vor einem der niedrigen Fenster, wischte mit dem Armrücken ein paar Brotkrümel von dem blanken Holz und rückte ihr den Stuhl zurecht. Sie spürte, wie alle sie anstarrten. »Frauen von Welt« mieden solche Orte.

»Hier verkehren die Dienstboten und Kutscher, die Zimmermädchen und Kellner«, erklärte er. »Es tut gut, hier zu sein, wenn man vor der Hautevolee gespielt hat.« Er bedankte sich für das Bier, das der Wirt ihnen servierte, und nahm einen kräftigen Schluck.

»Oz hat mich hergeschickt.«

»Oz!« Ein Schluck Bier schwappte über den Rand seines Glases. »Steht bestimmt weit oben im neuen Staat Israel. Ist er schon General?«

Oz und Nathan, der Kraftmeier und der Künstler, die zwei konnten sich nie ausstehen. Politisch nie einer Meinung, in Alltagsdingen erst recht nicht. Oz, der schnell entschiedene Macher, Nathan, der ewige Zweifler. Nach Möglichkeit waren sie sich aus dem Weg gegangen, aber wenn sie aufeinandertrafen, herrschte entweder Eiseskälte, oder sie beschimpften sich wie die Kesselflicker.

»Hast du von der Briefbombe in München gehört?«, fragte sie.

»Sicher«, nickte er. »Es gibt großen Widerstand gegen dieses Wiedergutmachungsgesetz. Eigentlich will es keiner: die alten Nazis sowieso nicht, die Vertriebenen genauso wenig und natürlich auch all die nicht, die sich als Opfer und Verlierer fühlen, und so fühlen sich in Deutschland die meisten. Es kann also quasi jeder gewesen sein.«

Rosa schüttelte den Kopf. »Der Mossad, bei dem Oz jetzt arbeitet, ist sicher, dass Begins Irgun die Briefbombe geschickt hat.«

»Radikale Zionisten?« Jetzt blitzte in seinen Augen die vertraute Debattierlust auf. »Hab ich nicht immer gesagt, dass die Staatsgründung der falsche Weg ist? Zum Glück hatten diese nationalistischen Hitzköpfe keinen Erfolg mit ihrer Aktion.«

»Mit dieser nicht.« Und dann erzählte Rosa von ihrem Auftrag, von der GCPS, dem Unfall des Kanzlerwagens, von Aris Verdacht, dass nur ein Jude der Attentäter sein könne.

»Da ist die Auswahl hier nicht besonders groß«, spottete Nathan.

Rosa sah, wie Nathan den Faden im Kopf fortspann und dann ungläubig den Kopf schüttelte.

»Erzähl mir nicht, dass du hier bist, um herauszufinden, ob ich der Wahnsinnige bin, der auf den Kanzler schießen will! Bist du meschugge? Hast du dich von Oz oder diesem Ari mit der Paranoia anstecken lassen, dass die Feinde Israels überall lauern? Von wegen die gefährlichsten sind die eigenen Leute? Für Oz grenzte ja schon eine kritische Bemerkung zum israelischen Grenzverlauf an Hochverrat. Womit soll ich denn auf den Kanzler losgehen? Mit meiner Geige? Schießen kann ich nämlich nicht, wie du ja weißt.«

Er trank sein Bier in hastigen Schlucken aus und wischte sich noch hastiger über den Mund. Ihr eigener Mund war ausgetrocknet, ihre Zunge klebte am Gaumen fest. Seine Empörung traf sie völlig unvorbereitet.

»Ich fasse es nicht, dass du dich so blind vor deren Karren spannen lässt«, drosch er weiter auf sie ein. »In unserer gemeinsamen Zeit hat dir jedenfalls keiner vormachen können, dass einer, nur weil er Jude und Musiker ist und vor dem Kanzler spielt, irgendwelche fiesen Absichten hat. Du hast dich anstecken lassen mit der Abscheu und dem Misstrauen all denen gegenüber, die nach Deutschland zurückkehren. Bessere Sündenböcke gibt es in Israel wahrscheinlich nicht.«

»Was meinst du, warum ich dir das alles …« Mühsam löste sie ihre Zunge, jedes Wort eine Schwergeburt. Aber Nathan, nicht zu bremsen, ließ sie nicht ausreden.

»Bevor du fragst: Ja, es ist vieles ganz schrecklich hier in Deutschland. Der Antisemitismus wird weiterhin gehegt und gepflegt, in der Regierung sitzen alte Nazis, die Westorientierung ist ein Fehler, alle sind Meister im Vergessen. Aber es gefällt mir, dass man, im Gegensatz zu Israel, nicht mehr nur im eigenen Saft schmort und eine freie Presse verhindert, dass man sich wieder einlullen lässt. Verqueres Denken ist erlaubt. Aber du denkst nicht kreuz und quer, du dienst deinem Land wie ein braver Soldat und tust, was man dir sagt. Wo bleibt dein kritischer Geist? Da kennst du diesen Ari gerade mal ein paar Tage und traust ihm mehr als mir?«

Er verstummte. Sein Pulver war verschossen, nun feuerten seine Blicke spitze Pfeile auf sie ab. Dabei lag sie doch schon am Boden.

»Herr Wirt! Die Dame zahlt.«

Der Stuhl schrammte über den Steinboden, als Nathan ihn beim Aufstehen zurückschob. Sie sah ihm nicht nach, hörte nur die Wut in seinen harten, schnellen Schritten und dann die Tür, die hinter ihm zufiel. Mit zittrigen Fingern fischte sie ein paar Münzen aus dem Portemonnaie und legte sie auf den Tisch. Als sie den Schankraum verließ, richtete sich jedes Augenpaar im Raum auf sie. Sie spürte die gierige Sensationslust hinter den Blicken, aber die konnte ihr nach diesem Gespräch mit Nathan nichts mehr anhaben.

Vor der Tür traf sie die Hitze wie ein weiterer Schlag. Wie eine Krankheit hatte sie die Stadt im Griff. Über allem lag eine lähmende Stille. Abweisend die Häuser mit ihren geschlossenen Fensterläden, kein Mensch auf der Straße, nicht einmal die Tauben gurrten.

Rosa schleppte sich zum Kurhaus zurück und sah sich dort gerade nach einem Taxi um, als plötzlich der einbeinige Brassel neben ihr stand. Eilig steckte er das sorgsam gefaltete Taschentuch weg, mit dem er sich die Schweißperlen von der Stirn getupft hatte, und reichte ihr die Hand.

»Unerträglich, die Hitze, nicht wahr? Wie schön, dass oben auf der Bühlerhöhe immer ein kühles Lüftchen weht! Sie wollen auch zurück, vermute ich. Nehmen wir gemeinsam ein Taxi? Ich habe Ihnen Interessantes zu berichten.«

Nein, Rosa wollte sich kein Taxi teilen, ihr war überhaupt nicht nach Gesellschaft, aber ihr fehlte die Kraft zu widersprechen. Wie gelähmt sah sie Brassel einen Wagen herbeiwinken, dann den Fahrer aussteigen und die Tür aufhalten. Brassel musste sie stupsen, damit sie sich in Bewegung setzte.

»Haben Sie sich auch den Beethoven angehört?«, fragte Brassel, kaum dass sie saßen.

Rosa nickte und dachte an all die Fragen, die sie Nathan nicht gestellt hatte: »Wie hast du Karl und Friedel kennengelernt? Spielt ihr schon lange zusammen? Wie ist es, wieder zu Hause zu sein? Warst du bei den Kupfermüllers? Wie ist es, wenn man tagtäglich in Gesichter blickt und nicht weiß, welche Geschichte sich hinter ihnen verbirgt? Bist du jetzt glücklicher als in Omarim? War deine Wahl richtig?« Dass es bei ihrer Vertrautheit nicht mehr möglich war, dies alles zu fragen, schmerzte am meisten. Mit Bitterkeit dachte sie an all das, was sie ihm nicht erzählt hatte: An die Kinder, die immer noch seine Lieder sangen. An die Badewanne, die es nun neben den Duschen gab und die er sich immer gewünscht hatte. An den Duft der Orangenblüten, den er so liebte. Und vor allem an seinen Sohn Ben, der sieben Monate nach seinem Weggang zur Welt gekommen war.

»Die Presse überhäuft dieses junge Trio mit Lob«, schnarrte Brassel neben ihr. »Der Violinist hat übrigens beim großen Adalbert Schweizer gelernt. Den habe ich vor dem Krieg einmal Mendelssohn spielen hören. Unvergesslich!«

Rosa nickte wieder und kehrte in Gedanken zu dem Gespräch mit Nathan zurück. Vom ersten Augenblick an war er ihr in Habtachtstellung begegnet. Aber hätte sie anders reagiert, wenn er überraschend in Omarim vor ihr gestanden hätte? Wie hatten sie ihre Liebe so zu Trümmern schlagen können? Oder waren es gar nicht sie gewesen, sondern der verfluchte Lauf der Geschichte, der ihnen ein gemeinsames Leben unmöglich machte?

»Was unsere kleine Wette betrifft, habe ich ein paar Neuigkeiten«, wechselte Brassel das Thema. Sein Ton wurde vertraulich. »Noch weiß ich nichts über die Verbindung zwischen Pfister und von Droste, dafür etwas mehr zu der von uns wenig geschätzten Hausdame. Als sie gestern Abend das Hotel verließ, bin ich ihr gefolgt und war sehr froh, dass sie langsam ging und ihr Weg sie zur Jagdhütte beim Plättig führte. Viel weiter hätte ich nämlich mit meinem Holzbein nicht laufen können.«

Rosa wollte nichts mehr hören, sie wollte keinen neuen Spekulationen mehr nachgehen, die wieder, wie bisher immer, im Sand verlaufen würden. Sie wollte gar nichts mehr hören.

»Nun, die zwei sind ein Paar und werden bald heiraten«, fuhr Brassel unbeirrt fort. »Also sie und Pfister. Als Morgengabe muss Madame Reisacher allerdings eine Falschaussage in die Ehe einbringen, was ihr, so wie wir sie kennen, nicht schwerfallen wird.« Er räusperte sich, um Rosas maximale Aufmerksamkeit zu erregen.

Die Anzeige in der Züricher Zeitung, Pfister war doch mit dieser Schweizerin verlobt, dachte Rosa. Und jetzt sollte er auch der Hausdame die Ehe versprochen haben. »Sind Sie sicher?«, fragte sie.

»Aber ja«, bestätigte Brassel.

Rosa nickte. Pfister spielte auch hier ein doppeltes Spiel. Doch davon wollte sie Brassel noch nichts erzählen.

»Sie wird der Polizei von einem Anruf eines gewissen Nourridine berichten. Und hier kommen Sie ins Spiel, liebe Frau Goldberg. Er soll nämlich Sie angerufen haben.« Brassel hielt kurz inne und tupfte sich verhohlen die Stirn ab, bevor er sich zu ihr herüberbeugte und mit noch leiserer Stimme, dafür umso eindringlicher sagte: »Nach diesem zufällig belauschten Gespräch muss ich Sie vor Pfister warnen. Er will Ihnen Böses. Sie gefährden seinen Auftrag, das hat er wortwörtlich gesagt. Er sprach nicht davon, um was für einen Auftrag es sich handelt, aber das wissen möglicherweise Sie.«

Rosa hatte keine Ahnung, was Pfister gemeint haben könnte. Er hatte sie weder bemerkt, als sie Nourridine zum Schwimmbad folgte, noch wusste er, dass sie sein Gespräch mit Frey und Fritsch belauscht hatte. Oder hatte etwa Agnes doch geplaudert? Schon wieder drehte sich in ihrem Kopf dieses endlose Fragenkarussell, das sie so satthatte.

Brassel räusperte sich umständlich, entschlossen, sich durch ihr merkwürdiges Verhalten nicht irritieren zu lassen. »Es steht mir nicht zu, mich in Ihre Angelegenheiten zu mischen, aber ich möchte der Tochter von Adam Silbermann meine bescheidene Hilfe anbieten.«

Der Name des Vaters ein Stich in die Brust, Rosa mit einem Schlag wieder hellhörig. »Woher wissen Sie …?«

»Der alte Lepold ist ein nie versiegender Quell an Informationen. Wir plaudern oft miteinander, müssen Sie wissen. Ich habe ihn gefragt, ob er Sie kennt. So habe ich erfahren, dass Sie eine geborene Silbermann sind. Ich habe Ihren Vater sehr geschätzt, menschlich und beruflich. Immer wenn er in Frankfurt oder ich in Köln zu tun hatte, haben wir uns auf einen Cognac und eine gute Zigarre getroffen. Entweder im Dom Hotel oder im Frankfurter Hof. Ich weiß, dass er 1934 überraschend gestorben ist. Bruckner hat seine Kanzlei übernommen und führt sie meines Wissens immer noch.« Wieder kam das Taschentuch zum Einsatz. »Nach Ihrer Familie wage ich kaum zu fragen.«

»Meine Schwester und ich sind die einzigen Überlebenden«, kürzte Rosa die Antwort ab.

»Es ist eine Schande, was mit den Juden geschehen ist.« Er sagte den Satz so laut, dass sich der Taxifahrer überrascht umdrehte. »Ich schäme mich für mein Land und vor allem für meine Zunft. Sie wissen, wie viele jüdische Juristen es gab. Wir haben es zugelassen, dass unsere Kollegen aus ihren Ämtern und Positionen entfernt wurden. Wir als Vertreter des Rechts haben dieses Unrecht geschehen lassen. Und wenn ich sehe, wie viele Emporkömmlinge aus dieser Zeit noch in Amt und Würden sind, steigt mir die Galle hoch. Ich fürchte aber, es wird noch lange dauern, bis der unselige Geist des Tausendjährigen Reiches nicht mehr durch deutsche Gerichte weht.«

Sickerwald

Die Walburg, die konnt das! Sich auf einen Baumstamm hocken und stundenlang auf ein Amselnest oder den Panzer eines Hirschkäfers stieren, als gäb's nichts Wichtigeres auf der Welt. Für die Walburg war das wie Medizin, die konnte überhaupt nicht verstehen, dass das für andere nicht so war. Für sie, Agnes, war das nämlich gar nichts, sie machte das Rumhocken verrückt, aber genau dazu hatte die Walburg sie verdonnert. »Du rührst dich nicht vom Fleck, bis ich wieder da bin!«

Agnes hatte schon die Blechkanne, in der Walburg den Tee kochte, und die zwei Becher in dem kleinen Bach neben ihrer Höhle gewaschen, die Schlafdecke zum Lüften über einen Baum gehängt, neues Brennholz gesammelt, Pfifferlinge zum Trocknen aufgefädelt, Heidelbeeren gepflückt und gegessen, aber jetzt gab es einfach nichts mehr zu tun. Angeln könnt sie noch. Aber ihre Händ waren nicht dafür gebaut, die Forellen vom Haken zu nehmen und totzuschlagen. Die Walburg konnt das im Schlaf.

Wie lang war die Schwester jetzt weg? Agnes blinzelte durch das Blätterdach in den Himmel. Die Sonne stand noch recht im Osten. Eine Stunde vielleicht, länger nicht. Walburg hatte gemeint, gegen Mittag wär sie wieder da. Eine Ewigkeit! Schlafen könnt sie noch. Mit Schlaf war in der Nacht nicht viel gewesen. Aber dem Schlaf traute Agnes nicht. Der war ein Gevatter von Luzifer und Beelzebub, der schickte einem Dämonen oder zeigte einem Sachen, die man nicht sehen wollte. Den Frey mit seinem Gewehr oder das falsche Lächeln von Monsieur Pfister. Die zwei durft sie nimmer in ihren Kopf lassen. Sonst würd der noch zusammenschrumpeln wie ein Hutzellaible. Nimmermehr könnt sie dann einen eigenen Gedanken fassen. Jesses, in was für eine Sach war sie da bloß reingeraten? Sie hätt nicht so wunderfitzig sein dürfen, nachdem sie die zwei entdeckt hatte. Wär sie doch bloß sofort zurückgelaufen und hätt dem Hartmann und den Männern gesagt, dass der Pfister mit dem Frey im Wald war. Dann wär das alles gar nicht passiert. Und jetzt? Und jetzt? Darauf vertrauen sollt sie, dass die Rosa Goldberg so schlau war, wie sie hofften.

Sie setzte sich doch auf den Baumstumpf. Die Füß taten ihr noch weh, der Arm auch. Der Verband war nimmer weiß, sondern rostig braun vom getrockneten Blut, und die Wunde brannte, als hätt die Benedikta nicht nur einen Schluck, sondern die ganze Flasche Borbler draufgeschüttet. Feuerwasser, so sagten die Indianer zum Schnaps. Jetzt wusste Agnes, warum. Sie strengte sich wirklich an, nur die Ameisen zu sehen, die auf dem Boden vor ihr eine tote Wespe zu einem Nadelhaufen schoben, so wie die Walburg dies immer tat. Aber lange ging das nicht gut, da schaute sie schon wieder zum Himmel hoch. Die Sonne stand immer noch am selben Fleck.

Ein ferner Schuss ließ sie aufhorchen. Schnell folgte noch einer, dann keiner mehr. Sie sprang auf, drehte sich im Kreis, hörte das Rascheln im Unterholz und sah einen Schwarm Krähen aufflattern. Jäger! Und wenn das der Pfister und der Frey waren? Der Wald um sie herum wieder still und stumm. Gab's für einen Mord schlechtere Zeugen als Tannen? Sie hätt sich nicht darauf einlassen dürfen! Unter Menschen musst sie gehen, da könnt sie keiner abknallen wie ein Stück Wild, da wär sie viel sicherer. Nur wohin? Heim konnt sie nicht, in dem Punkt hatte Walburg recht, da würde sie der Drecksseckel Pfister zuerst suchen. Aufs Hundseck konnt sie schon gar nicht, das war ja die Höhle des Löwen. In die Bühlertaler Kirch könnt sie laufen und den Pfarrer um Schutz bitten. Aber der würd Fragen stellen. Wohin dann? Sie drehte und drehte sich, bis ihr ganz schwindelig wurde. Zur Bergwacht! Der Fridolin, der würd auf sie aufpassen. Dass sie da nicht früher draufgekommen war.

Sie schnürte ihre Schuhe, schulterte den Rucksack und sah wieder nach der Sonne. Der Wiedenfelsen lag in ihrem Rücken, der Bärenstein westlich davon. Sie lief los. Vom Bärenstein würde sie bald zum Kurhaus Sand gelangen, und von dort war es nicht mehr weit bis zur Bergwachthütte, die auf halbem Weg zum Hundseck lag.

Bis zum Kurhaus begegnete ihr keine Menschenseele. Aber dort hielt gerade der Postbus, und ein paar Wanderer stiegen aus. Ein lustiger Verein, drei Männer und zwei Frauen. Agnes wartete. Falls sie in Richtung Hundseck marschierten, würde sie sich ihnen anschließen, aber leider schlugen sie den Weg nach Herrenwies ein.

Also ging sie allein weiter. Sie kam schnell voran, der Weg hatte hier kaum noch Steigung. Als sie die Lambretta vor der Hütte stehen sah, atmete sie erleichtert aus. Jetzt war sie in Sicherheit.

Sie wollte die Hütte umrunden, um nach Fridolin zu sehen, als dieser ihr eilig und abmarschbereit entgegenkam. Er hielt das aufgerollte Seil und den Rucksack in der Hand. Sein Lächeln ließ ihr Herz höherschlagen.

»Agnes. Leg die Post aufs Fensterbrett. Wie schad, dass ich keine Zeit hab. Am Bettelmannskopf hat's einen auf die Nas gelegt.« Er schulterte den Rucksack und rollte sich das schwere Seil um Hüfte und Schultern. »Hat sich's Bein an einem Zaun aufgerissen. Ich muss sofort los. Aber guck mal, wer dahinten steht. Gestern hast ihn g'sucht, und heut ist er da. Ade dann! Bis bald, hoff ich.«

Während er sich auf die Lambretta schwang und die Zündung einschaltete, löste sich Monsieur Pfister aus dem Schatten der Hütte.

»Hallo, Fräulein Agnes. Ich habe schon nach Ihnen gesucht.«

Er kippte sein falsches Lächeln wie eine Fuhre Mist über ihr aus. Sie schrie wie am Spieß. Aber der Lärm der knatternden Lambretta erstickte den Schrei, und Fridolin fuhr davon, ohne sich nach ihr umzudrehen.

Bühlerhöhe

Nichts war von dem frischen Lüftchen zu spüren, das Brassel für die Bühlerhöhe avisiert hatte. Ein bleierner Himmel auch hier, Rosa sehnte das heftige Gewitter, das dieser versprach, genauso herbei wie eine schnelle Rückkehr nach Omarim. Sie fühlte sich geschlagen. Seit Tagen focht sie gegen Bedrohungen, ohne sagen zu können, welche davon echt und welche falsch waren. Wie ein Krebsgeschwür wucherte das Misstrauen in ihr. Sie hatte sogar Nathan – ihren Nathan, den mit den zwei linken Händen und Füßen – verdächtigt. Wie Don Quichotte kämpfte sie gegen Windmühlen, und jetzt hatte sich ihr ein alter, einbeiniger Mann als Sancho Pansa angedient.

Brassels Angebot rührte sie, und sie hatte sich aufrichtig dafür bedankt, aber wie sollte ihr der Staatsanwalt helfen? Er hatte ihren Vater gekannt, er verurteilte die Judenvernichtung. Reichte das, um ihn ins Vertrauen zu ziehen? Sie wusste es nicht. Deshalb lehnte sie seine Einladung, eine erfrischende Limonade auf der schattigen Terrasse vor dem Wilhelmturm zu trinken, ab. Sie musste allein sein.

Nachdem sie aus dem Taxi gestiegen waren, schlug sie also nicht wie Brassel den Weg in Richtung Hotel ein, sondern suchte sich eine schattige Bank im Park. Mit einem Seuf-

zer der Erleichterung zog sie sich die Schuhe von den auf-
gequollenen Füßen und malte mit den Zehen Kreise in den
Kies. Sie schloss die Augen, und eine Zeitlang war das sanfte
Dunkel wohltuend, aber dann wirbelten ihr die Ereignisse
der letzten Tage durch den Kopf. Also öffnete sie die Augen
wieder. Sie ließ den Blick über den in der Hitze dösenden
Park gleiten und richtete ihn dann auf die Tauben, die keine
drei Meter von ihr entfernt im Kies scharrten. Fünf waren es,
und es kam Rosa sinnlos vor, dass sie ihre nervösen, immer
vor und zurück zuckenden Köpfe auf den Boden richteten
und mit den silbergrauen Schnäbeln zwischen den Steinen
nach Essbarem suchten. Sie verstand nicht, warum sie plötzlich alle wie auf Kommando aufflogen, sich drei von ihnen
auf die leere Bank rechts von ihr und zwei auf die Äste einer
verkrüppelten Tanne setzten, erst zwei und wenig später alle
wieder zurückkehrten. Warum sie jetzt nicht mehr pickten,
sondern sie aus den winzigen schwarzen Augen mit weiterhin zuckenden Bewegungen anstarrten. Sie verstand überhaupt nichts.

Sie quetschte die Füße zurück in die Pumps, zupfte sich
das schweißverklebte Kleid von den Oberschenkeln und
zwang sich aufzustehen. Ein paar Minuten später trat sie
durch das Tor in den Innenhof. Sie registrierte die Steine
auf dem Brunnenrand, so wie man Veränderungen an all-
täglichen Dingen eher unbewusst denn bewusst wahr-
nimmt. Sie hätte sie nicht weiter beachtet, wären sie nicht
pyramidenförmig aufgeschichtet gewesen, und als sie beim
Nähertreten unter den Steinen eine Feder entdeckte, wusste sie, dass Walburg im Innenhof gewesen war. In ihrem
Glückssommer war es eines ihrer Lieblingsspiele gewesen,
sich mit Hilfe solcher Zeichen zu suchen. Walburgs Zeichen war die Pyramide mit der Feder. Automatisch legte
Rosa die Steine zu einem Dreieck, ihrem Zeichen. Es überraschte Rosa, dass Walburg das Hotelgelände betreten hatte.
Früher hatte sie sich von Rachel und ihr immer weit vor

dem Tor mit dem steinernen Adler verabschiedet, weil ihr das »Schloss«, wie sie die Bühlerhöhe nannte, nicht geheuer war.

Die Nische der Rundhalle, in der die Polizisten heute Morgen auf sie gewartet hatten, war leer. Nur ein einziger älterer Herr blätterte in der Nische daneben in einer Zeitung. Der Hitze wegen waren die Türen zur Hirschterrasse geschlossen und die Vorhänge zugezogen. Rosa ging zur Rezeption und griff nach dem Schlüssel, den die Hausdame bei ihrem Eintreten gleich für sie bereitgelegt hatte.

»Hat Walburg Rheinschmidt nach mir gefragt?«

Die Hausdame nickte kurz, dann beugte sie sich über den Tresen und flüsterte: »Wenn ich Sie um eines bitten darf, gnädige Frau: Verabreden Sie sich mit dieser Person nicht in unserem Hause. Es hat Stunden gedauert und ein ganzes Fläschchen Eau de Lavande gekostet, um ihre fuchsigen Ausdünstungen zu vertreiben. So etwas kann ich unseren Gästen nicht noch einmal zumuten.«

Es musste etwas geschehen sein, sonst hätte sich Walburg niemals in die Bühlerhöhe gewagt. Rosa konnte sich genau vorstellen, wie unsicher und nervös sie gewesen sein musste, als sie hier an der Rezeption stand. Ein gefundenes Fressen für die Reisacher.

»Stellen Sie mir sofort eine Telefonverbindung zum Hundseck her«, fuhr sie die Hausdame an.

Walburg im Wald zu finden war ein Ding der Unmöglichkeit. Aber vielleicht wusste Agnes, was passiert war. Das Telefon in Kabine zwei klingelte, Rosa nahm den Hörer ab, Hartmann war am Apparat. Nein, Fräulein Agnes sei nicht im Hause, er könne nicht sagen, wann sie zurückkomme, ihre Mutter habe sie krankgemeldet. Keine beruhigenden Nachrichten. Aber mehr konnte Rosa im Augenblick nicht tun. Sie musste warten, bis Walburg wiederkam. Sie fragte nach Agnes' Adresse. Dann legte sie den Hörer auf und verließ die Kabine.

»Ich will umgehend informiert werden, falls Walburg Rheinschmidt noch einmal herkommt.«

»Selbstverständlich«, zischte die Hausdame mit granitener Missbilligung im Blick.

Mit einem Mal kochte die lang unterdrückte Empörung über das Verhalten der Hausdame in Rosa über. Was bildete sich diese Frau eigentlich ein? Behandelte sie von oben herab, verfolgte sie mit ihrem blinden Hass, hetzte ihr durch eine Falschaussage die Polizei auf den Hals, und jetzt schrieb sie ihr noch vor, wen sie hier empfangen durfte. »Und kümmern Sie sich gefälligst um Ihre eigenen Angelegenheiten«, zischte Rosa zurück. »Ich empfehle Ihnen, die Anzeigenseite der *Neuen Zürcher Zeitung* von vor zwei Tagen zu studieren. Die Verlobungs- und Heiratsanzeigen, um genau zu sein. Guten Tag.«

Bühlerhöhe

Seit Sophie die Anzeige gelesen hatte, war die Welt eine andere.

Erst hatte sie sich beherrscht, und der Goldberg'schen Äußerung keinerlei Beachtung geschenkt. Aber als Xavier dann wenig später ihren gemeinsamen Ausflug absagte, weil er bereits in Bühl sei – und dort alles auch allein erledigen könne –, da war sie doch misstrauisch geworden. Sie beantwortete seine Fragen, ohne sich etwas anmerken zu lassen: Sie sei doch in Straßburg geboren, habe aber die deutsche Staatsangehörigkeit, richtig? In ihrer blauen Stunde war sie dann in die Künstlergarderobe gegangen, wo man die gelesenen Zeitungen zwischenlagerte, und hatte nach der *Neuen Zürcher* gesucht, die die Bühlerhöhe für ihre Schweizer Gäste abonniert hatte. Die zwei Tage alte Ausgabe war schnell gefunden. Die stickige Hitze in dem Kabuff hielt sie davon ab, die Zeitung dort aufzuschlagen. Es gab nichts Peinlicheres als schweißgetränkte Make-up-Spuren auf einer hellen Bluse. Der Hitze wegen hatte sie sich heute erlaubt, auf die Kostümjacke zu verzichten. Weil ihr Büro um diese Zeit der Sonne ausgesetzt war, ihr Zimmer aber bereits im Schatten lag, zog sie sich ausnahmsweise dorthin zurück.

Als sie auf dem Weg nach oben dann doch ins Schwitzen kam, ärgerte sie sich über sich selbst. Darüber, dass sie dieser billigen Retourkutsche der Goldberg überhaupt Beachtung schenkte. Diese Frau wusste nichts über sie, schon gar nichts über ihr Privatleben. Xavier würde ihr bei der gemeinsamen Autofahrt nichts über sie erzählt haben. Oder etwa doch? Der Gedanke versetzte ihr einen stecknadelfeinen Stich, ließ sich aber sofort wegwischen. Es war nur Neugierde, die sie nach der Zeitung hatte suchen lassen.

In ihrem Zimmer angekommen, setzte sie sich auf den Sessel neben dem Tischchen, auf dem die kleine Vase mit den Adenauer-Rosen stand. Die Hitze war zu viel für die Blumen, sie ließen bereits die Köpfe hängen. Ich muss sie gleich wegwerfen, dachte sie noch, als sie die Zeitung aufschlug, nach der Anzeigenseite suchte und schnell entdeckte, auf was die Goldberg angespielt hatte. Die Anzeige war nicht zu übersehen, Großbuchstaben, halbe Seite. Während sie nicht fassen konnte, was sie las, ging die kleine Vase zu Boden und zerbarst in tausend Splitter. Und seither hatte sie keinen klaren Gedanken fassen können.

Sie war regelrecht aus dem Zimmer geflohen und an die Rezeption zurückgekehrt.

»Sie sehen blass aus. Ist Ihnen nicht gut, Madame Reisacher?«, hatte der nichtsnutzige Morgenthaler sie gefragt, und sie hatte etwas von der Hitze gemurmelt und sich auf den Weg zum Küchenchef gemacht.

Weinbergschnecken als Vorspeise, ja, das liebten die Franzosen. Nein, kein Kalbsbries zum Hauptgang, Innereien waren speziell, da wusste man nie. Ein Ragout fin, gewiss, damit konnte man nichts falsch machen, und zum Nachtisch wegen der Hitze etwas Leichtes, vielleicht eine Zitronencreme. Das Weißbrot durfte nicht vergessen werden. Richtig, die Franzosen aßen zu allem Brot.

Und während der Koch sprach und sie ihm mit einem fremden Klang in der eigenen Stimme antwortete, splitterte und zerbarst in ihrem Kopf Glas. Immer lauter, immer unerträglicher wurde das Geräusch. Es kam ihr vor, als wäre auch ihr Kopf aus Glas und würde gleich zerspringen, und als ob dies nicht genug wäre, sah sie auf dem Rückweg wieder Wände und Türen brennen.

Bühlerhöhe

Zitternd schälte sich Rosa aus den schweißnassen Kleidern. Sie geriet nicht oft in Rage. Völlig unüberlegt hatte sie die Geschichte mit der Heiratsanzeige hinausposaunt. Das war so gar nicht ihre Art. Aber sie hatte es so satt. Gar nichts hatte sie bisher erreicht, auch die Heiratsanzeige würde verpuffen. Aber eine kleine Genugtuung war es doch gewesen, in das überraschte Gesicht der Hausdame zu blicken. Vielleicht öffnete die Anzeige ihr die Augen und sie würde diesem Pfister nicht länger als Handlanger dienen. Langsam beruhigte sich Rosas Herzschlag wieder.

Durch die Spalten der geschlossenen Fensterläden drang die Nachmittagssonne und füllte das Zimmer mit Hitze. Rosa war Hitze gewohnt, aber im Gegensatz zu der trockenen Wüstenhitze in Omarim war diese feucht, legte sich wie ein klebriger Film auf Gedanken und Haut, jede Bewegung wurde zur Qual. Rosa trottete ins Bad und setzte sich in die Wanne. Der kühle Strahl der Brause eine Erlösung, sie summte in alter Gewohnheit den Anfang des Honolulu-Lenz. Während das Wasser den klebrigen Film von ihr wusch, drängten sie ihre Gedanken nach Baden-Baden zurück.

War nicht auch sie, genau wie die Hausdame, ein Handlanger? Wieso hatte sie sich von Ari so verunsichern lassen? Selbst wenn Nathans Rückkehr nach Deutschland ihn in einen radikalen Zionisten verwandelt hätte – was nicht der Fall war –, wenn er zu etwas nicht taugte, dann zum Attentäter. Zwei linke Hände und Füße, ewig zweifelnd, alles hinterfragend. So einen hätte die GCPS selbst in ihrer größten Not nicht ausgewählt, weil sogar ein Blinder sehen konnte, dass so einer scheitern musste. Nur sie hatte nichts gesehen und nichts verstanden. Und umgehend die Rechnung serviert bekommen. Typisch Nathan! Er hasste es, wenn man Behauptungen nicht von allen Seiten betrachtete und hinterfragte. Mit ihm zu diskutieren und bei der eigenen Position zu bleiben war verdammt schwer. Wenn das jemand beurteilen konnte, dann sie. In dieser Proletenschenke hatte sie Nathan nicht das Wasser reichen können. Zumindest die Möglichkeit zur Erwiderung hätte er ihr geben können, fair war er nicht gewesen. »Herr Wirt, die Dame zahlt!« Eine schallende Ohrfeige. Sie spürte sie noch immer.

Gepanzert und bis zu den Zähnen mit Misstrauen bewaffnet, so waren sie sich begegnet. Aber so unerfreulich dieses Wiedersehen gewesen war, es machte es ihr leicht, wieder nach Israel zurückzukehren. Schlimmer wäre es gewesen, sie hätten die Schutzschilde fallen lassen, um in den Trümmern ihrer Geschichte nach unbeschädigten Teilen ihrer Liebe zu suchen und diese zusammenzuflicken.

Sie stellte die Brause ab und genoss das kalte Wasser auf ihrer Haut. Als sie nicht mehr bibberte, ließ sie das Wasser wieder laufen und schob die Bilder von Nathan beiseite. Warum hatte Oz Ari eigentlich nichts von Nathan erzählt? »Hab ein Auge auf sie, falls sie diesem Nathan begegnet. Ich versteh zwar nicht, warum, aber vielleicht raubt der Kerl ihr wieder den Verstand.« Als Vorsichtsmaßnahme, so wie man sie vor Aris Verführungskünsten gewarnt hatte. Oz plante doch sonst immer alles im Detail. So wie Ari reagiert hatte, wusste er aber nichts über Nathan und sie. Von wegen fahr du nach Baden-Baden, ich komme hier auf der Bühlerhöhe schon zurecht. Das klang fast, als brauchte er freie Bahn. Doch wofür?

Er erzählte ihr nicht alles. Gut, das tat sie auch nicht. Aber warum bügelte er all ihre Einwände, Pfister betreffend, so radikal ab? Der Mann hatte durch Wolberg Kontakt zur Irgun, Heirat hin oder her. Warum hatte Ari diesen Wolberg, von dem in Ecksteins Dossier die Rede war, noch mit keinem Wort erwähnt? Er musste ihn doch kennen, wo er in Paris angeblich jeden jüdischen Schlupfwinkel kannte. Warum, warum, warum. Ließ sie sich vom schönen Artur Goldberg, oder wie immer er heißen mochte, austricksen? War sie zu leichtgläubig?

Hartnäckiges Klopfen drang durch das Rauschen des Wassers an ihr Ohr. Sie stellte es ab, wickelte sich in ein Handtuch, ging mit nassen Füßen zur Tür, öffnete sie einen winzigen Spalt. Ari.

»Ah, da, wo du herkommst, muss ich auch sofort hin. Kaltes Wasser, das Einzige, was bei der Hitze hilft.« Er stürmte ins Zimmer, ließ sich in den Sessel fallen, zog Schuhe und Strümpfe aus. »Ich habe Neuigkeiten. Wir reden danach.« Er deutete auf die Tür des Badezimmers und begann sein Hemd aufzuknöpfen.

»Wer ist Nimrod Wolberg?«

Sie konnte nicht sagen, warum sie ihm bei dieser Frage nicht in die Augen, sondern auf die Finger sah. Die blieben bei einem der Knöpfe hängen und begannen zu zittern, als hätte sie ihn ertappt. Schnell ließ er den Knopf los und stand auf.

»Welcher Wolberg?«

Sein Blick klar und offen, in seiner Stimme nichts als Erstaunen und professionelle Neugier.

»Eckstein erwähnt ihn in seinem Bericht. Er hat bei Pfister im Auftrag der Irgun Waffen gekauft. Er lebt in Paris, du musst ihn …«

»Lass mich erst duschen«, unterbrach er Rosa und ließ sie einfach stehen.

Einen Moment war sie wie vor den Kopf gestoßen. Als das Rauschen des Wassers einsetzte, folgte sie Ari ins Badezimmer. »Zeig mir deinen Rücken!«

Er stellte das Wasser aus und sah sie überrascht an.

»Deinen Rücken! Ich will deinen Rücken sehen«, wiederholte sie und hörte eine hysterische Note in ihrer Stimme.

Mit den Händen machte er eine beruhigende Geste. Wie sie vorhin hockte er in der Wanne, da war es schwer, sich umzudrehen. Also stand er langsam auf und drehte ihr den Rücken zu. Sie erschrak: Die eine oder andere Unebenheit der Haut hatte sie beim Liebesspiel bereits ertastet, aber dass er auf seinem Rücken ein ganzes Schlachtfeld trug, verschlug ihr die Sprache. Beschämt fuhr sie mit den Fingern über die Krater und Höhlen und über die wirren Linien zusammengeflickter Haut, die aussahen wie Stacheldraht.

»Tilly hat gesagt, du hast eine Schussverletzung an der linken Schulter«, murmelte sie entschuldigend und suchte mit den Fingern nach der Stelle.

»Seit Tilly meinen Rücken zum letzten Mal gesehen hat, ist einiges dazugekommen«, erwiderte er und drehte sich langsam zu ihr um. »Eine Bombe, gezündet von Al-Mwawis Spießgesellen bei den Kämpfen in Aschkelon. Sie hat unseren Jeep zerfetzt und tausend Einzelstücke durch die Luft gewirbelt. Ich war nicht weit genug weg. Der Unabhängigkeitskrieg hat bei vielen von uns Wunden hinterlassen.«

»Das hat er«, stimmte ihm Rosa zu.

»Wo hast du gekämpft?«, wollte er wissen.

»Ich habe mit meiner Einheit die Straße nach Safed verteidigt und bin zum Glück nicht verletzt worden«, antwortete Rosa, den Blick immer noch auf die Narben gerichtet. »Schmerzt dich der Rücken noch?«

»Sagen wir, ich merke, wenn sich das Wetter ändert.«

Sie wurde rot, als sie bemerkte, dass er völlig nackt vor

ihr stand. Sie selbst trug auch nicht mehr als ein Handtuch. Sie senkte den Blick, ging zurück ins Zimmer und zog sich an.

»Wolberg«, sagte Ari, als er mit einem Handtuch um die Hüften aus dem Bad kam. »Ich kenne keinen Wolberg. Aber Namen sind in unserer Branche Schall und Rauch, Identitäten langweilig. Weißt du mehr über ihn? Prägnante Merkmale, Sprachfärbung, Herkunft, irgendwas?«

»Woher soll ich das wissen? Im Dossier steht nur der Name.« Rosa war immer noch verunsichert.

»Es ist kein Wunder, dass du mir nicht traust, Vertrauen gibt es nicht in diesem mühseligen, dreckigen Geschäft.« Sein warmes Lächeln schien das Gegenteil zu behaupten. »Denk stattdessen an unsere gemeinsamen Interessen. Wir wollen beide unseren Auftrag gut und schnell zu Ende bringen. Oder?«

Sie durften sich nicht verzetteln, hatte Ari am Morgen richtigerweise gesagt, aber sie, sie ließ sich immer wieder ablenken! Bestimmt konnte Ari als Profi viel besser die Spreu vom Weizen trennen. Wolberg war nicht wichtig, wichtig war die Sicherheit des Kanzlers, und was die betraf, durfte er diesen Auftrag noch weniger vermasseln als sie.

»Der Kanzler hat sich übrigens hingelegt. Was Besseres als einen Mittagsschlaf gibt es an solchen Hundstagen nicht.« Aris Blick wanderte von Rosa hinüber zum Bett und wieder zurück.

Die Augen schließen, etwas wegdämmern und mit etwas Glück den Auftrag für diese Zeit vergessen. Sehnsüchtig schielte auch sie nach dem Bett, dann nach dem fast nackten Ari. Nein, entschied sie und setzte sich in den Sessel.

»Was hast du für Neuigkeiten?«, fragte sie.

Ari trat ans Fenster, lugte durch die Lamellen der Fensterläden und sagte, ohne sich umzudrehen: »Dieser Keller, du hattest den richtigen Riecher. Ich habe Neuhaus seinetwegen ein bisschen auf den Zahn gefühlt. Ein Chemiker übrigens, kein Arzt, die Schweizer Ärztekammer hat ihn Neuhaus geschickt, um Proben seiner Frischzellen zu nehmen. Die Schulmediziner halten ja seine Zellulartherapie für Mumpitz und legen ihm immer wieder gerne Steine in den Weg, deshalb hat er Keller geglaubt. Aber ich habe ihn von unserem Mann in Genf überprüfen lassen, und der hat herausgefunden, dass die Ärztekammer niemanden zu Neuhaus schickte, schon gar keinen Chemiker namens Keller. Zum Glück ist Neuhaus bei seinen Frischzellen pingeliger als pingelig. Er hat Keller bei jeder Probe, die er genommen hat, über die Schulter geschaut. Er schwört Stein auf Bein, dass keinerlei Manipulation möglich war, schon gar nicht bei dem Serum, das er dem Kanzler spritzt.«

»Keller! Er hat mich in Neuhaus' Klinik betäubt«, rief Rosa aus. »Ich wusste, dass mit dem Mann etwas nicht stimmt. Hat von Droste ihn festgenommen? Weiß man, wer dieser Keller in Wirklichkeit ist?«

»Weder noch. Der Mann ist so spurlos verschwunden, wie er am Abend der Soiree bei Neuhaus aufgetaucht ist. Von Droste hat all seine Fangnetze ausgelegt, mehr kann er im Augenblick nicht tun.«

Keller also, dachte Rosa und trat neben Ari ans Fenster. Das winzige Stück Himmel, das durch die Lamellen zu sehen war, grau und diffus.

»Übrigens hat man den toten Chauffeur und den Wagen des Kanzlers inzwischen auch geborgen.« Ari drehte sich zu ihr. »Die Bremskabel waren zerschnitten, vermutlich von Keller. Von Droste lässt das gerade überprüfen. Befragung des Tankwarts am Kurhaus Sand, Befragung von Taxifahrern, Chauffeuren und so weiter. Außerdem versuchen unsere Leute in der Schweiz, mit dem mageren Wissen, das wir ihnen über Keller liefern konnten, seine Identität zu klären.«

Keller also. Und sie hatte den richtigen Riecher gehabt. N hatte einen Namen, ein Gesicht. Dennoch fiel es ihr schwer zu glauben, dass es plötzlich zu Ende sein sollte. Irgendwie kam ihr Keller wie ein Springteufelchen vor, das im rechten Augenblick aus seiner Schachtel gesprungen war.

»Ach, Rosa! Du bist so leicht zu durchschauen!« Ari griff mit beiden Händen nach ihrem Kopf. »Da nagt wieder das Misstrauen an dir. Frag Neuhaus, wenn du mir nicht glaubst.«

Sie löste seine Hände und fragte wieder: »Und jetzt?«

»Zwei Versuche von Keller sind gescheitert, nicht auszuschließen, dass er einen dritten wagt. Heute wird der Kanzler nicht mehr ausgehen, und morgen Vormittag hat er seine Abschlusskonsultation bei Neuhaus. So wie ich das sehe, gibt es nur noch eine Gelegenheit, bei der Keller zuschlagen kann.«

»Das morgige Konzert. Wir sind also noch nicht fertig hier.«

Ari nickte und spähte wieder durch die Lamellen, dann fragte er: »Nur der Vollständigkeit halber, was hast du über diesen Nagelstein erfahren?«

»Ein harmloser Musiker, der sich für die sozialistische Idee begeistert.« Nathan würde sie anspucken, wenn er wüsste, wie herablassend sie ihn charakterisierte. Sie schämte sich. Für diesen Satz genauso wie für ihr Schweigen. Dafür, dass sie sich in diesem Gestrüpp aus Spekulation und Manipulation so verfangen hatte, dass ihr der Blick für richtig oder falsch abhandengekommen war, dass sie weder Nathan noch Ari vertraute. Oder war es diese fürchterliche Hitze, in der alles zu zerfließen schien und die es unmöglich machte, klar zu denken?

Ari öffnete nun einen der Fensterläden. Der Himmel hing bleischwer über dem Rheintal. Seine Farbe ein drückendes Grau, in das sich ein krankes Gelb mischte.

»Es wird noch gewittern«, prophezeite er.

Der erste Donner grollte über dem Rheintal, als Sophie die Bibliothek betrat. Es war spät, fast Mitternacht, so lange hatte sich das Gewitter Zeit gelassen. Gegen acht Uhr hatte Xavier angerufen und das klirrende Glas aus ihrem Kopf gefegt, aber nur um an anderer Stelle neuen Schmerz ausbrechen zu lassen. Einer, der sich anfühlte, als hätte man ihr den Torso aufgeschlitzt und sie ausgeweidet wie ein Stück Wild. Nein, sie wolle nicht mit ihm reden, hatte sie Morgenthaler, der das Gespräch annahm, bedeutet. Dann war sie nach draußen gelaufen und hatte sich im Eiskeller eingeschlossen, weil sie dort keiner hören konnte. Sie schrie so lange die abgehangenen Rehe und Wildschweine an, bis ihre Stimme versagte und sie die Kälte nicht mehr aushielt. Als sie nach draußen taumelte, begegnete ihr der Küchenjunge und starrte sie an, als wäre sie eine Erscheinung aus dem Jenseits. Sie scheuchte ihn fort. Die plötzliche Hitze ließ sie schwindelig werden, Schweiß floss ihr in kleinen Rinnsalen vom Nacken in den Kragen und vom Hals in den Ausschnitt. Ihre weiße Bluse derangiert und ruiniert, bei jedem Schritt wollten ihre Knie versagen.

Als sie vor dem Haupttor eine kurze Pause einlegte, sah sie draußen im Park unter der großen Eiche diese Walburg Rheinschmidt stehen. Neben ihr hockte der Hund. Unbeweglich wie eine Statue stand sie da und sah durch Sophie hindurch, als wäre sie ein Nichts. Wenn sie abergläubisch wäre, hätte sie im wiederholten Auftauchen dieses Waldschrats ein böses Omen gesehen. Ein leicht irres Kichern brach aus ihr heraus. Nein, sie war nicht abergläubisch, blind war sie gewesen. Und wie bitter, dass ihr ausgerechnet die Goldberg die Augen geöffnet hatte.

Ein weiteres Donnergrollen, jetzt schon deutlich näher. Von der Wand blickte sie die Generalin mit diesen schmerzumwölkten Augen an, denen kein Leid fremd war. Die

Schwester im Geiste, sie blieb ihr auf ewig. Im Gegensatz zu dem Bruder im Geiste, als den sie Xavier immer gesehen hatte. Wie sie hatte er sich emporgearbeitet. Mal fünfe grade sein lassen und auch den Einsatz von Ellenbogen nicht gescheut. Zu zweit hätten sie die Welt erobert, wie Pech und Schwefel zusammengehalten, wären unschlagbar gewesen. Alles Lug und Trug.

»Eine gute Partie. Weltgewandt, elegant, attraktiv und so weiter.« Wenn sie an ihre jungmädchenhafte Freude dachte, die sie empfunden hatte, als Xavier von Droste so seine Zukünftige beschrieb, könnte sie wegen ihrer Dämlichkeit ausspucken. Diese Regula Kroepfli war gemeint, nicht sie. Wie Josette, Elvira, Sylvie und wie sie alle hießen, war sie nichts weiter als eine seiner Haremsdamen, die er wie Marionetten an unsichtbaren Fäden dirigierte. Der angebliche Besuch beim Standesamt heute genauso falsch und verlogen wie alles, was dieser Mann ihr versprochen hatte. Und sie, die doch sonst jeden durchschaute, war auf ihn hereingefallen.

Der erste Blitz, noch weit entfernt. Vor dem nächsten Donner fegte ein kräftiger Wind durch den Raum. Irgendwo im Haus schlugen Türen, das Zeitungspapier raschelte nervös. O ja, sie hatte alle alten Zeitungen aus der Künstlergarderobe in die Bibliothek geschafft. Sie griff nach der obersten, knüllte Seite für Seite zusammen und warf sie auf den Boden. Hatte es diese Mrs Danvers genauso gemacht, bevor sie Manderley anzündete? Sophie hasste Mrs Danvers' verbiesterte Altjüngferlichkeit, die sie auch für sich selbst drohend am Horizont nahen sah, aber sie bewunderte die Radikalität, mit der sie, nachdem alles verloren war, ihr Ende inszenierte. Ein großer Abgang nach einem jämmerlichen Leben, das war besser als nichts.

Beim nächsten Blitz zählte Sophie automatisch die Sekunden, um zu wissen, wie weit das Gewitter noch weg war. Sie kam bis fünf, dann folgte der Donner. Nicht mehr lange, und es stand direkt über dem Haus. Sie knüllte weiter

Papier zusammen. Einen Feuersturm, mächtiger als der, der über Dresden hinweggefegt war, wollte sie entfachen. Ein Flammenmeer, das man bis nach Straßburg sehen sollte, ein letzter Gruß an die Heimatstadt. Ein großer Abgang, was blieb ihr sonst noch?

Jetzt vereinten sich Donner und Blitz, das Gewitter war da, wie auch die Feuergeister, die sie rief. Der Krach des Donners ohrenbetäubend, der Wind heulte dagegen an und hob die Papierknäuel in die Luft, schlug Fensterläden zu und zerrte an den Gardinen.

Sophie griff nach der Streichholzschachtel und zündete ein Hölzchen an, aber der Wind ließ sich von ihr nicht ins Handwerk pfuschen. Er blies es aus, bevor es zu Boden fiel. Als sie zum nächsten Streichholz griff, brach wieder dieses irre Kichern aus ihr heraus. »Wirf's weg, sonst brennst du lichterloh!«, schrie der Wind, oder waren es Minz und Maunz, die Katzen? »Es brennt die Haut, es brennt das Haar, es brennt das ganze Kind sogar.« Der Wind heulte und pfiff, fegte an der Wand entlang und riss die Generalin von der Wand. Wieder splitterte Glas, aber sein Klirren ging im Donnergebrüll unter. Erschrocken warf Sophie das Streichholz weg. Nein, sie war keine zweite Mrs Danvers, nur ein armseliges Paulinchen mit einem Streichholz und einem Bündel Unglück. Tränen des Selbstmitleids rannen ihr über die Wangen, und als hätte der Gewittergott seine Macht nicht schon zur Genüge gezeigt, tauchte ein weiterer Blitz die Bibliothek in schmerzhaft gleißendes Licht, nur um zeitgleich das elektrische auszulöschen, und der schnell folgende Donner krachte mit der Wucht von tausend Kanonen in die völlige Dunkelheit.

Eine kurze, gespenstische Stille folgte. Wie in Trance schob sich Sophie an der Wand entlang, bis sie Glassplitter unter den Füßen spürte. Sie ging in die Hocke, tastete nach dem Bild der Generalin und hob es vorsichtig auf. Sie ging langsam wieder zur Tür zurück und dann in die Rundhalle.

Dort sah sie eine Kerze aufleuchten, die der Nachtportier gerade an der Rezeption entzündete.

»Gehen Sie in den Keller, in dem Regal neben der Heizung sind neue Sicherungen. Tauschen Sie die gegen die durchgeschmorten aus«, befahl sie ihm aus der Dunkelheit heraus und sah ihn zusammenzucken. »Und legen Sie mir den Karton mit den Kerzen auf den Tresen, damit ich sie an die Gäste verteilen kann. Sie sollen ja nicht im Dunkeln sitzen müssen, bis das elektrische Licht wieder funktioniert.«

»Jesses, Madame Reisacher, ich hab sie glatt für einen Geist gehalten«, stammelte der Mann, als er sich wieder gefasst hatte. »Gott sei Dank sind Sie es. Aus Fleisch und Blut.«

»Schon gut, schon gut. Und wenn wir wieder Licht haben, gehen Sie in die Bibliothek und schaffen die alten Zeitungen weg. Weiß der Himmel, was für ein Idiot sie da verteilt hat. Ich halte dann hier solange die Stellung.«

Hagelkörner, groß wie Walnüsse, prasselten gegen die Scheiben. Sophie entzündete ebenfalls eine Kerze, ging damit in ihr Büro, legte das Bild der Generalin auf ihren Schreibtisch und machte sich danach mit dem Kerzenkarton auf den Weg zu den Gästezimmern. Sie klopfte an Türen, hinter denen sie Stimmen hörte, teilte Kerzen aus, sprach beruhigende Sätze und kehrte, als das elektrische Licht wieder funktionierte, zur Rezeption zurück.

Das Gewitter war weitergezogen, und der Hagelsturm hatte sich gelegt. Sophie öffnete die Türen zur Hirschterrasse und sog die frische, gereinigte Luft ein. Dann trat sie in dem nun sanft fallenden Regen hinaus an die Balustrade, zog sich den Verlobungsring vom Finger und warf ihn in die schwarze Nacht.

Bühlerhöhe

Ari schlief noch, als Rosa ins Bad huschte, um sich anzuzie-
hen. Dann schlich sie auf Zehenspitzen aus dem Zimmer.
Durch die Rundhalle wehte ein frisches Lüftchen, aber im
Gegensatz zu den anderen Frühaufstehern drängte es sie
nicht hinaus auf die Hirschterrasse, um einen Blick auf das
vom Gewitter gereinigte Rheintal zu werfen. Beim Passieren
der Rezeption registrierte sie mit einem Auge, wie blass die
Hausdame heute Morgen aussah, nahm dieses Wissen mit,
als sie hinaus auf den Innenhof trat, vergaß es, als sie die
Steine auf dem Brunnenrand sah. Sie waren wieder zu einer
Pyramide getürmt, die Mohnblume, die neben der Feder lag,
noch frisch, Walburg musste also vor kurzem noch einmal
hier gewesen sein. Rosa lief aus dem Hof hinaus in den Park
hinein und rannte der großen, schweren Gestalt mit dem
Hund an ihrer Seite hinterher. Mit Siebenmeilenstiefeln
marschierte diese in Richtung Plättig.

»Walburg!«

Walburg und mit ihr der Hund drehten sich sofort um
und kamen auf sie zu. Der Hund bellte und schnüffelte an
ihren Waden. Walburg sagte: »Endlich, Rosa.«

Sie redete nicht drum herum, Rosa erfuhr schnell, was
passiert war. Frey, der alte Nazi, hatte den Araber in ge-
wohnter Herrenmenschmanier erschossen, und Pfister sollte
ihn aus der Bredouille befreien. Agnes hatte das Gespräch

zwischen Pfister und Frey belauscht, war ertappt worden, hatte aber fliehen können, war nach Hause gelaufen. Von dort hatte Walburg sie in eines ihrer Waldverstecke geschafft und war sofort hierhergelaufen, um sich mit Rosa zu beraten.

»Aber ich hab dich nicht getroffen«, erzählte sie weiter. »Also bin ich z'rück, aber da war die Agnes weg. Kein Hinweis, nix. Dann bin ich dem Fridolin von der Bergwacht in der Nähe vom Bettelmannskopf begegnet. Bei dem war die Agnes, bevor er zu seinem Einsatz musst. Kurz vorher ist dieser Pfister beim Fridolin aufgetaucht und hat nach der Agnes g'fragt. Die Agnes ist dem Schweizer also direkt in die Arme g'laufen, und der Fridolin ist auf und davon. Der hat ja keine Ahnung g'habt, wie gefährlich der Kerle ist.«

»Und seither?«

»Nix, gar nix! Ich geh im Bretterwald jedem Schuss nach, folg jedem Krähenschwarm. Tot habe ich sie noch nicht gefunden. Aber der Wald ist groß.«

»Du bist doch daheim in der großen weiten Welt, du kennst doch Leute wie diesen Pfister, du musst doch wissen, was man tut«, schien Walburgs Blick zu sagen. Aber in der großen weiten Welt fühlte Rosa sich schon lange nicht mehr daheim. Und noch nie hatte sie so wenig gewusst, was zu tun war, wie in den letzten Wochen. Ihr fielen immer nur Fragen ein. »Falls sie ihm entwischt ist, kann sie ins Hundseck gelaufen sein? Hat sie dort Freundinnen, die sie verstecken würden?«

Walburg schüttelte entschieden den Kopf. »So blöd ist sie nicht, dass sie dorthin zurückgeht. Nie im Leben!«

Pfister hatte nach Agnes gesucht, mit dem Auftrag, sie zum Schweigen zu bringen. Mit Geld? Durch Drohungen? Oder …? Wäre das Mädchen doch einfach in Walburgs Versteck geblieben.

»Ich telefoniere mit dem Hundseck und erkundige mich

nach Frey und Pfister«, schlug sie vor. Solange Agnes verschwunden blieb, waren die beiden Männer die einzige Spur zu ihr.

»Gut.« Walburg nickte und setzte sich in Bewegung, der Hund folgte sofort. »Ich warte vor dem Tor auf dich.«

An der Rezeption ließ sich Rosa eine Verbindung zum Hundseck schalten, und als es in Kabine eins klingelte, gab sie sich einen Moment der Hoffnung hin, Agnes würde gleich das Gespräch annehmen. Aber Hartmann war am Apparat. Herr Frey sei bereits gestern Morgen abgereist, Monsieur Pfister beim Schwimmen und in einer halben Stunde zurück. Ob er etwas ausrichten solle, fragte er. Nein, beschied sie. Sie würde es noch mal probieren.

In ihrer Phantasie kniete sie am Beckenrand des Schwimmbades und drückte Pfisters Kopf so lange immer wieder unter Wasser, bis er gestand, was er mit Agnes angestellt hatte. Es tat gut, den Kerl in der Falle zu sehen, es war aber leider nur eine Wunschvorstellung. Sie überlegte, ihn zur Rede zu stellen, aber das konnte sie vergessen. Spiegelglattes Parkett, der Kerl würde sich aus allem herauswinden. Sollte sie die beiden Polizisten einschalten? Auf keinen Fall. Die würden weder ihr noch Walburg glauben. Ja, wenn sie ein Meister in der Kunst des Verhörens wäre, könnte sie den Schweizer vielleicht zum Sprechen bringen. Doch das war sie nicht.

Sie verließ die Telefonkabine und wusste nicht, was sie Walburg sagen sollte. Ari fiel ihr ein. Ari könnte es mit Pfister aufnehmen. Aber wenn sie schon wieder mit Pfister ankam, würde er ihr einen Vogel zeigen und sie an ihren Auftrag erinnern. Erst nach der Abreise des Kanzlers könnte sie ihn fragen. Würde er ihr den Gefallen tun? Sie konnte ihn immer weniger einschätzen. In der Nacht hatten sie noch einmal miteinander geschlafen. Ein kurzer Moment von Nähe, ein Funken Glück, ein wenig Vergessen. Danach hatten sie sich beide unruhig in den Laken gewälzt und als das Gewitter endlich losbrach, wie zwei Fremde nebeneinander am Fenster gestanden. Rosa hatte an Nathan gedacht. An die guten Zeiten mit ihm.

»Guten Morgen, Herr Oberstaatsanwalt«, grüßte der junge Morgenthaler.

Rosa hörte Brassels Holzbein auf dem Marmorboden klacken und sah kurz auf. Heute strahlte der alte Herr in seinem hellgrauen Anzug mit einer blauseidenen Fliege die Autorität und Bonhomie eines weltgewandten Mannes aus. Rosa verscheuchte die Gedanken an die Nacht und dachte wieder an Walburg und Agnes. In ihrem Kopf setzte sie ein Räderwerk in Gang. »Geht es Ihnen gut?«, fragte sie Brassel.

»Man fühlt sich wie ein neuer Mensch nach dem nächtlichen Gewitter. Haben Sie schon gefrühstückt? Wenn nicht, würde ich mich über Ihre Gesellschaft freuen. So der Herr Gemahl nichts dagegen hat.«

»Bestimmt nicht.« Rosa nahm seinen Arm. Sie hatte den Eindruck, dass er sich beim Durchqueren der Rundhalle mit ihr an seiner Seite noch mehr Zeit ließ als sonst auf seinem Weg zum Frühstückssalon, vielleicht plagte sie aber nur die Ungeduld. »Herr Brassel«, flüsterte sie. »Ich brauche Ihre Hilfe.«

Er blieb stehen und sah sie überrascht an.

»Weil Sie doch gestern …«, ruderte Rosa zurück.

»Mein Angebot gilt«, versicherte er.

»Ich erzähle Ihnen gleich mehr. Davor muss ich noch etwas erledigen. Ich komme zu Ihnen in den Salon.«

Walburg und ihr Hund warteten unter der großen Eiche auf sie.

»Frey ist abgereist, aber Pfister ist noch da«, berichtete Rosa. »Lauf zum Hundseck und beobachte ihn. Wenn alles gutgeht, schicke ich dir bald einen alten Freund meines Vaters. Du erkennst ihn sofort, er hat nur noch ein Bein. Ich glaube, wir können ihm vertrauen, deshalb will ich ihm gleich alles erzählen. Er arbeitet bei Gericht, er versteht es, so windige Typen wie Pfister in die Mangel zu nehmen, und findet hoffentlich heraus, was mit Agnes geschehen ist.«

Rosa sah die Skepsis in Walburgs Blick größer und größer werden. »Ich kann dir nicht helfen«, erklärte sie. »Ich bin eine Fremde in diesem Land, meine Familie und meine Freunde sind ausgelöscht, ich habe keinerlei Kontakte mehr. Aber über genau die verfügt Staatsanwalt Brassel. Walburg, er ist auf unserer Seite. Selbst wenn er finden sollte, dass es richtig ist, die Polizei einzuschalten, wird er wissen, wie er Agnes schützen kann.«

»Nein«, schnaufte Walburg. »Wir ziehen keinen Fremden in die Sach.«

»Manchmal muss man Fremden trauen! Glaub mir, er kann …«

Walburg unterbrach sie mit einer heftigen Armbewegung, und Rosa verstummte. Der Hund jaulte, er spürte die Unruhe seiner Herrin. Die legte die Hand an die Stirn und sah nun in den Himmel, der an diesem Morgen so klar und rein war, als gäbe es nichts Diffuses, nichts Unbestimmtes, nur Licht und Schatten, hell und dunkel, schwarz und weiß. Als Walburg die Hand herunternahm, konnte Rosa in ihrem Gesicht lesen, dass ihre Entscheidung unumstößlich war. Die Hilfe, die sie ihr anbot, wollte sie nicht.

»Jeder kann nur seinen Weg gehen, Rosa«, sagte sie, als ob der Satz alles erklären würde. »Ade dann.«

Leise und schnell ging sie davon, der Hund, immer an ihrer Seite, sprang vor und zurück. Als sie den Waldrand erreichten, kreiste dort über den Bäumen ein Falke, und Rosas Blick folgte seiner eleganten Flugbahn. Als sie wieder geradeaus blickte, hatte der Wald Walburg und den Hund verschluckt. Walburg war in ihr Reich zurückgekehrt, sie hatte hier einen sicheren Ort. Rosa beneidete sie darum.

Sophie hatte in der Nacht von frischen Walnüssen geträumt, die man zu Beginn des Herbstes mit einer Scheibe Weißbrot zu einem Glas neuem Wein aß. Man musste den Nüssen die Haut abziehen. Je frischer sie waren, desto leichter ging das. Enthäutet waren sie schneeweiß, und die Rundungen und Windungen der Nusshälften sahen aus wie die miniaturisierten Gehirne unschuldiger Kinder. In ihrem Traum war sie selbst ein Kind gewesen und zu Besuch bei den Großeltern in Ribeauville. Auf dem Schoß der Großmutter hatte sie Walnüsse geknackt, sie aus ihrem Gehäuse befreit, ihnen dann die Haut abgezogen und sie abwechselnd der Großmutter und sich selbst in den Mund gesteckt. Sie verstand nicht, warum die Nüsse in dem Traum so wichtig waren, aber es war ein angenehmer, versöhnlicher Traum gewesen, den sie nach dem Aufwachen gerne weitergeträumt hätte. Doch stattdessen kehrte Xaviers bitterer Verrat in ihr Bewusstsein zurück.

Am späten Vormittag kam ein Anruf von ihm, bis dahin hatte sie sich mit Alltagsgeschäften abgelenkt. Ohne einen Ton zu sagen, hatte sie die Verbindung abgebrochen. Beim schnell folgenden nächsten Läuten bat sie Morgenthaler, das Gespräch anzunehmen, und flüsterte fast unhörbar: »Ich bin nicht da«, als er ihr den Hörer reichen wollte.

Sie bekämpfte das flatternde Herz mit weiterer Arbeit. Davon gab es an diesem Tag mehr als genug. Liegestühle und Gartenmöbel mussten weggeräumt werden, um die Hirschterrasse für das nachmittägliche Konzert zu bestuhlen. Die Plätze für externe Besucher waren seit Wochen ausgebucht, das Sommerkonzert auf der Bühlerhöhe war für Hausgäste und Kulturfreunde aus der Region immer ein Höhepunkt der Saison. Die Gästeliste war sie bereits vor Tagen mit von Droste durchgegangen, gestern hatte er ihr mitgeteilt, dass seine Männer den Einlass kontrollierten. Das war ihr sehr recht, eine Arbeit weniger, das hatten sie nämlich ansonsten an der Rezeption erledigt. Vor Konzertbeginn würde die Küche wie jedes Jahr Erdbeerbowle und belegte Schnittchen reichen. Dafür mussten in der Rundhalle die Tische so aufgestellt werden, dass die Türen nicht blockiert wurden.

Sophie ging nach draußen und sah, dass die Hausmeister die Bühnenelemente und Stühle bereits aus dem Keller herbeigeschafft hatten. Sie wies zwei Zimmermädchen an, die Stühle abzuwaschen, und beaufsichtigte die Positionierung der Bühne, die direkt an der Balustrade zwischen den beiden Hirschen aufgebaut wurde. Auch die Podeste mussten gekehrt, dann mit dem passenden Teppich belegt und rechts und links mit zwei Lorbeerbäumchen geschmückt werden. Bevor die Stühle aufgestellt wurden, schafften die Hausmeister unter der nervösen Aufsicht von Impresario Eiligmann den Flügel aus dem Spielzimmer auf die Terrasse und schoben ihn mittels einer Rampe auf die Bühne. Während der Impresario den Klang des Flügels testete, ließ Sophie die Stühle im Halbkreis anordnen. Nur unterbrochen von schmalen Gängen, verstärkten sie damit aufs trefflichste das Halbrund der Hirschterrasse.

Als sie mit ihrem Werk zufrieden war, kontrollierte sie die Künstlergarderobe. Sie schob die Erinnerungen an den vorherigen Abend beiseite, sie konnte es sich nicht anders erklären, als dass sie in einem Anflug von Wahn das Altpapier von hier aus in die Bibliothek geschafft hatte. Es graute ihr vor sich selbst, als sie daran dachte, wie sie mit einem Streichholz in der Hand, einer Inkarnation dieser irren Mrs Danvers gleich, dort gestanden hatte. Man sollte sich nie von Gefühlen beherrschen lassen. Hoffentlich hatte sie die Lektion jetzt endlich gelernt. Nur ein klarer Verstand half, das Leben zu meistern.

Ihr nächster Weg führte sie in den Keller, wo sie unter den aussortierten Rahmen nach einem passenden für das Bild Herta Isenbarts suchte. Sie fand tatsächlich einen. In der Besenkammer reinigte sie ihn mit Spiritus, setzte dann in ihrem Büro rasch das Bild hinein und brachte es zurück in die Bibliothek. Die Generalin hatte ihr gestern Nacht ein Zeichen gegeben. Wäre sie nicht von der Wand gefallen …

Schnell, schnell zurück zur Rezeption, bevor wieder trübe Gedanken den Kopf füllten. In der Rundhalle herrschte Betrieb wie auf einem Jahrmarkt. Es war wie jedes Jahr. Die Besucher von außerhalb kamen viel zu früh. Gecken und eitle Weiber, die nur hier waren, um gestelzt zu parlieren oder die neueste Garderobe vorzuführen. Sehen und gesehen werden, darum ging es. Die Musiker könnten auch ›Hänschen klein‹ spielen. Die Rezeption war ebenfalls von Auswärtigen belagert, Morgenthaler beantwortete Fragen und verkaufte Postkarten, seine Segelohren glühten. Wenigstens von dem schellenden Telefon konnte sie ihn schnell erlösen. Ein Doktor Eckstein war am Apparat, der Frau Goldberg sprechen wollte. Unmöglich, bei dem Betrieb konnte sie Morgenthaler nicht nach ihr schicken, und einen Pagen fand sie auf die Schnelle nicht. Aus dem Augenwinkel sah sie, dass die Musiker eintrafen. Es sei wirklich sehr, sehr dringend, insistierte der Mann aufgeregt, eine Sache auf Leben und Tod. Auf Leben und Tod. Wenn einer so maßlos übertrieb, schaltete Sophie automatisch auf stur.

»Kann ich ihr etwas ausrichten?«, fragte sie höflich.

»Bitte schicken Sie nach ihr! Sie muss doch im Haus sein!«, flehte er.

»Ich sehe gerade, dass ihr Schlüssel im Fach liegt«, log Sophie. »Sie ist leider nicht im Haus. Zum Konzert wird sie bestimmt wieder hier sein. Soll sie Sie dann zurückrufen?«

»Nein, nein, ich mache mich jetzt sofort auf den Weg zu ihr«, rief der Mann verzweifelt. »In zwei Stunden bin ich da. Wenn Sie sie vor mir sehen, sagen Sie ihr, Wolberg ist …« Dann wurde das Gespräch unterbrochen, und Sophie hatte nur noch ein Tuten im Ohr.

Wie ein eifersüchtiger Ehemann fing Ari Rosa am Eingang ab, als sie von ihrem Gespräch mit Walburg zurückkehrte, und wollte wissen, wo sie gewesen war. Im Park, ein morgendlicher Spaziergang, beruhigte sie ihn. Zu kompliziert und zu langwierig, ihm die ganze Geschichte zu erzählen. Ari war nervös, sein Körper flirrte vor Anspannung. »Lass uns frühstücken. Du musst etwas im Magen haben«, schlug sie vor, so als wäre sie tatsächlich eine besorgte Ehefrau. Im Frühstückssalon erhob sich Brassel bei ihrem Eintritt. Sie ging zu ihm, bedauerte mit Blick auf Ari, dass ihr Gespräch warten müsse, flüsterte in fliegendem Wechsel dann Ari zu, diesen alten Freund ihres Vaters hätte sie begrüßen müssen, eine Frage der Höflichkeit. Ari sezierte Brassel mit seinen Blicken. »Ein alter Mann, kriegsversehrt«, erklärte sie, aber Ari ließ erst von ihm ab, als sie auf Brassels Holzbein deutete, das unter dem Tisch hervorstand. Die Kellner brachten das Frühstück. Schweigend begannen sie zu essen. Ari köpfte sein Ei mit einem glatten, sauberen Schnitt und löffelte es mit finsterer Miene, als wäre es seine Henkersmahlzeit.

Nach dem Frühstück drängte er auf eine Inspektion der Hirschterrasse. In geschäftigem Treiben wurden dort Liegestühle und Gartenmöbel von Dienstboten weggeräumt, Stühle und Podeste herbeigeschafft. Natürlich, bestätigte er auf ihren Einwand hin, habe von Droste dies ebenfalls getan, aber Kontrolle sei besser. Zur Bergseite hin begrenzten Rundhalle, Spielzimmer und Speisesaal die Terrasse, zur Talseite hin fiel das Gelände steil bergab. Die Treppen, die beidseitig hinunter in den Park führten, konnten durch vier Männer leicht gesichert werden. Wie Ari suchte auch Rosa die Umgebung nach Positionen für einen Scharfschützen ab und fand nur eine, den Wilhelmturm. Von seiner Aussichtsplattform aus hatte man einen hervorragenden Blick auf die

Terrasse. In stummem Einverständnis eilten sie gemeinsam über das Viadukt zum Turm hinüber und fanden ihn bereits verschlossen. Von Droste werde während des Konzertes auch hier einen Mann postieren, bestätigte Ari ihr und drängte nun darauf, schnell zurückzukehren, um von Anfang an alle Konzertgäste im Blick zu haben.

Vom Viadukt aus hatte man ebenfalls einen guten Blick auf die Hirschterrasse, bemerkte Rosa auf dem Rückweg und ließ ihren Blick von der Terrasse hinauf zu den Gästezimmern gleiten. Von dort hätte man eine vorzügliche Schussposition, möglicherweise die beste. Kurz kam ihr ein unheimlicher Gedanke, sie wagte nicht, ihn zu Ende zu denken. Ein Hirngespinst, der Aufregung geschuldet. Sie sollte Ruhe bewahren.

Bevor sie das Hotel erreichten, fragte Rosa, einer Eingebung folgend, Ari nach ihrer Parabellum. Es war ihm nicht recht, dass sie danach fragte, das merkte sie sofort. Jede Frage war ihm zu viel, seine Unruhe unübersehbar, seine Anspannung fiebrig. »Ich brauche heute eine Waffe«, erklärte sie geduldig und bemerkte mit Erstaunen, wie ruhig sie war. »Wenn es Keller gelingt, sich einzuschleichen, in was für einer Verkleidung auch immer, dann kommt es doch auf jede Sekunde und jedes Augenpaar an, wenn er zum Schießen anlegt. Und bevor du fragst: Ich bin eine ausgezeichnete Schützin, die beste aus Omarim, der Schießunterricht im Kibbuz gehört zu meinen Aufgaben.«

Ari nickte. Sie folgte ihm zum Freiluftbad, wo er aus der Begrenzungsmauer einen Stein löste und ein Bündel herausholte. Er schlug das ölgetränkte Tuch auf, und Rosa sah neben ihrer Parabellum eine Magnum liegen. »Gute Waffe«, sagte sie anerkennend, während sie die ihre kontrollierte. Dann steckte sie die Parabellum in ihre Handtasche und Ari seine Magnum in den Hosenbund.

»Auf ins letzte Gefecht!« Aufmunterung und leichter Spott hielten sich in ihrer Stimme die Waage. Ari erreichte weder die Aufmunterung noch der Spott. Tröstend fügte sie hinzu: »Morgen ist alles vorbei, Ari.«

»Ja«, bestätigte er und sah sie dabei nicht an. »Morgen ist alles vorbei.«

Bühlerhöhe

Die Rundhalle, sonst so kirchenstill, summte wie ein Bienenkorb. Sophie nahm die Musiker in Empfang, schlängelte sich mit ihnen durch die Wartenden und führte sie in die Künstlergarderobe. Eine halbe Stunde zum Einspielen auf der Hirschterrasse gebe es für die Herren, erklärte sie ihnen. Danach werde die Terrasse für das Publikum geöffnet.

Zurück in der Halle, winkte von Droste sie zu sich. Er habe sich heute Verstärkung von der Baden-Badener Polizei geholt, informierte er sie. Ob sie für Polizei und Sicherheitspersonal einen Imbiss organisieren könne? Er wisse, dass dies sehr kurzfristig sei, aber ... Sophie nickte. Ihr nächster Weg führte sie also in die Küche. Wie ein Feldherr stand die Kaltmamsell am Pass und kommandierte das Heer der Küchenjungen, die Platten voller Schnittchen mit kaltem Braten, Lachs oder Liptauer Käse belegten. Der Küchenchef stand am Herd, wo in einem großen Topf das Ragout fin köchelte, und war nicht begeistert von dem neuen Auftrag. »Ein paar Teller mit Leberwurstbroten, mehr nicht. Jetzt stellen Sie sich nicht so an.« Damit beendete Sophie die Jammerei. Schnell noch ein Lachsbrötchen von einer Platte stibitzt, und schon war sie wieder auf dem Rückweg. In dem langen Flur des Küchentrakts überholte sie drei Kellner, die fertig belegte Platten zur Rundhalle balancierten.

Am Aufgang zur Treppe fand sie bereits zwei Uniformierte postiert, weitere entdeckte Sophie an den Türen zum Speisesaal, zum Spiel- und Billardzimmer. So viel Sicherheitspersonal hatte von Droste noch nie zum Sommerkonzert aufgefahren. Gott sei Dank schienen die Gäste die erhöhte Alarmbereitschaft nicht zu spüren. Man nippte an Bowle oder biss in Schnittchen, plauderte oder stritt sich darüber, ob die Säulen der Halle dorisch oder korinthisch waren. Sophie sah auf die Uhr, dann suchte sie Blickkontakt mit den Kellnern. »Noch fünf Minuten«, formte sie stumm mit dem Mund, und die Serviceleute nickten. Sie schob sich zu den verschlossenen Terrassentüren. Um hinauszuschlüpfen, machte sie den Wachmännern ein Zeichen, die dort ebenfalls parat standen.

Mit der Hand zeigte sie den Musikern, die noch übten, auch die fünf Minuten an, ging noch einmal durch die Stuhlreihen, zählte die reservierten Plätze durch, prüfte die Namensschilder und rückte den Stuhl des Kanzlers in der ersten Reihe zurecht. Weitere Uniformierte kontrollierten die Treppenaufgänge, die Musiker beendeten ihre Probe. Der Pianist schloss den Tastendeckel, der Cellist stellte das Cello ab, nur der Violinist nahm sein Instrument mit, als die drei die Bühne verließen und sich ihr auf dem Weg zurück ins Hotel anschlossen. Sie ging zur Tür, ließ den Musikern den Vortritt, schlüpfte dann ihrerseits zurück in die Halle und blickte wieder auf die Uhr.

»Noch eine halbe Minute«, flüsterte sie den Wachhabenden zu und schob sich durch die Wartenden zurück zur Rezeption. Sie war noch nicht dort angelangt, als die Franzosen eintrafen. Der Général, Briancourt und ein weiterer Colonel, alle in Galauniform gekleidet. Zeitgleich kamen der Kanzler, seine Tochter und von Droste die Treppe herunter. Sophie bremste den Kellner aus, der mit einem Tablett frisch gefüllter Bowlengläser auf den Kanzler und seine Gäste zugehen wollte. Dann drehte sie sich um, sah, wie die Türen zur Terrasse geöffnet wurden und die Wartenden in Bewegung gerieten. Die Besucher in der Nähe der Rezeption aber blieben stehen und starrten, teils verschämt, teils mit unverhohlener Neugier den Kanzler und seine Gäste an. Sophie ging zwischen den Besuchern umher und forderte sie leise auf, sich doch ebenfalls auf die Hirschterrasse zu begeben.

Am Ende waren der Kanzler und die französischen Offiziere unter sich, jetzt mit Gläsern und Schnittchen versorgt. Man tauschte Höflichkeiten aus, von Droste und einer der Franzosen dolmetschten. Als Sophie an der Gruppe vorbeiging, drehte sich Briancourt zu ihr um. »Colonel«, grüßte sie förmlich und lief weiter. Den Rücken durchgedrückt, den Blick geradeaus, schaffte sie es bis in ihr Büro. Dort gehorchten ihr die Beine nicht mehr. Sie fiel auf den erstbesten Stuhl, die Knie zitterten, als könnten sie nie mehr damit aufhören.

Bühlerhöhe

Erst um die Mittagszeit fand Rosa einen Moment, um endlich mit Brassel zu sprechen, aber der Staatsanwalt war ausgegangen. Also kehrte sie in ihr Zimmer zu dem noch immer aufgeregten Ari zurück. Sie redeten über das Konzert, spielten neben Keller und Pfister – darauf hatte Rosa bestanden – auch die Möglichkeit von Monsieur X als sechstem Mann durch, listeten auf, auf was sie achten mussten. Danach machten sie sich frisch, zogen sich um und begaben sich auf den Weg nach unten.

Alles könne man ändern, flüsterte ihr Ari noch zu, aber nicht seinen Gang. Ob sich Rosa an Kellers Gang erinnern könne? Dazu fiel ihr nicht viel ein. Eher schleichend als forsch, Keller war eine durchschnittliche Erscheinung, ein Mann mit einem Gesicht, das man sich nicht merkte, Größe und Statur im Mittelfeld. Bei Neuhaus' Soiree war er ihr nur durch seine Ungeduld aufgefallen.

»Jünger kann er sich auch nicht machen«, ergänzte Ari. »Alle Männer, die jünger als vierzig sind, brauchst du gar nicht anzusehen. Was mir natürlich sehr recht ist.«

Zum ersten Mal an diesem Tag lächelte er. Seinen Humor hatte er also noch nicht verloren, stellte Rosa erleichtert fest.

In trauter Eintracht schritten sie die Wendeltreppe hinunter. Ari wechselte ein paar freundliche Worte mit den am Fuß der Treppe postierten Wachen, dann mischten sie sich unter die Gäste.

An Aris Arm hielt Rosa Ausschau nach einem unauffälligen Herrn, grüßte dabei andere Hausgäste, nickte den Schweizer Damen zu, die wohl bei keinem gesellschaftlichen Ereignis der Gegend fehlten, sprach kurz mit Brassel, der ihr einen Kollegen der Staatsanwaltschaft Freiburg vorstellte. Herren in mittlerem Alter gab es etliche, sie konzentrierten sich auf die drei, die von Größe und Statur in Frage kamen. Der eine war ein bekannter Architekt aus Baden-Baden, der andere ein Bruder von Madame Noeckerli, der Dritte ein Freund der Damen Grünhagen. Keiner erinnerte auch nur entfernt an Keller.

Die Schweizer Damen nahmen Ari in Beschlag und bestürmten ihn mit Fragen zu seiner Arbeit. Er musste also wieder von nie stattgefundenen Expeditionen erzählen und tat dies so knapp wie möglich. Nach seiner Vormittagsnervosität hatte er die souveräne Haltung zurückgewonnen, mit der er Rosa am Abend bei Neuhaus beeindruckt hatte. Vielleicht ging es Profiagenten wie Künstlern. Die waren auch nervös vor dem großen Auftritt.

In sich selbst spürte Rosa die Ruhe vor dem Sturm. Was immer sie bisher erfahren, woran sie gezweifelt, worüber sie spekuliert hatte, es war nicht mehr wichtig. Wichtig war die nächste Stunde. Nur noch in dieser Zeit drohte dem Kanzler Gefahr. Danach hätten sie ihren Auftrag erfüllt. Sie kannte diese sehr spezielle Ruhe durch viele Nachtwachen und vom Kampf. Augen und Ohren ganz im Hier und Jetzt, Konzentration in Reinform, das Gehirn ein leerer Schwamm, der alle Stimmungen in sich aufsog, sich bei kleinsten Veränderungen verfärbte oder sich alarmierend verhärtete, wenn etwas nicht stimmte. Sie traute nur noch sich selbst, und in solchen Situationen beherrschte sie die Kunst, sich unsichtbar zu machen. Brassel ging an ihr vorbei, ohne sie zu sehen, Nathan, den die Hausdame mit seinen Kollegen auf die Terrasse führte, glitt keinen Meter von ihr entfernt durch die Menge und bemerkte sie nicht.

Alle Ein- und Ausgänge waren bewacht, niemand konnte das Gebäude unerlaubt betreten oder verlassen. Am Haupteingang salutierten die Wachen vor drei französischen Offizieren, hoher Besuch aus Baden-Baden, wie es schien. Von der Wendeltreppe her kamen der Kanzler, seine Tochter und von Droste auf sie zu. Adenauer begrüßte seine Gäste aufs wärmste. Überall konnte man lesen, dass es ihm eine Herzensangelegenheit war, die Beziehungen zwischen Deutschland und Frankreich zu verbessern.

Rosas Blick schweifte durch die Halle. Die Türen zur Terrasse wurden geöffnet, das Gros der Gäste drängte nach draußen, Neugierige blieben stehen, um den Kanzler und den Général von nahem in Augenschein zu nehmen, aber keiner machte Anstalten, den unsichtbaren Sicherheitsring um die beiden zu durchbrechen. Ein Reporter flog herein, ein zweiter folgte. Von Droste stoppte sie, nannte einen späteren Zeitpunkt für die Pressekonferenz. Die Halle leerte sich, nur noch der Kanzler und seine Gäste blieben. Ari und sie hielten sich dezent im Hintergrund. Zehn Minuten später führte der Kanzler die Franzosen auf die Terrasse. Applaus brandete bei seinem Erscheinen auf und endete erst, als Adenauer und seine Gäste saßen. Für Ari und sie waren wie für von Drostes Leute Plätze in der zweiten Reihe reserviert.

»Ich bleib an der Tür stehen, besserer Überblick«, flüsterte ihr Ari zu. »Geh du nur.« Sie setzte sich, sah auf, als die Musiker aus dem Spielzimmer kamen und unter höflichem Beifall die Bühne betraten. Jeder der drei nahm seine Position ein. Ein Moment andächtiger Stille, der Himmel zur Feier des Tages frisch gelackt, die Sonne voll goldenem Glanz, perfekter konnte die Atmosphäre bei einem Freiluftkonzert nicht sein. Auf ein Zeichen des Pianisten hin begannen sie zu spielen, wieder das »Geistertrio«, die Violine machte den Anfang.

Nathan mit geschlossenen Augen spielen zu sehen war Rosa so vertraut, dass sie, wie immer, wenn er in Omarim gespielt hatte, auch selbst die Augen schloss. Einen Wimpernschlag lang, dann sah sie wieder auf die Bühne. Die widerspenstige Locke, heute ungebändigt, fiel ihm ins Gesicht, ohne die Augen zu öffnen, pustete er sie weg. Wie sehr sie diese Geste geliebt hatte, an Ben immer noch liebte.

Einer der französischen Offiziere lenkte sie von Nathan ab. Er stand mitten im Spiel auf und ging nach draußen. Die Zuschauer straften ihn für diese Störung mit missbilligenden Blicken. Rosa folgte dem Gang des Franzosen, sah ihn durch die Tür gehen.

Bühlerhöhe

Als es klopfte, zuckte die Reisacher zusammen, aber es war nur Morgenthaler, der ihr einen Teller mit Schnittchen und ein Glas Bowle hinstellte und sich schnell wieder zurückzog. Beim dritten Versuch bekam sie ein Schnittchen zu fassen und schob es in den Mund. Sie kaute ewig. Als sie hörte, dass draußen die Violine zu spielen begann, fühlte sie sich sicher genug, um zur Rezeption zurückzukehren.

Bis auf die zwei Terrassentürwächter war die Rundhalle verwaist. Die Kellner hatten bereits alles schmutzige Geschirr abgetragen, selbst die Bowletische hatte man schon entfernt.

Die Terrassentür öffnete sich, als das Klavier die beiden anderen Instrumente beherrschte, und Briancourt trat in die Rundhalle. Seine Schritte hallten auf dem Marmorboden. Zwanzig Meter blieben Sophie, um sich zu wappnen. Die

Theke ihr Schutzwall, Morgenthaler der Knappe an ihrer Seite.

»*Colonel!*« Mit Eis in der Stimme brachte sie ihn bereits kurz vor der Theke zum Stehen.

»Sophie!« Ob sie seinen Brief gelesen habe, wollte er wissen. Sie verneinte. Ob er sich dann erklären dürfe, damit sie verstehe, warum er damals verschwunden war.

»*Non.*« Sie wollte es so wenig hören, wie sie den Brief hatte lesen wollen. Sie wollte nicht wissen, ob es die schwerkranke Mutter, die erst verschollene, dann aus den Trümmern auferstandene Verlobte, der drohende Bankrott des elterlichen Weinguts, ein Geheimauftrag der Armee oder weiß der Henker was gewesen war, das ihn im Dezember 1945 spurlos hatte verschwinden lassen. Endlos lange hatte sie auf eine Nachricht von ihm gewartet. Mürbegekocht hätte ihr am Ende sogar die schlichte Mitteilung, dass er lebte und es ihm gutginge, genügt. Aber all die Jahre nichts, gar nichts. Und jetzt war es zu spät. »*Si vous me pardonnez, Colonel.*«

In seinem Blick lag … Fassungslosigkeit? Schmerz? Bedauern? Liebe? Erhobenen Hauptes sah sie durch Briancourt hindurch, bemüht, nicht die Contenance zu verlieren. Aber sie wusste, wenn er nicht sofort verschwand, würde sie schreien.

»*Madame.*« Er schlug die Hacken zusammen, drehte sich um. Wieder hallten seine Schritte auf dem Marmorboden. Ein paarmal stolperte er fast, fing sich aber wieder.

Ihr liefen die Tränen, bevor er die Terrassentür erreichte. Sie hoffte, dass er sich nicht mehr umdrehte, und er tat es nicht. Man durfte nicht zurücksehen. Immer nur nach vorn.

Bühlerhöhe

Als das Cello zum Largo einsetzte, nahm der Franzose seinen Platz wieder ein. Ari nickte Rosa zu, als sie seinen Blick suchte.

Kurz vor der herzzerreißenden Stelle, die sie fürchtete, drehte sie sich wieder um, sie fand Ari jedoch nicht. Ihr Blick flog über die Terrasse. Die Gesichter der Wachhabenden unbeweglich, ihre Augen ruhten auf dem Kanzler, bei niemandem bemerkte sie eine Spur von erhöhter Alarmbereitschaft. Aber etwas stimmte nicht, sie spürte es genau. Sie öffnete ihre Handtasche.

Als sie sich wieder umdrehte, stand Simon Eckstein an Aris Stelle. Außer Atem, völlig derangiert, die blanke Panik im Blick. Von dieser Sekunde an dachte sie nicht mehr, sondern handelte. Sie griff sich ihre Waffe, sprang auf, wirbelte herum, blickte zum dritten Stock hinauf. Hinter dem Vorhang der blitzende Lauf, ihr Schrei, der Schuss, der ihren Schrei übertönte. Ihre Hand, die die Waffe umklammerte und abdrückte, weitere Schüsse, die um sie herum knallten, Schreckensschreie von allen Seiten, der Lärm umgestoßener Stühle, der Glassplitterregen, der auf die Terrasse prasselte, Uniformen, die zur Tür stürmten, kreischende Frauenstimmen in höchsten Oktaven, Gäste, die hinter Stühlen Schutz suchten, Besucher, die panisch zum Ausgang drängten. »Zimmer 312«, die Stimme von Drostes, wenig später das Gesicht eines Uniformierten am Fenster, der ein Alles-unter-Kontrolle-Zeichen machte. Der Kanzler, seine Tochter im Arm, durch einen Kokon von Leibwächtern geschützt auf dem Weg zur Rundhalle, die Franzosen noch schreckensstarr vor der Bühne stehend, dann auch schnell das Weite suchend.

Mit einem Mal gespenstische Stille, ihr zitternder Körper, der kalte Schweiß auf der Haut. Wieder der Blick auf die Bühne, ein Szenario wie bei einem Trauerspiel: Zitterbart und Trautwein knieten weinend vor einem liegenden Körper, der Teppich um das Trio mit Blut getränkt, über ihnen krächzte unheilverkündend ein Krähenschwarm. Totenvögel.

Nathan! Die Waffe glitt ihr aus der Hand.

Am Tag der Abreise
des Kanzlers

Hundseck

Die Elsbeth, eine Base von der Rufina, war am Abend zuvor extra von der Bühlerhöhe rüber zum Hundseck gelaufen. Rotfleckig vor Aufregung hatte sie erzählt, dass auf den Kanzler ... Geschossen, ja, vom dritten Stock, mitten im Konzert! Die Köche, die Zimmermädchen, alle, selbst der Hartmann, hatten an den Lippen der Elsbeth gehangen. So viele Zuhörer hatt die ihr Lebtag noch nicht gehabt, da war sich die Agnes sicher.

Nein, nicht eine Schramme, mit dem Schreck davongekommen war der Doktor Adenauer. Dem Himmel sei Dank! Einer von seinen Bewachern, der mit einem Kreuz so breit wie das vom Seebacher Schmied, hatte beim Schrei von der Frau Goldberg den Kanzler sofort gepackt und sich mit ihm auf den Boden geworfen. Die Kugel war über die zwei hinweggepfiffen und hatte einen von den Musikanten getroffen. Krankenhaus Baden-Baden, da war er jetzt. »Eine Sache auf Leben und Tod, da kann man nur auf den Herrgott vertrauen«, so die Elsbeth.

Tot war auf alle Fälle der, der geschossen hatte. »Der Professor Goldberg, aber so heißt der in Wirklichkeit nicht. Aber wie er heißt, das weiß auf der Bühlerhöhe noch keiner so genau, nicht mal der Hauptmann von Droste. Und jetzt, ihr glaubt mir nicht, wenn ich erzähl, wer den erschossen hat.« Die Elsbeth holte Luft und machte sich so wichtig wie der Pfarrer bei der Sonntagspredigt auf der Kanzel.

»Jetzt sag schon«, drängelte die Gerda.

»Seine eigene Frau! Stellt euch das vor. Hat, nachdem der Schuss gefallen war, selber eine Pistole gezogen. Wie ein Flintenweib aus dem Wilden Westen hat die g'schossen. Aber ob sie wirklich seine Frau war, das weiß man auch nicht so genau. Die Frau Reisacher sagt, dass sie sofort g'wusst hat, dass die zwei kein Paar sind. Für so was hat die ein Gespür. Aber ich sag euch: ein Zimmer, ein Doppelbett, und da hat nicht jeder brav auf seiner Seite gelegen.«

Alle Zimmermädchen nickten. Die verstanden genau, was die Elsbeth meinte. Bei so was wussten sie Bescheid.

»Eifersucht?« Die Rufina halt.

»Nein. Sonst hätt der doch auf seine Frau und nicht auf den Kanzler g'schossen.«

»Aber warum hat er denn auf den Kanzler g'schossen?« Der Chefkoch wollt immer alles ganz genau wissen.

»Was Politisches.« Die Elsbeth zuckte mit den Schultern, um zu zeigen, dass sie nicht mehr wusste. »Steht morgen bestimmt in der Zeitung.«

Sie hatten natürlich alle mit einem Riesenbericht gerechnet, erste Seite, fette Überschrift, Fotos von der Hirschterrasse und so weiter. »Die Terrass hättet ihr sehen müssen! Als hätt eine Bombe eing'schlagen. Schlimmer als nach einem Überfall!« Die Elsbeth hatte es in allen Farben geschildert.

Als das Postauto kam, schoss Agnes sofort nach draußen, regelrecht aus der Hand gerissen hat sie dem Postler die Zeitungen. Aber auf Seite eins dick und fett: »175 KPD-Tarnorganisationen locken«, kein Wort über die Bühlerhöhe. Durchblättern konnte sie die Zeitung nicht, der Hartmann wollt zuerst reinschauen. Auf Seite drei war was, aber ohne Foto. Hartmann schüttelte den Kopf beim Lesen und reichte dann Agnes die Zeitung.

»Eifersuchtsdrama auf der Bühlerhöhe« stand da. »Beim gestrigen Sommerkonzert auf der Bühlerhöhe zu Ehren des

Bundeskanzlers kam es zu einem dramatischen Zwischenfall. Doktor G. aus Paris, Professor der Archäologie, unternahm den Versuch, aus dem dritten Stock heraus seine Frau zu erschießen, die ganz in der Nähe von Doktor Adenauer saß. Die Sicherheitskräfte schossen zurück, da sie einen Angriff auf den Kanzler vermuteten. Sie töteten den Mann und konnten den Kanzler unversehrt in Sicherheit bringen. Aus dem Umfeld des Paares war zu erfahren, dass der Mann zu krankhafter Eifersucht neigte und schon mehrfach gedroht hatte, seine Frau umzubringen.«

»Da weiß man jetzt wieder nicht, wem man glauben soll«, murmelte Agnes. »Hat die Goldberg jetzt geschossen oder nicht. Das hat die Elsbeth bestimmt nicht erfunden, oder?«

»Erfinden, Fräulein Agnes, kann man fast alles.« Der Hartmann besserwisserisch. »Sie glauben gar nicht, was auf der Welt gelogen und betrogen wird. Aber was auf der Bühlerhöhe wirklich passiert ist, das erfahren wir schon noch. Wenn es eine weiß, dann Madame Reisacher. Der entgeht auf der Bühlerhöhe nichts. Ich werde sie gleich mal anrufen. Wenn Sie in der Zeit ein Auge auf die Rezeption ...«

»Aber selbstverständlich, Herr Direktor.«

Sie tat ihm den Gefallen wirklich gern, denn der Hartmann hatte was gut bei ihr. Jesses, wer hätte gedacht, dass sich ausgerechnet der mal als Retter in der Not erweisen tät. Versteh einer die Wege der Engel und Heiligen, Agnes tat es nicht.

Als sie da vorgestern vor dem Monsieur Pfister stand und der Fridolin auf und davon ratterte, da hatte sie gedacht, ihr letztes Stündlein hätt geschlagen. Aber leicht wollt sie es dem falschen Zauberer nicht machen. Gebrüllt hatte sie wie eine Sau vor dem Schlachten, aber wer hätt sie hören sollen im Wald? Dann hatt sie ihre malträtierten Beine in die Hand genommen und war gerannt, als wäre der Teufel hinter ihr her. Und er war's ja auch, in Gestalt von dem Schweizer Monsieur. Sie wollt schon wieder vom Weg ab und querfeldein laufen, weil sie das ja schon einmal gerettet hatte, da bog plötzlich der Hartmann um die Ecke, und der Pfister musst abbremsen. Dass der Hartmann einmal selber die Post für die Bergwacht ... der würd ihr doch nie im Leben glauben, dass der Pfister ... aber was würd er ihr denn glauben? Heilige Agnes, verlass mich nicht in meiner Not! Das alles wirbelte durch ihren Kopf, und, das musste sie der Heiligen lassen, diesmal reagierte sie prompt. Hatte vom Himmel her ein paar Sätze geschickt, die sich als Rettung erwiesen.

Der Hartmann natürlich aufgebracht und geladen fürs Donnerwetter, wollt sie wie immer ausschimpfen. Da hatt sie die Worte der Heiligen gesprochen: »Herr Direktor, der Monsieur Pfister bedrängt mich. Der will immer wissen, was Sie und die Madame Reisacher, also, ob Sie und die Madame Reisacher, aber das kann ich doch nicht ...« Danach hatt sie in seinem Gesicht sehen können, wie der Pfister in seiner Meinung runtergerutscht war und sie hoch. Vorlaufen zum Hundseck sollt sie, hatt der Hartmann ihr gesagt, und dass er sich um den Schweizer kümmern tät.

Das hatte sie sich nicht zweimal sagen lassen. Reingestürzt ins Foyer war sie, die Schweizer Damen hatten natürlich die Nase gerümpft, und sie dann auf Zehenspitzen schnell, schnell hoch in ihr Zimmer, dort den Rucksack ausgeleert, in die neuen Sachen aus Düsseldorf geschlüpft und dann ins Büro. Sie hatt schon über den Buchungen des Vortages gesessen, als der Hartmann endlich kam. Dass sie sich keine Sorgen machen bräucht, der Schweizer sie nimmer bedrängen tät, hatt er gesagt und sie nicht einmal raus an die Rezeption geschickt. Nicht einmal! Die Nacht machte ihr noch Bauchschmerzen, der Pfister würd nicht davor zurückschrecken, sie im Schlaf zu erwürgen. Also hatte sie der Gerda und der Rufina erzählt, dass der Schweizer nun doch wie ein läufiger Hund hinter ihr her wär, und ob sie deshalb bei ihnen schlafen könnt. Die Rufina hatt geschnarcht wie ein alter Hütehund und die Gerda geschwätzt im Schlaf. Trotzdem hatt Agnes geschlafen wie ein unschuldiges Kindl.

Und dann gestern, so gegen Mittag, da reiste der Monsieur ganz plötzlich ab, obwohl er eigentlich doch noch zwei Tage länger hätt bleiben wollen. Als ihr der Hartmann das gesagt hatt, war ihr ein Stein, größer als der Hohfelsen, von der Brust gefallen.

Kaum war der Drecksseckel weg, da stand die Walburg vor dem Hundseck. Zusammengestaucht hatt sie sie, frag nicht! Aus Sorge, die Schwester hatt ja mit dem Schlimmsten gerechnet, und da hat sie ihr alles erzählt. »Aus den Augen, aus dem Sinn. Denkst mal wieder nur von A nach B!« So recht getraut hatt die Walburg dem Frieden also nicht. Aber sie, Agnes, mit Engelszungen … Ein bisschen beruhigt war die Walburg am Ende dann schon.

Und jetzt, wenn der Hartmann mit Telefonieren fertig war, musst sie ihn fragen, ob sie schnell zur Antonius-Kapelle laufen konnt, um endlich die Kerze für die heilige Agnes anzuzünden. Nicht nur eine, drei würd sie kaufen, damit die Heilige ihre schützende Hand lang über sie halten tät.

Baden-Baden

Bis zum Morgengrauen saß Rosa an Nathans Bett und wartete darauf, dass er aufwachte. »Er hat viel Blut verloren, wird sich aber schnell erholen. Die Kugel steckte im rechten Oberarm und ließ sich sauber entfernen«, so die knappe Auskunft des Arztes, als man Nathan aus dem Operationssaal hierher in dieses Zimmer brachte. Rosa hatte keine Ahnung, wann genau das gewesen war oder wie lange sie schon neben Nathans Bett hockte. Aber dass sie nur den Schlaf eines Genesenden beschützte und keine Totenwache hielt, würde sie erst glauben, wenn Nathan die Augen aufschlug. Immer wieder beugte sie sich über seinen Oberkörper und hielt das Ohr an seine Brust, um seinen Herzschlag zu spüren. Als sie sich wieder aufrichtete und ihn so daliegen und schlafen sah, stieg eine schmerzhafte Vertrautheit in ihr auf.

Noch gellte ihr das Tatütata des Krankenwagens im Ohr, in dem sie mitfuhr, aber alles, was davor passiert war, verschwamm in einem ätzenden Nebel, wie er nach einer Explosion die Luft füllte. Undurchdringlich, abweisend, voller Schrecken. Und sie wollte auch gar nicht sehen, was der Nebel verbarg. Stattdessen dachte sie an merkwürdige Dinge: Dass der Pazifist Nathan durch die Schussverletzung nun das Zeichen eines Kriegers trug, dass er eine neue Jacke und ein neues Hemd für seinen nächsten Auftritt brauchte, dass ihm beim Aufwachen eine Schüssel voll warmem Zimtreis guttun würde, den ihm seine Mutter als Kind immer gekocht hatte, wenn er krank war.

Bilder aus den glücklichen Jahren in Omarim huschten durch ihren Kopf. Der Blick, mit dem er sie ansah, wenn sie auf ihn zukam. Seine Finger, die allerlei Rhythmen auf ihrer Haut trommelten. Sein weicher Atem, den er ihr, wenn sie zusammenlagen, gerne in den Nacken blies. Die vielen Gespräche und hitzigen Debatten, die sie miteinander führten. Sie stellte sich vor, wie er Ben auf seine Schultern setzte und mit ihm im Galopp den Weg zu den Weinbergen hochrannte. Wie er dabei außer Puste kam, wie Ben dabei juchzte. Wie sie zu dritt – Ben in ihrer Mitte – an einem Sabbat am Genezareth entlangspazierten und Kieselsteine über das Wasser hüpfen ließen. Sie fragte sich, wie es sein musste, nicht zu wissen, dass man Vater war, und fand keine Antwort. Sie starrte nur auf das weißgestärkte Laken, auf dem Nathans zartgliedrige Finger lagen, oder sie sprang auf und strich ihm die widerspenstige Locke aus der Stirn.

Als er aufwachte, spürte sie Erleichterung, aber wusste überhaupt nicht, was sie sagen sollte. Was sagte man zu einem, der zu den Lebenden zurückkehrte? Einem, dem man einmal näher gewesen war als jedem anderen Mann? Dem Vater des eigenen Sohnes? »Die Kugel ist raus«, flüsterte sie. »Du wirst schnell gesund werden.« Nathan nickte und griff nach ihrer Hand. »Rosa«, murmelte er, schloss die Augen und schlief wieder ein.

Sie bekam nicht mit, wie es draußen heller und heller wurde. Die Krankenschwester erschreckte sie, als sie, ohne anzuklopfen, ins Zimmer rauschte. Im Feldwebelton forderte sie Rosa auf, nach draußen zu gehen, damit sie den Patienten waschen konnte. Behutsam löste Rosa Nathans Hand aus der ihren und tat wie geheißen.

Im Flur erhoben sich drei Männer von ihren Stühlen: Trautwein, Zitterbart und Simon Eckstein.

»Er ist kurz aufgewacht und gleich wieder eingeschlafen.« Sie lehnte sich mit dem Rücken gegen die Wand direkt neben Nathans Zimmer. Als sie die Augen schloss, stand sie sofort in dem ätzenden Nebel.

»In ein paar Tagen wird er wieder ganz der Alte sein«, hörte sie Simon Eckstein sagen. »Und Frau Silbermann, Sie müssen ins Bett«, fuhr er besorgt fort. »Sie schlafen ja schon im Stehen ein.« Er kam auf sie zu und sagte in einem Ton, der keinen Widerspruch duldete: »Ich bringe Sie in ein Hotel hier in Baden-Baden, damit Sie sich ausruhen können. Meine Herren«, wandte er sich an die beiden Musiker und reichte ihnen die Hand. »Wir bleiben in Kontakt.«

Er legte seinen Arm um Rosa und führte sie in Richtung Treppenhaus. Rosa folgte ihm bereitwillig, am liebsten hätte sie ihren Kopf auf Ecksteins Schulter gelegt, so erschöpft war sie. Aber dann streifte sie seinen Arm ab und kehrte zu den beiden Musikern zurück.

»Er mag Milchreis mit Zimt und Zucker, das tut ihm bestimmt gut, wenn er aufwacht.« Nach dieser Mitteilung machte sie sich wieder auf den Weg zu Eckstein, nur um nach ein paar Metern wieder umzudrehen. Für das, was sie noch sagen wollte, brauchte sie einen zweiten Anlauf.

418

»Sagen Sie Nathan, dass er einen Sohn hat. Er heißt Ben und wird im November drei.«

Nur ein kurzer Blick in die überraschten Mienen der beiden, dann lief sie zu Eckstein zurück. Sie hatte es Nathan nicht selbst sagen können. Sie wollte nicht sehen, ob ihn die Nachricht von seiner Vaterschaft freute oder entsetzte. Sie wollte nur, dass er davon wusste.

Eckstein legte wieder seinen Arm um sie, und erst als sie die Treppe zum Eingang hinunterstiegen, bemerkte Rosa ihr blutverschmiertes Kleid. Dunkel erinnerte sie sich, dass sie Nathans Körper auf der Bühne in ihren Schoß gebettet hielt, bis der Krankenwagen kam.

»Ich habe Ihnen Wäsche zum Wechseln mitgebracht«, erklärte Eckstein, als sie auf ihr Kleid deutete.

Sie verließen das Krankenhaus, Eckstein winkte ein Taxi herbei, nannte dem Fahrer die Adresse. Rosa setzte sich in den Fond des Wagens, wie von selbst fiel ihr Kopf gegen die Scheibe. Wieder versank sie im Nebel, sie bekam nicht mit, wohin der Wagen fuhr.

Irgendwann standen sie vor einem Haus, an dessen Wand eine rote Kletterrose rankte. »Extra für mich?« Sie verzog die Mundwinkel und deutete auf das Schild »Pension Rosa«, das über dem Eingang hing.

»Wir müssen über vieles reden«, überging Eckstein ihre Bemerkung. »Aber bitte, sagen Sie mir doch: Wann haben Sie es erraten? Erst als Sie mich gesehen haben oder schon vorher?«

Rosa machte eine abwehrende Handbewegung. Sie wollte nicht reden.

»Es ist allein mein Fehler«, brach es aus Eckstein heraus. »Da lasse ich mich reinlegen, merke nicht, dass ich mit dem Falschen telefoniere! Nu was, dieser Wolberg wusste genau Bescheid über alles, was in Paris geschehen war. Er krächzte furchtbar, aber warum hätte er nicht heiser sein sollen? Ich war ganz sicher, ich rede mit Ari. Sonst hätt ich doch niemals

419

bei Ihnen angerufen, um zu sagen, dass Hilfe unterwegs ist. Dabei hab ich Ihnen einen Wolf im Schafspelz geschickt, und wenn Sie nicht so schnell reagiert …«

Mit jedem Wort, das Eckstein sprach, verdichtete sich der Nebel in ihrem Kopf und biss sich mit seinem ätzenden Rauch in ihre Schleimhäute.

»Hören Sie auf.« Sie rang nach Luft. »Seien Sie still.«

Bühlerhöhe

Diese Zimmermädchen! Eine Schar kreischender Weiber, krankhaft hysterisch, alle miteinander reif für die Irrenanstalt. Selbst als Sophie mit Lohnabzug drohte, weigerten sie sich, die 312 zu putzen. Also krempelte sie selbst die Ärmel hoch, ließ sich Eimer und Putzlappen reichen und marschierte unter den ungläubigen Blicken dieser dummen Hühner in den dritten Stock.

Nach der Begegnung mit Briancourt hatte sie zur Salzsäule erstarrt die leere Rundhalle und die geschlossene Terrassentür angestiert. Der junge Morgenthaler neben ihr hatte gar nicht gewusst, wohin mit sich. Tränen liefen ihr über die Wangen. Professor Goldberg, der irgendwann durch die Halle eilte, um nach oben in sein Zimmer zu springen, beachtete sie genauso wenig wie den alten Zausel, der kurz nach ihm schwer atmend angerannt kam und aufgeregt und verspätet zum Konzert wollte. Wenn sie, ja, wenn sie … Aber selbst wenn sie in der Situation einen klaren Kopf gehabt hätte, was hätte sie tun können?

Erst die Schüsse befreiten sie aus ihrer Erstarrung. Als die Wächter die Türen aufrissen, verstand sie noch nichts, wischte sich bloß die Tränen weg. Als dann ein paar Uniformierte an ihr vorbei- und das Treppenhaus hinaufstürmten und sich nach ihnen ein Pulk schreiender, leichenblasser oder

am ganzen Leib zitternder, auf alle Fälle völlig orientierungs-
loser Menschen in die Rundhalle drängte, wusste sie, dass sie
gebraucht wurde.

Cognac und Kölnisch Wasser, entschied sie. Was immer
bei dem Konzert geschehen war, das half. Sie befahl Morgenthaler, Kellner mit Tabletts voller Schnapsgläser herzuholen,
und machte sich auf den Weg zur Bar. »Und Servietten«, rief
sie ihm nach. Nicht jeder hatte ein Taschentuch dabei, und
sie sah sofort, dass es viel Schweiß und Tränen zu trocknen
gab.

Sie selbst teilte wie Morgenthaler Schnapsgläser und wenn
nötig Servietten aus, telefonierte für die, die so schnell wie
möglich wegwollten, ein Taxi nach dem nächsten herbei, ließ
für die anderen Stühle heranschaffen, fand tröstende Worte
für Aufgelöste oder stumm Zitternde und kam sich, obwohl
die Rundhalle nun wirklich nicht an ein Lazarett erinnerte,
ein wenig wie Florence Nightingale vor. Das Chaos, das sie
Stück für Stück beherrschte, rückte ihr persönliches Unglück
in den Hintergrund. Briancourt – aus dem Augenwinkel hatte sie gesehen, wie er und der andere Colonel den Général
nach draußen lotsten – kehrte in die Vergangenheit zurück,
und was Xavier anging, keimte ein Racheplan in ihr, den sie,
als Balsam für das wunde Herz, später in Ruhe weiterent-
wickeln wollte. Denn noch wurde sie hier gebraucht.

Bei jedem kleinen Gespräch mit den verstörten Gästen
erfuhr sie mehr über das, was auf der Terrasse geschehen
war. Die Goldberg! Schon bei ihrer Ankunft wusste sie, dass
mit der Frau etwas nicht stimmte. Und nun so ein Drama!
Schoss auf den Pseudogatten, weil der angeblich den Kanzler erschießen wollte. Dabei hatte der Mann doch so einen
weltmännischen, klugen Eindruck gemacht. Nun ja, seufzte
sie und musste sich eingestehen, dass das Weltmännische
sie gelegentlich blind machte. Immer länger wurde die Liste
der Männer, in denen sie sich getäuscht hatte. Nicht nur die
Goldberg, auch von Drostes Leute hatten geschossen, erzähl-

te man. Und jetzt, so hörte sie, saß die Goldberg wie eine Maria Magdalena auf der Bühne und hielt den angeschossenen Musiker im Arm. Warum auch immer.

Der Krankenwagen kam eine halbe Stunde später und brachte den Verletzten nach Baden-Baden. Danach leerte sich die Rundhalle zusehends. Nachdem die Polizei ihre Arbeit getan hatte, konnten von Drostes Männer Goldbergs Leiche über Wendeltreppe und Ehrenhof hinüber in den Eiskeller schaffen. Völlig durchlöchert und zerfetzt sollte sein Körper sein, hatte ihr einer von ihnen erzählt. Nachdem sein Schuss den Kanzler verfehlte, hatte der Mann nicht etwa kniend oder liegend Deckung gesucht, sondern war aufrecht im Fenster stehen geblieben. So als wollte er, dass man ihn tötete. Stand auf Hochverrat eigentlich noch die Todesstrafe? Oder war die in der neuen Demokratie ganz abgeschafft? Lebenslänglich hätte er auf alle Fälle bekommen. Da war ein schneller Tod doch die bessere Wahl, denn die Flucht wäre Goldberg auf keinen Fall gelungen, bei dem Ring aus Wachmännern, die von Droste überall postiert hatte.

Als sich die Lage gegen Abend beruhigt hatte, ließ Sophie für Polizisten und Sicherheitsleute am Esstisch der Angestellten die Leberwurstbrote reichen, und von Droste spendierte allen eine Runde Bier.

Davor hatte er sich mit dem Kanzler und diesem alten Zausel besprochen, dessen Rolle Sophie nicht einschätzen konnte. Nach dem Imbiss teilte der Hauptmann ihr die offizielle Lesart des Nachmittags mit: Ein Eifersuchtsdrama, der Mann wollte seine Frau umbringen, die Frau saß in der Nähe des Kanzlers und so weiter.

»Ich verstehe«, sagte sie am Ende seiner Ausführungen und fragte: »Und weshalb hat dieser Goldberg wirklich geschossen?«

»Geld. Eigentlich scheffeln die Juden das ja, aber er wollte verhindern, dass Israel deutsches Geld annimmt. Ein radikaler Idealist! Die sind so gefährlich wie die Kommunisten.

Kommunisten können Sie übrigens gerne ins Eifersuchtsdrama einbauen, aber ansonsten darf nichts nach draußen dringen. Es muss verhindert werden, dass die Diskussion um das Wiedergutmachungsgesetz durch den Vorfall aufgeheizt wird. Ist so schon schwierig genug. Ich verlass mich auf Sie, Madame Reisacher.«

Sie nickte verständnisvoll. In diesem Fall konnte er sich wirklich auf sie verlassen. Politik interessierte sie nicht, und das Eifersuchtsdrama bot viel mehr Stoff zum Ausschmücken als so ein trockenes Gesetz.

Mit viel Lust am Grauen schmückte im Laufe des Abends auch das Personal den Tod von Goldberg aus. Die Zimmermädchen hatten sich regelrecht in etwas hineingesteigert: halbe Arme und Beine unter dem Bett, Hirnmasse an der Wand, Gedärme auf dem Boden und so weiter. Kein Wunder, dass sie das Zimmer nicht reinigen wollten.

Als sie jetzt die Tür der 312 öffnete, bot sich Sophie auf den ersten Blick wenig Grauenerregendes. Die Leintücher waren abgezogen, darin hatte man die Leiche abtransportiert, ansonsten wirkte das Bett gemacht, selbst die Paradekissen hatten noch ihren Knick. Das Fensterglas war zersplittert und der Vorhang zerfetzt, sie musste also gleich den Glaser bestellen, genauso wie den Maler, denn die Wand vis-à-vis des Fensters war blutverschmiert. Das Blut auf dem Boden wischte sie weg. An einigen Stellen war es ins Parkett gesickert, der Bodenleger musste also ebenfalls kommen. Im Bad, das von allem unberührt war, spülte sie die rote Brühe im Klosett hinunter. Dabei fiel ihr Blick auf ein Einmachglas, das zwischen Zahnpasta und Schminktiegel stand. In dem Glas steckte nichts als ein zusammengefaltetes Blatt Papier.

Ausgerechnet dieses in einem Badezimmer zwar völlig falsch platzierte, aber doch harmlose Glas ließ ihr einen Schauer über den Rücken laufen. Sie traute sich nicht, es anzufassen oder den metallenen Bügel, mit dem es verschlossen war, abzunehmen. Sie verstand nicht, warum sie nicht einfach danach griff, denn sonst plagten sie doch auch keinerlei Skrupel, die Geheimnisse von Fremden auszukundschaften. Aber dieses Glas ... Sie sah es durch ihre Berührung in tausend Splitter zerfallen. Und Glassplitter ... Noch als sie wenig später die Treppe hinunterstieg, wunderte sie sich über sich selbst.

Sie schob den Gedanken beiseite, denn an der Rezeption wartete von Droste, um sich zu verabschieden. Er lobte die gute Zusammenarbeit und ihre Fähigkeit, auch im größten Chaos nicht den Überblick zu verlieren. Sie bedankte sich für die freundlichen Worte und bereitete sich im Geiste auf den Satz vor, den sie gleich sagen wollte.

»Da ist noch eine Kleinigkeit, Herr von Droste.«

»Ja, Madame Reisacher?« Höflich, wie er war, blieb er stehen, obwohl er es eilig hatte.

»Durch Zufall habe ich entdeckt, dass Ihre Adresse in Köln dieselbe ist wie die von Frau Goldbergs Familie. Sie ist ja eine geborene Silbermann. Es ist für die Dame bestimmt von Interesse zu erfahren, dass Sie jetzt dort wohnen.«

Sein Blick war undurchschaubar wie immer, und kurz fürchtete Sophie, dass er sie auflaufen lassen würde. Doch dann fragte er: »Und?«

»Frau Goldberg muss dies gar nicht erfahren«, fuhr sie fort, und von Drostes Schweigen ließ die Luft zwischen ihnen knistern. »Wie Sie sich denken können, habe ich eine Bitte.«

»Ich höre.«

»Xavier Pfister, Sie sind mit ihm bekannt, wie ich weiß. Ich kenne ihn ebenfalls, sehr gut sogar. Ich war mit ihm verlobt. Leider musste ich erfahren, dass er einer Schweizerin, Regula Kroepfli, ebenfalls die Ehe versprochen hat. Eine gute Partie, ihr Vater ist ein bekannter Schweizer Unternehmer. Ich habe meine Verlobung sofort gelöst, auch weil mir durch Zufall ein Brief in die Hände gespielt wurde, in dem von weiteren Frauengeschichten berichtet wird. Nicht auszuschließen, dass er sich noch öfter verlobt hat, vielleicht sogar irgendwo bereits eine Ehe eingegangen ist. Nicht nur aus persönlicher Betroffenheit finde ich, dass man so einem Mann das Handwerk legen muss. Diese Regula Kroepfli muss doch wissen, was für ein schamloses Spiel er treibt. Aber wenn ich mich jetzt mit ihr in Verbindung setze, wird sie das möglicherweise als Rache einer Betrogenen abtun und nicht ernst nehmen, wenn Sie jedoch ihr oder ihrem Vater diese Information zukommen lassen, dann hat diese ein ganz anderes Gewicht.«

Er schwieg und dehnte die unerträgliche Stille so weit, dass sie sich fast für ihr Anliegen entschuldigt hätte und davongelaufen wäre. Doch dann fragte er: »Haben Sie diesen Brief?«

»Aber selbstverständlich. Es ist die eine Seite, auf die es ankommt.« Sie reichte ihm den vorbereiteten Umschlag.

»Heiratsschwindlern muss man das Handwerk legen«, stimmte er ihr in generösem Ton zu. »In Erinnerung an unsere gute Zusammenarbeit tue ich Ihnen den Gefallen.«

»Ich danke Ihnen, Herr von Droste.«

»Madame Reisacher.«

Er schlug die Hacken so laut zusammen, dass sie erschrak. Sie ahnte, dass sie ihn sich zum Feind gemacht hatte. Aber alles in der Welt hatte seinen Preis. Auch Rache bekam man nicht umsonst.

Bühl

Shmuel Wentzel, der krittlige Apotheker von Safed, besaß
als Einziger in der Stadt ein Telefon. Wenn man also mit
jemandem aus Omarim telefonieren wollte, musste man bei
Shmuel Wentzel anrufen. Der schickte dann seinen Laufbur-
schen los, der eine knappe Stunde bis Omarim lief und von
dort mit dem gewünschten Gesprächspartner nach Safed zurückkehrte. Während der dann in der düsteren Apotheker-
kammer zu dem schwarzen Apparat an der Wand schielte
und darauf wartete, dass der Anrufer sich wieder meldete,
nutzte Shmuel Wentzel die Gelegenheit, über die steigen-
den Chininpreise, die miserable Qualität von getrockneten
Rosenblättern, seinen nichtsnutzigen Sohn oder sonst etwas
zu jammern. Für die Erwachsenen war die Warterei deshalb
manchmal eine Qual, die Kinder dagegen – besonders die
Jungen – kamen gerne mit zum Telefonieren, weil es bei
Wentzel die merkwürdigsten und gruseligsten Dinge zu entdecken gab: getrocknete Echsen, seltene Steine, glitzernde
Pulver oder in Spiritus eingelegte Schlangen und Tierföten.

Was Ben wohl dazu sagen wird, fragte sich Rosa mit klopfendem Herzen, als sie auf der Bühler Post den Hörer abnahm. Vor mehr als zwei Stunden hatte das Fräulein vom
Amt die Nummer von Shmuel Wentzel gewählt. Danach
war Simon Eckstein mit ihr die Bühler Hauptstraße so oft auf
und ab marschiert, dass ihr nun jeder Pflasterstein vertraut

war. Aber gleich würde sie Bens Stimme hören! Sie hatte ihn noch nie zum Telefonieren mitgenommen, er kannte den schwarzen Apparat, in den man sprechen konnte, und den Hörer, den man sich ans Ohr halten musste, noch gar nicht. Was, wenn ihm Wentzels Gruselkabinett Angst machte? Er war doch noch nicht mal drei.

»Ben, Ben, bist du das?«, schrie sie ins Telefon, als sie ein zartes Stimmchen ungläubig »Mama« sagen hörte. »Wo bist du?«, wollte er wissen, als er ihre Stimme erkannte, und sie erklärte ihm, dass sie noch weit, weit weg sei, aber bald wieder bei ihm. Das Gespräch drehte sich im Kreise, Ben wiederholte »Mama?« und »Wo bist du?« immer wieder, verwirrt, weil er sie zwar hören, aber nicht sehen konnte. Sie dagegen erfüllte es mit großer Freude, seine Stimme zu hören. Am Ende gab Ben den Hörer an Dana weiter, die ihn nach Safed begleitet hatte. Sie erzählte Rosa, wie stolz Ben sei, denn noch nie habe es in Omarim einen Anruf für ein Kind gegeben. Ja, erzählte sie weiter, es gehe ihm gut, er frage oft nach ihr, und nicht nur er, sondern sie alle freuten sich auf sie.

»Es geht allen gut«, berichtete sie Simon Eckstein und spürte, wie sehr sie sich auf ihre Rückkehr freute und wie ihr die Freude Kraft gab. Eckstein, der alte Fuchs, hatte ihr das Telefonat nach tagelangem stummem An-die-Wand-Stieren als Medizin verordnet.

Wieder liefen sie über die Pflastersteine. Um ungestört reden zu können, marschierten sie aus dem Städtchen hinaus in die Felder, die sich in sanften Hügeln zur Rheinebene hin erstreckten. Rosa registrierte die Zwetschgenbäume, die dort in Reih und Glied standen und deren grüne Früchte noch ein paar Wochen Sonne brauchten, bevor sie reif waren. Aber sie waren nicht hier, um über Zwetschgenbäume zu sprechen.

Sie ließ Eckstein reden. Seit Tagen wartete er darauf, sich erklären zu können. Ari, so erfuhr sie, hieß in Wirklichkeit Nimrod Wolberg. Wolberg stammte wie der echte Ari aus

Berlin, die beiden hatten sich aber erst in Paris kennengelernt, wo sie in den späten zwanziger Jahren Medizin studierten, sich anfreundeten, danach aber aus den Augen verloren. Der Mossad vermutete, dass sie sich vor kurzem in Paris wiederbegegnet waren, Ari Nimrod Wolberg aber fatalerweise nie mit der GCPS in Verbindung gebracht hatte.

»Ein Jugendfreund aus der Zeit, als die Welt noch hell leuchtete, man noch an das Gute glaubte und alles möglich schien. Auch Profis sind manchmal auf einem Auge blind«, so Ecksteins Erklärung. Durch die vom Mossad festgesetzten Mitglieder der GCPS wusste man, dass Ari in den letzten Wochen immer wieder heftige Fieberattacken geplagt hatten. Das war wohl auch der Grund, weshalb er sich, nachdem der Mossad die Gruppe in Paris hochgenommen hatte, zu Wolberg begab. Um sich dort ein paar Tage auszuruhen, und sicher auch, weil er sich von Wolberg medizinischen Beistand erhoffte.

»Ist einfach abgetaucht, hat keinem Bescheid gesagt, ein richtig dicker Fehler, eigentlich nur durch die Erkrankung zu erklären«, erzählte Eckstein. Im Fieberwahn musste er dem alten Freund von dem Auftrag erzählt haben, anders ließ sich alles, was dann folgte, nicht erklären. »Und Wolberg spielte seine Rolle perfekt. Er hat mich getäuscht, und Sie trifft überhaupt keine Schuld. Nachdem ich Ihnen grünes Licht gegeben habe, hatten Sie keinen Grund, ihm nicht zu trauen.«

Wollte er sie trösten? Er musste doch wissen, dass es keinen Trost gab. »Was hat Sie misstrauisch gemacht?«, wollte sie wissen.

»Sein letzter Satz. Dass wir bei unserem Wiedersehen eine Partie Jass spielen, habe ich zum Abschied gesagt, und er hat ›Machen wir‹ geantwortet. Erst nachdem ich Sie angerufen hatte, ist mir eingefallen, dass Ari, wenn wir über Jass sprachen, immer die Schellen erwähnte. Die Schellen waren seine Lieblingsfarbe, müssen Sie wissen. ›Nur mit einer Hand voller Schellen‹ oder ›Nur wenn Schellen Trumpf sind‹, so was in der Art sagte er immer. Diese Kleinigkeit hat mir keine Ruhe gelassen. Ich habe Davide, einen Kontaktmann in Paris, angerufen und erfahren, dass sich Ari vor seiner Reise nach Deutschland nicht bei ihm gemeldet hat, was er eigentlich hätte tun sollen. Das hat mich noch misstrauischer gemacht. Ich habe Davide um intensive Nachforschungen gebeten, wollte aber Sie zu diesem Zeitpunkt noch nicht beunruhigen.

Ein paar Tage später berichtete mir Davide dann, dass man Ari als unbekannte Leiche auf dem Cimetière Montparnasse gefunden hatte, er war übrigens eines natürlichen Todes gestorben, wahrscheinlich an einer verschleppten Lungenentzündung. Wolberg hatte ihn also nicht umgebracht. Und doch, der Fundort, das anonyme Ablegen – da war mir klar, in was für einem Schlamassel wir stecken. Nur dank Ihrer schnellen Reaktion bin ich nicht zu spät gekommen. Haben Sie tatsächlich nur schnell reagiert? Oder gab es etwas, das Sie schon früher misstrauisch gemacht hat?«

Rosa schwieg. Und Eckstein respektierte ihr Schweigen. Sie hätte ihm von den Spielkarten der Männer im Biergarten erzählen können, von Aris zitternden Fingern, als sie den Namen Wolberg erwähnte, oder davon, wie geschickt er Keller als Verdächtigen wieder ins Spiel brachte. Er, nicht Keller, musste ihr das Schlafmittel verabreicht haben. So vieles hatte sie misstrauisch gemacht, aber mit mindestens genauso vielen Worten, Taten, Gesten hatte Ari immer wieder ihr Vertrauen gewonnen. An seiner Identität hatte sie nie ernsthaft gezweifelt. Es hatte sie irritiert, dass sie manchmal genau wusste, dass er die Wahrheit sagte, dann aber auch wieder nicht. Dieser Mann hatte sie mehr durcheinandergebracht als jeder andere Mensch, der ihr in ihrem Leben begegnet war. Weil bei ihm alle Grenzen verschwammen, er wahrhaftig und falsch zugleich sein konnte. Als sie ihn nach seinem Schuss im Fenster stehen sah, fühlte sie Schmerz,

Wut und Verzweiflung, aber eines war sie nicht gewesen: überrascht.

Eckstein musterte sie von der Seite

»Weiß man, warum er sich der GCPS angeschlossen hat?«, fragte sie ihn.

Eckstein schüttelte den Kopf. »Nu was, 's ist nicht schwer, einen Grund dafür zu finden, warum ein Jude die Deutschen hasst und von ihnen kein Blutgeld annehmen will. Fast jeder von uns hat ein Schicksal, das nach Rache schreit. Zudem musst's diesem Wolberg wie eine Vorsehung erschienen sein, dass Ari ausgerechnet ihm alles erzählte. Wolberg muss der sechste Mann gewesen sein, nach dem Ari so verzweifelt gesucht hat.«

»Habe ich ihn erschossen?«

Eckstein, merkte sie, hatte auf diese Frage gewartet. Er blieb stehen und sah ihr in die Augen, als er antwortete: »Ich weiß es nicht, keiner weiß es. Dazu müsste die Leiche obduziert werden. Sie waren nicht die Einzige, die geschossen hat. Offiziell, und das ist auch in israelischem Interesse, haben von Drostes Leute Wolberg erschossen. Sowohl wir als auch die Deutschen wollen, dass der Vorfall auf ganz, ganz kleiner Flamme gekocht wird, schnell vergessen wird und niemals in einem Geschichtsbuch auftaucht. Deshalb muss ich Sie mit der Version der Geschichte vertraut machen, die wir miteinander ausgehandelt haben. Sie wird Ihnen nicht gefallen, dennoch ist sie für Sie verbindlich. Etwas anderes dürfen Sie niemals erzählen. Also hören Sie …«

Bühlerhöhe

Vom Fenster ihres Büros aus verfolgte Sophie den Abtransport der Leiche. Es hatte Tage gedauert, zig Telefonate und Gespräche erfordert, bis geklärt war, wo der tote Goldberg, oder wie immer er hieß, beerdigt werden sollte. Vor einer

Stunde war auch die Goldberg, in Begleitung des alten Zausels, wieder aufgetaucht und räumte jetzt ihr Zimmer.

Nachdem der Kanzler mit seiner Entourage abgereist war und auch von Droste das Haus endgültig verlassen hatte, kehrte allmählich wieder Ruhe in die Bühlerhöhe ein. Zwar zerrissen sich die Dienstboten weiter die Mäuler über die Geschichte, auch die Gäste wollten stets noch das Neueste darüber wissen, aber das würde bald nachlassen. Sophie kolportierte brav die von von Droste vorgegebene Version des Dramas. Alle Bemerkungen über das reizende Ehepaar Goldberg, das sich so gut zu verstehen schien, ja regelrecht verliebt wirkte, und er, so höflich und gebildet, nein, dass so ein Mann rasend vor Eifersucht zum Mörder wurde und so weiter, kommentierte sie mit Sätzen wie »Stille Wasser sind tief« oder »Wer kann schon hinter die Fassade einer Ehe blicken?«.

Mit jedem neuen Tag ebbte das Interesse ein bisschen mehr ab. Sophie kannte den Lauf der Dinge. Zeit verging, Gäste reisten ab, neue kamen an, das Drama verlor seinen Reiz, würde bald durch das nächste, das schon irgendwo wartete, abgelöst werden. Ähnlich verhielt es sich mit den Ermittlungen im Fall Nourridine. Noch einmal waren die zwei Gendarmen hier aufgetaucht, um Frau Goldberg zu sprechen. Sophie hatte ihnen wahrheitsgemäß mitgeteilt, dass sich der Aufenthaltsort von Frau Goldberg ihrer Kenntnis entziehe. Danach verschwanden die zwei auf Nimmerwiedersehen. In den Zeitungen fand sie nichts mehr über das »Eifersuchtsdrama« oder den Mord an Nourridine.

Sie selbst hatte natürlich ausführlich mit Hugo – ja, sie duzte sich jetzt mit Direktor Hartmann – über die beiden Dramen gesprochen, wie sie seit Tagen überhaupt ausführlich über alles sprachen. Für morgen hatte er sie zum Tanztee nach Baden-Baden eingeladen, und Sophie war sich sicher, dass er ihr bald einen Antrag machen würde. Tag für Tag malte sie sich ihn sich ein bisschen schöner. Sie passten doch irgendwie zusammen, menschlich wie beruflich. Beide verwitwet und lange allein. Beide hatten sie leidvolle Erfahrungen mit dem anderen Geschlecht gemacht. Und die Hotellerie kannten sie aus dem Effeff.

Ja, er war zwanzig Jahre älter als sie, aber zum Glück hatte er keine Kinder aus der ersten Ehe. Wenn er also vor ihr starb, wäre sie gut versorgt. Natürlich war das Hundseck nicht die Bühlerhöhe, aber doch ein ordentlich bestellter Gasthof mit einem Hotel der gehobenen Kategorie. Und sie keine subordinierte Hausdame mehr, sondern die Herrin des Hauses. Alles in allem also keine schlechten Aussichten.

Die Kunst des Lebens bestand doch darin, zwar nach Höherem zu streben, sich aber klugerweise mit dem zu begnügen, was man kriegen konnte.

Markgräflerland

Mit einem Taxi folgten sie dem Leichenwagen. In einem Dorf im Markgräflerland, südlich von Freiburg, gab es einen jüdischen Friedhof, der nicht so zerstört war wie all die anderen. Dort würden sie Ari – Rosa würde ihn auch weiter so nennen – beerdigen. Der Friedhof lag weit abgelegen mitten im Wald, vielleicht der Grund, weshalb er verschont worden war. Das Grab war ausgehoben, und der Rabbi, den Simon Eckstein bestellt hatte, wartete bereits auf sie. Als der Sarg ausgeladen war, sprach er die Worte aus dem Talmud: »Sieh auf drei Dinge, und du wirst nie fehlschlagen im Leben: Wisse, woher du kommst und wohin du gehst und vor wem du wirst einst Rechenschaft ablegen müssen.« Ein weiser Rat für Friedenszeiten, aber wie vielen Juden war in den finstern Jahren des Grauens die Richtschnur für ein gutes Leben verlorengegangen?

Die Totengräber versenkten den Sarg, der Rabbi, Simon Eckstein und sie bedeckten ihn mit je drei Schaufeln Erde, sprachen dabei die vorgeschriebenen Worte »Denn du bist Erde und sollst zu Erde werden« und warteten danach, bis die Totengräber das Grab zugeschaufelt hatten. Simon Eckstein legte zum Gedenken einen Stein auf den Erdhaufen, sie stellte das Einmachglas daneben, das Ari im Badezimmer der Bühlerhöhe für sie zurückgelassen hatte.

»Schwarzwaldluft, für dich eingefangen, damit du sie mit nach Israel nehmen kannst. Ich wäre gerne mit dir nach Omarim gekommen« stand auf dem Zettel, der in dem Glas steckte. Das stimmte und stimmte nicht. Denn der Ari, der mit ihr nach Omarim hatte kommen wollen, hätte nicht geschossen. Mit Rachegefühlen im Herzen ließ sich keine Zukunft aufbauen.

Ein frischer Wind rauschte durch die mächtigen Tannen, und noch einmal sog Rosa den würzigen Duft ein, den sie in Israel so oft vermisst hatte. Sie würde ihn nicht mehr vermissen. Nichts von dem, was sie hier erlebt hatte, würde sie vermissen. Sie sehnte sich nach dem heißen Wüstenwind und dem Duft der Orangenblüten. Nach Ben und dem Lachen der Frauen, wenn sie abends zusammensaßen. Nach der Arbeit in der Käserei und nach den Olivenbäumen vor dem Gemeinschaftshaus. Nach Omarim.

Hierher würde sie nie mehr zurückkehren.

Zum Schluss

In der Zeit von 1953 bis 1956 verbrachte Konrad Adenauer die Sommerferien auf der Bühlerhöhe. Ein Attentat auf den Bundeskanzler hat dort nie stattgefunden, wie überhaupt die ganze Geschichte und alle Figuren mit Ausnahme von Adenauer, seiner Tochter Libeth und Herta Isenbart erfunden sind. Allerdings bezieht sich der Roman auf reale Vorkommnisse. Belegt sind beispielsweise drei Briefbombenattentate in der Zeit der Vorbereitung des Wiedergutmachungsgesetzes, die der Irgun zugerechnet werden. Auch war das Wiedergutmachungsgesetz in der jungen Bundesrepublik und in Israel so umstritten, wie dies im Buch geschildert wird. Die Verhandlungen darüber wurden 1952 geführt, weshalb ich mir die schriftstellerische Freiheit erlaubt habe, den Kanzler bereits ein Jahr früher in den Schwarzwald reisen zu lassen.

Die Bühlerhöhe und das Hundseck waren in den 1950er Jahren mondäne, florierende Hotels. Das Hundseck ist heute abgerissen, die Bühlerhöhe war noch bis zu Beginn des neuen Jahrtausends ein First-Class-Hotel, wurde dann geschlossen und wartet nun nach mehreren Besitzerwechseln auf eine Neueröffnung.

Mein Dank gilt:

Meiner Stiefmutter Hildegard Glaser. Sie hat als junge Frau auf Hundseck gearbeitet, mir viel über diese Zeit erzählt und mich auf die Idee zu diesem Buch gebracht.

Wolfgang Hippe. Erst als ich dem Journalisten Wolfgang Hippe von der Idee erzählte, bekam sie Hand und Fuß. Er half mir mit den Recherchen zur Geschichte der jungen Bundesrepublik, insbesondere zur Wiedergutmachung und Remigration. Von ihm stammt die Figur von Droste, er legte die Spur nach Tanger, er entdeckte Presseberichte über die Demonstration gegen den Veit-Harlan-Film in Freiburg. In vielen Gesprächen diskutierte er mit mir den historischen Hintergrund der Geschichte.

Meinen Kolleginnen Gisa Klönne, Mila Lippke, Ulrike Rudolph und Beate Sauer. Recherche, vor allem bei einem historischen Stoff, ist wichtig, aber entscheidend für einen Roman sind die Figuren. Es waren meine Kolleginnen, die mir halfen, den Dschungel der Informationen, in dem ich mich zu verlieren drohte, zu verlassen und mich auf meine drei Frauenfiguren und ihre Geschichten zu konzentrieren.

Sonja Kropp von der Mediathek Bühl und Doktor Ulrich Coenen, die mir zur Geschichte der Bühlerhöhe wertvolle Informationen lieferten.

Hubert Deipenbrock, der als Historiker Korrektur las.

Meiner Freundin Martina Kaimeier, die wie schon so oft in die Rolle der Testleserin schlüpfte und mich auf Schwachstellen und Unstimmigkeiten im Text hinwies.

Meiner Kollegin Jasna Mittler, die dieses Buch durch viele Gespräche und als kundige Testleserin bereicherte.

Meiner Agentin Andrea Wildgruber, die von Anfang an an dieses Buch glaubte.

Meiner Lektorin Katrin Fieber für ihr vorzügliches Lektorat.

435

Alija: Als Alija bezeichnet man, ausgelöst durch die zionistische Bewegung, die Rückkehr der Juden ins Gelobte Land. Es gab unterschiedliche Einwanderungswellen, besonders die zweite Alija (1904–1914) zeichnete ein großer Pioniergeist aus. Die Auswanderer, meist junge Leute, waren von der sozialistischen Idee und dem Wunsch nach einer klassenlosen Gesellschaft erfüllt. Aus diesen Ideen entstand auch die Kibbuz-Bewegung. Rosa und ihre Schwester Rachel in *Bühlerhöhe* sind mit der fünften Alija (1932–1938) nach Palästina gekommen. Waren die frühen Siedler vor allem osteuropäische Juden, so wanderten nach der Machtübernahme Hitlers mit der fünften Alija erstmals viele deutsche Juden nach Palästina aus. Die letzte große Einwanderungswelle, Alija Bet, umfasst die Zeit bis zur Gründung des Staates Israel 1948. Viele Überlebende des Holocaust machten sich nach dem Ende des Zweiten Weltkriegs unter widrigsten Umständen auf den Weg ins Gelobte Land.

Briefbombenattentate: Während der Verhandlungen des Wiedergutmachungsgesetzes gab es nachweislich drei Briefbombenattentate, die dieses Gesetz verhindern sollten:

Am 27.03.1952 explodierte in München eine Briefbombe, die an Adenauer direkt adressiert war. Der Sprengmeister starb beim Versuch, die Bombe zu entschärfen, weitere Menschen wurden zum Teil schwer verletzt. In einem Schreiben bekannte sich die Organisation jüdischer Partisanen zu dem Attentat. Sowohl die deutsche, als auch die israelische Seite hatten kein Interesse daran, dass dieses Attentat in den Fokus der Öffentlichkeit geriet. Bei einer Rede in der Bonner Universität am nächsten Tag sprach Adenauer nur kurz darüber, dafür sehr ausführlich über die Stalin-Note und die »Soffjets«.

Am 31.03.1952 erhielt die deutsche Delegation in Wassenaar ebenfalls eine Briefbombe, die aber wegen eines technischen Defektes nicht explodierte, und am 01.04.1952 kam im Hotel der deutschen Delegation die dritte Briefbombe an. Diese wurde erst bei einer zweiten Überprüfung entdeckt und entschärft.

Bühlerhöhe: Wie im Buch geschildert, ist die Bühlerhöhe tatsächlich das steinerne Denkmal einer großen Liebe. Nach dem Tod ihres Mannes, Generalmajor Wilhelm Isenbart, beschloss die reiche Breslauer Jüdin Herta Isenbart ihm zum Gedächtnis ein Genesungsheim für Offiziere bauen zu lassen. Von früheren Besuchen in Baden-Baden kannte Herta Isenbart den Schwarzwald und fand in der Gemarkung der Gemeinde Bühl den idealen Ort für ihr Projekt. Ein achtunddreißig Hektar großes Waldgelände auf dem Kohlberg in achthundert Metern Höhe mit einem phantastischen Ausblick über die Rheinebene bis zu den Vogesen. Um Widerstände der Forstverwaltung aus dem Weg zu räumen, kaufte Herta Isenbart letztendlich nur den Grund und Boden für die Gebäude, die übrige Fläche wurde gepachtet, um darauf einen Park anzulegen. Bei den Kaufverhandlungen bestand die Stadt Bühl zudem darauf, dass »Bühl« im Namen des Sanatoriums vorkommen müsse. Deshalb »Bühlerhöhe«, Herta Isenbart hätte das Sanatorium sicher lieber »Wilhelmshöhe« genannt.

Mit dem Bau beauftragte Herta Isenbart die renommiertesten Architekten ihrer Zeit. So Wilhelm Kreis, der die Warenhäuser der Leonard Tietz AG in Köln und Wuppertal plante und für seine Turmbauten berühmt war, und den Landschaftsarchitekten Harald Jensen.

Die Bauarbeiten verschlangen Unsummen, Wilhelm II., dem Isenbart das Sanatorium schenken wollte, wollte dies nur annehmen, wenn sie auch weiter für den Unterhalt des Anwesens aufkommen würde; die geplante Eröffnung konnte wegen des Beginns des Ersten Weltkriegs nicht stattfinden. Die Aussicht, dass das Anwesen nie seine Bestimmung finden würde, sowie die Tatsache, in Zukunft ein mittelloses Leben führen zu müssen, trieben Herta Isenbart 1918 in den Selbstmord.

Ihr Sohn aus erster Ehe erbte das teure Anwesen, verkaufte es an den Direktor der Rheinischen Kreditanstalt in Baden-Baden, der das Kurhaus Bühlerhöhe 1920 eröffnete. Bis zur Weltwirtschaftskrise 1929 erlebte die Bühlerhöhe eine kurze Glanzzeit mit illustren, internationalen Gästen aus Politik, Wirtschaft und Kultur. Danach ging es wirtschaftlich erst einmal bergab. Der Zigarettenfabrikant Philipp Reemtsma wollte das Kurhaus Mitte der 1930er Jahre wieder auf eine finanziell solide Basis stellen, aber der Zweite Weltkrieg verhinderte einen Aufschwung.

Nach Ende des Krieges wurde das Hotel von französischen Besatzungstruppen beschlagnahmt. 1949 konnte es Reemtsma mit Unterstützung eines deutsch-amerikanischen Geldgebers wieder eröffnen. Noch einmal konnte das Haus an die glanzvollen Zeiten der Zwischenkriegsjahre anknüpfen, aber spätestens in den 1970er Jahren geriet die Bühlerhöhe wieder in wirtschaftliche Bedrängnis. Diesmal investierte der Industrielle Max Grundig in eine tiefgreifende Sanierung und konnte das Haus 1988 neu eröffnen. Aber wieder war der Bühlerhöhe nur eine kurze Glanzzeit beschert. Weitere Betreiberwechsel folgten, aktuell ist die Bühlerhöhe im Besitz einer kasachischen Investorengruppe. Das Haus ist geschlossen und soll 2017 wieder eröffnet werden.

Hachschara: So bezeichnet man die systematische Vorbereitung auf die Besiedlung Palästinas. Auf Bauernhöfen lernten die meist aus bürgerlichen Verhältnissen stammenden Auswanderer landwirtschaftliche und handwerkliche Fähigkeiten, zudem modernes Hebräisch. Auch feierte man gemeinsam jüdische Feste und tauschte sich über jüdische Geschichte und Literatur aus.

Hagana: Die zionistische, paramilitärische Untergrundorganisation in Palästina bekämpfte das britische Mandat und wurde nach der Gründung des Staates Israel 1948 in die jüdischen Streitkräfte überführt. War die Hagana erst ein loser Zusammenschluss von örtlichen Gruppen zur Verteidigung von Kibbuzim, so änderte sich ihre Rolle und Funktion nach dem Massaker von Hebron 1929. Aus der untrainierten Miliz wurde eine paramilitärische, durch ausländische Waffenkäufe aufgerüstete Organisation. Beinahe alle Jugendlichen und Erwachsenen in ländlichen Siedlungen waren Mitglieder der Hagana. Weshalb natürlich auch Rosa und Rachel in *Bühlerhöhe* in der Hagana waren. Die Hagana kämpfte nicht nur in Palästina, ihre Aufgabe war es nach der Machtübernahme Hitlers auch, Flucht und illegale Einwanderung, Alija Bet, zu organisieren. Viele männliche Mitglieder der Hagana kämpften im Zweiten Weltkrieg in der britischen Armee. Zum einen, um das NS-Regime zu bekämpfen, und zum anderen, um Erfahrung in der Kriegsführung zu gewinnen.

Irgun: Aus Unzufriedenheit mit der eher moderaten Haltung der Hagana gegenüber den Briten spaltete sich 1931 die Mehrheit ihres rechten Flügels ab und bildete eine terroristische, zionistische Untergrundorganisation, die Irgun, deren Leitung Menachem Begin 1943 übernahm. In *Bühlerhöhe* zählt von Droste eine Reihe von Attentaten der Irgun auf, so auch den Anschlag auf das King David Hotel 1946 in Jerusalem.

Kibbuz: Die Gründung ländlicher Kommunen, Kibbuzim, in Palästina war eine Reaktion der zionistischen Bewegung auf den jahrhundertelangen Ausschluss von jeder landwirtschaftlichen und gewerblichen Produktion. Im Sinne der sozialistischen Idee und der Gleichberechtigung der Geschlechter legte man von Anfang an Wert auf die besondere Förderung von Frauen. Der erste Kibbuz wurde 1909 gegründet. In den 1930er Jahren, als Rosa Silbermann in *Bühlerhöhe* nach Palästina auswanderte, waren die Kibbuzim ausschließlich landwirtschaftlich orientiert. Die Alija, die sowohl vor Ort als auch von Europa aus die Auswanderung nach Palästina organisierte, bot bereits vor der Reise »Hachschara«-Kurse an, in denen auch Rosa und ihre Schwester in *Bühlerhöhe* Grundlagen landwirtschaftlicher Arbeit und Hebräisch lernen. Für viele europäische Juden war Palästina ein Kulturschock. Die Neuankömmlinge mussten unter widrigsten Bedingungen Land urbar machen, Häuser bauen oder Wasserleitungen legen, waren aufgrund schlechter Ernährung und bei miserabler medizinischer Versorgung vielen Krankheiten ausgesetzt, besonders der Malaria. Das Leben mit den arabischen Nachbarn war manchmal friedlich, aber oft auch angespannt. Überfälle auf Kibbuzim, wie in *Bühlerhöhe* geschildert, waren keine Seltenheit. Sich in einem Kibbuz der 1930er Jahre in Palästina zu behaupten erforderte Zähigkeit, Durchsetzungsvermögen, Überzeugung und Überlebenswillen.

Den Kibbuz Omarim habe ich erfunden. Vorbild dafür war der Kibbuz Degania b, den ich 1971 als Jugendliche bei einem deutsch-israelischen Jugendaustausch besucht habe. Die Mutter meiner israelischen Freundin, eine Sabre, war in Degania b aufgewachsen. Sie hat mich eingeladen, mit ihr und ihre Familie dort das Pessach-Fest zu feiern. Ein beeindruckendes und prägendes Erlebnis meiner Jugend.

Wiedergutmachungsgesetz (Bundesentschädigungsgesetz): Bereits im April 1949 verabschiedete der Süddeutsche Länderrat das »Gesetz zur Wiedergutmachung nationalsozialistischen Unrechts«. Dieses Landesgesetz wurde nach Gründung der Bundesrepublik und nach Inkrafttreten des Grundgesetzes übernommen, doch der erste deutsche Bundestag ließ sich Zeit bei der Vereinheitlichung eines Entschädigungsrechtes.

Die Verhandlungen darüber waren von Anfang an schwierig, ein Großteil der Gesellschaft stand der Wiedergutmachung ablehnend gegenüber. In der jungen Bundesrepublik wurde Vergessen und Verdrängen großgeschrieben. Man wollte den Krieg und seine Folgen möglichst schnell hinter sich lassen, man fühlte sich selbst als Opfer und Verlierer. In der Bevölkerung kursierten Gerüchte über enorme Summen, die die jüdischen Überlebenden erhalten sollten, de facto wurden 5 Mark pro Tag im KZ gezahlt, und an dieses Geld zu kommen war für die Überlebenden sehr kompliziert, weshalb es viele gar nicht erst versuchten. Auf politischer Ebene führte diese Haltung zu jahrelangem Gerangel von Kompetenz- und Kostenverteilung. »Was soll man tun, wenn ein ganzes Volk bockt?«, soll Franz Böhm, der engagierte deutsche Verhandlungsführer, einmal gesagt haben. Adenauer machte die Verhandlungen über die Wiedergutmachung zur Chefsache. Für ihn war die Annäherung an Israel ein zentrales Ziel deutscher Politik im westlichen Bündnis.

1951 begannen erste offizielle Gespräche mit Israel, dritter Verhandlungspartner war die »Conference on Jewish Material Claims against Germany«, die die Interessen der außerhalb Israels lebenden Juden vertrat. Die Gespräche wurden auf neutralem Gebiet im holländischen Wassenaar in der Nähe von Den Haag geführt und nach zähen und schwierigen Verhandlungen am 10.9.1952 in Luxemburg abschlossen (Luxemburger Abkommen). Circa drei Milliarden Mark zahlte die Bundesrepublik in Sach- und Geldleistungen über einen Zeitraum von acht bis zehn Jahren an Wiedergutmachung. Dass der Vertrag im neutralen Luxemburg unterzeichnet werden sollte hielt man aus Angst vor weiteren Attentaten bis zum Schluss geheim.

Zionismus: Wachsender Antisemitismus und zuneh-
mender Nationalismus ließen in Europa gegen Ende des 19.
Jahrhunderts die zionistische Bewegung entstehen. – Zion ist
das hebräische Wort für Jerusalem. – Erklärtes Ziel der Bewegung: ein jüdischer Staat in Palästina. Palästina war damals
eine rückständige Provinz des Osmanischen Reiches, und
viele Zionisten glaubten, dass die Araber ihnen dankbar sein
würden, wenn man das Land wirtschaftlich voranbrächte. In
der Mehrheit war die Bewegung nicht religiös, man strebte
nicht nach einem »heiligen« Land, sondern nach einer Heimat für die Juden.

Zitate

Seite 10: »Das wird ein Krieg auf Leben und Tod. Es gibt keinen Deutschen, der nicht unsere Väter ermordet hat. Adenauer ist ein Mörder. Jeder Deutsche ist ein Mörder.« Menachem Begin am 7. 1. 1952, Zionsplatz in Jerusalem. Zitiert nach: http://www.faz.net/aktuell/politik/die-gegenwart-1/attentat-auf-adenauer-im-auftrag-des-gewissens-1329848.html

Seite 68: »Die Welt will eine glaubwürdige Abkehr vom nationalsozialistischen Gedankengut sehen‹, so der Kanzler. Zudem betrachte er die Art und Weise, wie sich die Deutschen den Juden gegenüber verhalten werden, als eine Feuerprobe für die junge deutsche Demokratie.« Quelle: http://wolfgang-kahl.de/israelpolitik/

Seite 220: »Der Bundesrepublik Deutschland ist die schwere Aufgabe zugefallen, die Trümmer zu beseitigen ... mit der Konkursmasse des Dritten Reiches fertig zu werden.« Quelle: Konrad-Adenauer-Stiftung, Rundfunkrede im Bayerischen Rundfunk am 9. 5. 1951, http://www.konrad-adenauer.de/dokumente/reden/rundfunkrede

Weitere Quellen

Bühlerhöhe und Hundseck

Ulrich Coenen, *Bühlerhöhe*, Panten 2004

Kafka/Schlund, *Die Schwarzwaldhochstraße*, pk-Verlag 2007

Carlo Karrenbauer, *Hübschels Tochter*, LangenMüller 2004

Französische Besatzung in Baden u. a.: http://www.grochowiak.de/lang/kriegsende1945/karlsruhe_kriegsende_1945_zeitzeugen_3_2_2_weibliche_zeitzeugen.html

Bundesrepublik Deutschland, frühe 1950er Jahre

Archiv der Konrad-Adenauer-Stiftung, »Adenauer-Reden 1951–1953«

Bernhof/Hopf, *Unsere Fünfziger Jahre*, Heyne 1984

Darchinger/Honnef, *Wirtschaftswunder*, Taschen 2012

Wolfgang Koeppen, *Tauben im Gras*, Suhrkamp 1986

Henning Sietz, *Attentat auf Adenauer*, Siedler Verlag 2003

Demonstration gegen den Veit-Harlan-Film in Freiburg u. a.: http://freiburger-rundbrief.de/de/?item=1221

Emigration und Remigration

Michel Bergmann, *Machloikes*, Arche 2011

Blaschke/Fings/Lissner (Hrsg.), *Unter Vorbehalt*, Emons 1999

Barbara Jákli, *Das jüdische Köln*, Emons 2012

Ursula Krechel, *Landgericht*, Jung und Jung 2012

Ursula Krechel, *Shanghai fern von wo*, btb 2010

Palästina

Shulamit Lapid, *Im fernen Land der Verheißung*, Rowohlt 1990

Amos Oz, *Eine Geschichte von Liebe und Finsternis*, Suhr-kamp 2012

Leon Uris, *Exodus*, Heyne 2011

Yigael Yadin, *Masada*, Bertelsmann 1966

Gelobtes Land/The Promise, GB 2011, Regie Peter Kosmin-sky. Vierteilige britische TV-Serie, die die Rolle der Briten in Palästina thematisiert und auf zwei Zeitebenen spielt. Die historische ist die Zeit des britischen Mandats, Thema ist u. a. der Anschlag auf das King David Hotel in Jerusalem 1943.

Tanger

Aufstand in Tanger, u. a. http://www.spiegel.de/spiegel/print/d-21976689.html

Tanger – Die Legende einer Stadt, Film von Peter Goedel, 2004

Guinevere Glasfurd

Worte in meiner Hand

Roman.
Hardcover.
Auch als E-Book erhältlich.
www.list-verlag.de

*René Déscartes und Helena Jans van der Strom –
eine nie erzählte wahre Geschichte*

Helena Jans van der Strom arbeitet als Magd bei einem
Buchhändler in Amsterdam. Der neue Hausgast ihres
Herrn fasziniert sie: Er arbeitet ununterbrochen, und er
zieht viele Besucher an. Sie erfährt seinen Namen: René
Descartes. Sie ist zu neugierig, um Distanz zu wahren.
Und auch Descartes ist schon bald von ihrem Charme
und Wissendurst eingenommen. Sie verlieben sich, was
nicht sein darf. Die Geschichte einer Frau, die mehr vom
Leben verlangt, als ihre Zeit ihr bereist ist zu geben.

List